Wolfr

Wolfram von Eschenbach
Parzival

Mittelhochdeutscher Text
nach der Ausgabe von Karl Lachmann

Übersetzung und Nachwort
von Wolfgang Spiewok

Philipp Reclam jun. Stuttgart

Wolfram von Eschenbach

Parzival

Band 1: Buch 1–8

Mittelhochdeutsch/Neuhochdeutsch

Philipp Reclam jun. Stuttgart

Die Umschlagzeichnung ist entnommen aus: Karl J. Benziger: Parzival in der deutschen Handschriftillustration des Mittelalters. Straßburg 1914. (Studien zur deutschen Kunstgeschichte. H. 175.)

RECLAMS UNIVERSAL-BIBLIOTHEK Nr. 3681
Gesamtherstellung: Reclam, Ditzingen. Printed in Germany 2010
RECLAM, UNIVERSAL-BIBLIOTHEK und
RECLAMS UNIVERSAL-BIBLIOTHEK sind eingetragene Marken
der Philipp Reclam jun. GmbH & Co. KG, Stuttgart
ISBN Band 1: 978-3-15-003681-5
ISBN Set: 978-3-15-018766-1

www.reclam.de

her wolfran von Eschilbach.

Wolfram von Eschenbach.
Miniatur aus der Manessischen Lieder-Handschrift C

I.

Ist zwîvel herzen nâchgebûr,
daz muoz der sêle werden sûr.
gesmaehet unde gezieret
ist, swâ sich parrieret
5 unverzaget mannes muot,
als agelstern varwe tuot.
der mac dennoch wesen geil:
wande an im sint beidiu teil,
des himels und der helle.
10 der unstaete geselle
hât die swarzen varwe gar,
und wirt ouch nâch der vinster var:
sô habet sich an die blanken
der mit staeten gedanken.
15   diz vliegende bîspel
ist tumben liuten gar ze snel,
sine mugens niht erdenken:
wand ez kan vor in wenken
rehte alsam ein schellec hase.
20 zin anderhalb an dem glase
geleichet, und des blinden troum:
die gebent antlützes roum.
doch mac mit staete niht gesîn
dirre trüebe lîhte schîn:
25 er machet kurze vröude alwâr.
wer roufet mich dâ nie kein hâr
gewuohs, inne an mîner hant?
der hât vil nâhe griffe erkant.
    spriche ich gein den vorhten och,
30 daz glîchet mîner witze doch.

Erstes Buch

Ist Unentschiedenheit dem Herzen nah, so muß der Seele daraus Bitternis erwachsen. Verbindet sich – wie in den zwei Farben der Elster – unverzagter Mannesmut mit seinem Gegenteil, so ist alles rühmlich und schmachvoll zugleich. Wer schwankt, kann immer noch froh sein; denn Himmel und Hölle haben an ihm Anteil. Wer allerdings den inneren Halt völlig verliert, der ist ganz schwarzfarben und endet schließlich in der Finsternis der Hölle. Wer dagegen innere Festigkeit bewahrt, der hält sich an die lichte Farbe des Himmels.

Dieses geflügelte Gleichnis erscheint törichten Menschen allzu flink. Sie erfassen seinen Sinn nicht: es schlägt Haken vor ihnen wie ein aufgescheuchter Hase. Es ist wie der Spiegel und der Traum des Blinden, die ja nur ein flüchtiges, oberflächliches Bild geben, ohne greifbaren Gegenstand dahinter. Ihr trüber Schein ist unbeständig, und sie machen wirklich nur kurze Zeit Freude. Wer mich an der Innenfläche der Hand rupfen wollte, wo doch nie ein Haar wuchs, der müßte schon sehr nahe greifen können, sehr gewitzt sein. Riefe ich da vor Schrecken noch ach und weh, gäbe das ein trauriges Bild von meinem Verstande. Was suche ich

---

Dieses geflügelte Gleichnis: Wolfram bezieht sich auf das Elstergleichnis. Das zweifarbige Federkleid der Elster diente der sinnfälligen Gegenüberstellung von Haltlosigkeit und Festigkeit, während jetzt die Schnelligkeit des Vogels Grundlage des Vergleichs wird.

2   wil ich triuwe vinden
aldâ si kan verswinden,
als viur in dem brunnen
und daz tou von der sunnen?
5   ouch erkante ich nie sô wîsen man,
ern möhte gerne künde hân,
welher stiure disiu maere gernt
und waz si guoter lêre wernt.
dar an si nimmer des verzagent,
10   beidiu si vliehent unde jagent,
si entwîchent unde kêrent,
si lasternt unde êrent.
swer mit disen schanzen allen kan,
an dem hât witze wol getân,
15   der sich niht versitzet noch vergêt
und sich anders wol verstêt.
valsch geselleclîcher muot
ist zem helleviure guot,
und ist hôher werdekeit ein hagel.
20   sîn triuwe hât sô kurzen zagel,
daz si den dritten biz niht galt,
vuor si mit bremen in den walt.
   Dise manger slahte underbint
iedoch niht gar von manne sint.
25   vür diu wîp stôze ich disiu zil.
swelhiu mîn râten merken wil,
diu sol wizzen war si kêre
ir prîs und ir êre,
und wem si dâ nâch sî bereit
minne und ir werdekeit,
3   sô daz si niht geriuwe
ir kiusche und ir triuwe.
vor gote ich guoten wîben bite,
daz in rehtiu mâze volge mite.
5   scham ist ein slôz ob allen siten:
ich endarf in niht mêr heiles biten.

aber auch gerade dort Beständigkeit, wo es in ihrer Natur liegt zu verschwinden, wie die Flamme im Quell oder der Tau in der Sonne!

Nun habe ich noch keinen klugen Mann kennengelernt, der nicht gern erfahren hätte, welchen tieferen Sinn diese Geschichte hat und was sie an guten Lehren bietet. Sie wird freilich, wie ein tüchtiger Turnierritter, nicht versäumen, zu fliehen und zu jagen, zu weichen und anzugreifen, die Ehre zu nehmen und auszuzeichnen. Wer sich in all diesen Wechselfällen auskennt, den hat sein Verstand recht geleitet. Er wird nicht hinter dem Ofen hocken, nicht irregehn und sich auch sonst gut in der Welt zurechtfinden. Unredliche Gesinnung gegen andere führt ins Feuer der Hölle und zerstört alles Ansehen wie Hagelwetter. Die Zuverlässigkeit solcher Gesinnung hat einen so kurzen Schwanz, daß sie schon den dritten Stich nicht mehr abwehren kann, wenn im Walde die Bremsen über sie herfallen.

Meine Worte über dieserlei Unterschiede sind aber nicht nur für den Mann bestimmt. Den Frauen setze ich folgende Ziele: Die auf meinen Rat hören will, soll genau überlegen, wem sie Lob spendet und Ehre erweist und wem sie danach ihre Liebe und ihr Ansehen hingibt, damit sie später ihre Keuschheit und Treue nicht bereut. Gott möge die ehrsamen Frauen bei allem Tun stets das rechte Maß finden lassen! Schamhaftigkeit ist aller Tugenden Krone! Um mehr Glück brauche ich für sie nicht zu bitten!

diu valsche erwirbet valschen prîs.
wie staete ist ein dünnez îs,
daz ougestheize sunnen hât?
10   ir lop vil balde alsus zergât.
    manec wîbes schoene an lobe ist breit:
ist dâ daz herze conterfeit,
die lobe ich als ich solde
daz safer ime golde.
15   ich enhân daz niht vür lîhtiu dinc,
swer in den cranken messinc
verwurket edeln rubîn
und al die âventiure sîn
(dem glîche ich rehten wîbes muot).
20   diu ir wîpheit rehte tuot,
dane sol ich varwe prüeven niht,
noch ir herzen dach, daz man siht.
ist si innerhalp der brust bewart,
so ist werder prîs dâ niht verschart.
25   Solt ich nu wîp unde man
ze rehte prüeven als ich kan,
dâ vüere ein langez maere mite.
nu hoert dirre âventiure site.
diu lât iuch wizzen beide
von liebe und von leide:
4   vröude und angest vert dâ bî.
nu lât mîn eines wesen drî,
der ieslîcher sunder pflege
daz mîner künste widerwege:
5   dar zuo gehôrte wilder vunt,
ob si iu gerne taeten kunt
daz ich iu eine künden wil.
si heten arbeite vil.
    ein maere wil ich iu niuwen,
10   daz seit von grôzen triuwen,
wîplîchez wîbes reht,
und mannes manheit alsô sleht,

Die Falsche, die diesen inneren Halt nicht gewinnt, erlangt kein wahres Ansehen. Wie lange hält denn dünnes Eis, auf das die Augustsonne brennt?! So rasch vergeht ihr Ansehen. Die Schönheit mancher Frau wird weit und breit gepriesen. Ist aber das Herz unecht, so achte ich ihren Wert dem einer goldgefaßten Glasscherbe gleich. Umgekehrt halte ich es nicht für wertlos, wenn jemand einen edlen Rubin mit all seinen geheimen Kräften in billiges Messing faßt. Damit möchte ich das Wesen einer rechten Frau vergleichen. Tut sie ihrem Frauentum Genüge, dann werde ich weder nach ihrem Äußeren noch nach der sichtbaren Hülle ihres Herzens urteilen. Hat sie ein edles Herz, so ist ihr hohes Ansehen ohne Makel.

Wollte ich, wie ich wohl könnte, Mann und Frau eingehend betrachten, so bedürfte es einer langen Geschichte. Hört nun, worum es in unserer Erzählung geht! Sie berichtet euch von Lust und Leid, von Freude und Sorge. Angenommen, statt einmal gäbe es mich dreimal, von denen jeder für sich das leistete, was meinem Können gleichkäme: selbst dann gehörte außerordentliche dichterische Phantasie dazu, und sie hätten Mühe genug damit, wenn sie euch kundtun wollten, was ich allein euch jetzt erzählen will.

Ich will euch auf eigene Art eine Geschichte erzählen, die von unerschütterlicher Treue, von rechtem fraulichem Wesen und von Mannestum berichtet, das nie einem Zwang

---

Rubin ... Kräften: Im Mittelalter sprach man den Edelsteinen wunderbare, für den Menschen hilfreiche Eigenschaften zu.

diu sich gein herte nie geedlouc,
sîn herze in dar an niht betrouc,
15 er stahel, swa er ze strîte quam,
sîn hant dâ sigelîchen nam
vil manegen lobelîchen prîs.
er küene, traeclîche wîs,
(den helt ich alsus grüeze)
20 er wîbes ougen süeze,
unt dâ bî wîbes herzen suht,
vor missewende ein wâriu vluht.
den ich hie zuo hân erkorn,
er ist maereshalp noch ungeborn,
25 dem man dirre âventiure giht,
und wunders vil des dran geschiht.

Si pflegents noch als mans dô pflac,
swâ lît und welhsch gerihte lac.
des pfliget ouch tiuscher erde ein ort:
daz habt ir âne mich gehôrt.
5 swer ie dâ pflac der lande,
der gebôt wol âne schande
(daz ist ein wârheit sunder wân)
daz der altest bruoder solde hân
5 sîns vater ganzen erbeteil.
daz was der jungern unheil,
daz in der tôt die pflihte brach
als in ir vater leben verjach.
dâ vor was ez gemeine:
10 sus hâtz der alter eine.
daz schuof iedoch ein wîse man,
daz alter guot solde hân.
jugent hât vil werdekeit,
daz alter siuften unde leit.
15 ez enwart nie niht als unvruot,
sô alter unde armuot.
künge, grâven, herzogen,
(daz sag ich iu vür ungelogen)

sich beugte. Wo er auch einen Kampf ausfocht, nie ließ
unseren Helden sein mutiges Herz im Stich; er war wie aus
Stahl und errang in siegreichen Kämpfen hohen Ruhm.
Kühn war er, und nur langsam gewann er die rechte Lebens-
erfahrung. Ihm gilt mein Gruß, dem Helden, der jede
Unlauterkeit sorglich mied, dessen Anblick die Augen der
Frauen entzückte und ihre Herzen mit Sehnsucht füllte.
Freilich ist er, den ich zum Helden dieser Erzählung erwählt
habe und von dem sie mit all ihren wunderbaren Begeben-
heiten handeln soll, zu diesem Zeitpunkt meiner Geschichte
noch nicht geboren.

Wo französisches Erbrecht von alters her galt, da gilt es
heute noch. Auch in einem bestimmten deutschen Land-
strich, wie ihr sicher wißt, wird danach verfahren. Der
Herrscher in diesem Lande konnte, ohne sich dessen schä-
men zu müssen, verfügen, daß das gesamte väterliche Erbteil
dem ältesten der Brüder zufalle. Für die jüngeren Brüder
war es natürlich ein Unheil, daß ihnen der Tod des Vaters
den Anteil entzog, der ihnen zu seinen Lebzeiten zustand.
Worüber erst alle gemeinsam verfügten, gehörte nun einem
einzigen. Gewiß hat es ein recht weiser Mann so eingerich-
tet, daß Alter Besitz haben soll, denn wenn die Jugend viele
Vorzüge hat, so bringt das Alter Seufzer und Leid mit sich.
Und nichts ist schlimmer als Alter und Armut zugleich. Daß
nun aber, außer dem ältesten Sohn, Könige, Grafen und

---

französisches Erbrecht: In Frankreich galt beim Adel das Erstgeburtsrecht, das
dem ältesten Sohn die alleinige Erbfolge sicherte. Beim deutschen Adel wurde
das Erbe geteilt.
in einem … deutschen Landstrich: Das französische Erstgeburtsrecht, dessen
außerdeutsche Herkunft durch die Bezeichnungen »jus Francorum« oder
»burgundische Erbfolge« kenntlich gemacht wurde, fand in einigen deutschen
Landstrichen Eingang, vor allem in rheinländischen Grafschaften, aber auch im
fränkisch-bayrischen Süden, der Heimat Wolframs.

daz die dâ huobe enterbet sint
20 unz an daz elteste kint,
daz ist ein vremdiu zeche.
der kiusche und der vreche
Gahmuret der wîgant
verlôs sus bürge unde lant,
25 dâ sîn vater schône
truoc zepter unde crône
mit grôzer küneclîcher craft,
unz er lac tôt an ritterschaft.
   Dô clagte man in sêre.
die ganzen triuwe und êre
6 brâhte er unz an sînen tôt.
sîn elter sun vür sich gebôt
den vürsten ûz dem rîche.
die kômen ritterlîche,
5 wan si ze rehte solden hân
von im grôz lêhen sunder wân.
   dô si ze hove wâren komen
und ir reht was vernomen,
daz si ir lêhen alle enpfiengen,
10 nu hoeret wie siz ane viengen.
si gerten, als ir triuwe riet,
rîche und arme, gar diu diet,
einer cranken ernstlîcher bete,
daz der künec an Gahmurete
15 bruoderlîche triuwe mêrte,
und sich selben êrte,
daz er in niht gar verstieze,
und im sînes landes lieze
hantgemaelde, daz man möhte sehen,
20 dâ von der hêrre müese jehen
sîns namen und sîner vrîheit.
daz was dem künege niht ze leit:
er sprach ›ir kunnet mâze gern:
ich wil iuch des und vürbaz wern.

Herzöge vom Erbe ausgeschlossen werden, ist eine merk-
würdige Einrichtung, das dürft ihr mir glauben.
Durch diese Rechtsbestimmung verlor der gefaßte, doch
kühne Held Gachmuret alle Burgen und das Land, in dem
sein Vater glanzvoll und mit großer königlicher Machtvoll-
kommenheit Zepter und Krone getragen hatte, bis er in
ritterlichem Kampf den Tod fand. Man beklagte ihn
schmerzlich, denn sein Leben lang waren seine Zuverlässig-
keit und seine Herrschaft ohne Makel gewesen. Sein ältester
Sohn befahl daraufhin alle Fürsten des Landes zu sich. Sie
kamen, wie es Rittern geziemt; durften sie doch von seiner
Hand mit Recht große Lehen erwarten. Hört, was sie taten,
als ihnen der Anspruch auf Belehnung bestätigt war: Die
ganze Versammlung, Reiche und weniger Begüterte, trug,
wie ihnen ihre Treue gebot, eine untertänige, gleichwohl
nachdrückliche Bitte vor. Der König möge doch an Gach-
muret in brüderlicher Gesinnung handeln und sein eigenes
Ansehen dadurch mehren, daß er ihn nicht völlig enterbe;
vielmehr solle er ihm einen Grundbesitz in seinem Reich
überlassen, so daß der junge Edelmann seiner vornehmen
Geburt und seinem freien Stand entsprechend leben könne.
Damit war der König durchaus einverstanden. Er sprach:
»Ihr versteht es noch, bescheiden zu bitten. Ich will euch das

25   wan nennet ir den bruoder mîn
       Gahmuret Anschevîn?
       Anschouwe ist mîn lant:
       dâ wesen beide von genant.‹
           Sus sprach der künec hêr
       ›mîn bruoder der mac sich mêr
7   der staeten hilfe an mich versehen,
       denne ich sô gâhes welle jehen.
       er sol mîn ingesinde sîn.
       deiswâr ich tuon iu allen schîn
5   daz uns beide ein muoter truoc.
       er hât wênc, und ich genuoc:
       daz sol im teilen sô mîn hant,
       dês mîn saelde niht sî pfant
       vor dem der gît unde nimt:
10   ûf reht in bêder der gezimt.‹
           dô die vürsten rîche
       vernâmen al gelîche
       daz ir hêrre triuwen pflac,
       daz was in ein lieber tac.
15   ieslîcher im sunder neic.
       Gahmuret niht langer sweic
       der volge, als im sîn herze jach:
       ze dem künge er güetlîchen sprach
       ›hêrre unde bruoder mîn,
20   wolte ich ingesinde sîn
       iuwer oder deheines man,
       sô hete ich mîn gemach getân.
       nu prüevet dar nâch mînen prîs
       (ir sît getriuwe unde wîs),
25   und râtet als ez geziehe nû:
       dâ grîfet helflîche zuo.
       niht wan harnasch ich hân:
       het ich dar inne mêr getân,
       daz virrec lop mir braehte,
       etswâ man mîn gedaehte.‹

und mehr gewähren. Warum nennt ihr meinen Bruder nicht Gachmuret von Anjou? Anjou ist der Name meines Reiches, also soll man uns beide danach nennen.« Und der edle König fuhr fort: »Mein Bruder kann auch darüber hinaus meiner ständigen Hilfsbereitschaft sicher sein. Er sei mein Hausgenosse, und ich will vor euch allen eindeutig dartun, daß wir beide Kinder derselben Mutter sind. Hat er auch nur geringen Besitz, so habe ich ja Reichtum im Überfluß. Daran soll er seinen wohlbemessenen Anteil haben, damit ich mein Heil bei dem nicht aufs Spiel setze, der mit Recht nach seinem Ermessen gibt und nimmt.«

Als die mächtigen Fürsten allesamt erkannten, daß ihr Herr es aufrichtig meinte, war dies für sie ein Freudentag. Ein jeder verneigte sich tief vor ihm. Doch Gachmuret unterdrückte nun nicht länger die Stimme seines Herzens und sprach freundlich zum König: »Mein Herr und Bruder, ginge es mir darum, Euer oder eines anderen Hausgenosse zu werden, so hätte ich freilich für mein bequemes Leben gesorgt. Denkt aber wohlwollend und verständig daran, wie es um meinen Ruhm bestellt ist, und gewährt mir Euren Rat und Eure Hilfe, wie ich ihn mehren kann. Ich besitze nur meine Rüstung. Hätte ich doch darin schon Taten genug vollbracht, um weithin, wo man meiner gedenkt, Ruhm und

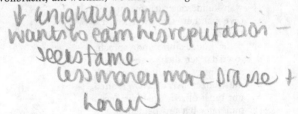

8   Gahmuret sprach aber sân
         ›sehzehen knappen ich hân,
         der sehse von îser sint.
         dar zuo gebt mir vier kint,
5   mit guoter zuht, von hôher art.
     vor den wirt nimmer niht gespart,
     des ie bejagen mac mîn hant.
     ich wil kêren in diu lant.
     ich hân ouch ê ein teil gevarn.
10   ob mich gelücke wil bewarn,
     so erwirbe ich guotes wîbes gruoz.
     ob ich ir dar nâch dienen muoz,
     und ob ich des wirdec bin,
     sô raetet mir mîn bester sin
15   daz ichs mit rehten triuwen pflege.
     got wîse mich der saelden wege.
     wir vuoren geselleclîche
     (dennoch het iuwer rîche
     unser vater Gandîn),
20   manegen kumberlîchen pîn
     wir bêde dolten umbe liep.
     ir wâret ritter unde diep,
     ir kundet dienen unde heln:
     wan kunde ouch ich nu minne steln
25   ôwê wan hete ich iuwer kunst
     und anderhalp die wâren gunst!‹
         der künec siufte unde sprach
     ›ôwê daz ich dich ie gesach,
     sît du mit schimpflîchen siten
     mîn ganzez herze hâst versniten,
9   unt tuost ob wir uns scheiden.
     mîn vater hât uns beiden
     Gelâzen guotes harte vil:
     des stôze ich dir gelîchiu zil.
5   ich bin dir herzenlîchen holt.
     lieht gesteine, rôtez golt,

Ansehen zu genießen!« Gachmuret fuhr fort: »Ich habe
sechzehn Knappen, von denen nur sechs Rüstungen besit-
zen. Gebt mir noch vier Edelknaben, die gut erzogen und
von vornehmer Abkunft sind. An allem, was ich erringe,
sollen sie ihren wohlbemessenen Anteil haben. Ich will in
die Welt hinausziehen, wie ich sie auch schon früher durch-
streifte. Ist mir das Glück hold, so wird mir edler Frauen
Gunst zuteil. Bin ich würdig genug, mit Ritterdienst darum
zu werben, so will ich dies in rechter Treue tun; das ist
meine wohlerwogene Absicht. Gott möge mich auf glück-
hafte Wege leiten! Vordem, als unser Vater Gandin noch
Euer Reich beherrschte, sind wir gemeinsam ausgeritten und
haben um der Frauengunst willen so manches gefährliche
Abenteuer bestanden. Damals wart Ihr Ritter und Dieb
zugleich, denn Ihr verstandet Neigung zu erdienen und sie
zugleich vor aller Augen zu verbergen. Ach, könnte auch ich
heimlichen Liebesbeweis erlangen! Wäre ich doch so
gewandt wie Ihr in diesen Dingen, daß ich bei den Frauen
uneingeschränkte Gunst fände!«
Der König seufzte und sprach: »Ach, daß meine Augen dich
je erblickten; denn du hast mir mit diesen scherzhaften
Worten das Herz zerrissen und wirst es noch mehr zerrei-
ßen, wenn du wirklich Abschied nimmst. Mein Vater hat
uns doch beiden ein überreiches Erbe hinterlassen. Das soll
zu gleichen Teilen dir und mir gehören; denn ich habe dich
von Herzen lieb. Nimm an glänzenden Edelsteinen, rot-

liute, wâpen, ors, gewant,
des nim sô viel von mîner hant,
daz du nâch dînem willen varst
10 unt dîne mildekeit bewarst.
dîn manheit ist ûz erkorn:
waerstu von Gylstram geborn
oder komen her von Ranculat,
ich hete dich immer an der stat
15 als ich dich sus vil gerne hân.
du bist mîn bruoder sunder wân.‹
›hêrre, ir lobt mich umbe nôt,
sît ez iuwer zuht gebôt.
dar nâch tuot iuwer helfe schîn.
20 welt ir und diu muoter mîn
mir teilen iuwer varnde habe,
sô stîge ich ûf und ninder abe.
mîn herze iedoch nâch hoehe strebet:
ichne weiz war umbe ez alsus lebet,
25 daz mir swillet sus mîn winster brust.
ôwê war jaget mich mîn gelust?
ich solz versuochen, ob ich mac.
nu nâhet mîn urloubes tac.‹
    Der künec in alles werte,
mêr denne er selbe gerte:
10 vünf ors erwelt und erkant,
diu besten über al sîn lant,
küene, starc, niht ze laz,
manec tiure goltvaz,
5 und mangen guldînen clôz.
den künec wênec des verdrôz,
er envultes im vier soumschrîn:
gesteines muose ouch vil dar în.
dô si gevüllet lâgen,
10 knappen, die des pflâgen,
wârn wol gecleidet und geriten.
dane wart jâmer niht vermiten,

leuchtendem Gold, Bediensteten, Waffen, Pferden und Gewändern so viel, daß du deinen Wunsch erfüllen und ritterliche Freigebigkeit üben kannst. Hervorragende Manneskühnheit besitzt du ohnehin. Selbst wenn du zu Gylstram geboren oder aus Ranculat gekommen wärst, wollte ich dich doch stets und immer an meiner Seite wissen, denn du bist im wahrsten Sinne mein Bruder.«

»O Herr, Ihr rühmt mich, da es gute Erziehung und Sitte von Euch fordern. Nun laßt mir aber auch in gleichem Maße Euren Beistand zuteil werden. Wenn Ihr und meine Mutter die bewegliche Habe des Erbgutes mit mir teilen wollt, so wird mein Ansehen gewiß steigen. Doch mein Herz strebt nach Höherem. Ich weiß gar nicht, warum es sich so stürmisch regt und mir fast die Brust zersprengt. Ach, wohin wird mich mein Verlangen treiben? Wenn's mir beschieden ist, will ich's zu ergründen suchen. Doch nun ist die Stunde des Abschieds gekommen.«

Der König gab ihm alles und mehr, als er verlangt hatte. Fünf auserlesene, erprobte, mutige, kräftige und feurige Rosse gab er ihm, die besten im ganzen Reiche. Auch allerlei kostbare Goldgefäße und viele Goldbarren. Vier Saumschreine ließ ihm der König ohne Zögern oder Bedauern füllen, und es bedurfte vieler Edelsteine, bis sie randvoll waren. Die Knappen, die diese Arbeit verrichteten, waren trefflich gekleidet und beritten. Als Gachmuret aber vor

---

Gylstram: erfundene Örtlichkeit, im fernen Westen zu denken.
Ranculat: Hromghla am Euphrat; hier ist ein Ort im fernsten Osten gemeint, Gegenpol zu Gylstram.
Saumschreine: Kästen, mit denen Lasttiere beladen wurden.

do er vür sîne muoter gienc
und si in sô vaste zuo ir vienc.
15   ›fil li roy Gandîn,
wilt du niht langer bî mir sîn?‹
sprach daz wîplîche wîp.
›ôwê nu truoc dich doch mîn lîp:
du bist ouch Gandînes kint.
20   ist got an sîner helfe blint,
oder ist er dran betoubet,
daz er mir niht geloubet?
sol ich nu niuwen kumber haben?
ich hân mîns herzen craft begraben,
25   die süeze mîner ougen:
wil er mich vürbaz rouben,
und ist doch ein rihtaere,
sô liuget mir daz maere
als man von sîner helfe saget,
sît er an mir ist sus verzaget.‹
11   Dô sprach der junge Anschevîn
›got troeste iuch, vrouwe, des vater mîn:
den suln wir beidiu gerne clagen.
iu enmac nieman von mir gesagen
5   deheiniu clagelîchiu leit.
ich var durch mîne werdekeit
nâch ritterschaft in vremdiu lant.
vrouwe, ez ist mir sus gewant.‹
dô sprach diu küneginne
10   ›sît du nâch hôher minne
wendest dienest unde muot,
lieber sun, lâ dir mîn guot
ûf die vart niht versmâhen.
heiz von mir enpfâhen
15   dîne kameraere
vier soumschrîn swaere:
dâ liegent inne pfelle breit,
ganze, die man nie versneit,

seine Mutter trat, die ihn fest in die Arme schloß, forderte
der Abschiedsschmerz sein Recht. Die gütige Frau sprach zu
ihm: »Sohn König Gandins, willst du nun nicht länger bei
mir bleiben? Ach, ich habe dich in meinem Leibe getragen,
und du bist doch auch Gandins Sohn. Ist Gott erblindet
oder ertaubt, daß er mich nicht erhört und mir seine Hilfe
versagt? Soll mir denn wirklich neuer Schmerz beschieden
sein? Meines Herzens Kraft und meiner Augen Glanz habe
ich schon begraben. Wenn er, ein gerechter Richter, mich
noch weiterhin berauben will, so ist gelogen, was man von
seiner helfenden Liebe sagt, denn er vergißt mich ganz und
gar.«
Da sprach der junge Herr von Anjou: »Herrin, Gott möge
Euch über den Tod meines Vaters trösten! Wir beide wollen
ihn von Herzen beklagen. Von mir wird Euch nie jemand
eine Unheilsbotschaft bringen. Um meines Ansehens willen
ziehe ich aus, in fremden Landen ritterliche Taten zu voll-
bringen. So ist es mir nun einmal bestimmt, Gebieterin.«
Die Königin sprach: »Lieber Sohn, da du dein Denken und
Tun in den Dienst hoher Liebe stellen willst, so lehne nicht
ab, wenn ich dich auch aus meinem Besitz für die Fahrt
ausrüste. Laß deine Kämmerer vier schwere Saumschreine
bei mir holen. Darin sind große, noch nicht zugeschnittene

und manec tiure samît.

20 süezer man, lâ mich die zît
hoeren, wenn du wider kumest:
an mînen vröuden du mir vrumest.‹
        ›vrouwe, des enweiz ich niht,
in welhem lande man mich siht:

25 wan swar ich von iu kêre,
ir habt nâch ritters êre
iuwer werdekeit an mir getân.
ouch hât mich der künic lân
als im mîn dienest danken sol.
ich getrûwe iu des vil wol,

12 daz ir in deste werder hât,
swie halt mir mîn dinc ergât.‹
        Als uns diu âventiure saget,
dô het der helt unverzaget

5   enpfangen durch liebe craft
unt durch wîplîch geselleschaft
cleinoetes tûsent marke wert.
swâ noch ein jude pfandes gert,
er möhtz dâvür enpfâhen:

10 ez endorft im niht versmâhen.
daz sande im ein sîn vriundin.
an sînem dienste lac gewin,
der wîbe minne und ir gruoz:
doch wart im selten kumbers buoz.

15 urloup nam der wîgant.
muoter, bruoder, noch des lant
sîn ouge nimmer mêr erkôs;
dar an doch maneger vil verlôs.
der sich hete an im erkant,

20 ê daz er waere dan gewant,
mit deheiner slahte günste zil,
den wart von im gedanket vil.
es dûhte in mêre denne genuoc:
durch sîne zuht er nie gewuoc

Seidenbahnen und kostbare Samtstoffe. Lieber Sohn, laß mich wissen, wann du wiederkommst. Damit wirst du mir große Freude machen.«

»Gebieterin, ich weiß nicht, in welches Land ich verschlagen werde. Doch wohin mich auch der Weg von Euch führt, Ihr habt edle Großmut an mir geübt und mich der Stellung eines Ritters gemäß ausgestattet. Auch der König hat mich in einer Weise verabschiedet, daß ich ihm dankbar zu Diensten sein werde. Ich bin gewiß, Ihr werdet ihn dafür um so mehr lieben, wie es mir auch ergehen mag.«

In der Geschichte heißt es, der furchtlose Held erhielt dank der liebevollen Zuneigung einer ihm vertrauten Frau außerdem Kleinodien im Werte von tausend Mark. Auch heute noch würde ein Jude diesen Betrag darauf leihen, ohne Gefahr dabei zu laufen. Dies sandte ihm seine liebevolle Freundin. Sein Ritterdienst trug ihm also der Frauen Liebe und Gunst ein, doch von Liebesleid wurde er nie erlöst.

Nun nahm der Held Abschied. Mutter, Bruder und Heimat sollte er freilich nie wiedersehen; für viele war das ein herber Verlust. Wer ihm nämlich je einen Gefallen erwiesen hatte, durfte auf seine volle Dankbarkeit rechnen; denn er schätzte jeden Dienst weit über Gebühr. Seine vornehme Erziehung ließ ihn gar nicht daran denken, daß die anderen dazu

---

Mark: im Mittelalter Massemaß für Edelmetalle mit landschaftlich und zeitlich bedingten Unterschieden. Die Kölnische Mark hatte z. B. ein Gewicht von 233,812 g, so daß man bei 1000 Mark mit 5 Zentnern Gold oder Silber zu rechnen hat.

25 daz siz taeten umbe reht.
    sîn muot was ebener denne sleht.
    swer selbe sagt wie wert er sî,
    da ist lîhte ein ungeloube bî:
    es solten die umbesaezen jehen,
    und ouch die hêten gesehen
13 sîniu werc da er vremde waere:
    sô geloubte man daz maere.

    Gahmuret der site pflac,
    den rehtiu mâze widerwac,
 5 und ander schanze deheine.
    sîn rüemen daz was cleine,
    grôz êre er lîdenlîchen leit,
    der lôse wille in gar vermeit.
    doch wânde der gevüege,
10 daz niemen crône trüege,
    künec, keiser, keiserîn,
    des messenîe er wolde sîn,
    wan eines der die hoehsten hant
    trüege ûf erde über elliu lant.
15 der wille in sînem herzen lac.
    im wart gesagt, ze Baldac
    waere ein sô gewaltic man,
    daz im der erde undertân
    diu zwei teil waeren oder mêr.
20 sîn name heidensch was sô hêr
    daz man in hiez den bâruc.
    er hete an crefte alsolhen zuc,
    vil künege wâren sîne man,
    mit crôntem lîbe undertân.
25 daz bâruc-ambet hiute stêt.
    seht wie man cristen ê begêt
    ze Rôme, als uns der touf vergiht.
    heidensch orden man dort siht:
    ze Baldac nement si ir bâbestreht
    (daz dunket si âne crümbe sleht),

verpflichtet waren. Er war von lauterster Gesinnung. Doch wer sein eigenes Lob singt, dem schenkt man selten Glauben. Seine Gefährten und jene, die in fremden Landen Zeugen seiner Taten waren, sollten ihn rühmen, denn ihnen würde man Glauben schenken.

Gachmuret ließ sich stets vom Gebot rechten Maßhaltens leiten; andere Möglichkeiten nutzte er nicht. Von sich selbst machte er nicht viel Aufhebens; große Komplimente nahm er gelassen hin, und unüberlegter Übermut war ihm fremd. Eines freilich stand für den wackeren Jüngling fest: In keines gekrönten Hauptes Gefolgschaft, sei es König, Kaiser oder Kaiserin, wollte er sich einreihen, es wäre denn der Mächtigste auf Erden. Diesen festen Vorsatz trug er tief im Herzen. Nun hörte er, ein solch gewaltiger Herrscher lebe in Bagdad. Zwei Drittel der Erde oder mehr seien ihm untertan. Sein Ansehen unter den Heiden war so groß, daß man ihn den Baruc nannte. Seine Macht wirkte selbst auf gekrönte Häupter so anziehend, daß viele Könige in seine Dienste traten. Die Würde des Baruc gibt es übrigens noch heute. Wie die Leitsätze christlichen Lebens, zu denen uns die Taufe verpflichtet, in Rom festgelegt werden, so werden dort die religiösen Lebensregeln der Heiden festgelegt. Sie nahmen in Bagdad ohne Widerrede ihren gleichsam päpstli-

---

Baruc: hebr. *Baruch* ›der Gebenedeite‹.

14 der bâruc in vür sünde
    gît wandels urkünde.
        Zwên bruoder von Babilôn,
    Pompeius und Ipomidôn,
 5 den nam der bâruc Ninivê
    (daz was al ir vordern ê):
    si tâten wer mit creften schîn.
    dar kom der junge Anschevîn:
    dem wart der bâruc vil holt.
10 jâ nam nâch dienste aldâ den solt
    Gahmuret der werde man.
    nu erloubt im daz er müeze hân
    ander wâpen denne im Gandîn
    dâ vor gap, der vater sîn.
15 der hêrre pflac mit gernden siten
    ûf sîne covertiure gesniten
    anker lieht hermîn:
    dâ nâch muos ouch daz ander sîn,
    ûf dem schilt und an der wât.
20 noch grüener denne ein smârât
    was geprüevet sîn gereite gar,
    und nâch dem achmardî var.
    daz ist ein sîdîn lachen:
    dar ûz hiez er im machen
25 wâpenroc und cursît:
    ez ist bezzer denne der samît.
    hermîn anker drûf genæt,
    guldîniu seil dran gedræt.
        sîn anker heten niht bekort
    ganzes landes noch landes ort,
15 dane wârn si ninder în geslagen:
    der hêrre muose vürbaz tragen
    disen wâpenlîchen last
    in manegiu lant, der werde gast,
 5 Nâch dem anker disiu mâl,
    wand er deheiner slahte twâl

chen Rechtsspruch entgegen, und der Baruc erteilte ihnen
Ablaß für ihre Sünden.

Nun wollte der Baruc den zwei Brüdern von Babylon,
Pompejus und Ipomidon, Ninive entreißen, das seit eh und
je im Besitz ihrer Vorfahren gewesen war. Sie setzten sich
natürlich nach Kräften zur Wehr. Gerade zu dieser Zeit traf
der junge Herr von Anjou ein, und der Baruc erzeigte sich
ihm sehr huldreich. Der edle Held Gachmuret trat also in
seinen Dienst. Nun habt Verständnis dafür, daß er – als
Fürst – andere Wappenzeichen wählte, als sie ihm sein Vater
Gandin einst übergeben hatte. Als Symbol für seine
Zukunftserwartungen führte der Edle fortan auf seiner Sat-
teldecke einen Anker, der aus weißem Hermelinpelz
geschnitten war. Die gleichen Wappenzeichen trug er auf
Schild und Kleidung. Aus Seide, grüner als der Smaragd,
etwa in der Farbe von Achmardi, war seine Reitdecke, und
aus ebendiesem Stoff, kostbarer als Samt, ließ er Waffenrock
und Umhang arbeiten. Alles wurde mit Ankern aus weißem
Hermelin benäht und mit goldenen Kordeln verziert. Aber
seine Anker fanden nirgends Grund, wurden nirgends fest-
gemacht. Der edle Fremdling mußte die Last seines Wap-
pens, das Ankerzeichen, durch viele Länder tragen, und

Achmardi: golddurchwirkter grüner Seidenstoff aus Arabien.
Waffenrock: als Überwurf über dem Kettenhemd getragen.

hete ninder noch gebite.
wie vil er lande durchrite
und in schiffen umbevüere?
10 ob ich iu dâ nâch swüere,
sô saget iu ûf mînen eit
mîn ritterlîchiu sicherheit
als mir diu âventiure giht:
ichne hân nu mêr geziuges niht.
15 diu seit, sîn manlîchiu craft
behielt den prîs in heidenschaft,
ze Marroch unt ze Persîâ.
sîn hant bezalte ouch anderswâ,
ze Dâmasc und ze Hâlap,
20 und swâ man ritterschaft dâ gap,
ze Arâbîe und vor Arâbî,
daz er was gegenstrîtes vrî
vor ieslîchem einem man.
disen ruoft er dâ gewan.
25 sîns herzen gir nâch prîse greif:
ir aller tât vor im zesleif
und was vil nâch entnihtet.
sus was ie der berihtet.
der gein im tjostierens pflac.
man jach im des ze Baldac:
16   sîn ellen strebte sunder wanc:
von dan vuor er gein Zazamanc
in daz künecrîche.
die clageten al gelîche
5 Isenharten, der den lîp
in dienste vlôs umbe ein wîp.
des twang in Belacâne,
diu süeze valsches âne.
daz si im ir minne nie gebôt,
10 des lag er nâch ir minne tôt.
Den râchen sîne mâge
offenlîche und an der lâge,

nirgendwo gönnte er sich Rast oder Verweilen. Wie viele
Lande er wohl durchritten oder auf Schiffen umfahren hat?
Sollte ich euch die Antwort mit einem Schwur erhärten, so
könnte ich nur mit meinem ritterlichen Ehrenwort versi-
chern: so viele in dieser Geschichte überliefert sind! Einen
anderen Zeugen habe ich nicht. Darin heißt es, daß seine
Heldenkraft im ganzen Heidenland – in Marokko und in
Persien – stets rühmlich die Oberhand behielt. Doch auch
andernorts blieb seine Ritterfaust siegreich: so in Damaskus,
in Aleppo, in ganz Arabien und vor der Stadt Arabie, kurz
überall dort, wo ritterlicher Streit ausgetragen wurde. Am
Ende gewann er solchen Ruf, daß ihm kein Held mehr
entgegenzutreten wagte. Sein Ruhmbegehren griff unersätt-
lich nach immer neuen Siegen, so daß der Kampfesruhm
aller anderen Helden vor dem seinen verblaßte und zunichte
wurde. Dies mußte jeder erfahren, der gegen ihn zum
Zweikampf antrat. So genoß er in Bagdad schließlich den
Ruf, seine Heldenkraft sei unbezwinglich.
Einst zog er aus Bagdad in das Königreich Zazamanc. Dort
beklagte man allenthalben Isenhart, der sein Leben im Rit-
terdienst für eine Frau verloren hatte. Die liebliche, tugend-
reiche Belakane hatte ihn in den Tod getrieben. Und zwar
brachte ihm die Liebe zu ihr den Tod, da sie ihm die ihre
versagte. Dafür nahmen nun seine Verwandten Rache in
offener Fehde und durch Überfälle aus dem Hinterhalt. Sie

Zazamanc: erfundenes Königreich, in Afrika angesiedelt.

die vrouwen twungen si mit her.
diu was mit ellenthafter wer,
15 dô Gahmuret kom in ir lant,
daz von Schotten Vridebrant
mit schiffes her verbrande,
ê daz er dannen wande.
        nu hoert wie unser ritter var.
20 daz mer warf in mit sturme dar,
sô daz er kûme iedoch genas.
gein der küngîn palas
kom er gesigelt in die habe:
dâ wart er vil geschouwet abe.
25 dô sach er ûz an daz velt.
dâ was geslagen manec gezelt
al umb die stat wan gein dem mer:
dâ lâgen zwei creftigiu her.
dô hiez er vrâgen der maere,
wes diu burc waere;
17 wan er ir künde nie gewan,
noch dehein sîn schifman.
si taeten sînen boten kunt,
ez waere Pâtelamunt.
5 daz wart im minneclîche enboten.
si manten in bî ir goten
daz er in hulfe: es waere in nôt,
si rungen niht wan umb den tôt.
        dô der junge Anschevîn
10 vernam ir kumberlîchen pîn,
er bôt sîn dienest umbe guot,
als noch vil dicke ein ritter tuot,
oder daz si im sageten umbe waz
er solte doln der vîende haz.
15 Dô sprach ûz einem munde
der sieche unt der gesunde,
daz im waer al gemeine
ir golt und ir gesteine;

bedrängten die Herrscherin mit einem großen Heer, gegen
das sie sich unverzagt zur Wehr setzte. Zu dieser Zeit kam
Gachmuret in ihr Land, das zudem der Schotte Friedebrant
mit seinem Schiffsheer noch verwüstet hatte, ehe er
abzog.
Doch hört zunächst, wie es unserem Ritter unterwegs ergan-
gen war. Ein Seesturm, dem er mit knapper Not entronnen
war, hatte ihn an die Küste des Landes getrieben. Er segelte
also in den Hafen, gerade vor den Palast der Königin, von
dem aus viele Augen auf ihn herabsahen. Als er seine Blicke
umherschweifen ließ, standen da viele Zelte, die – außer von
der Seeseite – die Stadt rings umschlossen. Zwei gewaltige
Heere hatten ihre Lager aufgeschlagen. Nun ließ er Erkun-
digungen einziehen, wem die befestigte Stadt gehöre; denn
weder er noch jemand seiner Schiffsbesatzung hatten je von
ihr vernommen. Man ließ seine Boten wissen, sie wären in
Patelamunt. Diese Antwort gab man höflich und freundlich,
und die Belagerten beschworen ihn bei ihren Göttern, ihnen
beizustehen. Sie bedürften dringend der Hilfe, denn es ginge
für sie in diesem Kampfe um Leben und Tod. Als der junge
Herr von Anjou von ihrer schweren Bedrängnis erfuhr, bot
er – wie dies bei Rittern ja üblich ist – seinen Dienst gegen
entsprechenden Sold an. Er wolle sich aber auch für eine
andere Belohnung dem Grimm ihrer Feinde entgegenstellen.
Da sprachen verletzte und unverwundete Ritter wie aus
einem Munde, ihm sollten in diesem Fall ihr ganzes Gold
und all ihre Edelsteine gehören. Alles sollte ihm gehören,

Patelamunt: erfundene Hauptstadt von Zazamanc.

des solte er alles hêrre wesen,
20 und er möhte wol bî in genesen.
doch bedorfte er wênec soldes:
von Arâbîe des goldes
heter manegen cnollen brâht.
liute vinster sô diu naht
25 wârn alle die von Zazamanc:
bî den dûht in diu wîle lanc.
doch hiez er herberge nemen:
des mohte ouch si vil wol gezemen.
daz si im die besten gâben.
die vrouwen dennoch lâgen
18 zen venstern unde sâhen dar:
si naemen des vil rehte war,
sîne knappen und sîn harnas,
wie daz gefeitieret was.
5   dô truoc der helt milte
ûf einem hermîn schilte
ichne weiz wie manegen zobelbalc:
der küneginne marschalc
het ez vür einen anker grôz.
10 ze sehen in wênic dar verdrôz.
dô muosen sîniu ougen jehen
daz er hête ê gesehen
disen ritter oder sîn schîn.
daz muose ze Alexandrîe sîn,
15 dô der bâruc dervor lac:
sînen prîs dâ niemen widerwac.
Sus vuor der muotes rîche
in die stat behagenlîche.
zehen soumaer hiez er vazzen:
20 die zogeten hin die gazzen.
dâ riten zweinzec knappen nâch.
sîn bovel man dort vor ersach:
garzûne, koche unde ir knaben
heten sich hin vür erhaben.

auch wolle man ihn mit größter Gastfreundschaft aufnehmen. Nun war freilich Gachmuret kaum auf Gold angewiesen; denn er hatte aus Arabien viele Goldbarren mitgebracht. Auch waren die Bewohner von Zazamanc dunkel wie die Nacht, so daß ihm ein Aufenthalt nicht eben sehr verlockend schien. Dennoch entschloß er sich zu bleiben, und man rechnete es sich zur Ehre an, ihm die beste Unterkunft einzuräumen. Die Edelfrauen indes lehnten immer noch in den Fenstern und verfolgten seinen Einzug. Sie betrachteten aufmerksam seine Knappen und seine Rüstung mit ihren Verzierungen.

Der großzügige Held hatte seinen schneeweißen Schild mit zahlreichen Zobelfellen schmücken lassen, in denen der Marschall der Königin einen großen Anker zu erkennen meinte. Dieser Anblick erfüllte ihn mit Zuversicht; denn er glaubte, diesen Ritter oder sein Ebenbild schon einmal gesehen zu haben, und zwar in Alexandrien, als es vom Baruc belagert wurde. Damals hatte der Held alle Gegner ruhmreich überwunden.

So ritt denn unser hochgestimmter Ritter gemächlich in die Stadt hinein. Zehn Lasttiere ließ er beladen und durch die Gassen vorantraben. Ihnen folgten zwanzig Knappen. Doch vorher noch konnte man sein Dienstvolk betrachten; denn Pagen, Köche und Küchenknaben hatten sich an die Spitze

25 stolz was sîn gesinde:
zwelf wol geborner kinde
dâ hinden nâch den knappen riten,
an guoter zuht, mit süezen siten.
etslîcher was ein Sarrazîn.
dar nâch muos ouch getrecket sîn
19 aht ors mit zindâle
verdecket al zemâle.
daz niunde sînen satel truoc:
ein schilt, des ich ê gewuoc,
5 den vuorte ein knappe vil gemeit
derbî. nâch den selben reit
pusûner, der man ouch bedarf.
ein tambûrer sluog unde warf
vil hôhe sîne tambûr.
10 den hêrren nam vil untûr
dane riten floitierre bî,
und guoter videlaere drî.
den was allen niht ze gâch.
selbe reit er hinden nâch,
15 unt sîn marnaere
der wîse unt der maere.
    Swaz dâ was volkes inne,
moere und moerinne
was beidiu wîp unde man.
20 der hêrre schouwen began
manegen schilt zebrochen,
mit spern gar durchstochen:
der was dâ vil gehangen vür,
an die wende und an die tür.
25 si heten jâmer unde guft.
in diu venster gein dem luft
was gebettet mangem wunden man,
swenn er den arzât gewan,
daz er doch mohte niht genesen.
der was bî vîenden gewesen.

des Zuges gesetzt. Stattlich war sein Gefolge: zwölf Edelknaben, wohlerzogen und von bestem Benehmen – unter ihnen einige Sarazenen, schlossen sich den Knappen an. Darauf folgten acht Rosse mit kostbaren Seidendecken. Das neunte war mit des Ritters Sattelzeug beladen. Neben ihm trug ein stattlicher Knappe den schon erwähnten Schild des Ritters. Im Anschluß daran ritten die unentbehrlichen Posaunenbläser. Ein Tamburinschläger schlug sein Instrument und warf es zuweilen hoch in die Luft. Dies aber genügte unserem Helden noch nicht; denn nun folgten Flötenspieler und drei kunstreiche Fiedler. Sie alle ritten ohne jede Hast daher. Der Ritter selbst ritt mit seinem erfahrenen, weitberühmten Steuermann am Ende des Zuges.

Die gesamte Bevölkerung der Stadt, Frauen und Männer, bestand aus Mohren und Mohrinnen. Unser Edelmann sah viele zerborstene, von Lanzen arg durchstoßene Schilde an Hauswänden und Türen hängen. Wehklagen und Schmerzensschreie waren zu hören, denn man hatte die Verwundeten, bei denen ärztliche Kunst vergebens und Genesung nicht zu erwarten war, der Kühlung wegen in die offenen Fenster gelegt. Man sah es ihnen an, daß sie sich mit den

20   sus warb ie der ungerne vlôch.
      vil orse man im widerzôch,
      durchstochen und verhouwen.
      manege tunkele vrouwen
  5   sach er bêdenthalben sîn:
      nâch rabens varwe was ir schîn.
         sîn wirt in minneclîche enpfienc,
      daz im nâch vröuden sît ergienc.
      daz was ein ellens rîcher man:
 10   mit sîner hant het er getân
      manegen stich unde slac,
      wande er einer porten pflac.
      bî dem er manegen ritter vant,
      die ir hende hiengen in diu bant,
 15   unt den ir houbet wâren verbunden.
      die heten sölhe wunden,
      daz si doch tâten ritterschaft:
      si heten lâzen niht ir craft.
         Der burcgrâve von der stat
 20   sînen gast dô minneclîchen bat
      daz er niht verbaere
      al daz sîn wille waere
      über sîn guot und über den lîp.
      er vuorte in dâ er vant sîn wîp,
 25   diu Gahmureten kuste,
      des in doch wênc geluste.
      dar nâch vuor er enbîzen sân.
      dô diz alsus was getân,
      der marschalc vuor von im zehant
      alda er die küneginne vant,
 21   und iesch vil grôziu botenbrôt.
      er sprach ›vrouwe, unser nôt
      ist mit vröuden zergangen.
      den wir hie haben enpfangen,
  5   daz ist ein ritter sô getân,
      daz wir ze vlêhen immer hân

Feinden gemessen hatten. So ergeht es eben denen, die nicht
weichen wollen. Viele Pferde, von Lanzenstößen und
Schwerthieben verletzt, wurden ihm entgegengeführt. Der
Weg aber war beiderseits von dunklen Schönen gesäumt,
schwarz wie die Raben.

Sein Gastgeber empfing ihn herzlich, was ihm später erfreu-
lichen Lohn eintrug. Er war übrigens ein kraftvoller Held,
der manchen Stich und Hieb ausgeteilt hatte, da er eins der
Tore verteidigte. Gachmuret fand bei ihm zahlreiche Ritter
mit verbundenen Armen und wunden Köpfen. Sie waren
nur leicht verletzt, so daß sie noch genügend Kraft hatten
und kämpfen konnten.

Der Burggraf der Stadt bat seinen Gast liebenswürdig, nach
Belieben über ihn selbst und seinen Besitz zu verfügen. Er
führte ihn zu seiner Gemahlin, die Gachmuret mit einem
Kuß willkommen hieß, was diesem allerdings wenig Ver-
gnügen machte. Darauf bewirtete man ihn mit einem kleinen
Mahl. Dann begab sich der Marschall sogleich zur Königin,
die ihm für die gute Nachricht reichen Botenlohn gewähren
sollte. Er sprach: »Gebieterin, all unsere Bedrängnis hat sich
in Freude verwandelt. Der Mann, den wir eben willkommen
hießen, ist solch hervorragender Ritter, daß wir unseren

unsern goten, die in uns brâhten,
daz si des ie gedâhten.‹
   ›nu sage mir ûf die triuwe dîn,
10 wer der ritter müge sîn.‹
›vrouwe, ez ist ein degen fier,
des bâruckes soldier,
ein Anschevîn von hôher art.
âvoy wie wênic wirt gespart
15 sîn lîp, swâ man in laezet an!
wie rehte er dar unde dan
entwîchet unde kêret!
die vîende er schaden lêret.
Ich sach in strîten schône,
20 dâ die Babylône
Alexandrîe loesen solten,
unde dô si dannen wolten
den bâruc trîben mit gewalt.
waz ir dâ nider wart gevalt
25 an der schumpfentiure!
da begienc der gehiure
mit sîme lîbe sölhe tât,
sine heten vliehens keinen rât.
dar zuo hôrt ich in nennen,
man solte in wol erkennen,
22 daz er den prîs über manegiu lant
hete al ein zu sîner hant.‹
   ›nu sich et wenne oder wie,
und vüeg daz er mich spreche hie.
5 wir hân doch vride al disen tac;
dâ von der helt wol rîten mac
her ûf ze mir: oder sol ich dar?
er ist anders denne wir gevar:
ôwî wan taete im daz niht wê!
10 daz hete ich gerne ervunden ê:
ob mirz die mîne rieten,
ich solte im êre bieten.

Göttern, die ihn zu uns führten und sich unser damit
hilfreich angenommen haben, zeit unseres Lebens dafür
danken müssen.«

»So sage mir doch bei deiner Treue, wer dieser Ritter ist!«

»Gebieterin, er ist ein vortrefflicher Held, ein Kriegsmann
des Baruc, ein Herr von Anjou aus hohem Geschlecht.
Wenig schont er sein Leben, wenn man ihn erst auf die
Feinde eindringen läßt! Wohlüberlegt greift er im Kampfe an
und löst sich wieder vom Feinde, wenn er ihm arge Verluste
beibringen konnte. Ich sah ihn glänzend fechten, als die
Babylonier Alexandrien entsetzten und den Baruc unter
Aufbietung aller Kräfte vertreiben wollten. In diesem
Kampfe, der für sie mit einer Niederlage endete, wurden
viele von ihnen niedergehauen. Dabei verrichtete dieser
ausgezeichnete Held solche Taten, daß sich seine Feinde nur
noch durch die Flucht retten konnten. Zudem habe ich
gehört, daß sein Kampfesruhm schon über viele Länder
verbreitet ist und den Ruhm aller andern Helden über-
strahlt.«

»So richte es auf irgendeine Weise ein, daß ich hier im Palast
mit ihm sprechen kann. Diesen Tag über haben wir ja
Waffenruhe. Also kann der Held ohne weiteres zu mir
heraufreiten. Oder sollte ich mich vielleicht zu ihm hinabbe-
geben? Seine Hautfarbe ist allerdings anders als die unsere.
Ach, hoffentlich nimmt er keinen Anstoß daran! Vorher
möchte ich jedoch mit meinen Ratgebern sprechen und
Klarheit darüber gewinnen, ob ich ihn mit allen Ehren

geruochet er mir nâhen,
wie sol ich in enpfâhen?
15   ist er mir dar zuo wol geborn,
daz mîn kus niht sî verlorn?‹
›vrouwe, er ist vür künegeskünne erkant:
des sî mîn lîp genennet pfant.
vrouwe, ich wil iuwern vürsten sagen,
20   daz si rîchiu cleider tragen,
und daz si vor iu bîten
unz daz wir zuo ze iu rîten.
daz saget ir iuweren vrouwen gar.
wan swenne ich nu hin nider var,
25   sô bringe ich iu den werden gast,
dem süezer tugende nie gebrast.‹
    harte wênic des verdarp:
vil behendeclîchen warp
der marschalc sîner vrouwen bete.
balde wart dô Gahmurete
23   rîchiu cleider dar getragen:
diu leite er an. sus hôrte ich sagen,
daz diu tiure waeren.
anker die swaeren
5   von arâbischem golde
wârn drûfe alse er wolde.
dô saz der minnen geltes lôn
ûf ein ors, daz ein Babylôn
gein im durch tjostieren reit:
10   den stach er drabe, daz was dem leit.
    ob sîn wirt iht mit im var?
er und sîne ritter gar.
jâ deiswâr, si sint es vrô.
si riten mit ein ander dô
15   und erbeizten vor dem palas,
dâ manec ritter ûffe was:
die muosen wol gecleidet sîn.
sîniu kinder liefen vor im în,

empfangen soll. Wie soll ich mich verhalten, wenn er sich
dazu entschließt, vor mein Angesicht zu treten? Ist er mir
denn soweit ebenbürtig, daß ich ihm den Willkommenskuß
bieten darf?«

»Gebieterin, er stammt aus königlichem Geschlecht, dafür
will ich mich voll verbürgen. Ich will auch, Gebieterin, Eure
Fürsten wissen lassen, daß sie kostbare Kleidung anlegen
und hier bei Euch bleiben sollen, bis wir hergeritten kom-
men. Und weist bitte Eure Hofdamen ebenso an. Ich reite
nun hinunter, um den edlen Gast zu Euch zu bringen, dem
es bisher an einnehmendem Wesen nicht gefehlt hat.«

Und so geschah es auch. Der Marschall erfüllte ohne Zögern
die Bitte seiner Königin. Eilends brachte man Gachmuret
prächtige Gewänder, die – wie ich hörte – äußerst kostbar
waren, und die legte er an. Auf seinen Wunsch waren
reichgestickte Anker aus arabischem Gold angebracht. Dar-
auf schwang sich unser Held, der Liebenswürdigkeit wohl
zu lohnen wußte, auf sein Roß, das ein Babylonier einst im
Zweikampf gegen ihn geritten hatte. Den hatte er so wuchtig
vom Pferde gestochen, daß ihm der Fall übel bekommen
war. Begleitete ihn sein Gastgeber? Natürlich, und zwar mit
seinem ganzen ritterlichen Gefolge, und er tat das gern. Vor
dem Palast der Königin, in dem sich inzwischen viele präch-
tig gekleidete Ritter eingefunden hatten, saßen sie ab. Gach-
muret voran schritten seine Pagen, von denen sich immer

    Ie zwei ein ander an der hant.
20 ir hêrre manege vrouwen vant,
    gecleidet wünneclîche.
    der küneginne rîche
    ir ougen vuocten hôhen pîn,
    dô si gesach den Anschevîn.
25 der was sô minneclîche gevar,
    daz er entslôz ir herze gar,
    ez waere ir liep oder leit:
    daz beslôz dâ vor ir wîpheit.
     ein wênc si gein im dô trat,
    ir gast si sich küssen bat.
24 si nam in selbe mit der hant:
    gein den vîenden an die want
    sâzen si in diu venster wît
    ûf ein kulter gesteppet samît,
5 dar under ein weichez bette lac.
    ist iht liehters denne der tac,
    dem glîchet niht diu künegin.
    si hete wîplîchen sin,
    und was aber anders ritterlîch,
10 der touwegen rôsen ungelîch.
    nâch swarzer varwe was ir schîn,
    ir crône ein liehter rubîn:
    ir houbet man derdurch wol sach.
    diu wirtîn ze ir gaste sprach,
15 daz ir liep waer sîn komen.
    ›hêrre, ich hân von iu vernomen
    vil ritterlîcher werdekeit.
    durch iuwer zuht lât iu niht leit,
    ob ich iu mînen kumber clage,
20 den ich nâhe im herzen trage.‹
     ›Mîn helfe iuch, vrouwe, niht irret.
    swaz iu war oder wirret,
    swâ daz wenden sol mîn hant,
    diu sî ze dienste dar benant.

zwei bei den Händen hielten. Als ihr Herr in den Saal trat,
sah er viele Damen, herrlich gekleidet. Als die mächtige
Königin den Herrn von Anjou erblickte, erfüllte brennende
Sehnsucht ihr Herz. Er bot einen so herrlichen Anblick, daß
er – es mochte ihr angenehm sein oder nicht – ihr Herz der
Liebe öffnete, das weibliches Schamgefühl bisher verschlos-
sen gehalten hatte. Sie ging ihm einige Schritte entgegen und
bat ihn um den Willkommenskuß. Dann ergriff sie seine
Hand und führte ihn zu der Seite, die dem feindlichen Lager
zugekehrt war. Dort ließen sie sich in einem weitgeschwun-
genen Fenster auf einer gesteppten Samtdecke nieder, die
über ein weiches Polster gebreitet war. Die Hautfarbe der
Königin übertraf das Tageslicht wahrhaftig nicht. Wohl war
sie von fraulichem Wesen und feingebildet, doch nicht wie
die taubenetzte Rose, denn sie war tiefschwarz. Ihre Krone
war aus einem leuchtenden Rubin gefertigt, der ihr Haupt
durchschimmern ließ. Die Hausherrin versicherte ihrem
Gast, sie sei über seine Ankunft sehr erfreut: »Herr, man hat
mir von Euren ritterlichen Vorzügen berichtet. Ich vertraue
auf Eure Erziehung und bitte Euch um Nachsicht, wenn ich
Euch jetzt die Not klage, die mir das Herz beschwert.«
»Meiner Hilfe seid sicher, Gebieterin. Was Euch bedroht
hat oder noch bedroht, soll durch meine Hand abgewendet
werden. Sie soll Euch zu Diensten sein. Ich bin nur ein

25 ich bin niht wan einec man:
    swer iu tuot oder hât getân,
    dâ biute ich gegen mînen schilt:
    die vîende wênec des bevilt.‹
        mit zühten sprach ein vürste sân:
        ›heten wir einen houbetman,
25 wir solden vîende wênic sparn,
    sît Vridebrant ist hin gevarn.
    der loeset dort sîn eigen lant.
    ein künec, heizet Hernant,
5   den er durch Herlinde sluoc,
    des mâge tuont im leit genuoc:
    sine wellent sichs niht mâzen.
    er hât hie helde lâzen,
    den herzogen Hiutegêr,
10 des rittertât uns manegiu sêr
    vrumt, und sîn geselleschaft:
    ir strît hât kunst unde craft.
    sô hât hie mangen soldier
    von Normandîe Gaschier,
15 der wîse degen hêre.
    noch hât hie ritter mêre
    Kaylet von Hoscurast,
    manegen zornigen gast.
    die braehten alle in diz lant
20 der Schotten künec Vridebrant
    und sîner genôze viere
    mit mangem soldiere.
    Westerhalp dort an dem mer
    dâ lît Isenhartes her
25 mit vliezenden ougen.
    offenlîch noch tougen
    gesach si nimmer mêr kein man,
    sine müesen jâmers wunder hân
    (ir herzen regen die güsse warp),
    sît an der tjost ir hêrre starp.

einzelner Ritter, doch jeder, der Euch etwas antat oder antun will, soll auf meinen Schild stoßen. Aber das wird auf die Feinde wenig Eindruck machen.«

Höflich mischte sich einer der Fürsten ins Gespräch: »Wenn wir nur einen erfahrenen Anführer hätten, so sollte es unseren Feinden nun, da Friedebrant wieder in See gestochen ist, schlecht genug ergehn. Der muß sich jetzt um die Befreiung seines eigenen Landes kümmern; denn die Angehörigen König Hernants, den er Herlindes wegen erschlug, machen ihm schwer zu schaffen und kennen keine Grenzen in ihrer Rachsucht. Einige tapfere Helden hat er allerdings zurückgelassen, so Herzog Hüteger samt Gefolge, dessen Rittertaten uns hohe Verluste zugefügt haben. Sie kämpfen gewandt und stark. Ferner liegt Gaschier von der Normandie, der edle und wohlerfahrene Streiter, vor der Stadt, der viele Krieger heranführte. Noch zahlreicher sind die Ritter Kaylets von Hoskurast; unter ihnen ist manch grimmer Fremdling. All die genannten und andere Streiter dazu hat der Schottenkönig Friedebrant mit seinen Verbündeten ins Land gebracht. Im Westen, zum Meeresufer hin, lagert das trauernde Heer Isenharts. Seit ihr Herrscher im Kampf gefallen ist, sah man keinen Streiter dieses Heeres, der nicht tiefsten Gram erkennen ließ. Ihre Tränen fließen reichlich aus gebrochenem Herzen.«

26   der gast ze der wirtinne
      sprach mit ritters sinne
      ›saget mir, ob irs ruochet,
      durch waz man iuch sô suochet
5   zornlîche mit gewalt.
      ir habet sô manegen degen balt:
      mich müet daz si sint verladen
      mit vîende hazze nâch ir schaden.‹
          ›daz sag ich iu, hêrre, sît irs gert.
10   mir diende ein ritter, der was wert,
      sîn lîp was tugende ein bernde rîs.
      der helt was küene unde wîs,
      der triuwe ein reht beclibeniu vruht:
      sîn zuht wac vür alle zuht.
15   er was noch kiuscher denne ein wîp:
      vrecheit und ellen truoc sîn lîp,
      sone gewuohs an ritter milter hant
      vor im nie über elliu lant
      (ichne weiz waz nâch uns süle geschehen:
20   des lâzen ander liute jehen):
      er was gein valscher vuore ein tôr,
      in swarzer varwe als ich ein môr.
      sîn vater hiez Tankanîs,
      ein künec: der het ouch hôhen prîs.
25   Mîn vriunt der hiez Isenhart.
      mîn wîpheit was unbewart,
      dô ich sîn dienst nâch minne enpfienc,
      deiz im nâch vröuden niht ergienc.
      des muoz ich immer jâmer tragen.
      si waenent daz ich in schüefe erslagen:
27   verrâtens ich doch wênic kan,
      swie mich des zîhen sîne man.
      er was mir lieber denne in.
      âne geziuge ich des niht bin,
5   mit den ichz sol bewaeren noch:
      die rehten wârheit wizzen doch

Mit ritterlichem Anstand wandte sich der Gast nun an die Hausherrin: »Erklärt mir doch bitte, warum man Euch so grimmig mit Waffengewalt heimsucht. Ihr verfügt doch über viele kühne Streiter, und es bekümmert mich, daß der Haß der Feinde sie verfolgt und ihnen allenthalben zu schaden trachtet.«

»Ich will es Euch sagen, edler Herr, da Ihr es wünscht. Mir diente einmal ein vornehmer Ritter. Er war wie ein Zweig, der die Blüten aller männlichen Vorzüge trug. Er war tapfer und klug, in seiner Treue so fest wie ein angewachsener Fruchtschößling. An vornehmer Erziehung übertraf er alle anderen Ritter, dazu war er keuscher als eine Frau. Kühnheit und Kraft besaß er, und nirgends tat es ihm an Freigebigkeit je ein Ritter gleich – was nach uns sein wird, weiß ich ja nicht, darüber mögen andere urteilen. Von schlechtem Benehmen wußte er nichts. Er war von schwarzer Hautfarbe, ein Mohr wie ich. Sein Vater, gleichfalls hochberühmt, war Tankanis. Isenhart hieß mein Geliebter, und mein Frauentum war schlecht beraten, als ich seinen Dienst hinnahm, ohne ihm das ersehnte Glück zu gewähren. Das muß ich nun zeit meines Lebens beklagen. Seine Verwandten glauben, ich sei an seinem Tode schuld, doch ich bin Verrats nicht fähig, sosehr mich die Seinen dessen auch beschuldigen. Meine Liebe zu ihm war größer als die ihre. Dafür habe ich auch Zeugen, mit deren Hilfe ich meine Worte beweisen will. Meine und seine Götter wissen recht

mîne gote und ouch die sîne.
er gap mir manege pîne.
nu hât mîn schamendiu wîpheit
10 sîn lôn erlenget und mîn leit.
    dem helde erwarp mîn magetuom
an ritterschefte manegen ruom.
do versuochte ich in, ob er kunde sîn
ein vriunt, daz wart vil balde schîn.
15 er gap durch mich sîn harnas
enwec, daz als ein palas
dort stêt (daz ist ein hôch gezelt:
daz brâhten Schotten ûf diz velt).
dô daz der helt âne wart,
20 sîn lîp dô wênic wart gespart.
des lebens in dâ nâch verdrôz,
mange âventiure suochte er blôz.
    dô ditz alsô was,
ein vürste (Prôthizilas
25 Der hiez) mîn massenîe,
vor zageheit der vrîe,
ûz durch âventiure reit,
dâ grôz schade in niht vermeit.
zem fôrest in Azagouc
ein tjost im sterben niht erlouc,
28 die er tete ûf einen küenen man,
der ouch sîn ende aldâ gewan.
daz was mîn vriunt Isenhart.
ir ieweder innen wart
5 eins spers durch schilt und durch den lîp.
daz clage ich noch, vil armez wîp:
ir bêder tôt mich immer müet.
ûf mîner triuwe jâmer blüet.
ich enwart nie wîp deheines man.‹
10 Gahmureten dûhte sân,
swie si waere ein heidenin,
mit triuwen wîplîcher sin

wohl die volle Wahrheit. Um seinetwillen muß ich viel
Kummer leiden. Meine schamhafte weibliche Art brachte
mich dazu, seinen Liebeslohn hinauszuschieben und meinen
Schmerz zu verlängern. Meine jungfräuliche Reinheit trieb
den Helden dazu, in ritterlichem Streit hohen Ruhm zu
erringen. Schließlich wollte ich erproben, ob er würdig sei,
mein Geliebter zu werden. Das stellte sich auch bald heraus,
denn um meinetwillen gab er in der Tat seine gesamte
ritterliche Kriegsausrüstung hin. – Das dazugehörige Zelt,
groß wie ein Palast, brachten die Schotten hier auf den Plan.
– Als er alles fortgegeben hatte, achtete er wie in Lebens-
überdruß nicht mehr auf sein Leben. Ohne Rüstung stürzte
er sich in manches Abenteuer, so daß ihm schließlich
Unglück widerfahren mußte. Einst ritt der tapfere Fürst
Prothizilas aus meinem Gefolge auf Abenteuer aus, was ihn
teuer genug zu stehen kommen sollte. Er trug im Wald von
Azagouc mit einem kühnen Helden einen Zweikampf aus.
Dabei fand er sein Ende, doch auch sein Gegner wurde
getötet, und dieser Gegner war Isenhart, mein Geliebter. Sie
rannten sich gegenseitig die Lanzen durch Schild und Leib.
Noch heute beweine ich arme Frau dies Unheil; ständig
schmerzt mich der Tod beider Männer. Aus meiner Treue
erblüht nur Jammer; noch nie gab ich mich einem Manne zu
eigen.«

In diesem Augenblick wollte es Gachmuret scheinen, als
hätte solch ehrbar treue Frauenwürde noch nie im Herzen
einer Frau gewohnt, wenn sie auch eine Heidin war. Ihre

Azagouc: wie Zazamanc erfundenes afrikanisches Königreich.

in wîbes herze nie geslouf.
ir kiusche was ein reiner touf,
15 und ouch der regen der si begôz,
der wâc der von ir ougen vlôz
ûf ir zobel und an ir brust.
riuwen pflege was ir gelust,
und rehtiu jâmers lêre.
20 si seit im vürbaz mêre:
    ›dô suochte mich von über mer
der Schotten künec mit sînem her:
der was sîns oeheimes sun.
sine mohten mir niht mêr getuon
25 schaden dan mir was geschehen
an Isenharte, ich muoz es jehen.‹
Diu vrouwe ersiufte dicke.
durch die zäher manege blicke
si schamende gastlîchen sach
an Gahmureten: dô verjach
29 ir ougen dem herzen sân
daz er waere wol getân.
si kunde ouch liehte varwe spehen:
wan si hete ouch ê gesehen
5 manegen liehten heiden.
aldâ wart under in beiden
ein vil getriulîchiu ger:
si sach dar, und er sach her.
    dar nâch hiez si schenken sân:
10 getorste si, daz waere verlân.
ez müete si deiz niht beleip,
wand ez die ritter ie vertreip,
die gerne sprâchen wider diu wîp.
doch was ir lîp sîn selbes lîp:
15 ouch hete er ir den muot gegeben,
sîn leben was der vrouwen leben.
    dô stuont er ûf unde sprach
›vrouwe, ich tuon iu ungemach.

Tugend, die Tränen, die ihre Wangen netzten, aus ihren
Augen stürzten und sich über ihre zobelbedeckte Brust
ergossen, waren eine vollgültige Taufe. Ständige Wiederho-
lung ihres Schmerzes war ihr zu qualvoller Lust geworden,
zu einer wahren Schule des Leides. Und sie fuhr fort:
»Übers Meer kam der Schottenkönig mit seiner Streitmacht
und überfiel mich mit Krieg; denn er war Isenharts Vetter.
Freilich konnten sie mir, ich gestehe es, nicht mehr Schaden
zufügen, als ich durch Isenharts Tod schon erlitt.«
Manch Seufzer entrang sich der Herrscherin, doch unter
Tränen warf sie oft genug heimliche, verschämte und freund-
liche Blicke auf Gachmuret. Ihre Augen sagten dem Herzen
bald, daß er ein schöner Mann sei. Auch die helle Hautfarbe
war ihr nicht ungewohnt; denn sie hatte schon früher
manchen hellhäutigen Heiden kennengelernt. So erwachte
unversehens in beiden ein inniges gegenseitiges Verlangen,
und sie konnten die Blicke nicht mehr voneinander lösen.
Bald darauf ließ sie den Abschiedstrunk bringen. Hätte sie's
wagen dürfen, wär's wohl unterblieben. Es bedrückte sie
freilich, daß der Abschied nicht länger hinausgeschoben
werden konnte; denn nun mußten sich auch die anderen
Ritter zurückziehen, die sich gern länger mit den Damen
unterhalten hätten. Doch sie war ihm schon ganz und gar
ergeben, wie auch er ihr bereits sein Herz geweiht hatte, und
so war sein Leben zugleich das ihre. Da erhob er sich und
sprach: »Gebieterin, ich falle Euch zur Last. Ich halte mich

      ich kan ze lange sitzen:
20 daz tuon ich niht mit witzen.
      mir ist vil dienestlîchen leit
      daz iuwer kumber ist sô breit.
      vrouwe, gebietet über mich:
      swar ir welt, dar ist mîn gerich.
25 ich diene iu allez daz ich sol.‹
      si sprach ›hêr, des trûwe ich iu wol.‹
        Der burcgrâve sîn wirt
      nu vil wênic des verbirt,
      ern kürze im sîne stunde.
      ze vrâgen er begunde,
30 ob er wolde baneken rîten:
      ›und schouwet wâ wir strîten,
      wie unser porten sîn behuot.‹
      Gahmuret der degen guot
  5 sprach, er wolde gerne sehen
      wâ ritterschaft dâ waere geschehen.
       her ab mit dem helde reit
      manec ritter vil gemeit,
      hie der wîse, dort der tumbe.
10 si vuorten in alumbe
      vür sehzehen porten,
      und beschieden im mit worten,
      daz der deheiniu waere bespart,
      sît wurde gerochen Isenhart
15 ›an uns mit zorn. naht unde tac
      unser strît vil nâch gelîche wac:
      man beslôz ir keine sît.
      uns gît vor ähte porten strît
      des getriuwen Isenhartes man:
20 die hânt uns schaden vil getân.
      si ringent mit zorne,
      die vürsten wol geborne,
      des küneges man von Azagouc.‹
      vor ieslîcher porte vlouc

schon zu lange bei Euch auf. Das zeugt nicht eben von
Höflichkeit und Takt. Eure große Bedrängnis erregt meine
Teilnahme und meinen Wunsch, Euch zu dienen. Verfügt
über mich, Gebieterin! Mein rächender Arm trifft jedes Ziel,
das Ihr ihm weist. Jeden Dienst, den Ihr von mir fordert,
will ich leisten!«

Sie aber sprach: »Herr, das glaub' ich Euch gern.«

Sein Gastgeber, der Burggraf, war dann bemüht, Gachmuret
etwas die Zeit zu kürzen. Er fragte ihn, ob er wohl einen
Spazierritt unternehmen wolle. »Seht Euch dabei die Kampf-
stätten an und wie wir unsere Tore bewachen!« Gach-
muret, der tapfere Streiter, entgegnete, er wolle gern den
Schauplatz der ritterlichen Kämpfe sehn. Viele kampffreu-
dige Ritter, darunter erfahrene Männer und junge, uner-
probte Streiter, begleiteten zu Pferd den Helden. Sie führten
ihn ringsum zu den insgesamt sechzehn Toren und berichte-
ten, keines davon würde geschlossen, »seit man Isenharts
Tod an uns wütend rächt. Nachts wie tags wogte der Kampf
unentschieden hin und her. Seitdem blieben die Tore geöff-
net. Vor acht Toren treten uns die Streiter des treuen
Isenhart zum Kampf entgegen und haben uns schon arge
Verluste zugefügt. Sie kämpfen verbissen, die edlen Fürsten,
die Streiter des Königs von Azagouc.« Vor jedem Tor

25 ob küener schar ein liehter van;
ein durchstochen ritter dran,
als Isenhart den lîp verlôs:
sîn volc diu wâpen dâ nâch kôs.
    ›Dâ gein hân wîr einen site:
dâ stille wir ir jâmer mite.

31 unser vanen sint erkant,
daz zwêne vinger ûz der hant
biutet gein dem eide,
irn geschaehe nie sô leide

5 wan sît, daz Isenhart lac tôt
(mîner vrouwen vrumte er herzenôt),
sus stêt diu künegîn gemâl,
vrou Belacâne, sunder twâl
in einen blanken samît

10 gesniten von swarzer varwe sît
daz wir diu wâpen kuren an in
(ir triuwe an jâmer hât gewin):
die steckent ob den porten hôch.
vür die andern ähte uns suochet noch

15 des stolzen Vridebrandes her,
die getouften von über mer.
    ieslîcher porte ein vürste pfliget,
der sich strîtes ûz bewiget
mit sîner baniere.

20 wir haben Gaschiere
gevangen einen grâven abe:
der biutet uns vil grôze habe.
der ist Kayletes swester sun:
swaz uns der nu mac getuon,

25 daz muoz ie dirre gelten.
sölh gelücke kumt uns selten.
Grüenes angers lützel, sandes
wol drîzec poinder landes
ist ze ir gezelten von dem graben:
dâ wirt vil manec tjost erhaben.‹

flatterte über den mutigen Kampfesgruppen eine hell leuchtende Fahne. Darauf war ein Ritter zu sehen, von einer Lanze durchbohrt, so wie einst Isenhart sein Leben verlor. Dieses Bild hatte sein Heer zum Wappenzeichen gewählt.

»Um den Schmerz unserer Gebieterin zu beschwichtigen, tun wir folgendes: Unsere Fahnen tragen ihr Bild, das zwei Finger zum Schwur erhebt als Zeichen dafür, daß ihr noch nie solch Leid widerfuhr wie damals, als Isenhart den Tod fand, was meiner Gebieterin wahrhaft tiefes Herzeleid bereitet hat. Seit wir den Sinn des Zeichens unserer Gegner erkannt haben, tragen also unsere Fahnen das Bild der Königin, Frau Belakanes, aus schwarzem Stoff geschnitten und mit weißem Samt bekleidet. Ihr Schmerz bekräftigt nur um so mehr ihre Treue. Hoch über diesen acht Toren flattern unsere Fahnen. Vor den anderen acht Toren aber bedrängt uns das Heer des stolzen Friedebrant, eine christliche Streitschar von jenseits des Meeres. Jedes Tor wird von einem Fürsten geschützt, der unter seinem Banner Ausfälle unternimmt und sich zum Kampfe stellt. Dabei konnten wir einen Grafen Gaschiers gefangennehmen, der uns hohes Lösegeld bietet. Er ist Kaylets Neffe und muß nun für allen Schaden einstehen, den jener uns zufügt. Solch glücklicher Fang gelingt uns freilich selten. Seht, zwischen dem Stadtgraben und ihren Zelten liegt ein schmales Wiesenstück und eine Sandebene, etwa dreißig Anlaufstrecken lang. Dort werden viele ritterliche Lanzenkämpfe ausgetragen.«

Anlaufstrecke: die vom Ritter und seinem Roß durchmessene Strecke, wenn er seinen Gegner im Lanzenkampf angreift.

32   disiu maere sagte im gar sîn wirt.
       ›ein ritter nimmer daz verbirt,
       ern kom durch tjostieren vür.
       ob der sîn dienest dort verlür
5   an ir diu in sante her,
       waz hulfe in dan sîn vrechiu ger?
       daz ist der stolze Hiutegêr.
       von dem mag ich wol sprechen mêr,
       sît wir hie sîn besezzen,
10   daz der helt vermezzen
       ie des morgens vil bereite was
       vor der porte gein dem palas.
       ouch ist von dem küenen man
       cleinoetes vil gevüeret dan,
15   daz er durch unser schilte stach,
       des man vür grôze koste jach
       so ez die crîgierre brâchen drabe.
       er valte uns manegen ritter abe.
       er laet sich gerne schouwen,
20   in lobent ouch unser vrouwen.
       swen wîp lobent, der wirt erkant,
       er hât den prîs ze sîner hant,
       unt sînes herzen wunne.‹
       dô hete diu müede sunne
25   ir liehten blic hin ze ir gelesen.
       des bankens muose ein ende wesen,
       der gast mit sîme wirte reit,
       er vant sîn ezzen al bereit.
          Ich muoz iu von ir spîse sagen.
       diu wart mit zühten vür getragen:
33   man diende in ritterlîche.
       diu küneginne rîche
       kom stolzlîch vür sînen tisch.
       hie stuont der reiger, dort der visch.
5   si was durch daz hin ze im gevarn,
       si wolde selbe daz bewarn

Sein Gastgeber fuhr in seinem Bericht fort: »Unter unseren
Gegnern ist ein Ritter, der sich täglich regelmäßig zum
Lanzenkampf einstellt. Sollte er im Dienst seiner Dame, die
ihn hersandte, den Tod finden, was hätten ihm seine toll-
kühnen Herausforderungen eingebracht? Es ist der stolze
Hüteger, über den ich noch etwas mehr sagen will. Seit wir
belagert werden, fand sich der verwegene Held jeden Mor-
gen kampfbereit am Tor vor dem Palast ein. Er durchstach
manchen unserer Schilde, uns so hat man viele Kleinodien
dieses tapferen Gegners davongeführt, die von den Turnier-
ausrufern, die sie aus den Schilden lösten, als sehr kostbar
erklärt wurden. Auch hat er viele unserer Ritter niederge-
worfen. Bewundernden Augen zeigt er sich recht gern, und
sogar unsere Damen preisen ihn. Und wes Ruhm die Frauen
singen, der wird überall gerühmt; Lob und Lust sind ihm
gewiß.«

Inzwischen hatte die müde Sonne ihren Glanz hinter ihren
Lidern verborgen, und der Ausritt mußte beendet werden.
Der Gast ritt mit seinem Gastgeber und fand das Abendes-
sen schon zubereitet. Darüber muß ich euch noch etwas
sagen. Es wurde mit Anstand aufgetragen; man bediente sie
genauso, wie es den Vorschriften ritterlicher Lebensführung
entspricht. Überraschend trat die mächtige Königin im
Glanz ihrer Schönheit an Gachmurets Tisch, der mit Reiher-
braten und Fisch bedeckt war. Sie war gekommen, um
persönlich darüber zu wachen, daß man ihn gut bewirte.

Kleinodien ... davongeführt: Es war Brauch, kostbare Geschenke der Damen
mit sich zu führen, die an der Lanze befestigt wurden. Beim Durchstechen des
gegnerischen Schildes blieben diese Angebinde im Schild hängen.
Turnierausrufer: Helfer des kämpfenden Ritters, die ihn während des Turniers
mit ausgeruhten Pferden und Waffen versahen und zugleich den Schlachtruf
erhoben.

daz man sîn pflaege wol ze vrumen:
si was mit juncvrouwen kumen.
si kniete nider (daz was im leit),
10   mit ir selber hant si sneit
dem ritter sîner spîse ein teil.
diu vrouwe was ir gastes geil.
dô bôt si im sîn trinken dar
und pflac sîn wol: ouch nam er war,
15   wie was gebaerde unde ir wort.
ze ende an sînes tisches ort
sâzen sîne spilman,
und anderhalp sîn kappelân.
al schemende er an die vrouwen sach,
20   harte blûclîche er sprach
›ichn hân michs niht genietet,
als ir mirz, vrouwe, bietet,
mîns lebens mit sölhen êren.
ob ich iuch solde lêren,
25   sô waer hînt sân an iuch gegert
eins pflegens des ich waere wert,
sone waert ir niht her ab geriten.
getar ich iuch des, vrouwe, biten,
Sô lât mich in der mâze leben.
ir habt mir êre ze vil gegeben.‹
34   sine wolt ouch des niht lâzen,
dâ sîniu kinder sâzen,
diu bat si ezzen vaste.
diz bôt si ze êren ir gaste.
5   gar disiu junchêrrelîn
wâren holt der künegîn.
dar nâch diu vrouwe niht vergaz,
si gieng ouch dâ der wirt saz
und des wîp diu burcgrâvin.
10   den becher huop diu künegin,
si sprach ›lâ dir bevolhen sîn
unseren gast: diu êre ist dîn.

Ihre Jungfrauen begleiteten sie. Zu Gachmurets Bestürzung kniete sie an seiner Seite nieder und schnitt dem Ritter die Speisen eigenhändig mundgerecht; denn die Herrscherin freute sich dieses Gastes. Auch den Trunk kredenzte sie ihm und war um sein Wohl besorgt. Er begriff den Sinn ihres Tuns und ihrer Worte gar wohl. Nun saßen aber am einen Ende des Tisches seine Spielleute, am anderen sein Kaplan. Voll Beschämung sah er daher die Herrscherin an und sprach sehr verlegen: »So ehrenvolle Behandlung, wie Ihr sie mir zuteil werden laßt, o Gebieterin, habe ich zeit meines Lebens nicht erfahren. Hätte ich Euer Tun bestimmen dürfen, so hätte ich heute abend eine Aufnahme erfahren, wie ich sie verdiene, und Ihr wäret nicht hergeritten. Wenn ich Euch bitten darf, Gebieterin, so wollt mich nicht mit hohen Ehren überhäufen; Ihr habt mir schon zu viele erwiesen.«

Sie ließ sich auch nicht abhalten, zu seinen Knappen zu gehen und sie zu tüchtigem Zulangen aufzufordern, und tat das, um ihren Gast zu ehren. Die Edelknaben waren sehr eingenommen von der Königin. Danach unterließ es die Herrscherin nicht, sich zum Sitz des Gastgebers und seiner Gemahlin, der Burggräfin, zu begeben. Die Königin hob den Pokal und sprach: »Laß dir unseren Gast, der dein Haus beehrt, wohl anbefohlen sein. Darum möchte ich euch beide

kniete ... nieder: Um den Gast besonders zu ehren, läßt sich die Hausherrin neben dem tief sitzenden Ritter auf die Knie nieder und bedient ihn bei Tische.

dar umbe ich iuch beidiu man.‹
si nam urloup, dô gienc si dan
15   aber hin wider vür ir gast.
des herze truoc ir minnen last.
daz selbe ouch ir von im geschach;
des ir herze unde ir ougen jach:
diu muosens mit ir pflihte hân.
20   mit zühten sprach diu vrouwe sân
›gebietet, hêrre: swes ir gert,
daz schaffe ich: wande ir sît es wert.
und lât mich iuwer urloup hân.
wirt iu hie guot gemach getân,
25   des vröuwen wir uns über al.‹
guldîn wârn îr kerzstal:
vier lieht man vor ir drûfe truoc.
si reit ouch dâ si vant genuoc.

    Sine âzen ouch niht langer dô.
der helt was trûric unde vrô.
35   er vröute sich daz man im bôt
grôz êre: in twanc doch ander nôt.
daz was diu strenge minne:
diu neiget hôhe sinne.
 5   diu wirtin vuor an ir gemach:
harte schiere daz geschach.
man bette dem helde sân:
daz wart mit vlîze getân.
der wirt sprach ze dem gaste
10   ›nu sult ir slâfen vaste,
und ruowet hînt: des wirt iu nôt.‹
der wirt den sînen daz gebôt,
si solten dannen kêren.
des gastes junchêrren,
15   der bette alumbe daz sîne lac,
ir houbet dran, wand er des pflac.
dâ stuonden kerzen harte grôz
und brunnen lieht. den helt verdrôz

bitten.« Sie verabschiedete sich und trat noch einmal zu
ihrem Gast, dessen Herz schon von Liebe zu ihr beschwert
war. Doch ihr war gleiches widerfahren. Das verrieten ihr
Herz und ihre Augen, die ja am stärksten beteiligt sind. Mit
zurückhaltendem Anstand sprach die Herrscherin zu ihm:
»Befehlt, Herr! Was Ihr auch wünscht, sei Euch gewährt,
denn Ihr verdient es. Doch nun laßt mich Abschied nehmen.
Wenn Ihr hier alles nach Wunsch und Behagen findet, wird
es uns sehr freuen.« Die Leuchter, auf denen man vier
Kerzen vor ihr hertrug, waren aus Gold, und sie ritt dahin
zurück, wo es noch viele solcher Leuchter gab.
Die geblieben waren, beendeten nun ihr Mahl. Unser Held
war traurig und froh: froh über die hohe Ehrung, die ihm
zuteil geworden; doch bedrängte ihn andererseits quälendes
Weh. Das war die starke Liebe, die auch den stolzesten Sinn
beugt.
Die Burggräfin zog sich sogleich zurück, und für unseren
Helden wurde eilends das Lager bereitet. Beim Abschied
sprach der Gastgeber zu seinem Gast: »Ich wünsche Euch
einen guten Schlaf. Ruht Euch gut aus, denn morgen werdet
Ihr's brauchen!« Danach entließ er seine Hausgenossen. Die
Betten für Gachmurets Junker hatte man, wie er es gewohnt
war, rings um das seine angeordnet, wobei die Kopfenden
seinem Lager zugekehrt waren. Mächtige, strahlende Ker-
zen erleuchteten den Raum. Doch unsern Helden verdroß,

daz sô lanc was diu naht.
20 in brâhte dicke in unmaht
diu swarze moerinne,
des landes küneginne.
er want sich dicke alsam ein wit,
daz im crachten diu lit.
25 strît und minne was sîn ger:
nu wünschet daz mans in gewer.
sîn herze gab von stôzen schal,
wand ez nâch ritterschefte swal.
Daz begunde dem recken
36 sîne brust bêde erstrecken,
sô die senwen tuot daz armbrust.
dâ was ze draete sîn gelust.
der hêrre ân allez slâfen lac,
unz er erkôs den grâwen tac:
5 der gap dennoch niht liehten schîn.
dô solte ouch dâ bereite sîn
ze der messe ein sîn kappelân:
der sanc si gote und im sân.
sîn harnasch truoc man dar zehant:
10 er reit da er tjostieren vant.
dô saz er an der stunde
ûf ein ors, daz beidiu kunde
hurtlîchen dringen
und snelleclîchen springen.
15 bekêric swâ manz wider zôch.
sînen anker ûf dem helme hôch
man gein der porte vüeren sach;
aldâ wîp unde man verjach,
sine gesaehen nie helt sô wünneclîch:
20 ir gote im solten sîn gelîch.
man vuorte ouch starkiu sper dâ bî.
wie er gezimieret sî?
sîn ors von îser truoc ein dach:
daz was vür slege des gemach.

daß die Nacht so lang war. Der Gedanke an die dunkelhäutige Mohrin, die Königin des Landes, raubte ihm zuweilen fast die Besinnung. Wie eine Weidenrute wand er sich ruhelos hin und her, so daß vor Anspannung alle seine Glieder knackten. Nach Kampf und Liebe verlangte es ihn heiß. Nun wünscht ihm nur, daß sein Verlangen in Erfüllung gehe. Sein Herz, von ritterlichem Kampfbegehren geweitet, pochte so heftig, daß seine Schläge zu hören waren. Die Brust des Helden dehnte und spannte sich wie die Sehne auf der Armbrust. Zu heftig plagte ihn seine Begierde.

So lag unser Ritter schlaflos, bis er das Morgengrauen gewahrte. Sogleich ließ er seinen Kaplan die Frühmesse vorbereiten, der sie dann Gott zu Ehren und Gachmuret zum Heile sang. Danach trug man schleunigst seine Rüstung herbei, worauf er ungesäumt zum Kampfe ritt. Er schwang sich auf ein Roß, das in raschem Sprung feurig vorpreschen, aber auch, dem Zügeldruck gehorchend, gewandt die Kehre vollziehen konnte. Man sah, wie er hoch auf dem Helm seinen Anker dem Tor entgegenführte. Frauen und Männer beteuerten, nie solch glänzenden Ritter erblickt zu haben. Er gliche geradezu ihren Göttern. Gewaltige Lanzen trug man ihm nach.

Und wie war sein Waffenschmuck? Sein Pferd trug eine Panzerdecke, die es vor Schwerthieben schützte. Darüber

25 dar ûf ein ander decke lac,
    ringe, diu niht swaere wac:
    daz was ein grüener samît.
    sîn wâpenroc, sîn cursît
    was ouch ein grüenez achmardî:
    daz was geworht dâ ze Arâbî.
37 Dar an ich liuge niemen:
    sîne schiltriemen,
    swaz der dar zuo gehôrte,
    was ein unverblichen borte
5   mit gesteine harte tiure:
    geliutert in dem viure
    was sîn buckel rôt golt.
    sîn dienest nam der minnen solt:
    ein scharpfer strît in ringe wac.
10 diu küngîn in dem venster lac:
    bî ir sâzen vrouwen mêr.
    nu seht, dort hielt ouch Hiutegêr,
    aldâ im ê der prîs geschach.
    do er disen ritter komen sach
15 zuo ze im kalopieren hie,
    dô dâhte er ›wenne oder wie
    kom dirre Franzois in diz lant?
    wer hât den stolzen her gesant?
    hete ich den vür einen môr,
20 sô waer mîn bester sin ein tôr.‹
      diu doch von sprungen nicht beliben,
    ir ors mit sporen si bêde triben
    ûz dem walap in die rabbîn.
    si tâten ritters ellen schîn,
25 der tjost ein ander si niht lugen.
    die sprîzen gein den lüften vlugen
    von des küenen Hiutegêres sper:
    ouch valte in sînes strîtes wer
    hinderz ors ûf daz gras.
    vil ungewent er des was.

lag eine zweite, leichtere Decke aus grünem Samt. Auch
Waffenrock und Überwurf waren aus grünem, in Arabie
gewebtem Achmardi. Ihr könnt mir glauben: seine Schild-
riemen bestanden aus bunter, mit kostbaren Edelsteinen
geschmückter Borte. Der Schildbuckel war aus rotem, im
Feuer geläuterten Gold. Auch harter Kampf wurde ihm
nicht schwer, denn er tat seinen Ritterdienst um Liebeslohn.
Die Königin saß bereits inmitten ihrer Hofdamen an einem
Fenster. Und siehe da: Wo er bisher stets gesiegt hatte,
wartete auch schon Hüteger. Als er den unbekannten Ritter
auf sich zugaloppieren sah, dachte er bei sich: »Wann und
wie ist denn dieser Franzose hergekommen? Wer hat wohl
den kühnen Streiter gesandt? Wenn ich den für einen Moh-
ren hielte, wäre ich wahrlich von allen guten Geistern ver-
lassen!«
Beide trieben nun ihre Pferde, die schon aufeinander
zustrebten, mit den Sporen aus dem leichten in den gestreck-
ten Galopp. Beide gaben ein rechtes Beispiel ritterlicher
Kraft und schenkten einander nichts beim Zusammenprall.
Die Lanze des tapferen Hüteger zersplitterte, so daß die
Holzstückchen hoch durch die Luft wirbelten. Er selbst
aber wurde von seinem Gegner hinters Roß auf den Rasen
geschleudert. So etwas war ihm bisher noch nicht widerfah-

Schildbuckel: erhabene runde Metallverstärkung in der Mitte des Holzschildes
(vgl. Anm. zu S. 299).

38   Er reit ûf in und trat in nider.
     des erholte er sich dicke wider,
     er tet werlîchen willen schîn:
     doch steckete in dem arme sîn
5   diu Gahmuretes lanze.
     der iesch die fîanze.
     sînen meister hete er vunden.
     ›wer hât mich überwunden?‹
     alsô sprach der küene man.
10   der sigehafte jach dô sân
     ›ich bin Gahmuret Anschevîn.‹
     er sprach ›mîn sicherheit sî dîn.‹
        die enpfieng er unde sande in în.
     des muose er vil geprîset sîn
15   von den vrouwen die daz sâhen.
     dort her begunde gâhen
     von Normandîe Gaschier,
     der ellens rîche degen fier,
     der starke tjostiure.
20   hie hielt ouch der gehiure
     Gahmuret ze der anderen tjost bereit.
     sîm sper was daz îser breit
     unt der schaft veste.
     aldâ werten die geste
25   ein ander: ungelîche ez wac.
     Gaschier dernider lac
     mit orse mit alle
     von der tjoste valle,
     und wart betwungen sicherheit,
     ez waere im liep oder leit.
39   Gahmuret der wîgant
     sprach ›mir sichert iuwer hant:
     diu was bî manlîcher wer.
     nu rîtet gein der Schotten her,
5   und bitet si daz si uns verbern
     mit strîte, ob si des wellen gern:

ren. Gachmuret sprengte auf ihn los und ritt ihn nieder. Hüteger raffte sich zwar mehrmals auf und suchte sich zu wehren, doch in seinem Arm stak die Lanze Gachmurets. Der forderte ihn auf, sich zu ergeben, und so hatte Hüteger schließlich seinen Meister gefunden.

»Wer hat mich besiegt?« fragte der tapfere Streiter.

Der Sieger im Kampf antwortete: »Ich bin Gachmuret von Anjou!«

Darauf erwiderte jener: »Ich ergebe mich dir!«

Gachmuret nahm sein Unterwerfungsgelöbnis entgegen und sandte ihn dann in die Stadt. Natürlich wurde von den Damen, die zugesehen hatten, sein Lob in allen Tönen gesungen.

Jetzt eilte Gaschier von der Normandie herbei, ein kraftvoller, stolzer Held und gefährlicher Lanzenkämpfer. Der treffliche Gachmuret war schon zum nächsten Zweikampf bereit. Seine Lanze hatte einen starken Schaft und eine breite Spitze. Als nun die beiden Gegner aufeinanderstießen, zeigte sich Gachmurets Überlegenheit. Gaschier wurde beim Zusammenprall samt seinem Roß zu Boden geschleudert und – mochte es ihm nun gefallen oder nicht – zur Ergebung gezwungen. Da sprach unser Kampfesheld Gachmuret: »Gebt mir Eure Hand, die hier so tapfer gestritten hat, auf Ehrenwort! Reitet dann zurück zum schottischen Heer und heißt es, uns mit weiteren Feindseligkeiten zu

und komt nâch mir in die stat.‹
swaz er gebôt oder bat,
endehaft ez wart getân:
10 die Schotten muosen strîten lân.
    dô kom gevaren Kaylet.
von dem kêrte Gahmuret:
wand er was sîner muomen sun:
waz solte er im dô leides tuon?
15 der Spânôl rief im nâch genuoc.
ein strûz er ûf dem helme truoc:
gezimieret was der man,
als ich dâ von ze sagenne hân,
mit pfelle wît unde lanc.
20 daz gevilde nâch dem helde clanc:
sîne schellen gâben gedoene.
er bluome an mannes schoene!
sîn varwe an schoene hielt den strît,
unz an zwên die nâch im wuohsen sît,
25 Bêâcurs Lôtes kint
und Parzivâl, die dâ niht sint:
die wâren dennoch ungeborn,
und wurden sît vür schoene erkorn.
    Gaschier in mit dem zoume nam,
›iuwer wilde wirt vil zam
40 (daz sag ich iu ûf die triuwe mîn),
bestêt ir den Anschevîn,
Der mîne sicherheit dort hât.
ir sult merken mînen rât,
5   und dar zuo, hêrre, mîne bete.
ich hân geheizen Gahmurete
daz ich iuch alle wende:
daz lobte ich sîner hende.
durch mich lât iuwer streben sîn:
10 er tuot iu craft an strîte schîn.‹
    dô sprach der künec Kaylet
›ist daz mîn neve Gahmuret,

verschonen! Dann folgt mir in die Stadt!« Seinem Gebot
wurde in allen Punkten Folge geleistet, und die Schotten
mußten den Kampf einstellen.

Da aber kam Kaylet herangeritten. Vor ihm wich Gachmu-
ret zurück, denn er war sein Vetter. Warum sollte er ihm
Leid zufügen? Lange genug rief der Spanier ihm freilich
seine Herausforderungen nach. Auf dem Helm trug er als
Wappenzier einen Strauß. Geschmückt war dieser Held –
wie ich berichten muß – mit einem langwallenden Seiden-
mantel. Laut tönten die Glöckchen seines Zaumzeugs und
kündeten weit in der Runde die Ankunft des Recken, einer
Blüte männlicher Schönheit. Solch blühender Schönheit
erfreuten sich später nur noch Beacurs, der Sohn Lots, und
Parzival. Die waren damals freilich noch nicht geboren,
galten aber zu ihrer Zeit als besonders schön.

Gaschier ergriff Kaylets Pferd beim Zügel: »Meiner Treu,
wenn Ihr's mit dem Herrn aus Anjou dort aufnehmt, wird
Eure Kampfeswut bald abgekühlt sein. Ich mußte mich ihm
ohne Vorbehalt ergeben. Nehmt daher, lieber Herr, meinen
Rat und meine Bitte sehr ernst. Ich habe Gachmuret ver-
sprochen, euch alle zur Waffenruhe zu bewegen; dies mußte
ich ihm in die Hand geloben. Laßt also mir zuliebe von
Eurem Kampfbegehren, sonst werdet auch Ihr im Zwei-
kampf seine überlegene Kraft spüren.«

Da sprach König Kaylet: »Wenn der Ritter dort mein Vetter

        fil li roy Gandîn,
        mit dem lâz ich mîn strîten sîn.
15   lât mir den zoum.‹ ›ichn lâze ius niht,
        ê daz mîn ouge alrêst ersiht
        iuwer blôzez houbet.
        daz mîne ist mir betoubet.‹
        den helm er im her ab dô bant.
20   Gahmuret mêr strîtes vant.
            ez was wol mitter morgen dô.
        die von der stat des wâren vrô,
        die dise tjost ersâhen.
        si begunden alle gâhen
25   an ir werlîchen letze.
        er was vor in ein netze:
        swaz drunder kom, daz was beslagen.
        ein ander ors, sus hoere ich sagen,
        dar ûf saz der werde:
        daz vlouc und ruorte die erde,
41   gereht ze bêden sîten,
        küen dâ man solt strîten,
        Verhalden unde draete.
        waz er dar ûfe taete?
5   des muoz ich im vür ellen jehen.
        er reit da in môren mohten sehen,
        aldâ die lâgen mit ir her,
        westerhalp dort an dem mer.
        ein vürste Razalîc dâ hiez.
10   deheinen tac daz nimmer liez
        der rîcheste von Azagouc
        (sîn geslehte im des niht louc,
        von küneges vrühte was sîn art),
        der huop sich immer dannewart
15   durch tjostieren vür die stat.
        aldâ tet sîner crefte mat
        der helt von Anschouwe.
        daz clagte ein swarziu vrouwe,

Gachmuret, Sohn König Gandins, ist, dann verzichte ich auf
den Kampf gegen ihn. Gebt die Zügel wieder frei!«
»Ich lasse sie nicht eher los, bis ich Euer Haupt ohne Helm
sehe; meines ist jetzt noch betäubt.« Da band Kaylet seinen
Helm los und nahm ihn ab.
Gachmuret mußte allerdings noch weitere Kämpfe bestehen.
Es war schon spät am Vormittag. Die Stadtbewohner freu-
ten sich, diesen Kämpfen zuzusehen, und stiegen schleunigst
auf die Mauergänge der Verteidigungswerke. Gachmuret
schien ihnen wie ein Vogelnetz: Was darunter geriet, wurde
gefangengenommen. Der Edle hatte mittlerweile – wie mir
berichtet wird – ein anderes Roß bestiegen. Das flog nur so
dahin und zeichnete sich zweifach aus: beim Angriff zeigte
es sich kampfeskühn, aber auch zurückhaltend und beson-
nen. Was Gachmuret auf dessen Rücken vollbrachte, kann
ich nur größte Kühnheit nennen: er ritt nämlich weiter bis
dahin, wo, westlich der Stadt am Meere, das Heer der
feindlichen Mohren lagerte; dort nahm er Aufstellung.
Einer ihrer Fürsten hieß Razalic. Er war der mächtigste
Mann im Lande Azagouc und ließ keinen Tag vergehen,
ohne zum Lanzenkampf vor die Stadt zu reiten. Er machte
damit seiner Abkunft alle Ehre, denn er stammte aus königli-
chem Geschlecht. Nun aber setzte der Held von Anjou
seine Kraft matt. Das beklagte die schwarze Edelfrau, die

    diu in hete dar gesant,
20 daz in dâ iemen überwant.
    ein knappe bôt al sunder bete
    sîme hêrren Gahmurete
    ein sper, dem was der schaft ein rôr:
    dâ mite stach er den môr
25 hinderz ors ûf den griez:
    (niht langer er in ligen liez)
    dâ twanc in sicherheit sîn hant.
    dô was daz urlinge gelant,
    und im ein grôzer prîs geschehen.
    Gahmuret begunde sehen
42 aht vanen sweimen gein der stat.
    die er balde wenden bat
    Den küenen sigelôsen man.
    der nâch gebôt er im dô sân
5 daz er kêrte nâch im în.
    daz tete er: wan ez solte et sîn.
     Gaschier sîn kumen ouch niht verbirt;
    an dem innen wart der wirt
    daz sîn gast was komen ûz.
10 daz er niht îsen als ein strûz
    und starke vlinse verslant,
    daz machte daz er ir niht envant.
    sîn zorn begunde limmen
    und als ein lewe brimmen.
15 dô brach er ûz sîn eigen hâr,
    er sprach ›nu sint mir mîniu jâr
    nâch grôzer tumpheit bewant.
    die gote heten mir gesant
    einen küenen werden gast:
20 ist er verladen mit strîtes last,
    sone mag ich nimmer werden wert.
    waz touc mir schilt unde swert?
    er sol mich schelten, swer michs mane.‹
    dô kêrte er von den sînen dane,

Razalic auf diesen Kampfplatz gesandt hatte. Ohne Auffor-
derung reichte ein Knappe seinem Herrn Gachmuret eine
Lanze mit einem Schaft aus Bambusrohr. Damit schleuderte
er den Mohren hinters Pferd in den Sand. Ohne ihm Zeit zur
Besinnung zu lassen, zwang er ihn zur Ergebung. Damit war
der Krieg beendet, und Gachmuret hatte großen Ruhm
errungen. Als er sah, daß dennoch hinter acht fliegenden
Fahnen Heerhaufen gegen die Stadt vorrückten, bat er den
kühnen, jedoch unterlegenen Razalic, sie unverzüglich
umkehren zu lassen und ihm dann in die Stadt zu folgen.
Razalic mußte sich fügen.

Auch Gaschier traf in der Stadt ein. Erst seine Ankunft
zeigte Gachmurets Gastgeber an, daß sein Gast zum Kampf
ausgeritten war. Daß der vor lauter Verdruß nicht wie ein
Strauß Eisenstücke und große Kieselsteine verschlang, lag
einzig daran, daß er nichts dergleichen zur Hand hatte. Er
knurrte vor Zorn, ja er brüllte wie ein Löwe, raufte sich die
Haare und rief: »Wie unglaublich dumm habe ich mich trotz
meines Alters benommen! Die Götter sandten mir einen
kühnen und würdigen Gast ins Haus. Mußte er allein die
überschwere Last des Kampfes tragen, so ist mein Ansehen
ein für allemal dahin! Was sollen mir nun noch Schild und
Schwert? Wer mich an diesen Tag erinnert, wird mir mit
gutem Grund die Ehre absprechen dürfen.«

25 gein der porte er vaste ruorte.
    ein knappe im widervuorte
    ein schilt, ûzen und innen dran
    gemâlt als ein durchstochen man,
    geworht in Isenhartes lant.
    ein helm er vuorte ouch in der hant,
43 unde ein swert daz Razalîc
    durch ellen brâht in den wîc.
    Dâ was er von gescheiden,
    der küene swarze heiden.
5   des lop was virrec unde wît:
    starb er âne toufen sît,
    so erkenn sich über den degen balt,
    der aller wunder hât gewalt.
        dô der burcgrâve daz ersach,
10 sô rehte liebe im nie geschach.
    diu wâppen er erkande,
    hin ûz der porte er rande.
    sînen gast sach er dort halden,
    den jungen, niht den alden,
15 al gernde strîteclîcher tjost.
    dô nam in Lachfilirost,
    sîn wirt, und zôch in vaste wider.
    ern stach dâ mêr deheinen nider.
        Lachfilirost schahtelacunt
20 sprach ›hêrre, ir sult mir machen kunt,
    hât betwungen iuwer hant
    Razalîgen? unser lant
    ist kampfes sicher immer mêr.
    der ist ob al den môren hêr,
25 des getriuwen Isenhartes man,
    die uns den schaden hânt getân.
    sich hât verendet unser nôt.
    ein zornic got in daz gebôt,
    daz si uns hie suochten mit ir her:
    nu ist enschumpfiert ir wer.‹

Er verließ die Seinen und sprengte in größter Hast zum
Stadttor hin. Da kam ihm auch schon ein Knappe entgegen,
der einen Schild schleppte, der außen und innen das Bild
eines von einer Lanze durchbohrten Ritters trug, also offen-
kundig aus Isenharts Reich stammte. Dazu trug er einen
Helm und das Schwert, das Razalic mutig im Zweikampf
geschwungen hatte. Das hatte man dem tapferen dunkelhäu-
tigen Heiden abgenommen, dessen Ruhm groß und weit
verbreitet war. Falls er später ungetauft gestorben ist, möge
sich des mutigen Helden jener erbarmen, dessen Allgewalt
alles vermag.

Als der Burggraf diese Trophäen sah, empfand er so große
Freude wie nie zuvor. Er erkannte die Wappenzeichen und
stürmte durch das Tor. Dort erblickte er seinen jugendlichen
Gast, der auf weitere Zweikämpfe wartete. Da ergriff sein
Gastgeber Lachfilirost die Zügel seines Streitrosses und zog
ihn mit Gewalt zur Stadt zurück, so daß er an diesem Tage
niemanden mehr aus dem Sattel heben konnte. Burggraf
Lachfilirost Schachtelakunt sprach zu ihm: »Herr, sagt mir
doch, ob Ihr tatsächlich Herrn Razalic bezwungen habt?
Dann ist unser Land fortan sicher vor allen kriegerischen
Überfällen. Er ist der Anführer all dieser Mohren, der
Streiter des treuen Isenhart, die uns dieses Elend aufgebür-
det haben. Nun hat unsere Not ein Ende gefunden. Ein
erzürnter Gott muß sie veranlaßt haben, mit ihrem Heer
gegen uns zu ziehen: Jetzt ist ihre Niederlage voll-
kommen.«

Schachtelakunt: entspricht afrz. *cons del castel,* von Wolfram zur Wiedergabe
von dt. *burcgrâve* ›Burggraf‹ mit Umstellung der Wortteile gebildet.

44   Er vuorte in în: daz was im leit.
diu küneginne im widerreit.
sînen zoum nam si mit ir hant,
si entstricte der fintâlen bant.
5 der wirt in muose lâzen.
sîne knappen niht vergâzen,
sine kêrten vaste ir hêrren nâch.
durch die stat man vüeren sach
ir gast die küneginne wîs,
10 der dâ behalden het den prîs.
si erbeizte aldâ sis dûhte zît.
›wê wie getriuwe ir knappen sît!
ir waent verliesen disen man:
dem wirt ân iuch gemach getân.
15 nemt sîn ors unt vüert ez hin:
sîn geselle ich hie bin.‹
vil vrouwen er dort ûfe vant.
entwâpent mit swarzer hant
wart er von der künegîn.
20 ein declachen zobelîn
und ein bette wol gehêret,
dar an im wart gemêret
ein heinlîchiu êre.
aldâ was niemen mêre:
25 die juncvrouwen giengen vür
und sluzzen nâch in zuo die tür.
dô pflac diu küneginne
einer werden süezer minne,
und Gahmuret ir herzen trût.
ungelîch was doch ir zweier hût.

45   Si brâhten opfers vil ir goten,
die von der stat. waz wart geboten
dem küenen Razalîge,
dô er schiet von dem wîge?
5 daz leiste er durch triuwe:
doch wart sîn jâmer niuwe

Er führte seinen Gast in die Stadt zurück; das war Gachmuret durchaus nicht recht. Doch da ritt die Königin ihnen auch schon entgegen. Sie löste ihm die Helmbänder und faßte die Zügel seines Rosses; daher mußte ihn sein Gastgeber aus seiner Hut entlassen. Nur die Knappen folgten beharrlich ihrem Herrn Gachmuret. Wohlbedacht führte die Königin ihren Gast, der Sieg und Ruhm davongetragen hatte, vor aller Augen durch die Stadt. Als sie am Ziel waren, stieg sie vom Roß und sprach: »Ach, wie treu besorgt ihr Knappen doch seid! Ihr glaubt wohl, diesen Helden zu verlieren? Dem ist jetzt auch ohne euren Beistand alle Bequemlichkeit sicher. Nehmt nur sein Roß und führt es mit euch. Hier will ich allein der Gefährte eures Herrn sein.«

In der Burg fand sich Gachmuret von vielen Damen umgeben. Die Königin nahm ihm mit dunkler Hand selbst die Rüstung ab. Dann wurde er zu einer prächtigen Bettstatt geleitet, über der eine Zobeldecke lag; damit wurde einmal mehr angedeutet, welch hohe Ehrerbietung man ihm durch traulichen Umgang erweisen wollte. Die Jungfrauen verließen nun den Raum und schlossen die Tür; nur die Königin blieb zurück. War auch ihrer beider Haut von unterschiedlicher Farbe: sie und ihr Herzliebster Gachmuret gaben sich unbeschwert dem Genuß berauschender und lauterer Liebe hin.

Indessen brachten die Stadtbewohner ihren Göttern reiche Opfer. Was Gachmuret bei Kampfesende dem tapferen Razalic auferlegt hatte, erfüllte dieser auch getreulich, wenn-

nâch sîme hêrren Isenhart.
der burcgrâve des innen wart,
daz er kom. dô wart ein schal:
10 dar kômen die vürsten über al
ûz der küngîn lant von Zazamanc:
die sageten im des prîses danc,
den er hete aldâ bezalt.
ze rehter tjost het er gevalt
15 vier unt zweinzec ritter nider,
und zôch ir ors almeistic wider.
dâ wârn gevangen vürsten drî:
den reit manec ritter bî,
ze hove ûf den palas.
20 entslâfen unde enbizzen was,
unt wünneclîche gefeitet
mit cleidern wol bereitet
was des hôhsten wirtes lîp.
diu ê hiez magt, diu was nu wîp;
25 diu in her ûz vuorte an ir hant.
si sprach ›mîn lîp und mîn lant
ist disem ritter undertân,
ob ez im vîende wellent lan.‹
      dô wart gevolget Gahmurete
einer höfschlîchen bete.
46 ›gêt nâher, mîn hêr Razalîc:
ir sult küssen mîn wîp.
Als tuot ouch ir, hêr Gaschier.‹
Hiutegêrn den Schotten fier
5 bat er si küssen an ir munt:
der was von sîner tjoste wunt.
      er bat si alle sitzen,
al stênde er sprach mit witzen
›ich saehe ouch gerne den neven mîn,
10 möht ez mit sînen hulden sîn,
der in hie gevangen hât.
ichne hâns von sippe deheinen rât,

gleich ihn der Schmerz über den Tod seines Herrn Isenhart
aufs neue überwältigte. Als der Burggraf Razalics Ankunft
bemerkte, erhob sich großes Freudengeschrei. Alle Fürsten
von Zazamanc, dem Reich der Königin, strömten zusam-
men und dankten Gachmuret für die ruhmvollen Taten, die
er vollbracht hatte. Vierundzwanzig Ritter hatte er in ein-
drucksvollen Zweikämpfen niedergeworfen und die Mehr-
zahl der Streitrosse als Kampfesbeute in die Stadt geschickt.
Drei Fürsten waren in Gefangenschaft geraten, die nun,
gefolgt von zahlreichen Rittern, auf dem Hofe vor dem
Palast eintrafen. Ausgeruht, durch ein Mahl gestärkt, präch-
tig geschmückt und herrlich gekleidet, trat Gachmuret nun
als gebietender Gastgeber auf. Die vorher Jungfrau, jetzt zur
Frau erblüht war, führte ihn an ihrer Hand. Sie sprach: »Ich
und mein Reich gehören nun diesem Ritter – oder haben
unsere Gegner etwas dawider?«
Gachmuret aber wandte sich mit einer höflichen Bitte an die
Harrenden, der man auch gern folgte: »Tretet näher, Herr
Razalic, und bietet meiner Gattin den Willkommenskuß;
und Ihr, Herr Gaschier, tut desgleichen!«
Auch Hüteger, den wackeren, im Zweikampf verwundeten
Schotten, bat er, sie auf den Mund zu küssen. Darauf nötigte
er die Herren zum Sitzen, um, selbst stehend, wohlüberlegt
fortzufahren: »Gern sähe ich auch meinen Neffen vor mir,
wenn der, der ihn gefangennahm, es freundlich gestatten

ichne müeze in ledec machen.‹
diu küngîn begunde lachen,
15   si hiez balde nâch im springen.
dort her begunde dringen
der minneclîche bêâ cunt.
der was von ritterschefte wunt,
und hete ez ouch dâ vil guot getân.
20   Gaschier der Oriman
in dar brâhte: er was curtoys,
sîn vater was ein Franzoys,
er was Kayletes swester barn:
in wîbes dienste er was gevarn:
25   er hiez Killirjacac,
aller manne schoene er widerwac.
    Dô in Gahmuret gesach
(ir antlütze sippe jach:
diu wârn ein ander vil gelîch),
er bat die küneginne rîch
47   in küssen unde vâhen ze ir.
er sprach ›nu ging ouch her ze mir.‹
der wirt in kuste selbe dô:
si wârn ze sehen ein ander vrô.
5   Gahmuret sprach aber sân
›ôwê junc süezer man,
waz solte her dîn cranker lîp?
sag an, gebôt dir daz ein wîp?‹
›die gebietent wênic, hêrre, mir.
10   mich hât mîn veter Gaschier
her brâht, er weiz wol selbe wie.
ich hân im tûsent ritter hie,
unt stên im dienstlîche bî.
ze Rôems in Normandî
15   kom ich zer samnunge:
ich brâhte im helde junge,
ich vuor von Schampân durch in.
nu wil kunst unde sin

will. Schon aus Verwandtschaftsgründen muß ich mich für
seine Befreiung verwenden.«

Da begann die Königin zu lachen und gab Befehl, ihn
unverzüglich herbeizubringen. So nahte sich denn der lie-
benswerte, schöne Graf, der von Kampfeswunden gezeich-
net war, hatte er sich doch trefflich geschlagen. Durch
Gaschier von der Normandie wurde er herbeigeführt. Er
war überaus fein gebildet, denn sein Vater war ein Franzose.
Kaylet war sein Oheim, und sein Name war Killirjakac. Er
war im Dienste einer Frau ausgezogen, und an Schönheit
übertraf er alle andern Ritter. Von Angesicht war er Gach-
muret sehr ähnlich, was die Verwandtschaft erkennen ließ.
Als Gachmuret ihn erblickte, bat er die mächtige Königin,
ihm den Willkommenskuß zu gewähren und ihn zu umar-
men. Dann sprach er: »Nun komm auch zu mir!« Und er
empfing ihn gleichfalls mit einem Kuß. Beide waren glück-
lich, einander wiederzusehen, und Gachmuret sprach
sogleich: »Ach, du blühender Jüngling, warum hast du,
noch nicht zu voller Mannesstärke gereift, den Weg hierher
genommen? Sag, ob dies eine Frau dir auferlegt hat!«

»O Herr, an Frauendienst denk' ich noch nicht. Mein Vetter
Gaschier hat mich hergeführt, er mag wohl wissen, wie und
warum. Durch tausend Ritter hab' ich sein Heer verstärkt
und stehe ihm so dienstbereit zur Seite. Um seinetwillen kam
ich aus der Champagne nach Rouen in die Normandie zur
Heeresversammlung und führte ihm eine Schar junger Hel-
den zu. Nun aber will ihn offenbar das Unheil mit ausgeklü-

        der schade an in kêren,
20   irn welt iuch selben êren.
     gebietet ir, sô lât in mîn
     geniezen, senftet sînen pîn.‹
         ›den rât nim du vil gar zuo dir.
     var du und mîn hêr Gaschier,
25   und bringet mir Kayleten her.‹
     dô wurben si des heldes ger,
     si brâhten in durch sîne bete.
     dô wart ouch er von Gahmurete
     minneclîche enpfangen,
     und dicke umbevangen
48   von der küneginne rîch.
     si kuste den degen minneclîch.
     si mohte ez wol mit êren tuon:
     er was ir mannes muomen sun
 5   Und was von arde ein künic hêr.
     der wirt sprach lachende mêr
     ›got weiz, hêr Kaylet,
     ob ich iu naeme Dôlet
     und iuwer lant ze Spâne,
10   durch den künec von Gascâne,
     der iu dicke tuot mit zornes gir,
     daz waere ein untriuwe an mir:
     wan ir sît mîner muomen kint.
     die besten gar mit iu hie sint,
15   der ritterschefte herte:
     wer twang iuch dirre verte?‹
         dô sprach der stolze degen junc
     ›mir gebôt mîn veter Schiltunc,
     des tohter Vridebrant dâ hât,
20   daz ich im diende, ez waer sîn rât.
     der hât von sîme wîbe
     hie von mîn eines lîbe
     sehs tûsent ritter wol bekant:
     die tragent werlîche hant.

gelter Überlegung treffen, es sei denn, Ihr gebietet dem um
Eurer Ehre willen Einhalt. Laßt doch unsere Verwandt-
schaft zu seinen Gunsten sprechen und mildert die Härte
seiner Gefangenschaft.«

»Dafür sollst du selber sorgen. Begib dich aber zunächst mit
Herrn Gaschier zu Kaylet und bringe ihn zu uns!«

Sie erfüllten des Helden Bitte und brachten Kaylet herbei.
Auch er wurde von Gachmuret sehr liebenswürdig empfan-
gen und von der Königin umarmt. Sie küßte ihn überaus
freundlich und vergab sich dabei nichts, war er doch ihres
Gatten Vetter und von königlichem Geblüt. Lachend nahm
der Gastgeber nun wieder das Wort: »Weiß Gott, Herr
Kaylet, ich hätte sicher treulos genug gehandelt, wäre ich
darauf aus gewesen, Euch zum Vorteil des Königs von
Gascogne, der Euch ja oft genug zornmütig zu schaffen
macht, Toledo und Euer spanisches Reich zu nehmen;
schließlich seid Ihr ja mein Vetter. Doch Ihr habt die besten
Kämpfer, die Blüte Eurer Ritterschaft, hierhergebracht. Wer
hat Euch nur zu dieser Heerfahrt genötigt?«

Da sprach der glänzende junge Kaylet: »Mein Vetter Schil-
tunc, Friedebrants Schwiegervater, bat mich dringend um
Beistand. Da wir miteinander verwandt sind, habe ich allein
sein Heer durch sechstausend berühmte Ritter verstärkt, die
sich wahrlich aufs Kämpfen verstehen. Um seinetwillen

25 ich brâhte ouch ritter mêr durch in:
    der ist ein teil gescheiden hin.
    hie wâren durch die Schotten
    die werlîche rotten.
    im kom von Gruonlanden
    helde zen handen,
49 zwên künge mit grôzer craft:
    die vluot von der ritterschaft
    si brâhten, unde manegen kiel:
    ir rotte mir vil wol geviel.
 5 hie was ouch Môrholt durch in:
    des strît hât craft unde sin.
        Die sint nu hin gekêret:
    swie mich mîn vrouwe lêret,
    als tuon ich mit den mînen.
10 mîn dienst sol ir erschînen:
    dune darft mir dienstes danken niht,
    wand es diu sippe sus vergiht.
    die vrävelen helde sint nu dîn:
    waern sie getoufet sô die mîn,
15 und an der hiut nâch in getân,
    sô wart gecroenet nie kein man,
    ern hete strîtes von in genuoc.
    mich wundert waz dich her vertruoc:
    daz sag mir rehte, unde wie.‹
20 ›ich kom gestern, hiute bin ich hie
    worden hêrre überz lant.
    mich vienc diu künegîn mit ir hant:
    dô werte ich mich mit minne.
    sus rieten mir die sinne.‹
25 ›ich waen dir hât dîn süeziu wer
    betwungen beidenthalb diu her.‹
    ›du meinst durch daz ich dir entran.
    vaste riefe du mich an:
    waz woltest du an mir ertwingen?
    lâ mich sus mit dir dingen.‹

hatte ich zunächst noch mehr Ritter mitgebracht, doch ein
Teil von ihnen ist bereits wieder abgezogen. So lagerten hier
die kampfesmutigen Scharen, die auf den Ruf der Schotten
gekommen waren. Ferner stießen Streiter aus Gruonlant zu
ihm, zwei Könige mit großer Heeresmacht. Sie führten auf
zahlreichen Schiffen eine wahre Flut ritterlicher Kämpfer
heran, die mein Wohlgefallen fanden. Um seinetwillen hielt
sich auch Morholt hier auf, der sich im Kampf durch Kraft
und Überlegung auszeichnet. Sie alle sind bereits abgezogen.
Ich aber will mich samt meinen Streitern ganz dem Willen
meiner Gebieterin, Frau Belakane, fügen, der mein ritterli-
cher Dienst gilt. Du schuldest mir dafür bei unserer Ver-
wandtschaft keinen Dank. Du selbst gebietest ja nun über
alle kühnen Streiter dieses Landes. Wären sie getauft und
hellhäutig wie die meinen, so könnten sie im Kampf jedem
gekrönten Haupt höchst gefährlich werden. Doch nun
möchte ich auch gerne wissen, was dich hierher verschlagen
hat. Berichte jetzt, wie und warum bist du hierherge-
kommen!«

»Gestern kam ich, und heute wurde ich Herrscher dieses
Reiches. Die Königin schlug mich in ihre Bande, so daß ich
mich, dem Rat der Sinne folgend, nur mit den Waffen der
Liebe wehrte.«

»Ich glaube, diese angenehme Art zu kämpfen hat dir nun
gleich auf beiden Seiten die Heere unterworfen.«

»Du spielst wohl darauf an, daß ich vor dir zurückwich? Du
hast mich zwar laut genug herausgefordert. Was wolltest du
mir denn abgewinnen? Wir sollten uns lieber vertragen.«

50   ›da erkante ich niht des ankers dîn:
      mîner muomen man Gandîn
      hât in gevüeret selten ûz.‹
      ›do erkante aber ich wol dînen strûz,
  5   ame schilde ein sarapandratest:
      dîn strûz stuont hôch sunder nest.
         Ich sach an dîner gelegenheit,
      dir was diu sicherheit vil leit,
      die mir tâten zwêne man:
 10   die hetenz dâ vil guot getân.‹
      ›mir waere ouch lîhte alsam geschehen.
      ich muoz des eime tiuvel jehen,
      des vuore ich nimmer wirde vrô:
      het er den prîs behalten sô
 15   an vrävelen helden sô dîn lîp,
      vür zucker gaezen in diu wîp.‹
      ›dîn munt mir lobes ze vil vergiht.‹
      ›nein, in kan gesmeichen niht:
      nim anderr mîner helfe war.‹
 20   si riefen Razalîge dar.
         mit zühten sprach dô Kaylet
      ›iuch hât mîn neve Gahmuret
      mit sîner hant gevangen.‹
      ›hêr, daz ist ergangen.
 25   ich hân den helt dâ vür erkant,
      daz im Azagouc daz lant
      mit dienste nimmer wirt verspart,
      sît unser hêrre Isenhart
      aldâ niht crône solde tragen.
      er wart in ir dienste erslagen,
 51   diu nu ist iuwers neven wîp.
      umbe ir minne er gab den lîp:
      daz hât mîn kus an si verkorn.
      ich hân hêrren und den mâg verlorn.
  5   wil nu iuwer muomen sun
      ritterlîche vuore tuon,

»Hinter dem Anker auf deinem Schild konnte ich dich ja nicht vermuten; denn mein Oheim Gandin ist nie damit ausgezogen.«

»Ich dagegen erkannte deinen Strauß auf dem Helm und auch den Schlangenkopf auf deinem Schild. Dein Strauß reckte sich hoch genug, und ich sah an deiner ganzen Haltung, wie sehr es dir mißfiel, als die beiden Streiter sich mir ergeben mußten. Es war aber wohl das beste, was sie tun konnten.«

»Mir wäre es wahrscheinlich ebenso ergangen, und ich muß gestehen: Selbst den Teufel, der mir immer widerwärtig sein wird, hätten die Frauen wie Zuckerwerk verschlungen, wenn er wie du den Sieg über so viele Recken errungen hätte.«

»Du lobst mich gar zu sehr!«

»Nein, Schmeicheln liegt mir nicht. Du mußt dich meines Beistands schon in andrer Form bedienen.«

Nun riefen sie Razalic herbei. Höflich sprach Kaylet zu ihm: »Euch hat mein Vetter Gachmuret gefangengenommen.«

»So ist's, Herr. Ich mußte dem Helden hier versprechen, daß ihm das Reich Azagouc stets willig zur Verfügung steht, da es unserm Herrscher Isenhart nicht mehr vergönnt ist, dort die Krone zu tragen. Im Dienste dieser Dame, die nun die Gattin Eures Vetters ist, verlor er sein Leben. Mit meinem Kuß habe ich ihr verziehen. Doch ich verlor zugleich meinen Herrscher und meinen Blutsverwandten. Wenn Euer Vetter mich für diesen Verlust nach ritterlicher

daz er uns wil ergetzen sîn,
sô valte ich im die hende mîn.
Sô hât er rîcheit unde prîs,
10 und al dâ mite Tankanîs
Isenharten gerbet hât,
der gebalsemt ime her dort stât.
alle tage ich sîne wunden sach,
sît im diz sper sîn herze brach.‹
15   daz zôch er ûz dem buosem sîn
an einer snüere sîdîn:
hin wider hiengz der degen snel
vür sîne brust an blôzez vel.
›ez ist noch vil hôher tac.
20 wil mîn hêr Killirjacac
inz her werben als ich in bite,
sô rîtent îm die vürsten mite.‹
ein vingerlîn er sande dar.
die nâch der helle wârn gevar,
25 die kômen, swaz dâ vürsten was,
durch die stat ûf den palas.
      dô lêch mit vanen hin sîn hant
von Azagouc der vürsten lant.
ieslîcher was sîns ortes geil:
doch beleip der bezzer teil
52 Gahmurete ir hêrren.
die selben wârn die êrren:
nâher drungen die von Zazamanc,
mit grôzer vuore, niht ze cranc.
5 si enpfiengen, als ir vrouwe hiez,
von im ir lant und des geniez,
als ieslîchen an gezôch.
diu armuot ir hêrren vlôch.
dô hete Prôtyzilas,
10 der von arde ein vürste was,
lâzen ein herzentuom:
daz lêch er dem der manegen ruom

Art entschädigen will, so strecke ich ihm die gefalteten Hände entgegen. Er wird dann Besitz, Ruhm und alles gewinnen, was Tankanis seinem Erben Isenhart hinterlassen hat, dessen einbalsamierter Leichnam in unserem Heerlager ruht. Seit diese Lanzenspitze sein Herz durchbohrte, habe ich täglich seine Wunde betrachtet.«

Er zog die Spitze an einer seidenen Schnur aus dem Halsausschnitt seines Gewandes, danach ließ der wackere Held sie wieder auf seine bloße Brust zurückgleiten. »Es ist noch früh am Tag. Wenn Herr Killirjakac bereit ist, im Heer eine Botschaft von mir auszurichten, so werden ihm die Fürsten hierher folgen.« Als Ausweis gab er ihm einen Ring auf den Weg. Und wirklich ritten alsbald sämtliche höllenschwarzen Fürsten durch die Stadt auf den Palast zu. Dort gab ihnen Gachmuret ihre Länder im Reich Azagouc als Fahnlehen. Ein jeder von ihnen war glücklich über sein Lehen. Den größeren Teil behielt sich allerdings ihr Gebieter Gachmuret vor.

Nach den Fürsten von Azagouc drängten mit stattlichem Gefolge die Fürsten von Zazamanc heran. Auf Geheiß ihrer Gebieterin wurde jeder nach Gebühr mit Grundbesitz und dessen Nutzung belehnt, denn Gachmuret verfügte jetzt über reiche Besitztümer. Nun hatte der gefallene, aus fürstlichem Geschlecht stammende Prothizilas ein Herzogtum hinterlassen. Damit belehnte Gachmuret den Mann, der im Kampfe nie den Mut sinken ließ und mit streitgewohnter

---

Fahnlehen: spielt auf die Art der Belehnung an: der Vasall brachte dem Lehnsherrn die Fahne, und dieser bot sie ihm wieder dar. Fahnlehen konnte nur der König verleihen; sie waren mit Gerichtshoheit und Heerbann verbunden.

mit sîner hant bejagete
(gein strîte er nie verzagete):
15 Lahfilirost schahtelacunt
nam ez mit vanen sâ zestunt.
    Von Azagouc die vürsten hêr
nâmen den Schotten Hiutegêr
und Gaschiern den Orman,
20 si giengen vür ir hêrren sân:
der liez si ledic umbe ir bete.
des dancten si dô Gahmurete.
Hiutegêr den Schotten
si bâten sunder spotten
25 ›lat mîme hêrren daz gezelt
hie umb âventiure gelt.
ez zucte uns Isenhartes leben,
daz Vridebrande wart gegeben
diu zierde unsers landes:
sîn vröude diu stuont pfandes,
53 er stêt hie selbe ouch ame rê.
unvergolten dienst im tet ze wê.‹
ûf erde niht sô guotes was,
der helm, von arde ein adamas
5 dicke unde herte,
ame strîte ein guot geverte.
dô lobte Hiutegêres hant,
swenn er koeme in sînes hêrren lant,
daz erz wolde erwerben gar
10 und senden wider wol gevar.
    daz tete er unbetwungen.
nâch urloube drungen
zem künege swaz dâ vürsten was:
dô rûmten sie den palas.
15 swie verwüestet waer sîn lant,
doch kunde Gahmuretes hant
swenken sölher gâbe solt
als al die boume trüegen golt.

Hand oft genug Sieg und Ruhm davongetragen hatte. Lachfilirost Schachtelakunt nahm es als Fahnlehen entgegen.

Die Fürsten von Azagouc führten jetzt den Schotten Hüteger und den Normannen Gaschier vor ihren Gebieter; beiden gab er auf ihre Bitte die Freiheit. Dafür dankten ihm die Fürsten. Sie baten den Schotten Hüteger nachdrücklich: »Überlaßt unserem Herrn als Lohn für seine Kampfleistung das Zelt Isenharts vor der Stadt. Daß er Friedebrant seine Rüstung, die größte Kostbarkeit unseres Reiches, überließ, mußte er mit dem Leben bezahlen; all sein Lebensglück ging dahin, er selbst liegt nun hier auf dem Totenlager. Ungelohnter Frauendienst hat ihn ins Unglück gestürzt.« Auf der ganzen Welt war nämlich nichts Trefflicheres zu finden als Isenharts Helm, aus einem riesigen harten Diamanten gefertigt, ein verläßlicher Begleiter im Streit. Da versprach Hüteger mit Handschlag, nach der Rückkehr ins Reich seines Herrschers Friedebrant die gesamte Kampfausrüstung Isenharts auszulösen und sie in bestem Zustand zurückzusenden. Dies versprach er freiwillig. Nun baten sämtliche Fürsten den König, sich verabschieden zu dürfen, und verließen darauf den Palast. Sosehr sein Land auch verwüstet war, Gachmuret konnte solche Abschiedsgeschenke verteilen, als wüchse das Gold auf den Bäumen. Höchst kostbar waren

Er teilte grôze gâbe.
20 sîne man, sîne mâge
nâmen von im des heldes guot:
daz was der küneginne muot.
    der brûtloufte hôchgezît
hete dâ vor manegen grôzen strît:
25 die wurden sus ze suone brâht.
ine hân mirs selbe niht erdâht:
man sagete mir daz Isenhart
küneclîche bestatet wart.
daz tâten die in erkanden.
den zins von sînen landen,
54 swaz der gelten mohte ein jâr,
den selben liezen si dâ gar:
daz tâten si umbe ir selber muot.
Gahmuret daz grôze guot
5 sîn volc hiez behalden:
die muosens sunder walden.
    des morgens vor der veste
rûmdenz gar die geste.
sich schieden die dâ wâren,
10 und vuorten manege bâren.
daz velt herberge stuont al blôz,
wan ein gezelt, daz was vil grôz,
daz hiez der künec ze schiffe tragen:
dô begund er dem volke sagen,
15 er wolde ez vüeren in Azagouc:
mit der rede er si betrouc.
    dâ was der stolze küene man,
unz er sich vaste senen began.
daz er niht ritterschefte vant,
20 des was sîn vröude sorgen pfant.
Doch was im daz swarze wîp
lieber dan sîn selbes lîp.
ez enwart nie wîp geschicket baz:
der vrouwen herze nie vergaz,

diese Geschenke. Nach dem Willen der Königin beschenkte er sowohl seine Streiter als auch seine Verwandten, und alle nahmen seine Gaben an.

Die zahlreichen schweren Kämpfe, die dem Hochzeitsfest vorangegangen waren, wurden an diesem Tag durch Aussöhnung beigelegt. Man berichtet mir – ich habe es nicht erfunden –, daß Isenhart von den Seinen bestattet wurde, wie es einem König ziemt. Ferner stellten sie Gachmuret aus freiem Entschluß die gesamten Jahresabgaben seiner Besitzungen in Azagouc zur Verfügung. Gachmuret aber überließ die zusammengebrachten Reichtümer seinen neuen Untertanen mit der Weisung, sie untereinander aufzuteilen.

Am nächsten Morgen verließen die Belagerungsheere ihre Lager vor der Stadt. Die einzelnen Heerhaufen, die viele Tragbahren mit sich führen mußten, trennten sich. Bald stand nur noch das gewaltige Zelt Isenharts auf dem Plan. Der König ließ es auf sein Schiff tragen und sagte seinen Untertanen, er ließe es nach Azagouc bringen, täuschte sie jedoch damit.

Der stolze, kühne Ritter blieb so lange, bis sich seine Abenteuerlust kaum noch bezähmen ließ. Es vergällte ihm alle Lebenslust, daß er sich nicht in ritterlichen Kämpfen erproben konnte. Dennoch liebte er seine dunkle Gattin mehr als das eigne Leben. Nie zeigte sich aber auch eine Frau anmutiger als sie, denn ihr Herz war stets von edlem

25   im envüere ein werdiu volge mite,
      an rehter kiusche wîplich site.
         von Sibilje ûz der stat
      was geborn den er dâ bat
      dan kêrens ze einer wîle.
      der hete in manege mîle
55   dâ vor gevuort: er brâhte in dar.
      er was niht als ein môr gevar.
      der marnaere wîse
      sprach ›ir sultz helen lîse
 5   vor den die tragent daz swarze vel.
      mîne kocken sint sô snel,
      sine mugen uns niht genâhen.
      wir sulen von hinnen gâhen.‹
      sîn golt hiez er ze schiffe tragen.
10   nu muoz ich iu von scheiden sagen.
      die naht vuor dan der werde man:
      daz wart verholne getân.
      dô er entran dem wîbe,
      dô hete si in ir lîbe
15   zwelf wochen lebendic ein kint.
      vaste mente in dan der wint.
         diu vrouwe in ir biutel vant
      einen brief, den schreib ir mannes hant.
      en franzoys, daz si kunde,
20   diu schrift ir sagen begunde
      ›Hie enbiutet liep ein ander liep.
      ich bin dirre verte ein diep:
      die muose ich dir durch jâmer steln.
      vrouwe, ichn mac dich niht verheln,
25   waer dîn orden in mîner ê,
      sô waer mir immer nâch dir wê:
      und hân doch immer nâch dir pîn.
      werde unser zweier kindelîn
      an dem antlütze einem man gelîch,
      deiswâr der wirt ellens rîch.

Gefolge begleitet: von keuscher Zurückhaltung und fraulicher Wesensart.

Nach einer Weile bat nun Gachmuret den Mann aus Sevilla, mit ihm zusammen fortzusegeln. Dieser Mann, ein Weißer wie Gachmuret, hatte ihm schon früher viele Seemeilen weit das Ruder geführt und ihn auch an diesen Ort gebracht. Der kluge Steuermann sprach: »Verbergt Eure Absicht nur ja recht sorgsam vor den Dunkelhäutigen. Meine Schiffe segeln so rasch, daß sie uns nicht einholen können. Wir wollen in voller Fahrt das Weite gewinnen.«

Gachmuret befahl, all sein Gold aufs Schiff zu bringen. Vom Abschiednehmen muß ich euch nun berichten: Heimlich bei Nacht fuhr der edle Ritter davon. Als er seine Gattin verließ, trug sie ein drei Monate altes Kind unterm Herzen. Ihn aber trieb der Wind rasch davon.

Die Herrscherin fand in ihrem Täschchen einen Brief von der Hand ihres Gemahls in französischer Sprache, die ihr vertraut war. Darin las sie: »Hiermit versichert der Liebende der Geliebten seine ungeschmälerte Liebe. Heimlich wie ein Dieb habe ich die Fahrt angetreten, da ich uns den Schmerz des Abschiednehmens ersparen möchte. O Gebieterin, ich kann es nicht verschweigen: Hättest du den gleichen Glauben wie ich, so würde ich mich in Sehnsucht nach dir verzehren, wird mir doch der Abschied auch so schon schwer. Solltest du einen Sohn gebären, so wird er gewiß

56   erst erborn von Anschouwe.
      diu minne wirt sîn vrouwe:
      sô wirt aber er an strîte ein schûr,
      den vîenden herter nâchgebûr.
  5   wizzen sol der sun mîn,
      sîn ane der hiez Gandîn:
      der lac an ritterschefte tôt.
      des vater leit die selben nôt:
      der was geheizen Addanz:
 10   sîn schilt beleip vil selten ganz.
      der was von arde ein Bertûn:
      er und Utepandragûn
      wâren zweier bruoder kint,
      die bêde alhie geschriben sint.
 15   daz was einer, Lazaliez:
      Brickus der ander hiez.
      der zweier vater hiez Mazadân.
      den vuorte ein feie in Feimurgân:
      diu hiez Terdelaschoye:
 20   er was ir herzen boye.
      von in zwein kom geslehte mîn,
      daz immer mêr gît liehten schîn.
      ieslîcher sider crône truoc,
      und heten werdekeit genuoc.
 25   vrouwe, wiltu toufen dich,
      du maht ouch noch erwerben mich.‹
         Des engerte si keinen wandel niht.
      ›ôwê wie balde daz geschiht!
      wil er wider wenden,
      schiere sol ichz enden.
 57   wem hât sîn manlîchiu zuht
      hie lâzen sîner minne vruht?
      ôwê lieplîch geselleschaft,
      sol mir nu riuwe mit ir craft
  5   immer twingen mînen lîp!
      sîme gote ze êren‹, sprach daz wîp,

Löwenstärke zeigen, denn er entstammt dem Geschlecht
derer von Anjou. Die Liebe selbst wird ihm als Schutzgöttin
beistehen, so daß er seinen Feinden ein gefährlicher Gegner
im Kampf sein und wie ein Hagelschauer über sie kommen
wird. Mein Sohn soll dereinst wissen, daß Gandin, der im
ritterlichen Zweikampf fiel, sein Großvater ist. Dessen Vater
namens Addanz traf das gleiche Schicksal; denn er brachte
seinen Schild niemals heil nach Hause zurück. Von
Geschlecht war er ein Bretone. Er und Utepandragun waren
Söhne zweier Brüder, über die folgendes gesagt sei: Der eine
hieß Lazaliez, der andere Brickus. Ihren Vater Mazadan
entführte die Fee Terdelaschoye, deren Herz er gefesselt
hatte, ins Land Feimurgan. Diese beiden haben mein
Geschlecht begründet, das nun zu immer höherem Glanz
emporsteigt; denn alle seine Angehörigen waren gekrönte
Häupter und genossen großes Ansehen. Gebieterin, wenn
du dich taufen ließest, könntest du mich zurückge-
winnen.«
Nach nichts anderem stand ihr Sinn: »Ach, sogleich könnte
dies geschehen! Ohne Zögern würde ich mich dazu ent-
schließen, wenn er nur zurückkäme! Wem überläßt der
Held hier sein Kind, die Frucht seiner Liebe? Wehe über
dich, zu zärtlicher Liebesbund, wenn mich nun durch dich
fortan des Schmerzes Übermaß drücken soll! Seinem Gott

Feimurgan: Land der keltischen Sagenwelt.

›ich mich gerne toufen solte
unde leben swie er wolte.‹
der jâmer gap ir herzen wîc.
10 ir vröude vant den dürren zwîc,
als noch diu turteltûbe tuot.
diu het ie den selben muot:
swenn ir an trûtscheft gebrast,
ir triuwe kôs den dürren ast.
15   diu vrouwe an rehter zît genas
eins suns, der zweier varwe was,
an dem got wunders wart enein:
wîz und swarzer varwe er schein.
diu küngîn kuste in sunder twâl
20 vil dicke an sîniu blanken mâl.
diu muoter hiez ir kindelîn
Feirefîz Anschevîn.
der wart ein waltswende:
die tjoste sîner hende
25 manec sper zebrâchen,
die schilde dürkel stâchen.
Als ein agelster wart gevar
sîn hâr und ouch sîn vel vil gar.
    nu was ez ouch über des jâres zil,
daz Gahmuret geprîset vil
58 was worden dâ ze Zazamanc:
sîn hant dâ sigenunft erranc.
dennoch swebte er ûf dem sê:
die snellen winde im tâten wê.
5   einen sîdin segel sach er roten:
den truoc ein kocke, und ouch die boten,
die von Schotten Vridebrant
vroun Belakânen hete gesant.
er bat si daz si ûf in verkür,
10 swer den mâg durch si verlür,
daz si von im gesuochet was.
dô vuorten si den adamas,

zu Ehren«, sprach die Frau, »würde ich mich gern taufen lassen und ganz nach seinem Willen leben.« So rang ihr Herz mit dem Kummer, während ihr Glück sich auf einen dürren Zweig zurückzog, wie es die Turteltaube tut: Ist der Liebste fern, so wählt sie einen dürren Zweig zum Sitz und Zeichen ihrer Treue.

Als ihre Zeit gekommen war, gebar die Herrscherin einen zwiefarbenen Sohn, an dem Gott ein Wunder getan hatte: seine Haut war nämlich weiß und schwarz gescheckt. Die Königin bedeckte seine weißen Hautstellen mit Küssen. Feirefiz von Anjou nannte die Mutter das Kind, und ihr Sohn wurde ein Waldvernichter; so viele Lanzen zerbrach und Schilde durchstach er. Haar und Haut waren bei ihm weiß und schwarz gefleckt wie das Gefieder einer Elster.

Über ein Jahr war schon vergangen, seit Gachmuret in Zazamanc, wo er den Sieg errang, reichen Ruhm geerntet hatte, doch noch immer kreuzte er auf dem Meer, da ihm die kräftigen Winde ungünstig waren. Da erblickte er fern ein rotseidenes Segel. Es war das Segel des Schiffes, mit dem der Schotte Friedebrant die versprochenen Boten zu Frau Belakane gesandt hatte. Durch sie wollte er für den kriegerischen Einfall um Verzeihung bitten, wenngleich er um ihretwillen einen Verwandten verloren hatte. Die Gesandtschaft führte

ein swert, einen halsperc und zwuo hosen.
hie mugt ir grôz wunder losen,
15 daz im der kocke widervuor,
als mir diu âventiure swuor.
si gâbenz im: dô lobte ouch er,
sîn munt der botschefte ein wer
wurde, swenne er koeme ze ir.
20 sie schieden sich, man sagte mir,
daz mer in truoc in eine habe:
ze Sibilje kêrte er drabe.
mit golde galt der küene man
sînem marnaere sân
25 harte wol sîn arbeit.
si schieden sich: daz was dem leit.

den Diamanthelm, ein Schwert, ein Panzerhemd und ein
Paar Beinpanzer mit sich. Daß Gachmuret diesem Schiff
begegnete, mögt ihr für einen höchst wunderbaren Zufall
halten, doch meine Erzählung schwört, daß es sich so
zugetragen hat. Sie übergaben ihm die Rüstung. Er hingegen
versprach, ihre Botschaft getreulich zu überbringen, sobald
er zur Königin zurückkehrte. Dann trennten sie sich. Wie
ich vernahm, trugen ihn Wind und Wellen endlich in einen
Hafen. Von dort brach er auf nach Sevilla. Der tapfere Ritter
entlohnte seinen Steuermann für alle Mühen reichlich mit
Gold. Dann trennten sie sich, was dem Schiffer recht leid
tat.

II.

Dâ ze Spâne im lande
er den künec erkande.
daz was sîn neve Kaylet:
nâch dem kêrt er ze Dôlet.
59 der was nâch ritterschefte gevarn,
dâ man niht schilde dorfte sparn.
dô hiez ouch er bereiten sich
(sus wert diu âventiure mich)
5 mit speren wol gemâlen
mit grüenen zindâlen:
ieslîchez het ein banier,
drî härmîn anker dran sô fier
daz man ir jach vür rîcheit.
10 si wâren lang unde breit,
und reichten vaste unz ûf die hant,
sô mans zem spers îser bant
dâ niderhalp ein spanne.
der wart dem küenen manne
15 hundert dâ bereitet
und wol hin nâch geleitet
von sînes neven liuten.
êren unde triuten
kunden si in mit werdekeit.
20 daz was ir hêrren niht ze leit.
    er streich, ichn weiz wie lange, nâch,
unz er geste herberge ersach
ime lande ze Wâleis.
dâ was geslagen vür Kanvoleis
25 manc poulûn ûf die plâne.
ichne sage ez iu niht nâch wâne:

Zweites Buch

Der König des spanischen Reiches war Gachmuret wohlbe-
kannt, war es doch sein Vetter Kaylet. Er begab sich zu ihm
nach Toledo, doch Kaylet war zu einem Turnier ausgeritten,
auf dem es heiß hergehen sollte. Wie mir meine Erzählung
versichert, ließ auch Gachmuret Vorbereitungen treffen:
Turnierlanzen wurden sorgfältig gefärbt und mit grünen
Stoffstreifen versehen. An jeder Lanze war eine Fahne befe-
stigt, die drei glänzendweiße Anker aus Hermelin trug, so
daß jedermann über den Aufwand staunte. Die Fahnen
waren in der Tat verschwenderisch reichlich bemessen: Eine
Spanne unterhalb der Spitze befestigt, reichten sie bis zum
Griff. Einhundert solcher Lanzen wurden vorbereitet und
Gachmuret von Dienstmannen seines Vetters nachgeführt.
Diese bezeigten ihm größte Ehrerbietung und Aufmerksam-
keit, was ihrem Herrn nur lieb sein konnte.
Gachmuret mußte Kaylet, ich weiß nicht wie lange, nachrei-
ten, bis er schließlich im Lande Valois auf ein Lager fremder
Ritter stieß. Viele Zelte waren auf der Ebene vor Kanvoleis
errichtet. Das ist keine Phantasie, ich erzähle – wenn ihr

Gebiet ir, sô ist ez wâr.
sîn volc hiez er ûf halden gar:
der hêrre sande vor hin în
den cluogen meisterknappen sîn.
60   der wolde, als in sîn hêrre bat,
herberge nemen in der stat.
dô was im snellîchen gâch:
man zôch im soumaere nâch.
5   sîn ouge ninder hûs dâ sach,
schilde waern sîn ander dach,
und die wende gar behangen
mit spern al umbevangen.
diu künegîn von Wâleis
10   gesprochen hete ze Kanvoleis
einen turnei alsô gezilt,
dês manegen zagen noch bevilt
swâ er dem gelîche werben siht:
von sîner hant es niht geschiht.
15   si was ein maget, niht ein wîp,
und bôt zwei lant unde ir lîp
swer dâ den prîs bezalte.
diz maere manegen valte
hinderz ors ûf den sâmen.
20   die solh gevelle nâmen,
ir schanze wart gein vlust gesagt.
des pflâgen helde unverzagt,
si tâten ritters ellen schîn.
mit hurteclîcher rabbîn
25   wart dâ manc ors ersprenget
und swerte vil erclenget.
Ein schifbrücke ûf einem plân
gieng über einen wazzers trân,
mit einem tor beslozzen.
der knappe unverdrozzen
61   tet ez ûf, als im ze muote was.
dar ob stuont der palas:

erlaubt – die reine Wahrheit. Gachmuret ließ seine Schar halten und sandte den umsichtigen Anführer seiner Knappen voraus in die Stadt, wo er für seinen Herrn eine Unterkunft suchen sollte. Der beeilte sich, und man folgte ihm, die Saumtiere hinter sich herziehend. Der Knappe fand aber kein einziges Haus, das nicht schon ein zweites Dach aus Schilden gehabt hätte und dessen Wände nicht so mit Lanzen behängt waren, daß man kein Mauerwerk mehr sah. Die Königin von Valois hatte nämlich zu Kanvoleis ein Turnier zu so schweren Bedingungen ausgeschrieben, daß sie noch heute manchen Feigling vor Entsetzen erstarren ließen; das wäre sicher nichts für einen Angsthasen gewesen. Die Königin war noch unvermählt und verhieß dem Turniersieger als Preis ihre Hand und ihre beiden Reiche. Diese Lockung wurde vielen Rittern zum Verhängnis, denn sie wurden beim Turnier hinters Roß auf den Rasen geschleudert. Für den, der so zu Fall kam, war allerdings alle Aussicht auf den Preis dahin. Tapfere Helden gaben dort Proben ihrer ritterlichen Kraft. Manches Streitroß wurde zu stürmischem Angriffsstoß gespornt, viele Schwerter ließ man hell erklingen.

Eine Schiffbrücke, durch ein Tor versperrt, führte in der Wiesenniederung über einen Fluß. Ein Knappe öffnete das Tor, ohne viel zu fragen. Oberhalb der Brücke stand der

ouch saz diu küneginne
ze den venstern dar inne
5   mit maneger werden vrouwen.
die begunden schouwen,
waz dise knappen tâten.
die heten sich berâten
und sluogen ûf ein gezelt.
10   umb unvergolten minnen gelt
wart ez ein künec âne:
des twang in Belacâne.
    mit arbeit wart ûf geslagen
daz drîzec soumaer muosen tragen,
15   ein gezelt: daz zeigte rîcheit.
ouch was der plân wol sô breit,
daz sich die snüere stracten dran.
Gahmuret der werde man
die selben zît dort ûze enbeiz.
20   dar nâch er sich mit vlîze vleiz,
wie er höfslîche koeme geriten.
des enwart niht langer dô gebiten,
sîne knappen an den stunden
sîniu sper ze samne bunden,
25   ieslîcher vünviu an ein bant:
daz sehste vuorte er an der hant
Mit einer baniere.
sus kom gevarn der fiere.
    vor der küngîn wart vernomen
daz ein gast dâ solte komen
62   ûz verrem lande,
den niemen dâ erkande.
›sîn volc daz ist curtoys,
beidiu heidensch und franzoys:
5   etslîcher mag ein Anschevîn
mit sîner sprâche iedoch wol sîn.
ir muot ist stolz, ir wât ist clâr,
wol gesniten al vür wâr.

Palast, in dessen Fenstern die Königin mit vielen Edelfrauen saß. Neugierig verfolgten sie, was die Knappen taten. Die aber waren sich inzwischen einig geworden und schlugen das Zelt auf, das einst König Isenhart verloren hatte, als Belakane ihm den Lohn für seinen Frauendienst nicht gewähren wollte. Mit Mühe wurde das prächtige Zelt aufgeschlagen, das dreißig Saumpferde tragen mußten. Der freie Platz war gerade groß genug, um die Spannschnüre zu verankern. Der edle Ritter Gachmuret nahm indes vor der Stadt ein kleines Mahl. Danach traf er sorgfältig alle Vorbereitungen, um auf vornehm-eindrucksvolle Weise in die Stadt einzureiten. Rasch bündelten seine Knappen die Turnierlanzen, so daß jeder ein Bündel von fünf Lanzen in der einen Hand und in der andern eine sechste Lanze mit einem Banner trug. So setzte sich der Zug des glänzenden Ritters in Bewegung.

Am Hofe der Königin hatte man inzwischen vernommen, daß ein Fremdling aus fernen Landen, allen Anwesenden unbekannt, seinen Einzug halten würde. »Sein Gefolge, Heiden und Franzosen, zeigt sich insgesamt höfisch gebildet. Einige davon scheinen ihrer Sprache nach aus Anjou zu stammen. Ihr Sinn ist stolz, ihre Kleidung von gutem Stoff

ich was sînen knappen bî:
10 die sint vor missewende vrî:
si jehent, swer habe geruoche,
ob der ir hêrren suoche,
den scheide er von swaere.
von im vrâgt ich der maere:
15 dô sageten si mir sunder wanc,
ez waere der künec von Zazamanc.‹
disiu maer sagt ir ein garzûn.
›âvoy welh ein poulûn!
iuwer crône und iuwer lant
20 waern dervür niht halbez pfant.‹
›dune darft mirz sô loben niht.
mîn munt hin wider dir des giht,
ez mac wol sîn eins werden man,
der niht mit armüete kan.‹
25 alsus sprach diu künegîn.
›wê wan kumt er et selbe drîn?‹
    Den garzûn si des vrâgen bat.
höfslîchen durch die stat
der helt begunde trecken,
die slâfenden wecken.
63 vil schilde sach er schînen.
die hellen pusînen
mit crache vor im gâben dôz.
von würfen und mit slegen grôz
5 zwên tambûre gâben schal:
der galm über al die stat erhal.
der dôn iedoch gemischet wart
mit vloytieren an der vart:
ein reisenote si bliesen.
10 nu sulen wir niht verliesen,
wie ir hêrre komen sî:
dem riten videlaere bî.
    dô leite der degen wert
ein bein vür sich ûf daz pfert,

und bestem Schnitt. Ich habe mich seinen Knappen zuge-
sellt, die sich gesittet benehmen. Sie behaupten, ihr Herr
pflege alle Bedürftigen, die ihn aufsuchen, durch Gaben von
ihrer Not zu befreien. Ich fragte sie, wer ihr Herr denn sei.
Sie erwiderten, er sei der König von Zazamanc.« Diese
Nachricht überbrachte der Königin ein Page, und er fuhr
fort: »Seht nur, was für ein Zelt! Eure Krone, selbst Euer
Reich sind nicht halb soviel wert!«
»Soviel Lob ist nicht nötig. Ich sehe schon, es muß einem
edlen und reichen Ritter gehören!« erwiderte die Königin.
»Doch wann wird er selbst seinen Einzug halten?« Sie gebot
dem Pagen, sich danach zu erkundigen.
Mittlerweile zog unser Held schon durch die Straßen der
Stadt mit höfischem Pomp, so daß die Schlafenden vom
Lager aufschreckten. Viele Schilde sah Gachmuret blinken.
Die hellen Posaunen an der Spitze des Zuges dröhnten mit
gewaltigem Schall. Zwei Tamburins, mit voller Kraft gewor-
fen und geschlagen, verursachten solches Getöse, daß die
ganze Stadt widerhallte. Darein mischte sich der Klang der
Flöten, die ein Marschlied bliesen. Nun wollen wir nicht
vergessen zu schildern, wie Herr Gachmuret selbst einzog.
Fiedler ritten neben ihm. Nachlässig hatte der edle Recke ein
nacktes, nur mit leichtem Stiefel bekleidetes Bein vor sich

15   zwên stivâl über blôziu bein.
sîn munt als ein rubîn schein
von roete als ob er brünne:
der was dicke und niht ze dünne.
sîn lîp was allenthalben clâr.
20   lieht reideloht was im sîn hâr,
swâ manz vor dem huote sach:
der was ein tiure houbetdach.
grüene samît was der mandel sîn:
ein zobel dâ vor gap swarzen schîn,
25   ob einem hemde daz was blanc.
von schouwen wart dâ grôz gedranc.
         Vil dicke aldâ gevrâget wart,
wer waere der ritter âne bart,
der vuorte alsölhe rîcheit.
vil schiere wart daz maere breit:
64   si sagetenz in vür unbetrogen.
do begunden si an die brücke zogen,
ander volc und ouch die sîne.
von dem liehten schîne,
 5   der von der künegîn erschein,
zucte im neben sich sîn bein:
ûf rihte sich der degen wert,
als ein vederspil, daz gert.
diu herberge dûhte in guot.
10   alsô stuont des heldes muot:
si dolte ouch wol, diu wirtîn,
von Wâleis diu künegîn.
         dô vriesch der künec von Spâne,
daz ûf der Lêôplâne
15   stüend ein gezelt, daz Gahmurete
durch des küenen Razalîges bete
beleip vor Pâtelamunt.
daz tet im ein ritter kunt.
dô vuor er springende als ein tier,
20   er was der vröuden soldier.

über den Sattel gelegt. Rot wie ein Rubin, als züngelten
Flammen darüber hin, leuchteten seine vollen Lippen. Seine
ganze Gestalt war berückend schön. In blonden Locken
quoll sein Haar unter der kostbaren Kopfbedeckung hervor.
Von grünem Samt, mit schwarzem Zobel verbrämt war sein
Umhang über einem schneeweißen Gewand. Am Wege aber
drängten sich dicht die Schaulustigen.

Eifrig fragte man allenthalben, wer der bartlose, mit solcher
Pracht einziehende Ritter wäre. Bald flog die Kunde durch
die ganze Stadt; denn Gachmurets Gefolge gab wahrheitsge-
treu Auskunft. Nun näherte sich Gachmurets Zug, von
einer neugierigen Menge geleitet, der Brücke. Da ließ der
Glanz, den die Schönheit der Königin verbreitete, Gachmu-
rets lässig übergeschlagenes Bein jäh in den Steigbügel fah-
ren. Wie ein Falke, der nach Beute Ausschau hält, federte
der edle Recke im Sattel empor. Unser Held erkannte, welch
erwünschter Aufenthaltsort dies sei, und die Gastgeberin,
Königin von Valois, gewährte ihm auch gern Gastrecht.

Bald erfuhr der König von Spanien, auf dem Leoplan sei das
Zelt aufgeschlagen, das auf des tapferen Razalic Bitte hin vor
Patelamunt stehengeblieben und Gachmuret übereignet
worden war. Als ein Ritter die Botschaft brachte, fuhr er
flink wie ein Reh vom Lager auf und war vor Freude außer

Leoplan: Blachfeld vor Kanvoleis.

der selbe ritter aber sprach
›iuwer muomen sun ich sach
kumende als er ie was fier.
ez sint hundert banier
25   zuo eime schilde ûf grüene velt
gestôzen vür sîn hôch gezelt:
die sint ouch alle grüene.
ouch hât der helt küene
Drî härmîn anker lieht gemâl
ûf ieslîchen zindâl.‹

65   ›ist er gezimieret hie?
âvoy sô sol man schouwen wie
sîn lîp den poinder irret.
wie erz mit hurte wirret!
5   der stolze künec Hardîz
hât mit zorne sînen vlîz
nu lange vaste an mich gewant:
den sol hie Gahmuretes hant
mit sîner tjoste neigen.
10   mîn saelde ist niht der veigen.‹
        sîne boten sante er sân
dâ Gaschier der Oriman
mit grôzer mässenîe lac,
unt der liehte Killirjakac:
15   die wâren dâ durch sine bete.
zem poulûn si mit Kailete
vuoren mit geselleschaft.
do enpfiengen si durch liebe craft
den werden künec von Zazamanc.
20   si dûhte ein beiten gar ze lanc
daz si in niht ê gesâhen;
des si mit triuwen jâhen.
dô vrâgte er si der maere,
wer dâ ritter waere.
25   dô sprach sîner muomen kint
›ûz verrem lande hie sint

sich. Der Ritter berichtete weiter: »Ich sah, wie Euer Vetter in gewohnter Pracht einzog. Vor seinem großen Zelt waren hundert Lanzen mit Fahnen rings um einen Schild in den Rasen gestoßen. Die Fahnen sind alle grün, und auf jeder führt der tapfere Held drei weiße Anker aus Hermelin.«

»Er ist also zum Turnier gerüstet? Dann wird man schon erleben, wie er dazwischenfährt und mit seinen Angriffen alles durcheinanderwirbelt. Lange genug hat mir der stolze König Hardiz mit unversöhnlichem Zorn zugesetzt! Gachmurets starker Arm wird ihn im Zweikampf zu Boden schmettern. Das Glück hat sich doch noch nicht von mir gewendet!«

Sogleich sandte er Boten dahin, wo Gaschier, der Normanne, mit großem Gefolge lagerte und wo sich auch der strahlendschöne Killirjakac aufhielt. Beide waren auf seine Bitte hin zum Turnier gekommen. Gemeinsam mit Kaylet ritten sie nun, geleitet von vielen Rittern, zu Gachmurets Zelt, wo sie den edlen König von Zazamanc mit herzlicher Zuneigung willkommen hießen. Aufrichtig beteuerten sie ihm, die Zeit der Trennung, in der sie seinen Anblick entbehren mußten, sei ihnen gar zu lang erschienen. Dann fragte der berühmte Held, welche Ritter sich zum Turnier eingefunden hätten. Sein Vetter antwortete: »Viele kühne, furchtlose Ritter aus fernen Landen sind gekommen, Ritter,

ritter die diu minne jagt,
vil küener helde unverzagt.
    Hie hât mangen Bertûn
roys Utepandragûn.

66 ein maere in stichet als ein dorn,
daz er sîn wîp hât verlorn,
diu Artûses muoter was.
ein pfaffe der wol zouber las,
5 mit dem diu vrouwe ist hin gewant:
dem ist Artûs nâch gerant.
ez ist nu ime dritten jâr,
daz er sun und wîp verlôs vür wâr.
hie ist ouch sîner tohter man,
10 der wol mit ritterschefte kan,
Lôt von Norwaege,
gein valscheit der traege
und der snelle gein dem prîse,
der küene degen wîse.
15 hie ist ouch Gâwân, des sun,
sô cranc daz er niht mac getuon
ritterschaft deheine.
er was bî mir, der cleine:
er sprichet, möhte er einen schaft
20 zebrechen, trôste in des sîn craft,
er taete gerne ritters tât.
wie vruo es sîn ger begunnen hât!
hie hât der künec von Patrigalt
von speren einen ganzen walt.
25 des vuore ist da engein gar ein wint,
wan die von Portegâl hie sint.
die heizen wir die vrechen:
si wellent durch schilde stechen.
    Hie hânt die Provenzâle
schilde wol gemâle.
67 hie sint die Wâleise,
daz si behabent ir reise

die die Liebe hierhertrieb. So ist auch König Utepandragun
mit vielen Bretonen am Ort. Wie ein Dorn peinigt ihn der
Verlust seiner Gemahlin, der Mutter des Artus. Mit einem
zauberkundigen Pfaffen ist sie davongegangen; den verfolgte
Artus. Es ist nun fast drei Jahre her, daß er Sohn und Frau
zugleich verlor. Dann ist sein Schwiegersohn Lot von Nor-
wegen hier, im ritterlichen Kampf wohlerfahren, ein tapfe-
rer, besonnener Held, frei von allem Falsch und sehr ruhm-
begierig. Er hat auch seinen Sohn Gawan mitgebracht, der
für den ritterlichen Zweikampf aber noch zu jung ist. Der
kleine Bub hat mich besucht und mir erzählt, er würde sich
gar zu gern im ritterlichen Zweikampf versuchen, fühlte er
sich nur erst stark genug, im Anrennen eine Lanze zu
zerbrechen. Wie zeitig doch seine Kampfbegier erwacht ist!
Ferner hat hier der König von Patrigalt einen ganzen Wald
von Lanzen aufgerichtet. Sein Aufgebot ist freilich nichts
gegen das der Portugiesen, die gleichfalls erschienen sind.
Wir nennen sie die Draufgänger, denn sie wollen recht viele
Schilde durchbohren. Dann haben sich auch die Provenzalen
mit ihren prächtig bemalten Schilden eingefunden. Außer-
dem sind natürlich die Ritter aus Valois zur Stelle. Als

Mutter des Artus: Utepandraguns Frau ist die später erwähnte Arnive.
zauberkundigen Pfaffen: der später erwähnte Zauberer Clinschor.

durch den poinder swâ sis gernt:
von der craft ir landes si des wernt.
5   hie ist manc ritter durch diu wîp,
des niht erkennen mac mîn lîp.
al die ich hie benennet hân,
wir ligen mit wârheit sunder wân
mit grôzer vuore in der stat,
10 als uns diu küneginne bat.
    ich sage dir wer ze velde ligt,
die unser wer vil ringe wigt.
der werde künec von Ascalûn,
unt der stolze künec von Arragûn,
15 Cidegast von Lôgroys,
unt der künec von Punturtoys:
der heizet Brandelidelîn.
da ist ouch der küene Lehelîn.
da ist Môrholt von Yrlant:
20 der brichet ab uns gaebiu pfant.
dâ ligent ûf dem plâne
die stolzen Alemâne:
der herzoge von Brâbant
ist gestrichen in diz lant
25 durch den künec Hardîzen.
sîne swester Alîzen
gap im der künec von Gascôn:
sîn dienst hât vor enpfangen lôn.
    Die sint mit zorne hie gein mir.
nu sol ich wol getrûwen dir.
68 gedenke an die sippe dîn.
durch rehte liebe warte mîn.‹
    dô sprach der künec von Zazamanc
›dune darft mir wizzen keinen danc,
5   swaz dir mîn dienst hie ze êren tuot.
wir sulen haben einen muot.
stêt dîn strûz noch sunder nest?
du solt dîn sarapandratest

Einheimische sind sie in der Überzahl und können sich daher im Kampfgetümmel besser behaupten. Noch viele Ritter, die ich nicht sämtlich mit Namen kenne, sind zu Ehren ihrer Damen erschienen. Alle haben sie wie wir mit großem Gefolge, dem Wunsch der Königin entsprechend, in der Stadt Quartier genommen. Nun will ich dir noch die nennen, die draußen vor der Stadt lagern und den Waffengang mit uns nicht scheuen. Da ist der edle König von Ascalun, der stolze König von Arragonien, Cidegast von Logroys und Brandelidelin, König von Punturtoys. Weiter der tapfere Lähelin und Morholt von Irland, der schon viele edle Ritter von uns gefangennahm. Ferner lagern da die hochgemuten Deutschen. Auch der Herzog von Brabant ist in dies Reich gekommen, und zwar um des Königs Hardiz willen. Der König von Gascogne gab ihm seine Schwester Alize zur Gemahlin, so daß sein Frauendienst schon im voraus gelohnt wurde. Sie alle brennen darauf, mir im Turnier entgegenzutreten. Ich aber vertraue jetzt ganz auf deine Hilfe. Gedenke unsrer Blutsverwandtschaft und stehe mir in rechter Freundschaft bei!«

Da sprach der König von Zazamanc: »Für das, was ich dir zu Ehren hier vollbringen werde, danke mir nicht. Wir beide wollen ein Herz und eine Seele sein. Ist denn dein Strauß noch ohne Nest? Trage deinen Schlangenhelm ruhig seinem

gein sînem halben grîfen tragen.
10 mîn anker vaste wirt geslagen
durch lenden in sîns poinders hurt:
er muoz selbe suochen vurt
hinderm ors ûf dem grieze.
der uns ze ein ander lieze,
15 ich valte in, oder er valte mich:
des were ich an den triuwen dich.‹
    Kaylet ze herbergen reit
mit grôzen vröuden sunder leit.
sich huob ein crîieren
20 vor zwein helden fieren:
von Poytouwe Schyolarz
und Gurnemanz de Grâharz
die tjostierten ûf dem plân.
sich huop diu vesperîe sân.
25 hie riten sehse, dort wol drî:
den vuor vil lîhte ein tropel bî.
si begunden rehte ritters tât:
des enwas et dô dehein rât.
    Ez was dennoch wol mitter tac:
der hêrre in sîme gezelte lac.
69 dô vriesch der künec von Zazamanc
daz die poynder wît unde lanc
wârn ze velde worden
al nâch ritters orden.
5 er huob ouch sich des endes dar
mit maneger banier lieht gevar.
ern kêrt sich niht an gâhez schehen:
müezeclîche er wolde ersehen
wie ez ze bêder sît dâ waer getân.
10 sînen tepich leit man ûf dem plân,
dâ sich die poinder wurren
unt diu ors von stichen kurren.
von knappen was umb in ein rinc,
dâ bî von swerten clingâ clinc.

halben Greifen entgegen. Mein Anker wird, wenn er anrennt, fest in den Grund geschlagen sein, so daß sich Hardiz hinter seinem Pferd auf dem Sand einen rettenden Platz suchen kann. Wenn ich mit deinem Gegner zusammengerate, dann muß einer von uns beiden zu Boden; das verspreche ich dir fest.«

Hoch erfreut und aller Sorgen ledig, ritt Kaylet zurück in sein Quartier. In diesem Augenblick erhob sich Kampfgeschrei um zwei stolze Helden. Schyolarz von Poitou und Gurnemanz von Graharz hatten auf dem Turnierplatz einen Zweikampf begonnen als Auftakt für das Vorabendturnier: hier ritten sechs heran, dort drei, denen sich bald noch eine kleine Schar anschloß. Im Nu war ein Treffen nach allen Regeln der Turnierkunst im Gange, es gab kein Halten mehr.

Dies ereignete sich um die Mittagszeit, während Gachmuret noch in seinem Zelt ruhte. Als der König von Zazamanc vernahm, auf dem Turnierfeld seien die ritterlichen Kampfspiele schon in vollem Gange, begab er sich gemächlich zum Kampfplatz, wobei er viele Lanzen mit hellen Fähnlein mit sich führte. Er wollte nämlich erst in aller Ruhe zusehen, wie sich die beiden Parteien im Kampf bewährten. Auf dem Feld, wo die Kämpfer wild durcheinanderwirbelten und die Pferde unter den Sporenstichen hell aufwieherten, breitete man seinen Teppich aus. Seine Knappen umgaben ihn als schützenden Ring, denn aus allen Richtungen hallte der

---

Vorabendturnier: Kampfspiel am Vorabend des eigentlichen Turniers.
Regeln der Turnierkunst: Turniere waren im Mittelalter zur Wehrertüchtigung des Adels veranstaltete Kampfspiele. Um Ausschreitungen und damit gefährliche Verletzungen auszuschließen, waren bestimmte Regeln einzuhalten.

15 wie sie nâch prîse rungen,
    der clingen alsus clungen!
    von spern was grôz crachen dâ.
    ern dorfte niemen vrâgen wâ.
    poynder wârn sîn wende:
20 die worhten ritters hende.
        diu ritterschaft sô nâhe was,
    daz die vrouwen ab dem palas
    wol sâhen der helde arbeit.
    doch was der küneginne leit
25 daz sich der künec von Zazamanc
    dâ mit den andern niht endranc.
    si sprach ›wê war ist er komen,
    von dem ich wunder hân vernomen?‹
        Nu was ouch rois de Franze tôt,
    des wîp in dicke in grôze nôt
70 brâhte mit ir minne:
    diu werde küneginne
    hete aldar nâch im gesant,
    ob er noch wider in daz lant
5   waer komen von der heidenschaft.
    des twanc si grôzer liebe craft.
        Ez wart dâ harte guot getân
    von manegem küenem armman,
    die doch der hoehe gerten niht,
10 des der küngîn zil vergiht,
    ir lîbes unde ir lande:
    si gerten anderre pfande.
        nu was ouch Gahmuretes lîp
    in harnasche, dâ sîn wîp
15 wart einer suone bî gemant;
    daz ir von Schotten Vridebrant
    ze gebe sande vür ir schaden:
    mit strîte hete er si verladen.
    ûf erde niht sô guotes was.
20 dô schouwet er den adamas:

Klingklang der Schwerter. Hell klangen die Schwerter derer, die begierig um Kampfesruhm stritten, und darein mischte sich das wuchtige Dröhnen der Lanzenstöße. Gachmuret brauchte wirklich niemanden nach der Herkunft des Lärms zu fragen, denn das Gewühl der aufeinanderprallenden Kämpfer umgab ihn wie eine von Ritterfäusten errichtete feste Wand. Das ritterliche Treffen spielte sich unmittelbar beim Palast ab, so daß die Damen die Anstrengungen der Helden gut sehen konnten. Die Königin bedauerte, daß sich der König von Zazamanc nicht ins Gewühl gestürzt hatte, und sprach: »Ach, wo bleibt denn der, von dem ich so Erstaunliches vernommen habe?«

Aber nicht nur sie fragte nach ihm. Mittlerweile war nämlich der König von Frankreich verstorben, dessen Gemahlin unseren Helden schon lange vor seinem Abschied aus Valois in große Herzensnot verstrickt hatte. Nun hatte die edle Königin einen Boten zum Turnierort gesandt, um zu erfahren, ob Gachmuret aus den Heidenlanden zurückgekehrt sei. Große Zuneigung zwang sie zu diesem Schritt.

Auf dem Kampffeld vollbrachten indes auch viele tapfere, doch arme Ritter beachtliche Taten. Sie vermaßen sich freilich nicht, den von der Königin ausgesetzten Preis – Hand und Reiche – erringen zu wollen. Dafür trachteten sie nach anderem Gewinn.

Gachmuret hatte nun die Rüstung angelegt, die seiner Gemahlin als Sühnegabe gesandt worden war. Friedebrant von Schottland hatte sie als Ersatz für allen Schaden bestimmt, den er bei seinem kriegerischen Einfall angerichtet hatte. Auf der ganzen Erde gab es keine solche Rüstung. Gachmuret betrachtete den Diamanthelm: Ja, das war ein

daz was ein helm. dar ûf man bant
einen anker, dâ man inne vant
verwieret edel gesteine,
grôz, niht ze cleine:
25   daz was iedoch ein swaerer last.
gezimieret wart der gast.
     wie sîn schilt gehêret sî?
mit golde von Arâbî
ein tiuriu buckel drûf geslagen,
swaere, die er muose tragen.
71   diu gab von roete alsolhez brehen,
daz man sich drinne mohte ersehen.
ein zobelîn anker drunde.
mir selben ich wol gunde
5   des er het an den lîp gegert:
wand ez was maneger marke wert.
     Sîn wâpenroc was harte wît:
ich waene kein sô guoten sît
ie man ze strîte vuorte;
10   des lenge den teppech ruorte.
ob ich in geprüeven künne,
er schein als ob hie brünne
bî der naht ein queckez viur.
verblichen varwe was im tiur:
15   sîn glast die blicke niht vermeit;
ein boesez ouge sich dran versneit.
mit golde er gebildet was,
daz zer muntâne an Kaukasas
ab einem velse zarten
20   grîfen clâ, die ez dâ bewarten
und ez noch hiute aldâ bewarent.
von Arâbî liute varent:
die erwerbent ez mit listen dâ
(sô tiurez ist ninder anderswâ)
25   und bringentz wider ze Arâbî,
dâ man diu grüenen achmardî

Helm! Ein Anker wurde auf ihm befestigt, den große Edelsteine zierten – eine gewichtige Last! Auch sonst wurde Gachmuret prächtig gekleidet. Wie sein Schild verziert war? Ein kostbarer Schildbuckel aus arabischem Gold war aufgehämmert, so schwer, daß Gachmuret sein Gewicht wohl fühlte. Er war so glänzend poliert, daß man sich darin spiegeln konnte. Darunter war ein Anker aus Zobelpelz angebracht. Seine übrige Kleidung besäße ich gern selbst, denn alles war überaus wertvoll.

Sein Waffenrock war verschwenderisch großzügig geschnitten; er war so lang, daß er bis auf den Teppich herabwallte. Ich glaube, so etwas Schönes hat später niemand mehr im Streit getragen. Ich kann ihn nur so beschreiben: er glänzte wie ein züngelndes Feuer in der Nacht. Nirgendwo war eine stumpfe Stelle zu entdecken. Sein Glanz zog aller Augen auf sich und war so stark, daß er kranke Augen geradezu schmerzte. Er war aus dem Gold gewirkt, das Greifen mit ihren Klauen von einem Fels des Kaukasus reißen und es, wie heute noch, verbergen. Kostbareres Gold gibt es nirgends. Araber reisen dorthin, entreißen es mit List den Greifen und bringen es nach Arabien, wo man den grünen

wurket und die pfellel rîch.
ander wât ist der vil ungelîch.
    den schilt nam er ze halse sân.
hie stuont ein ors vil wol getân,
72 gewâpent vaste unz ûf den huof,
hie garzûne ruofâ ruof.
sîn lîp spranc drûf, wand erz dâ vant.
vil starker sper des heldes hant
5   mit hurte verswande:
die poynder er zetrande,
immer durch, anderthalben ûz.
dem anker volgete nâch der strûz.
    Gahmuret stach hinderz ors
10 Poytwîn de Prienlascors
und anders manegen werden man,
an den er sicherheit gewan.
swaz dâ gecriuzter ritter reit,
die genuzzen des heldes arbeit:
15 diu gewunnen ors diu gab er in:
an im lag ir grôz gewin.
    gelîcher baniere
man gein im vuorte viere
(küene rotten riten drunde:
20 ir hêrre strîten kunde),
an ieslîcher eins grîfen zagel.
daz hinder teil was ouch ein hagel
an ritterschaft: des wâren die.
daz vorder teil des grîfen hie
25 der künec von Gascône truoc
ûf dem schilt, ein ritter cluoc.
gezimieret was sîn lîp
sô wol geprüeven kunnen wîp.
er nam sich vor den andern ûz,
do er ûf dem helme ersach den strûz.
73 der anker kom doch vor an in.
dô stach in hinderz ors dort hin

Achmardi und die kostbaren Seidenstoffe webt. Gachmurets
Waffenrock hatte nicht seinesgleichen! Der Held zog nun
den Schildrand bis zum Hals hinauf. Ein prächtiges Roß, bis
zu den Hufen vortrefflich gerüstet, stand bereit, die Knap-
pen erhoben den Kampfruf. Gachmuret schwang sich in den
Sattel, und im Handumdrehen hatte der Held bei seinen
Angriffen eine erkleckliche Anzahl starker Lanzen ver-
braucht. Immer wieder brach er sich Bahn mitten durch das
dichte Kampfgewühl, und dem Anker folgte der Strauß.
Poytwin von Prienlascors und viele andre edle Ritter hob
Gachmuret aus dem Sattel; alle mußten sich ihm ergeben.
Die Ritter, die das Kreuz der Armut trugen, zogen ihren
Nutzen aus dem Kampfeseifer unsres Helden, denn er über-
ließ ihnen die erbeuteten Pferde und schaffte ihnen so rei-
chen Gewinn.
Doch nun nahten vier gleichartige Banner, jedes mit einem
Greifenschweif. Verwegene Scharen ritten hinter diesem
Feldzeichen, und ihr Anführer verstand sich gut auf den
Waffengang. Die da dem Feldzeichen des Greifenschweifes
folgten, waren ein rechter Hagelschauer ritterlicher Kampf-
kraft. Den Vorderteil des Greifen trug der König von Gas-
cogne, ein klug handelnder Ritter, als Wappenzeichen auf
seinem Schild. Er war so prächtig geschmückt, daß er vor
jedem Frauenauge bestehen konnte. Als er den Strauß auf
Kaylets Helm erblickte, sprengte er den anderen voraus,
doch der Anker Gachmurets schnitt ihm den Weg ab. Der

    der werde künec von Zazamanc,
    und vieng in. dâ was grôz gedranc,
5 hôhe vürhe sleht getennet,
    mit swerten vil gekemmet.
    Dâ wart verswendet der walt
    und manec ritter ab gevalt.
    si wunden sich (sus hôrte ich sagen)
10 hindenort, dâ hielden zagen.
      der strît was wol sô nâhen,
    daz gar die vrouwen sâhen
    wer dâ bî prîse solde sîn.
    der minnen gernde Rîwalîn,
15 von des sper snîte ein niuwe leis:
    daz was der künec von Lohneis:
    sîne hurte gâben craches schal.
    Môrholt in einen ritter stal,
    ûz dem satel er in vür sich huop
20 (daz was ein ungevüeger uop):
    der hiez Killirjacac.
    von dem het der künec Lac
    dâ vor enpfangen solhen solt,
    den der vallende an der erde holt:
25 er hete ez dâ vil guot getân.
    dô luste disen starken man
    daz er in twunge sunder swert:
    alsus vienc er den degen wert.
      hinderz ors stach Kayletes hant
    den herzogen von Brâbant:
74 der vürste hiez Lambekîn.
    waz dô taeten die sîn?
    die beschutten in mit swerten:
    die helde strîtes gerten.
5   Dô stach der künec von Arragûn
    den alten Utepandragûn
    hinderz ors ûf die plâne,
    den künec von Bertâne.

edle König von Zazamanc hob ihn aus dem Sattel und nahm ihn gefangen. Rundum entstand wildes Gedränge. Der unebene Boden wurde von Pferdehufen glattgestampft, wie Kämme verrichteten die Schwerter ihre Arbeit. Ein ganzer Wald von Lanzen wurde vertan und mancher Ritter vom Pferd geschleudert. Wie ich hörte, schleppten sie sich an den Rand des Kampfplatzes zu den Hasenherzen.

Der Kampf tobte so nahe am Palast, daß die Edelfrauen sahen, wer da Kampfesruhm erntete. Soeben fiel von der berstenden Lanze des um Frauengunst ringenden Riwalin, Königs von Lochnois, ein Regen weißer Holzsplitter. Wenn er anstürmte, hörte man es nur so krachen. Mittlerweile entriß Morholt der Partei Gachmurets einen Ritter, Killirjakac. Er hob ihn aus dem Sattel und zwang ihn gegen die Regel vor sich aufs Pferd. Zuvor hatte Morholt König Lac den Sold gezahlt, den der sich, niederstürzend, auf der Erde suchen mußte, nachdem er sich nach Kräften zur Wehr gesetzt hatte. Da überkam den riesenstarken Morholt das Verlangen, ihn ohne Hilfe des Schwertes zu überwinden, und er nahm also den edlen Recken gefangen. Inzwischen stach Kaylet den Fürsten Lämbekin, Herzog von Brabant, vom Pferd. Und was tat dessen Gefolge? Die kampfbegierigen Helden schützten ihren Herrscher mit den Schwertern. Darauf stieß der König von Arragonien den alten Utepandragun, König der Bretagne, hinters Roß aufs Feld. Da

ez stuont dâ bluomen vil umb in.
10 wê wie gevüege ich doch bin,
daz ich den werden Berteneis
sô schône lege vür Kanvoleis,
dâ nie getrat vilânes vuoz
(ob ichz iu rehte sagen muoz)
15 noch lîhte nimmer dâ geschiht.
ern dorfte sîn besezzen niht
ûf dem orse aldâ er saz.
niht langer man sîn dô vergaz,
in beschutten die ob im dâ striten.
20 dâ wart grôz hurten niht vermiten.
dô kom der künec von Punturteis.
der wart alhie vor Kanvoleis
gevellet ûf sîns orses slâ,
daz er derhinder lac aldâ.
25 daz tet der stolze Gahmuret.
wetâ hêrre, wetâ wet!
mit strîte vunden si geweten.
sîner muomen sun Kayleten
den viengen Punturteise.
dâ wart vil rûch diu reise.
75 do der künec Brandelidelîn
wart gezucket von den sîn,
Einen andern künec si viengen.
dâ liefen unde giengen
5 manc werder man in îsenwât:
den wart dâ gâlûnt ir brât
mit treten und mit kiulen.
ir vel truoc swarze biulen:
die helde gehiure
10 da wurben quaschiure.
ichne sage ez iu niht vür waehe:
dâ was diu ruowe smaehe.
die werden twanc diu minne dar,
manegen schilt wol gevar,

standen viele Blumen um ihn. Ach, wie freundlich bin ich
doch, dem edlen Bretonen vor Kanvoleis solch liebliches
Lager zu bereiten. Ich sage euch: Nicht zuvor und wohl
auch nie danach wagte ein Bauer seinen Fuß dorthin. So
brauchte er nicht länger auf seinem Pferd sitzen zu bleiben.
Allerdings ließ man ihn nicht im Stich, sondern die Seinigen
verteidigten ihn zu Roß, so daß ein großes Kampfgetümmel
entstand. Nun zog der König von Punturtoys heran, wurde
aber vor Kanvoleis derart hinters Roß gefegt, daß er lang
ausgestreckt dalag. Dies vollbrachte der stolzgemute Gach-
muret. Heran, ihr Herren, heran, heran! Und diese Heraus-
forderung wurde im verbissenen Zusammenprall beant-
wortet.

Doch die Punturteisen nahmen Gachmurets Vetter Kaylet
gefangen, und nun wurde das Turnier rauher. Als König
Brandelidelin seinem Gefolge entrissen und gefangen wurde,
nahm dieses im Gegenzug einen König der anderen Partei
gefangen. Viele edle Ritter irrten in ihrer Eisenrüstung
umher, und ihre Schwarte wurde mit Hufschlägen und
Keulenhieben der Knappen tüchtig gegerbt. Viele hatten
schwarze Beulen, da die wackeren Helden schwere Quet-
schungen erlitten. Ich erzähle euch dies alles nicht etwa als

15   und manegen gezimierten helm:
      des dach was worden dâ der melm.
      daz velt etswâ geblüemet was,
      dâ stuont al kurz grüene gras:
      dâ vielen ûf die werden man,
20   den diu êre en teil was getân.
      mîn gir kan sölher wünsche doln,
      daz et ich besaeze ûf dem voln.

         dô reit der künec von Zazamanc
      hin dan dâ in niemen dranc,
25   nâch eim orse daz geruowet was.
      man bant von im den adamas,
      niwan durch des windes luft,
      und anders durch deheinen guft.
      man stroufte im ab sîn härsenier:
      sîn munt was rôt unde fier.

76   Ein wîp die ich ê genennet hân,
      hie kom ein ir kappelân
      und cleiner junchêrren drî:
      den riten starke knappen bî,
5   zwên soumaer giengen an ir hant.
      die boten hete dar gesant
      diu küneginne Ampflîse.
      ir kappelân was wîse,
      vil schiere bekante er disen man,
10   en franzois er in gruozte sân.
      ›bien sei venûz, bêâs sir,
      mîner vrouwen unde mir.
      daz ist rêgîn de Franze:
      die rüeret dîner minnen lanze.‹
15   einen brief gab er im in die hant,
      dar an der hêrre grüezen vant,
      unde ein cleine vingerlîn:
      daz solte ein wârgeleite sîn,
      wan daz enpfienc sîn vrouwe
20   von dem von Anschouwe.

Ausschmückung. Nein, es ging wirklich wild genug her, und die Liebe war der Antrieb der edlen Ritter. Viele schön bemalte Schilde und prächtig verzierte Helme bedeckte nun schon der Staub. Manche edlen Herren hatten die Ehre, beim Sturz auf der blumigen Wiese im kurzen Gras Platz zu nehmen. Ich sehne mich nicht nach solcher Auszeichnung, sondern bleibe lieber auf meinem Fohlen sitzen.

Nun löste sich der König von Zazamanc aus dem Gewühl, um ein ausgeruhtes Pferd zu besteigen. Man band ihm den Diamanthelm ab – nicht weil er prahlen wollte, sondern ihn verlangte nach kühlendem Wind. Auch die Panzerkappe streifte man ihm ab; sein Mund war rot und stolz geschwungen!

Da näherten sich die Boten der oben genannten Frau, ein Kaplan und drei Pagen, geleitet von kräftigen Knappen, die zwei Lastpferde mit sich führten. Es waren Boten der Königin Ampflise. Der kluge Kaplan erkannte auf den ersten Blick in Gachmuret den Gesuchten und begrüßte ihn sogleich auf französisch: »Edler Herr, seid mir und meiner Herrscherin herzlich willkommen. Es ist die Königin von Frankreich, die in Liebe zu Euch entbrannt ist.« Damit überreichte er einen Brief, in dem unser Edelmann Grüße und ein Ringlein fand, das dem Boten als Ausweis dienen sollte. Dieses Ringlein hatte die edle Dame nämlich einst von Gachmuret als Geschenk erhalten. Als er die Schriftzüge

---

Panzerkappe: kapuzenartige Kopfbedeckung aus Ringgeflecht oder aus weichem, mit Panzerringen gestepptem Stoff, die unter dem Helm getragen wurde.

er neic, dô er die schrift ersach.
welt ir nu hoeren wie diu sprach?
>dir enbiutet minne unde gruoz
mîn lîp, dem nie wart kumbers buoz
25 sît ich dîner minne enpfant.
dîn minne ist slôz unde bant
mîns herzen unt des vröude.
dîn minne tuot mich töude.
sol mir dîn minne verren,
sô muoz mir minne werren.
77 Kum wider, und nim von mîner hant
crône, zepter unde ein lant.
daz ist mich an erstorben:
daz hât dîn minne erworben.
5 hab dir ouch ze soldiment
dise rîchen prîsent
in den vier soumschrîn.
du solt ouch mîn ritter sîn
ime lande ze Wâleis
10 vor der houbtstat ze Kanvoleis.
ichne ruoche ob ez diu küngin siht:
ez mac mir vil geschaden niht.
ich bin schoener unde rîcher,
unde kan ouch minneclîcher
15 minne enpfâhen und minne geben.
wiltu nâch werder minne leben,
sô hab dir mîne crône
nâch minne ze lône.<
    an disem brieve er niht mêr vant.
20 sîn härsnier eins knappen hant
wider ûf sîn houbet zôch.
Gahmureten trûren vlôch.
man bant im ûf den adamas,
der dicke unde herte was:
25 er wolt sich arbeiten.
die boten hiez er leiten

erkannte, verneigte er sich höflich vor dem Boten. Wollt ihr
nun hören, was in dem Briefe stand?

»Liebe und Grüße sende ich Dir, die ich nie frei war von
Herzweh, seit ich um Deine Liebe wußte. Deine Liebe ist
Schloß und Fessel meines Herzens und Glückes. Deine
Liebe wird mich noch töten. Solange ich Deine Liebe ent-
behre, kann mir Liebe nur Leid bringen. Komm zurück und
nimm aus meiner Hand Krone, Zepter und das Reich, das
mir durch Erbfolge zugefallen ist. Durch Deine Liebe hast
Du ein Anrecht darauf. Als Angebinde nimm die wertvollen
Geschenke in den vier Saumschreinen. Auch sollst Du im
Lande Valois vor der Hauptstadt Kanvoleis als mein Ritter
kämpfen. Sollte die Königin dieses Landes, Herzeloyde, es
bemerken, so kümmert es mich nicht, denn mir wird daraus
kaum Nachteil erwachsen. Ich bin schöner und mächtiger
als sie und kann Liebe weit liebevoller empfangen und
gewähren. Steht Dein Sinn nach edler Liebe, so nimm als
Liebeslohn meine Krone entgegen.«

Sonst fand Gachmuret nichts in dem Brief. Als ihm ein
Knappe die Panzerkappe wieder über das Haupt zog, zeigte
er sich gutgelaunt. Man band ihm den starkwandigen, festen
Diamanthelm auf, denn er wollte seine Kräfte erneut erpro-
ben. Die Boten sollten sich im Zelt ausruhen. Er aber

durch ruowen underz poulûn.
swa gedrenge was, dâ machte er rûm.
    Dirre vlôs, jener gewan.
dâ mohte erholen sich ein man,
78 het er versûmet sîne tât:
alhie was genuoger rât.
si solden tjostieren,
dort mit rotten punieren.
5 si geloubten sich der sliche,
die man heizet vriundes stiche:
heinlîch gevaterschaft
wart dâ zevuort mit zornes craft.
dâ wirt diu crümbe selten sleht.
10 man sprach dâ wênic ritters reht:
swer iht gewan, der habt im daz:
ern ruochte, het es der ander haz.
si wâren von manegen landen,
die dâ mit ir handen
15 schildes ambet worhten
und schaden wênic vorhten.
    aldâ wart von Gahmurete
geleistet Ampflîsen bete,
daz er ir ritter waere:
20 ein brief sagt im daz maere.
âvoy nu wart er lâzen an.
ob minne und ellen in des man?
grôz liebe und starkiu triuwe
sîne craft im vrumt al niuwe.
25 nu sach er wâ der künic Lôt
sînen schilt gein der herte bôt.
der was umbe nâch gewant:
daz werte Gahmuretes hant.
mit hurte er den poinder brach,
den künec von Arragûn er stach
79 hinderz ors mit eime rôr.
der künec hiez Schafillôr.

schaffte Raum im Kampfgedränge. Der eine unterlag, der andere blieb Sieger. Hier konnte jeder nachholen, was er bisher an Taten versäumt hatte, denn es bot sich genug Gelegenheit zum Einzel- oder Massenkampf. Man verzichtete bereits auf die Täuschungsmanöver, die man »Freundesstiche« nennt. Hier galt keine vertraute Gevatterschaft mehr, der zornige Kampfeseifer ließ keinen Platz dafür. Unordnung griff allmählich um sich, man kümmerte sich nicht länger um ritterliche Kampfesregeln. Was einer erbeutete, hielt er fest und scherte sich nicht um die Wut des anderen. Aus vielen Reichen waren Kämpfer gekommen, die jetzt mit ihren Fäusten Rittertaten vollbrachten und sich vor keiner Niederlage fürchteten.

Gachmuret aber erfüllte Ampflises briefliche Bitte und kämpfte nunmehr als ihr Ritter. Ja, nun entbrannte der Kampf erst richtig! Ob Liebe ihn trieb oder Freude daran, die eigene Stärke zu beweisen? Seine große Liebe und seine unwandelbare Treue verliehen ihm jedenfalls immer neue Kraft. Er wurde gewahr, wie sich König Lot mit seinem Schild nur mühsam schützte und schon halb zur Flucht gewandt hatte. Dies verhinderte Gachmuret. In kraftvollem Anlauf fegte er das Kampfgewühl auseinander und stach den König von Arragonien, Schafillor, mit einer Bambuslanze

---

Freundesstiche: hier Lanzenstiche, wie sie unter Freunden ausgeteilt werden, die nicht ernsthaft, sondern nur zur Übung miteinander kämpfen.

Daz sper was sunder banier,
dâ mit er valte den degen fier:
5   er hetz brâht von der heidenschaft.
die sîne werten in mit craft:
doch vieng er den werden man.
die inren tâten die ûzern sân
vaste rîten ûf daz velt.
10 ir vesperî gap strîtes gelt,
ez mohte sîn ein turnei:
wan dâ lac manc sper enzwei.
    do begunde zürnen Lähelîn,
›sul wir sus entêret sîn?
15 daz machet der den anker treit.
unser entweder den andern leit
noch hiute da er unsanfte ligt.
si hânt uns vil nâch an gesigt.‹
ir hurte gab in rûmes vil:
20 dô gieng ez ûz der kinde spil.
si worhten mit ir henden
daz den walt begunde swenden.
diz was gelîche ir beider ger,
sperâ hêrre, sperâ sper.
25 doch muose et dulden Lähelîn
einen smaehlîchen pîn.
in stach der künec von Zazamanc
hinderz ors, wol spers lanc,
daz in ein rôr geschiftet was.
sîne sicherheit er an sich las.
80 doch laese ich sanfter süeze birn,
swie die ritter vor im nider rirn.
    Der crîe dô vil maneger wielt,
swer vor sîner tjoste hielt,
5   ›hie kumt der anker, fîâ fî.‹
zegegen kom im gehurtet bî
ein vürste ûz Anschouwe
(diu riuwe was sîn vrouwe)

aus dem Sattel. Die Lanze, mit der er den stolzen Helden zu
Fall brachte, trug keine Fahne; er hatte sie aus dem Heiden-
land mitgebracht. Obwohl Schafillor von seinem Gefolge
mit aller Kraft verteidigt wurde, nahm Gachmuret den edlen
Ritter gefangen. Die Partei aus der Stadt trieb nun die
gegnerische Partei bald auf das weite Feld hinaus. Das
Vorabendturnier war so kampfbewegt gewesen, daß es ohne
weiteres als vollwertiges Turnier gelten durfte. Zum Beweis
dafür lagen viele zerbrochene Lanzen herum.

Da entbrannte Lähelin in hellem Zorn: »Sollen wir uns diese
Schmach bieten lassen? An allem ist nur der schuld, der den
Anker trägt. Einer von uns beiden wird noch heute den
andern dort hinwerfen, wo er nicht eben sanft gebettet liegt.
Sie haben uns ja fast besiegt!«

Als Gachmuret und Lähelin aufeinander losritten, wichen
die anderen zurück, denn das war kein Kinderspiel mehr! Sie
kämpften so verbissen, daß sie einen ganzen Wald von
Lanzen vertaten. »Lanzen, ihr Herren! Lanzen! Lanzen!«
Immer wieder hörte man den Ruf aus beider Mund. Schließ-
lich mußte Lähelin jedoch eine schmähliche Niederlage hin-
nehmen, denn der König von Zazamanc warf ihn mit einer
Bambuslanze wohl eine Lanzenlänge weit hinters Pferd und
nahm ihn gefangen. Gachmuret ließ die Ritter zwar wie
reifes Obst zu Boden fallen; ich selbst aber würde lieber
süße Birnen auflesen! Viele, die sich Gachmuret gegenüber-
sahen, riefen: »Hier kommt der Anker, fort, nur fort!«

Da ritt ihm ein Fürst aus Anjou entgegen, offenbar von

    mit ûf kêrter spitze:
10 daz lêrte in jâmers witze.
    diu wâpen er erkande.
    war umbe er von im wande?
    welt ir, ich bescheide iuch des.
    si gap der stolze Gâlôes
15 fil li roi Gandîn,
    der vil getriuwe bruoder sîn,
    dâ vor unz im diu minne erwarp
    daz er an einer tjost erstarp.
      dô bant er abe sînen helm.
20 weder daz gras noch den melm
    sîn strît dâ niht mêr bante:
    grôz jâmer in des mante.
    mit sîme sinne er bâgte,
    daz er niht dicker vrâgte
25 Kayleten sîner muomen sun,
    waz sîn bruoder wolde tuon,
    daz er niht turnierte hie.
    daz enwesse er leider, wie
    er starp vor Muntôrî.
    dâ vor was im ein kumber bî:
81 des twanc in werdiu minne
    einer rîchen küneginne.
    diu kom ouch sît nâch im in nôt,
    si lag an clagenden triuwen tôt.
5   Swie Gahmuret waer ouch mit clage,
    doch hete er an dem halben tage
    gevrumt sô vil der sper enzwei;
    waere worden der turnei,
    sô waere verswendet der walt.
10 gevärwet hundert im gezalt
    wârn, diu gar vertet der fiere.
    sîne liehten baniere
    wârn den crîgierren worden.
    daz was wol in ir orden.

tiefem Schmerz erfüllt, denn er trug den Schild umgekehrt, die Spitze nach oben gerichtet. Dennoch erkannte Gachmuret das Wappen. Warum kehrte er sich von ihm? Wenn ihr wollt, sage ich euch den Grund: Das Wappen hatte ihm einst der stolze Galoes, König Gandins Sohn, also Gachmurets getreuer Bruder, übergeben, bevor er um der Liebe willen im Zweikampf den Tod fand. Nun band Gachmuret den Helm ab. Tiefer Schmerz verbot es ihm, weiterhin Gras und Staub im Kampfe glattzustampfen. Er haderte mit sich, seinen Vetter Kaylet nicht gefragt zu haben, warum sein Bruder nicht gleichfalls zum Turnier nach Kanvoleis gekommen sei. Deshalb also wußte er nichts davon, daß er vor Muntori den Tod gefunden hatte. Zuvor hatte er bitteres Leid ertragen müssen, das ihm die edle Liebe zu einer mächtigen Königin bereitet hatte. Nach seinem Tode war sie so verzweifelt, daß ihr bei der Klage um den Toten aus Treue das Herz brach.

Wenngleich Gachmuret in seinem Kummer den Kampf abgebrochen hatte, waren an dem halben Tag von seiner Hand so viele Lanzen zerbrochen worden, daß er wohl einen ganzen Wald vertan hätte, wäre das eigentliche Turnier zustande gekommen. Wohl hundert gefärbte Lanzen, die man ihm gereicht, hatte der stolze Held verbraucht. Seine glänzenden Banner waren, wie es der Brauch wollte, den Turnierausrufern zugefallen. Nun ritt Gachmuret zu

15   dô reit er gein dem poulûn.
      der Wâleisinne garzûn
      huop sich nâch im ûf die vart.
      der tiure wâpenroc im wart
      durchstochen unde verhouwen:
20   den truog er vür die vrouwen.
      er was von golde dennoch guot,
      er gleste als ein glüendic gluot.
      dar an kôs man rîcheit.
      dô sprach diu künegîn gemeit
25   ›dich hât ein werdez wîp gesant
      bî disem ritter in diz lant.
      nu manet mich diu vuoge mîn,
      daz die andern niht vercrenket sîn,
      die âventiure brâhte dar.
      ieslîcher nem mîns wunsches war:
82   wan si sint mir alle sippe
      von dem Adâmes rippe.
      doch waene et Gahmuretes tât
      den hoesten prîs dâ erworben hât.‹

5   Die andern taeten ritterschaft
      mit sô bewander zornes craft,
      daz siz wielken vaste unz an die naht.
      die inren heten die ûzern brâht
      mit strîte unz an ir poulûn.
10   niwan der künec von Ascalûn
      und Môrholt von Yrlant,
      durch die snüere in waere gerant.
      dâ was gewunnen und verlorn:
      genuoge heten schaden erkorn,
15   die andern prîs und êre.
      nu ist zît daz man si kêre
      von ein ander. niemen hie gesiht:
      sine wert der pfander liehtes niht:
      wer solte ouch vinsterlingen spiln?
20   es mac die müeden doch beviln.

seinem Zelt zurück, gefolgt vom Pagen der Königin von Valois. Ihm übergab man den von Stichen und Hieben zerfetzten Waffenrock Gachmurets, und er trug ihn zu seiner Herrscherin. Mit der Goldstickerei war er auch jetzt noch kostbar genug. Er glänzte wie glühendes Feuer, und man erkannte daran den Reichtum seines Trägers. Da sagte die Königin froh zu dem Waffenrock: »Eine edle Frau hat dich mit diesem Ritter in mein Reich gesandt. Doch nun erfordert der Anstand, die anderen nicht zurückzusetzen, die Abenteuerlust herführte. Jeder soll wissen: Ich bin allen wohlgesinnt, denn sie sind mir durch Adams Rippe verwandt. Ich denke aber, Gachmuret hat den höchsten Preis errungen.«

Die andern setzten inzwischen den Ritterkampf mit solch zornigem Eifer fort, daß sie bis zum Einbruch der Dunkelheit unverdrossen aufeinander einschlugen. Die städtische Partei hatte die anderen im Verlaufe des Kampfes bis zu ihren Zelten gedrängt. Nur der König von Ascalun und Morholt von Irland verhinderten ihr Eindringen ins Lager. Es gab Gewinn und Verlust: viele hatten Einbußen erlitten, andere Ruhm und Ehre davongetragen. Doch nun ist es Zeit, daß man sie auseinanderbringt, denn niemand erkennt mehr den anderen, und keiner sorgt für Beleuchtung. Und wer wollte im Finstern würfeln? Die müden Streiter mochten daher des Kampfes endlich satt sein.

der vinster man vil gar vergaz,
dâ mîn hêr Gahmuret dort saz
als ez waer tac. des was ez niht:
dâ wârn aber ungevüegiu lieht,
25 von cleinen kerzen manec schoup
geleit ûf ölboume loup;
manec kulter rîche
gestrecket vlîzeclîche,
dervür manec teppech breit.
diu küngîn an die snüere reit
83 mit manger werden vrouwen:
si wolte gerne schouwen
den werden künec von Zazamanc.
vil müeder ritter nâch ir dranc.
5 [Diu] tischlachen wâren ab genomen
ê si inz poulûn waere komen.
ûf spranc der wirt vil schiere,
und gevangener künege viere:
den vuor ouch etslîch vürste mite.
10 do enpfieng er si nâch zühte site.
er geviel ir wol, dô si in ersach.
diu Wâleisîn mit vröuden sprach
›ir sît hie wirt dâ ich iuch vant:
sô bin ich wirtîn überz lant.
15 ruocht irs daz ich iuch küssen sol,
daz ist mit mînem willen wol.‹
er sprach ›iuwer kus sol wesen mîn,
suln dise hêrrn geküsset sîn.
sol künec oder vürste des enbern,
20 sone getar ouch ichs von iu niht gern.‹
›deiswâr daz sol ouch geschehen.
ichne hân ir keinen ê gesehen.‹
si kuste die es dâ wâren wert:
des hete Gahmuret gegert.
25 er bat sitzen die künegîn.
mîn hêr Brandelidelîn

Wo Gachmuret sich niedergelassen hatte, herrschte keine
Finsternis. Es schien so, als sei heller Tag; es war aber nicht
das Licht des Tages, sondern der Schein von vielen dicken
Kerzenbündeln, die man auf Ölbaumzweigen befestigt
hatte. Prächtige Polster waren mit Sorgfalt ausgelegt, vor
ihnen große Teppiche. Nun kam, geleitet von vielen Edelda-
men, die Königin zum Zelt geritten, denn sie wollte den
edlen König von Zazamanc gern kennenlernen. Viele kampf-
esmüde Ritter drängten ihr nach. Als sie ins Zelt trat, hatte
man das Mahl bereits beendet. Eilends erhoben sich der
Gastgeber und die vier Könige, die er gefangengenommen
hatte; ihrem Beispiel folgten zahlreiche Fürsten. Gachmuret
hieß die Königin mit bestem Anstand willkommen. Er gefiel
ihr sehr, als sie ihn ansah, und froh erregt sprach die Königin
von Valois: »Wenn Ihr hier, wo ich Euch aufsuche, auch der
Gastgeber seid, so bin ich doch Gastgeberin in diesem
Reiche. Wollt Ihr den Willkommenskuß annehmen, so sei er
Euch gern gewährt.«
Er erwiderte: »Euern Kuß will ich gern empfangen, wenn
Ihr ihn auch diesen Edelleuten gewähren wollt. Sollte er
jedoch den Königen und Fürsten versagt sein, so wage ich
nicht darum zu bitten.«
»Ihr habt recht, und es soll auch geschehen, wenngleich ich
bis jetzt noch keinen von ihnen kenne.«
Sie gewährte also allen, die dank ihrer Würde darauf
Anspruch erheben durften, den Willkommenskuß, wie es
Gachmuret gewünscht hatte. Darauf bat er die Königin, sich
niederzulassen. Mit feinem Anstand nahm Herr Brandelide-

mit zühten zuo der vrouwen saz.
grüene binz, von touwe naz,
dünne ûf die teppech geströut,
dâ saz ûf des sich hie vröut
84 diu werde Wâleisinne:
si twanc iedoch sîn minne.
er saz vür si sô nâhe nider,
daz si in begreif und zôch in wider
5 Anderhalp vast an ir lîp.
si was ein magt und niht ein wîp,
diu in sô nâhen sitzen liez.
welt ir nu hoeren wie si hiez?
diu küngîn Herzeloyde;
10 unde ir base Rischoyde:
die hete der künec Kaylet,
des muomen sun was Gahmuret.
vrou Herzeloyde gap den schîn,
waern erloschen gar die kerzen sîn,
15 dâ waer doch lieht von ir genuoc.
wan daz grôz jâmer under sluoc
die hoehe an sîner vröude breit,
sîn minne waere ir vil bereit.
    si sprâchen gruoz nâch zühte kür.
20 bi einer wîle giengen schenken vür
mit geziert von Azagouc,
dar an grôz rîcheit niemen trouc:
die truogen junchêrren în.
daz muosen tiure näpfe sîn
25 von edelem gesteine,
wît, niht ze cleine.
si wâren alle sunder golt:
ez was des landes zinses solt,
den Isenhart vil dicke bôt
vroun Belakân vür grôze nôt.
85 dô bôt man in daz trinken dar
in manegem steine wol gevar,

lin an ihrer Seite Platz. Taufeuchte grüne Binsen waren lose
über die Teppiche gestreut. Darauf ließ sich der nieder, der
das Entzücken der edlen Königin von Valois erregte, die
bereits von Liebe zu ihm bedrängt wurde. Er hatte so nahe
vor ihr Platz genommen, daß sie ihn mit der Hand berühren
und dicht an ihre Seite ziehen konnte. Die Gachmuret den
Platz so nahe bei sich anwies, war noch Jungfrau. Wollt ihr
jetzt hören, wie sie hieß? Es war die Königin Herzeloyde;
Rischoyde, die Gemahlin von Gachmurets Vetter, König
Kaylet, war ihre Base. Frau Herzeloyde strahlte im Glanz
ihrer Schönheit, die das Zelt auch dann hell genug gemacht
hätte, wenn alle Kerzen erloschen wären. Hätte nicht Gach-
murets bitteres Leid seine große Freude über Herzeloydes
Besuch gedämpft, dann wäre sicher schon in diesem Augen-
blick die Liebe zu ihr erwacht. So aber tauschten sie nur
höfliche Begrüßungsworte.
Nach einer Weile traten Schenken mit kostbaren Gegenstän-
den aus Azagouc herein, die wirklich großen Wert besaßen.
Edle Junker trugen sie ins Zelt. Es waren große, kostbare
Pokale, ohne Goldschmuck aus Edelsteinen geschnitten, und
sie gehörten zu den zahlreichen Gaben, die Isenhart Frau
Belakane gebracht hatte, damit sie seine Herzensqual ende.

smârâde unde sardîn:
etslîcher was ein rubîn.
5   Vür daz poulûn dô reit
zwên ritter ûf ir sicherheit.
die wârn hin ûz gevangen,
und kômen her în gegangen.
daz eine daz was Kaylet.
10   der sach den künec Gahmuret
sitzen alse er waere unfrô.
er sprach ›wie gebârstu sô?
dîn prîs ist doch dâ vür erkant,
vroun Herzeloyden unde ir lant
15   hât dîn lîp errungen.
des jehent hie gar die zungen:
er sî Bertûn od Irschman,
oder swer hie wälhisch sprâche kan,
Franzois oder Brâbant,
20   die jehent und volgent dîner hant,
dir enkünne an sô bewantem spiln
glîche niemen hie geziln.
des lise ich hie den wâren brief:
dîn craft mit ellen dô niht slief,
25   dô dise hêrren kômen in nôt,
der hant nie sicherheit gebôt;
mîn hêr Brandelidelîn,
unt der küene Lähelîn,
Hardîz und Schaffillôr.
ôwê Razalîc der Môr,
86   dem du vor Pâtelamunt
taete ouch fîanze kunt!
des gert dîn prîs an strîte
der hoehe und ouch der wîte.‹
5   ›Mîn vrouwe mac waenen daz du tobest,
sît du mich alsô verlobest.
dune maht mîn doch verkoufen niht,
wan etswer wandel an mir siht.

In diesen buntleuchtenden Pokalen aus Smaragden, Karneolen und Rubinen bot man den Gästen zu trinken.

Da kamen zwei Ritter vor das Zelt geritten, die von der anderen Partei gefangengenommen und nun auf Ehrenwort beurlaubt worden waren; sie traten in das Zelt. Einer war Kaylet. Als er König Gachmuret mit trauriger Miene sitzen sah, sprach er: »Was fehlt dir? Überall heißt es, daß dir allein der Siegespreis gebührt und du damit Frau Herzeloydes Hand und Reich errungen hast. Ob Bretone oder Irländer, ob er in welscher Sprache – französisch oder brabantisch – spricht: alle sind sich darin einig, daß dir im ritterlichen Kampf niemand ebenbürtig ist. Dafür sehe ich hier den besten Beweis. An Kraft und Tapferkeit hast du es nicht fehlen lassen, wenn diese Edlen, die sich noch keinem Gegner beugten, durch dich in solch große Bedrängnis kamen. Hier sehe ich Herrn Brandelidelin, dann den kühnen Lähelin, auch Hardiz und Schafillor. Ach, ich denke auch an den Mohren Razalic, den du vor Patelamunt lehrtest, wie man sich ergeben muß. Dein Kampfesruhm strahlt weit und breit.«

»Meine Gebieterin hier wird glauben, du seist von Sinnen, wenn du mich über Gebühr rühmst. So teuer kannst du mich auf dem Markt nicht ausbieten, denn mancher wird

dîn munt ist lobes ze vil vernomen.
10 sag et, wie bistu wider komen?‹
›diu werde diet von Punturteys
hât mich und disen Schampôneys
ledic lâzen über al.
Môrholt, der mînen neven stal,
15 von dem sol er ledic sîn,
mac mîn hêr Brandelidelîn
ledic sîn von dîner hant.
wir sîn noch anders beide pfant,
ich unt mîner swester sun:
20 du solt an uns genâde tuon.
ein vesperîe ist hie erliten,
daz turnieren wirt vermiten
an dirre zît vor Kanvoleiz:
die rehten wârheit ich des weiz.
25 wan diu ûzer herte sitzet hie:
nu sprich et, wâ von oder wie
möhten si uns vor gehalden?
du muost vil prîses walden.‹
      diu küngîn sprach ze Gahmurete
von herzen eine süeze bete.
87 ›swaz mînes rehtes an iu sî,
dâ sult ir mich lâzen bî:
dar zuo mîn dienst genâden gert.
wird ich der beider hie gewert,
5 sol iu daz prîs vercrenken,
sô lât mich vürder wenken.‹
      Der künegîn Ampflîsen,
der kiuschen unt der wîsen,
ûf spranc balde ir kappelân.
10 er sprach ›niht. in sol ze rehte hân
mîn vrouwe, diu mich in diz lant
nâch sîner minne hât gesant.
diu lebt nâch im in des lîbes zer:
ir minne hât an im gewer.

Fehler genug an mir entdecken. Du lobst mich zu überschwenglich. Sag lieber, wie es dir gelang, zu uns zu kommen.«

»Die edlen Herren aus Punturtoys haben mich und diesen Herrn aus der Champagne freigelassen. Morholt, der meinen Neffen gefangengenommen hat, will ihn entlassen, wenn du dafür Herrn Brandelidelin die Freiheit gibst. Gehst du nicht darauf ein, so behält man mich und meinen Neffen als Geiseln. Du solltest dich uns also gnädig erweisen. Wir haben solch ein Vorabendturnier erlebt, daß man hier und jetzt vor Kanvoleis wohl auf das Turnier verzichten wird. Das weiß ich genau. Die stärksten Kämpfer der anderen Partei sitzen gefangen in deinem Zelt. Sag selbst, wie sollte man uns jetzt standhalten? Du hast großen Ruhm errungen!«

Jetzt wandte sich die Königin mit der zärtlichen, herzlichen Bitte an Gachmuret: »Ihr dürft mir das Recht nun nicht verweigern, das ich auf Euch habe. Auch möchte ich Euern Ritterdienst lohnen. Sollte aber beides, wie Ihr meint, Euern Ruhm beeinträchtigen, so laßt mich auf der Stelle Abschied nehmen.«

Da erhob sich eilends der Kaplan der wohlerzogenen, klugen Königin Ampflise und sprach: »Halt! Er gehört mit vollem Recht meiner Gebieterin, die mich in dieses Reich sandte, um sich seiner Liebe zu versichern. Sie verzehrt sich in Sehnsucht nach ihm, und ihre Liebe gibt ihr ein Recht auf

15   diu sol behalden sînen lîp:
      wan si ist im holt vür elliu wîp.
      hie sint ir boten vürsten drî,
      kint vor missewende vrî.
      der heizet einer Lanzidant,
20   von hôher art ûz Gruonlant:
      der ist ze Kärlingen komen
      und hât die sprâche an sich genomen.
      der ander heizet Lîedarz,
      fil li cunt Schîolarz.‹
25   wer nu der dritte waere?
      des hoeret ouch ein maere.
      des muoter hiez Bêâflûrs,
      unt sîn vater Pansâmûrs:
      die wâren von der feien art:
      daz kint hiez Lîahturteltart.
88   diu liefen älliu driu vür in.
      si sprâchen ›hêrre, hâstu sin
      (dir zelt regîn de Franze
      der werden minne schanze),
5   sô mahtu spilen sunder pfant:
      dîn vröude ist kumbers ledec zehant.‹
          Dô diu botschaft was vernomen,
      Kaylet, der ê was komen,
      saz der küngîn under ir mandels ort:
10   hin ze im sprach si disiu wort.
      ›sag an, ist dir iht mêr geschehen?
      ich hân slege an dir gesehen.‹
      dô begreif im diu gehiure
      sîne quaschiure
15   mit ir linden handen wîz:
      an den lac der gotes vlîz.
      dô was im gamesieret
      und sêre zequaschieret
      hiufel, kinne, und an der nasen.
20   er hete der küneginne basen,

ihn. Ihr allein soll er gehören, denn sie liebt ihn mehr als alle
andern Frauen. Diese drei untadeligen Junker und Fürsten-
söhne hier sind ihre Boten. Der eine heißt Lanzidant aus
Gruonlant und ist von vornehmem Geschlecht. Er ist nach
Kärlingen gekommen und hat dort die Landessprache
erlernt. Der zweite heißt Liedarz und ist der Sohn des
Grafen Schyolarz.« Auch wer der dritte war, sollt ihr erfah-
ren. Seine Mutter hieß Beaflurs, sein Vater Pansamurs.
Beide stammten von den Feen ab. Ihr Sohn hieß Liachtur-
teltart. Alle drei liefen zu Gachmuret und riefen: »O Herr,
die Königin von Frankreich gewährt dir sogleich den
Gewinn edler Liebe. Wenn du klug bist, kannst du also ohne
jeden Einsatz spielen und ohne Verzug ungetrübtes Glück
genießen.«
Als man diese Botschaft gehört hatte, sprach die Königin zu
Kaylet, der ja vorher gekommen war und dessen Knie ein
Zipfel ihres Mantels bedeckte: »Sprich, ist dir Schlimmeres
geschehen, als man dir ansehen kann? Ich bemerkte, wie
man auf dich einschlug.« Die liebliche Schöne streichelte mit
weichen, weißen Händen, einem wahren Meisterwerk Got-
tes, seine Quetschungen. Wangen, Kinn und Nase waren
nämlich blau gefleckt und schlimm geprellt. Er hatte die
Base der Königin zur Gemahlin, und daher erklärte es sich,

Kärlingen: volkstümlicher Name für Frankreich.

diu dise êre an im begienc
daz si in mit handen ze ir gevienc.
　si sprach nâch zühte lêre
hin ze Gahmurete mêre
25 ›iu biutet vaste ir minne
diu werde Franzoysinne.
nu êret an mir elliu wîp,
und lât ze rehte mînen lîp.
sît hie unz ich mîn reht genem:
ir lâzet anders mich in schem.‹
89 daz lobte ir der werde man.
si nam urloup, dô vuor si dan.
si huop Kaylet, der degen wert,
sunder schamel ûf ir pfert,
5 und gienc von ir hin wider în,
aldâ er sach die vriunde sîn.
　Er sprach ze Hardîze
›iuwer swester Alîze
mir minne bôt: die nam ich dâ.
10 diu ist bestatet anderswâ,
und werdeclîcher dan ze mir.
durch iuwer zuht lât zornes gir.
sî hât der vürste Lämbekîn.
al sül si niht gecroenet sîn,
15 si hât doch werdekeit bekant:
Hânouwe und Brâbant
ir dienet, und manc ritter guot.
kêrt mir ze grüezen iuweren muot,
lât mich in iuwern hulden sîn,
20 und nemt hin wider den dienest mîn.‹
　der künec von Gascône sprach
als im sîn manlîch ellen jach
›iuwer rede was ie süeze:
swer iuch dar umbe grüeze,
25 dem ir vil lasters hât getân,
der wolte ez doch durch vorhte lân.

daß ihn die Königin durch die Berührung mit ihren Händen besonders ehrte. Danach sprach sie gemessen zu Gachmuret: »Die edle Französin trägt Euch sehr eifrig ihre Liebe an. Bezeigt aber Eure Achtung für alle andern Frauen dadurch, daß Ihr mir Recht widerfahren laßt. Bleibt, bis in dieser Sache der Rechtsspruch gefällt ist, sonst laßt Ihr mich in Schande zurück.«

Dies versprach der edle Ritter. Darauf nahm sie Abschied und ritt davon. Kaylet, der edle Recke, hatte sie aufs Pferd gehoben, so daß sie keinen Schemel brauchte. Danach ging er ins Zelt zurück zu seinen Freunden. Er sprach zu Hardiz: »Eure Schwester Alize hat mir einst ihre Liebe angetragen, und ich nahm, was mir geboten wurde. Nun hat sie einen anderen geheiratet, und dieser Bund erhob sie mehr, als ich es hätte tun können. Bei Eurer edlen Bildung – bezähmt Euern unbändigen Zorn. Fürst Lämbekin hat sie zur Gemahlin genommen. Trägt sie auch keine Königskrone, so steht sie doch in hohem Ansehen: Hennegau und Brabant sind ihr zu Diensten und mancher wackere Ritter. Bezeigt mir von neuem freundliches Entgegenkommen und freundschaftliche Gesinnung und nehmt dafür meinen Dienst an.«

Der König von Gascogne erwiderte, wie ihm sein Mannesmut befahl: »Eure Worte waren schon immer verführerisch. Wollte sich aber einer, dem Ihr viel Schmach zugefügt habt, um Eurer Worte willen mit Euch versöhnen, so müßte er

mich vienc iuwer muomen sun:
der kan an niemen missetuon.‹
›ir wert wol ledec von Gahmurete.
daz sol sîn mîn êrstiu bete.
90   swenn ir dan unbetwungen sît,
mîn dienst gelebet noch die zît
daz ir mich ze einem vriunde nemt.
ir möht iuch nu wol hân verschemt.
5   swaz halt mir von iu geschiht,
mich enslüege doch iuwer swester niht.‹
    Der rede si lachten über al.
dô wart getrüebet in der schal.
den wirt sîn triuwe mente
10   daz er sich wider sente:
wan jâmer ist ein schärpfer gart.
ir ieslîcher innen wart
daz sîn lîp mit kumber ranc
und al sîn vröude was ze cranc.
15   dô zurnde sîner muomen sun,
er sprach ›du kanst unvuoge tuon.‹
    ›nein, ich muoz bî riuwen sîn:
ich sene mich nâch der künegîn.
ich liez ze Pâtelamunt
20   dâ von mir ist mîn herze wunt,
in reiner art ein süeze wîp.
ir werdiu kiusche mir den lîp
nâch ir minne jâmers mant.
si gap mir liute unde lant.
25   mich tuot vrou Belacâne
manlîcher vröuden âne:
ez ist doch vil manlich,
swer minnen wankes schamet sich.
der vrouwen huote mich ûf bant,
daz ich niht ritterschefte vant:
91   dô wânde ich daz mich ritterschaft
naem von ungemüetes craft.

doch aus Furcht vor Mißdeutung darauf verzichten. Ich bin
schließlich der Gefangene Eures Vetters.«

»Der fügt keinem Menschen Unrecht zu. Von Gachmuret
werdet Ihr sicherlich die Freiheit zurückerhalten. Das soll
meine erste Bitte an ihn sein. Wenn Ihr dann frei seid, hoffe
ich durch meine Ergebenheit die Zeit zu erleben, da Ihr mich
Euren Freund nennt. Die erlittene Unbill solltet Ihr ver-
schmerzen. Wie immer Ihr Euch aber zu mir stellt, Eure
Schwester würde mich gewiß nicht töten.« Diese Worte
erregten allgemeines Gelächter.

Doch die Heiterkeit wurde gedämpft, denn ihr Gastgeber
wurde ob seiner treuen Gesinnung von Sehnsuchtsschmerz
erfüllt. Herzenskummer ist nun einmal ein peinigender,
spitzer Stachel. Jeder sah deutlich genug, daß Kummer ihn
bedrückte, den die Freude über den errungenen Sieg nicht
bezwingen konnte. Da geriet sein Vetter in Zorn und sprach
zu ihm: »Du zeigst dich wirklich nicht sehr höflich!«

»Ach nein, ich kann mich des Kummers nicht erwehren, ich
sehne mich nach der Königin. In Patelamunt ließ ich eine
zärtliche Frau von untadeliger Wesensart zurück; das macht
mich traurig. Ihre edle, keusche Zurückhaltung läßt mich
nach ihrer Liebe verlangen. Reich und Volk gab sie mir zu
eigen. So nimmt mir Frau Belakane jede Mannesfreude, und
es ist wohl auch nicht unmännlich, sich seiner Untreue in
der Liebe zu schämen. Die übergroße Fürsorge meiner
Gemahlin verwehrte es mir, mich im Ritterkampf zu erpro-
ben, und ich wollte mich durch ritterliche Kampfestaten von
meiner Mißstimmung befreien. Hier habe ich nun einige

der hân ich hie ein teil getân.
nu waent manc ungewisser man
5   daz mich ir swerze jagte dane:
die sach ich vür die sunnen ane.
ir wîplich prîs mir vüeget leit:
sie ist [ein] buckel ob der werdekeit.
    Einz und daz ander muoz ich clagen:
10 ich sach mîns bruoder wâpen tragen
mit ûf kêrtem orte.‹
ôwê mir dirre worte!
daz maere wart dô jaemerlîch.
von wazzer wurden diu ougen rîch
15 dem werden Spânôle.
›ôwî küngîn fôle,
durch dîne minne gap den lîp
Gâlôes, den elliu wîp
von herzen clagen solten
20 mit triuwen, ob si wolten
daz ir site braehte
lop swâ mans gedaehte.
küngîn von Averre,
swie lützel ez dir werre,
25 den mâg ich doch durch dich verlôs,
der ritterlîchen ende kôs
von einer tjoste, diu in sluoc
do er dîn cleinoete truoc.
vürsten, die gesellen sîn,
tuont herzenlîche ir clagen schîn.
92 si hânt ir schildes breite
nâch jâmers geleite
zer erden gekêret:
grôz trûren si daz lêret.
5   alsus tuont si ritterschaft.
si sint verladen mit jâmers craft,
sît Gâlôes mîner muomen sun
nâch minnen dienst niht solde tuon.‹

vollbracht. Manch unwissender Tor freilich meint, ihre dunkle Hautfarbe hätte mich fortgetrieben. O nein, sie war für mich wie die Sonne! Weil sie solch unvergleichliche Frau ist, fühle ich jetzt tiefes Herzeleid. An edler Würde überragte sie alle andern Frauen. Und noch etwas erfüllt mich mit Jammer: Ich sah, wie man den Schild mit meines Bruders Wappen umgekehrt trug, so daß die Spitze nach oben wies!«

Wehe über diese Worte, denn nun wird die Geschichte wirklich betrüblich. Die Augen des edlen Spaniers Kaylet füllten sich mit Tränen: »Wehe über dich, törichte Königin Fole, denn um deiner Liebe willen hat Galoes sein Leben hingegeben. Alle Frauen sollten ihn aufrichtig und von Herzen beklagen, wenn sie dafür Lob ernten wollen. Ach, Königin von Averre, wie wenig es dich auch bekümmern mag, durch dich verlor ich einen Blutsverwandten! Im ritterlichen Zweikampf, in dem er dein Liebeszeichen trug, fand er den Tod. Die Fürsten seines Gefolges zeigen tiefstes Herzeleid; zum Zeichen ihres Jammers haben sie die breite Seite ihrer Schilde nach unten gekehrt. Ihre tiefe Trauer ist der Grund dafür, und so ziehen sie in ritterliche Kämpfe. Schmerz bedrückt sie, seit mein Vetter Galoes nicht mehr um Liebe dienen kann.«

Dô er vernam des bruoder tôt,
10 daz was sîn ander herzenôt.
mit jâmer sprach er disiu wort.
›wie hât nu mîns ankers ort
in riuwe ergriffen landes habe!‹
der wâppen tete er sich dô abe.
15 sîn riuwe im hertes kumbers jach.
der helt mit wâren triuwen sprach
›von Anschouwe Gâlôes!
vürbaz darf niemen vrâgen des:
ez enwart nie manlîcher zuht
20 geborn: der wâren milte vruht
ûz dîme herzen blüete.
nu erbarmet mich dîn güete.‹
    er sprach ze Kaylette
›wie gehabt sich Schôette,
25 mîn muoter vröuden arme?‹
›sô daz ez got erbarme.
dô ir erstarp Gandîn
und Gâlôes der bruoder dîn,
unt dô si dîn bî ir niht sach,
der tôt ouch ir daz herze brach.‹
93   dô sprach der künec Hardîz
›nu kêrt an manheit iuwern vlîz.
ob ir manheit kunnet tragen,
sô sult ir leit ze mâzen clagen.‹
5 sîn kumber leider was ze grôz:
ein güsse im von den ougen vlôz.
er schuof den rittern ir gemach,
und gienc da er sîne kamern sach,
ein cleine gezelt von samît.
10 die naht er dolte jâmers zît.
    Als der ander tac erschein,
si wurden alle des enein,
die innern und daz ûzer her,
swer dâ mit strîteclîcher wer

Neues Herzeleid kam zum alten, als Gachmuret den Bericht
über seines Bruders Tod vernahm. Voll Kummer sprach er:
»Wie hat meines Ankers Spitze ihren Grund gefunden in
tiefem Schmerz!« Er entledigte sich der Rüstung. Sein
Schmerz ließ ihn in herbe Trauer sinken. In wahrer, treuer
Verbundenheit sagte er: »Galoes von Anjou! Künftig darf
niemand daran zweifeln: Nie wurde ein mannhafterer
Adelssproß geboren! Aus deinem Herzen erblühte die
Frucht wahrer Großmut. Mich rührt das Andenken an deine
gütige Wesensart.« Dann wandte er sich an Kaylet: »Wie
geht es meiner armen Mutter Schoette?«
»Daß es Gott erbarme! Als Gandin und dein Bruder Galoes
ihr genommen wurden und sie auch dich nicht mehr an ihrer
Seite sah, brach der Tod ihr das Herz.«
Da sprach König Hardiz: »Zeigt Euch nun mannhaft! Wenn
Ihr ein rechter Mann seid, darf Euch der Schmerz nicht
überwältigen!«
Gachmurets Schmerz war jedoch zu stark, so daß ein Trä-
nenstrom aus seinen Augen floß. Doch er sorgte noch für
die Bequemlichkeit der Ritter und zog sich dann in sein
Schlafgemach zurück, ein kleines Samtzelt, wo er die Nacht
hindurch mit dem Kummer rang.
Als der neue Tag anbrach, kamen die beiden Heere inner-
halb und außerhalb der Stadt überein, alle, die kampfgerü-

15 waere, junc oder alt,
oder bloede oder balt,
die ensolden tjostieren niht.
dô schein der mitte morgen lieht.
si wârn mit strîte sô verriben
20 unt diu ors mit sporn alsô vertriben,
daz die vrechen ritterschaft
ie dennoch twanc der müede craft.
diu küngîn reit dô selbe
nâch den werden hin ze velde,
25 und brâht si mit ir in die stat.
die besten si dort inne bat
daz si zer Lêôplâne riten.
done wart ir bete niht vermiten:
si kômen dâ man messe sanc
dem trûregen künec von Zazamanc.

94   als der benditz wart getân,
dô kom vrou Herzeloyde sân.
an Gahmuretes lîp si sprach:
si gerte als ir diu volge jach.
5 dô sprach er ›vrouwe, ich hân ein wîp:
diu ist mir lieber danne der lîp.
ob ich der âne waere,
dennoch wess ich ein maere,
dâ mit ich iu enbraeste gar,
10 naem iemen mînes rehtes war.‹
   ›Ir sult die moerinne
lân durch mîne minne.
des toufes segen hât bezzer craft.
nu ânet iuch der heidenschaft,
15 und minnet mich nâch unser ê:
wan mir ist nâch iuwerre minne wê.
oder sol mir gein iu schade sîn
der Franzoyser künegîn?
der boten sprâchen süeziu wort,
20 si spilten ir maere unz an den ort.‹

stet am Turnierort weilten, ob jung oder alt, ob zaghaft oder tapfer, sollten auf weiteres Turnieren verzichten. Noch am späten Vormittag waren die Streiter vom Kampf so erschöpft und die Pferde vom ständigen Anspornen so abgetrieben, daß die kühnen Ritter sich dem Zwang der Übermüdung beugten. Nun ritt die Königin persönlich zu den edlen Herren aufs Turnierfeld und führte sie in die Stadt. Dort bat sie die Vornehmsten, zum Leoplane zu reiten. Man erfüllte ihre Bitte und begab sich dahin, wo dem tiefbetrübten König von Zazamanc die Messe gelesen wurde. Nach dem Segen traf auch Frau Herzeloyde ein und erhob Anspruch auf Gachmuret, was allenthalben Billigung fand. Da sagte er: »Herrscherin, ich habe bereits eine Gattin und liebe sie mehr als mein Leben. Doch auch wenn ich ledig wäre, wüßte ich, womit ich Euerm Anspruch entginge, wenn jemand meine Sache vertreten wollte.«

»Um meiner Liebe willen sollt Ihr von der Mohrin lassen. Der Segen der Taufe ist mächtiger. Laßt ab von den Heiden und liebt mich nach unserm Christenglauben, denn heftig verlangt mich nach Eurer Liebe. Oder sollte die Königin der Franzosen mir Euer Herz entfremden? Ihre Boten sprachen verlockende Worte und gingen dabei bis zum Äußersten.«

›jâ diu ist mîn wâriu vrouwe.
ich brâhte in Anschouwe
ir rât und mîner zühte site:
mir wont noch hiute ir helfe mite,
25 dâ von daz mich mîn vrouwe zôch,
die wîbes missewende ie vlôch.
wir wâren kinder beidiu dô,
unt doch ze sehen ein ander vrô.
diu küneginne Ampflîse
wont an wîplîchem prîse.
95 mir gap diu gehiure
vom lande die besten stiure:
(ich was dô ermer denne nû)
dâ greif ich willeclîchen zuo.
5 zelt mich noch vür die armen.
ich solte iuch, vrouwe, erbarmen:
mir ist mîn werder bruoder tôt.
durch iuwer zuht lât mich ân nôt.
kêrt minne dâ diu vröude sî:
10 wan mir wont niht wan jâmer bî.‹
›Lât mich den lîp niht langer zern:
sagt an, wâ mite welt ir iuch wern?‹
›ich sage nâch iuwerre vrâge ger.
ez wart ein turney dâ her
15 gesprochen: des enwart hie niht.
manec geziuc mir des giht.‹
›den hât ein vesperîe erlemt.
die vrechen sint sô hie gezemt,
daz der turney dervon verdarp.‹
20 ›iuwerre stete wer ich warp
mit den die ez guot hie hânt getân.
ir sult mich nôtrede erlân:
ez tet hie manec ritter baz.
iuwer reht ist gein mir laz;
25 niwan iuwer gemeiner gruoz,
ob ich den von iu haben muoz.‹

»Sie ist ja auch meine wahre Gebieterin. Nach Anjou brachte ich eine ritterliche Erziehung, die ich ihrem klugen Rat verdanke. Noch heute erfreue ich mich der Wohltat, daß mich meine edle Gebieterin heranbildete, die frei ist von allem Makel. Wir waren damals noch Kinder und freuten uns doch, einander zu sehen. Jetzt und immer genießt Königin Ampflise den Ruhm wahren Frauentums. Aus den Einkünften ihres Landes gewährte mir die edle Frau großzügigste Unterstützung, denn ich war damals weit ärmer als jetzt. Daher nahm ich ihre Hilfe dankbar an. Doch Ihr, Herrscherin, mögt mich auch jetzt noch zu den Armen zählen; Ihr solltet mich bedauern, denn ich habe meinen edlen Bruder verloren. Bei Eurer vornehmen Bildung, dringt nicht länger in mich! Wendet Eure Liebe dorthin, wo die Freude zu Hause ist. In mir ist nur Trauer.«

»Laßt mich nicht länger in Sehnsucht brennen und sagt mir, wie Ihr Euch meinem Anspruch entziehen wollt.«

»Ich will Eure Frage beantworten. Hier wurde ein Turnier ausgeschrieben, doch es fand nicht statt. Viele Zeugen werden das bestätigen.«

»Das Vorabendturnier hat es verhindert. Selbst die Übermütigsten sind so ermattet davon, daß das eigentliche Turnier nicht zustande kam.«

»Ich habe doch nur Eure Stadt verteidigt, und das mit vielen anderen, die sich dabei auszeichneten. Erlaßt mir daher die erzwungene Rechtfertigung; hier hat sich mancher Ritter weit mehr bewährt als ich. Euer Anspruch auf mich ist nicht aufrechtzuerhalten. Ich wünschte mir von Euch nur die einem jeden zustehende Anerkennung.«

      als mir diu âventiure sagt,
      dô nam der ritter und diu magt
      einen rihtaere über der vrouwen clage.
      dô nâhet ez dem mitten tage.
96   man sprach ein urteil zehant,
      ›swelh ritter helm hie ûf gebant,
      der her nâch ritterschaft ist komen,
      hât er den prîs hie genomen,
5   den sol diu küneginne hân.‹
      dar nâch diu volge wart getân.
      dô sprach si ›hêr, nu sît ir mîn.
      ich tuon iu dienst nâch hulden schîn,
      und vüege iu sölher vröuden teil,
10   daz ir nâch jâmer werdet geil.‹
          Er hete iedoch von jâmer pîn.
      dô was des abrillen schîn
      zergangen, dar nâch komen was
      kurz cleine grüene gras.
15   daz velt was gar vergrüenet;
      daz bloediu herzen küenet
      und in gît hôchgemüete.
      vil boume stuont in blüete
      von dem süezen luft des meien.
20   sîn art von der feien
      muose minnen oder minne gern.
      des wolte in vriundîn dâ gewern.
          an [vroun] Herzeloyden er dô sach:
      sîn süezer munt mit zühten sprach
25   ›vrouwe, sol ich mit iu genesen,
      sô lât mich âne huote wesen,
      wan verlât mich immer jâmers craft,
      sô taete ich gerne ritterschaft.
      lât ir niht turnieren mich,
      sô kan ich noch den alten slich,
97   als dô ich mînem wîbe entran,
      die ich ouch mit ritterschaft gewan.

Wie mir die Erzählung berichtet, nahmen nun der Ritter und die Jungfrau einen Richter, der über der Herrscherin Klage entscheiden sollte. Es war schon fast Mittag, als man das Urteil verkündete: »Ein Ritter, der zu ritterlichem Streit hergekommen ist, seinen Helm festgebunden und den Turniersieg davongetragen hat, gehört der Königin.«

Dieses Urteil fand Zustimmung. Da sprach die Königin: »Herr Ritter, nun gehört Ihr mir! Ich werde mich bemühen, Eure Zuneigung zu gewinnen und Euch so glücklich zu machen, daß Ihr Euern Kummer vergeßt und wieder froh werdet.«

Er litt aber noch immer unter seinem Schmerz. Nun war jedoch der April bereits vergangen. Das erste Gras sproß, und die Flur ergrünte, was selbst schüchterne Herzen ermutigt und mit Frohsinn erfüllt. Die linden Mailüfte brachten viele Bäume zum Blühen, und Gachmurets Abkunft von den Feen ließ ihn Liebe fühlen oder nach ihr verlangen. Und die liebende Frau wollte sie ihm auch gewähren. So sah er Herzeloyde an, und sein schöngeschwungener Mund sprach mit edlem Anstand: »Gebieterin, wenn ich mich an Eurer Seite glücklich fühlen soll, so laßt mir meine Freiheit. Habe ich meinen Schmerz erst überwunden, so werde ich mich sicher nach ritterlichen Kampfestaten sehnen. Verbietet Ihr mir das Turnieren, so bleibt mir nur die erprobte List, mit der ich mich meiner Gemahlin entzog, die ich durch ritter-

    dô si mich ûf von strîte bant,
    ich liez ir liute unde lant.‹
5   si sprach ›hêr, nemt iu selbe ein zil:
    ich lâze iu iuwers willen vil.‹
    ›ich wil vrumen noch vil der sper enzwei:
    aller mânedglîch ein turnei,
    des sult ir vrouwe ruochen,
10 daz ich den müeze suochen.‹
    diz lobte si, wart mir gesagt:
    er enpfienc diu lant unt ouch die magt.
      Disiu driu junchêrrelîn
    Ampflîsen der künegîn
15 hie stuonden, unde ir kappelân,
    dâ volge und urteil wart getân,
    aldâ erz hôrte unde sach.
    heinlîche er Gahmureten sprach.
    ›man tet mîner vrouwen kunt
20 daz ir vor Pâtelamunt
    den hoehsten prîs behieltet
    unt dâ zweier crône wieltet.
    si hât ouch lant unde muot,
    und gît iu lîp unde guot.‹
25 ›dô si mir gap die ritterschaft,
    dô muose ich nâch der ordens craft,
    als mir des schildes ambet sagt,
    derbî belîben unverzagt.
    wan daz ich schilt von ir gewan,
    ez waer noch anders ungetân.
98 ich werde es trûric oder geil,
    mich behabt hie ritters urteil.
    vart wider, sagt ir dienest mîn;
    ich sül iedoch ir ritter sîn.
5   ob mir alle crône waern bereit,
    ich hân nâch ir mîn hoehste leit.‹
    er bôt in sîne grôze habe:
    sîner gebe tâten si sich abe.

liche Taten gewann. Als sie mich dem Kampfe fernhielt,
verließ ich ihr Volk und ihr Reich.«
Da sprach sie: »Herr, bestimmt nur selbst, was Ihr tun
wollt. Lebt, wie es Euch gefällt.«
»Ich möchte noch manche Lanze zerbrechen. Gebieterin,
Ihr solltet Euch damit einverstanden erklären, daß ich all-
monatlich an einem Turnier teilnehme.«
Dies versprach sie, wie ich erfuhr. So erhielt er das Reich
und die Jungfrau.
Als die Zustimmung erteilt und das Urteil gefällt wurde,
waren die drei Pagen der Königin Ampflise anwesend und
auch ihr Kaplan, so daß er alles hörte und sah. Heimlich
flüsterte er Gachmuret zu: »Man hat meiner Gebieterin
berichtet, daß Ihr vor Patelamunt den höchsten Siegespreis
davontrugt und dort Herrscher seid über zwei Königreiche.
Auch sie besitzt ein Reich und möchte Euch Hand und
Besitztum antragen.«
»Da sie mich zum Ritter gemacht hat, unterstehe ich nun-
mehr den Gesetzen des Ritterstandes und muß ihnen wider-
spruchslos Folge leisten. Hätte ich nicht den Schild von ihr
erhalten, so wäre alles anders gekommen. Ritterliches Urteil
hält mich hier fest, ob ich betrübt oder froh darüber bin.
Kehrt zurück und sagt ihr, ich möchte ihr gern zu Diensten
stehen und trotz allem auch fernerhin ihr Ritter sein. Selbst
wenn alle Königreiche mein wären, trüge ich schmerzliche
Sehnsucht nach ihr im Herzen.«
Er bot ihnen reiche Geschenke, doch sie schlugen seine

    die boten vuoren ze lande
10 gar âne ir vrouwen schande.
    sine gerten urloubes niht,
    als lîhte in zorne noch geschiht.
    ir knappen vürsten, disiu kint
    wârn von weinen vil nâch blint.

15   Die den schilt verkêrt dâ hânt getragen,
    den begunde ir vriunt ze velde sagen
    ›vrou Herzeloyd diu künegîn
    hât behabt den Anschevîn.‹
    ›wer was von Anschouwe dâ?
20 unser hêrre ist leider anderswâ,
    durch ritter prîs zen Sarrazîn.
    daz ist nu unser hôhster pîn.‹
    ›der hie den prîs hât bezalt
    unt sô mangen ritter ab gevalt,
25 unt der sô stach unde sluoc,
    unt der den tiuren anker truoc
    ûf dem helme lieht gesteinet,
    daz ist den ir dâ meinet.
    mir sagt der künec Kaylet,
    der Anschevîn waer Gahmuret.
99 dem ist hie wol gelungen.‹
    nâch den orsen si dô sprungen.
    ir wât wart von den ougen naz,
    dô si kômen dâ ir hêrre saz.
5   sie enpfiengen in, er enpfienc ouch sie.
    vröude und jâmer daz was hie.
    dô kuste er die getriuwen,
    er sprach ›iuch sol niht riuwen
    ze unmâzer wîs der bruoder mîn:
10 ich mag iuch wol ergetzen sîn.
    kêrt ûf den schilt nâch sîner art,
    gehabt iuch an der vröuden vart.
    ich sol mîns vater wâpen tragen:
    sîn lant mîn anker hât beslagen.

Gabe aus. Die Boten kehrten also heim, ohne ihrer Herrscherin Schande zu bereiten, ja sie verabschiedeten sich nicht einmal, wie es häufig aus Zorn geschieht. Die drei fürstlichen Knappen waren fast blind vom Weinen.

Indes erfuhren diejenigen, die bisher aus Trauer ihre Schilde umgekehrt getragen hatten, draußen auf freiem Felde von ihren Freunden: »Königin Herzeloyde hat den Herrn von Anjou erhalten.«

»Welcher Herr von Anjou war denn hier? Unser Gebieter ist ja leider anderswo. Er zog um Ritterruhmes willen zu den Sarazenen, was für uns recht schmerzlich ist.«

»Der Mann, der den höchsten Ruhmespreis davontrug und viele Ritter fällte, der gewaltig dreinstach und zuschlug und den kostbaren Anker auf dem Helm mit den funkelnden Edelsteinen trug, ist ja der, von dem ihr sprecht. König Kaylet sagte mir, der Herr von Anjou sei Gachmuret. Er hat hier wahrhaftig großen Erfolg errungen.«

Da liefen die anderen sogleich zu ihren Pferden. Als sie zu ihrem Herrn kamen, wurden ihre Gewänder naß von Tränen. Man hieß sich gegenseitig willkommen, und auf beiden Seiten war die Freude gemischt mit Schmerz. Gachmuret küßte seine Getreuen und sprach: »Überlaßt euch meines Bruders wegen nicht uferloser Betrübnis. Ich kann ihn euch ersetzen. Kehrt den Schild um und laßt wieder Freude in eure Herzen einziehn. Fortan werde ich das Wappen meines Vaters tragen, denn mein Anker hat Grund gefunden in

15 der anker ist ein recken zil:
    den trage und nem nu swer der wil.
    Ich muoz nu lebelîche
    gebâren; ich bin rîche.
    wan solte ich volkes hêrre sîn?
20 den taete wê der jâmer mîn.
    vrou Herzeloyde, helfet mir,
    daz wir biten, ich unt ir,
    künge und vürsten die hie sîn,
    daz si durch den dienest mîn
25 belîben, unz ir mich gewert
    des minnen werc zer minnen gert.‹
    die bete warb ir beider munt:
    die werden lobtenz sâ ze stunt.
        ieslîcher vuor an sîn gemach:
    diu künegîn ze ir vriunde sprach
100 ›nu habt iuch an mîne pflege.‹
    si wîste in heinlîche wege.
    sîner geste pflac man wol ze vrumen,
    swar halt ir wirt waere kumen.
5   daz gesinde wart gemeine:
    doch vuor er dan al eine,
    wan zwei junchêrrelîn.
    juncvrouwen unt diu künegîn
    in vuorten dâ er vröude vant
10 und al sîn trûren gar verswant.
    entschumpfiert wart sîn riuwe
    und sîn hôchgemüete al niuwe:
    daz muose iedoch bî liebe sîn.
    vrou Herzeloyd diu künegîn
15 ir magettuom dâ âne wart.
    die munde wâren ungespart:
    die begunden si mit küssen zern
    und dem jâmer von den vröuden wern.
        Dar nâch er eine zuht begienc:
20 si wurden ledic, die er dâ vienc.

seinem Reich. Der Anker ist das Zeichen des Kriegsdienst suchenden fahrenden Helden; nehme und trage ihn fortan, wer mag. Da ich nun große Macht errungen habe, muß ich mich meinen Herrscherpflichten widmen. Wenn ich des Volkes Herrscher sein soll, so würde mein Kummer es nur traurig machen. Helft mir denn, Frau Herzeloyde, und laßt uns alle Könige und Fürsten hier bitten, meine Einladung anzunehmen und zu bleiben, bis Ihr mir die ersehnte Erfüllung schenkt.«

Beide baten darum, und die Edlen sagten ohne Säumen zu. Ein jeder machte sich's bequem. Die Königin aber sprach zu ihrem Geliebten: »Vertraut Euch nun meiner treusorgenden Liebe an!«, und führte ihn heimlich hinweg.

Wenn auch der Gastgeber nicht dabei war, so wurden seine Gäste doch trefflich bedient. Zwar stand Gachmurets und Herzeloydes Gesinde bereit, doch Gachmuret ging allein davon – nur von zwei Pagen geleitet. Die Königin und ihre Jungfrauen führten ihn dorthin, wo er das Glück fand und all seine Trauer verflog. Sein Leid wurde besiegt, und neu erstand seine Lebenslust, was an der Seite der Geliebten nicht verwunderlich ist. Die Königin Herzeloyde verlor dabei ihre Jungfernschaft. Sie schonten ihre Lippen nicht, sondern versengten sie mit heißen Küssen und hielten ihrem Glück jede Trauer fern.

Danach vollbrachte Gachmuret eine hochherzige Tat: Er gab allen Gefangenen die Freiheit wieder. Dazu versöhnte er

Hardîzen und Kaylet,
seht, die versuonde Gahmuret.
da ergienc ein sölhiu hôchgezît,
swer der hât gelîchet sît,
25 des hant iedoch gewaldes pflac.
Gahmuret sich des bewac,
sîn habe was vil ungespart.
araebesch golt geteilet wart
armen rittern al gemeine,
unt den küngen edel gesteine
101 teilte Gahmuretes hant,
und ouch swaz er dâ vürsten vant.
dâ wart daz varnde volc vil geil:
die enpfiengen rîcher gâbe teil.
5   lât si rîten, swer dâ geste sîn:
den gap urloup der Anschevîn.
daz pantel, daz sîn vater truoc,
von zoble ûf sînen schilt man sluoc.
al cleine wîz sîdîn
10 ein hemde der künegîn,
als ez ruorte ir blôzen lîp,
diu nu worden was sîn wîp,
daz was sîns halsperges dach.
ahzehniu man durchstochen sach
15 und mit swerten gar zerhouwen,
ê er schiede von der vrouwen.
daz leit ouch si an blôze hût,
sô kom von ritterschaft ir trût,
der manegen schilt vil dürkel stach.
20 ir zweier minne triuwen jach.
Er hete werdekeit genuoc,
do in sîn manlîch ellen truoc
hin über gein der herte.
mich jâmert sîner verte.
25 im kom diu wâre botschaft,
sîn hêrre der bâruc waer mit craft

Hardiz und Kaylet. Nun wurde ein so herrliches Fest gefeiert, daß jeder, der es ihm gleichtun wollte, über große Reichtümer verfügen müßte. Gachmuret war gewillt, seinen Besitz nicht zu schonen. Alle gewöhnlichen Ritter erhielten arabisches Gold, den anwesenden Königen und Fürsten aber überreichte er mit eigener Hand Edelsteine. Auch das fahrende Volk der Spielleute war ausgelassen froh, denn alle wurden reich beschenkt. Doch laßt nun dahinziehen, die da seine Gäste waren; der Edle aus Anjou verabschiedete sie. Ein Pantherbild aus Zobelpelz – das Wappen seines Vaters – nagelte man auf seinen Schild; ein hauchdünnes weißes Seidenhemd seiner Gemahlin, der Königin, das sie auf bloßem Leib zu tragen pflegte, zog er über seine Rüstung. Achtzehn solcher Hemden, von Lanzenstößen und Schwertschlägen zerfetzt, trug er später heimwärts, ehe er endgültig Abschied nahm von seiner Gemahlin, und sie trug diese Zeugen siegreicher Kämpfe auf der bloßen Haut, wenn ihr Geliebter nach ritterlichen Kämpfen, in denen er so manchen Schild durchbohrte, zurückkehrte. Sie liebten einander in unwandelbarer Treue.

Gachmuret genoß bereits hohes Ansehen, als ihn seine Manneskühnheit zu ernstem Streit fern übers Meer führte. Diese Fahrt erfüllt mich mit Kummer. Er erhielt nämlich sichere Nachricht, daß sein ehemaliger Dienstherr, der

überriten von Babylôn.
einer hiez Ipomidôn,
der ander Pompeius.
den nennet diu âventiure alsus.
102 daz was ein stolz werder man
(niht der von Rôme entran
Julîus dâ bevor):
der künec Nabuchodonosor
 5   sîner muoter bruoder was,
der an trügelîchen buochen las
er solte selbe sîn ein got.
daz waere nu der liute spot.
ir lîp, ir guot was ungespart.
10   die gebruoder wârn von hôher art,
von Nînus, der gewaldes pflac
ê wurde gestiftet Baldac.
der selbe stifte ouch Ninnivê.
in tet schade und laster wê:
15   der jach der bâruc ze urborn.
des wart gewunnen unt verlorn
genuoc ze bêden sîten:
man sach dâ helde strîten.
dô schift er sich über mer,
20   und vant den bâruc mit wer.
mit vröuden er enpfangen wart,
swie mich jâmer sîner vart.
    Waz dâ geschehe, wie ez dort ergê,
gewin und vlust, wie daz gestê,
25   desn weiz vrou Herzeloyde niht.
diu was als diu sunne lieht
und hete minneclîchen lîp.
rîcheit bî jugent pflac daz wîp,
und vröuden mêre dan ze vil:
si was gar ob dem wunsches zil.
103 si kêrte ir herze an guote kunst:
des bejagte si der werlde gunst.

Baruc, von den beiden Königen von Babylon, Ipomidon und Pompejus, mit großer Heeresmacht überfallen worden sei. Pompejus, wie er in dieser Geschichte genannt wird, war ein hochgemuter und edler Mann. Es ist nicht der Pompejus, der einst vor Julius Cäsar aus Rom geflohen war. Sein Oheim war König Nabuchodonosor, der in trügerischen Schriften gelesen hatte, er sei ein Gott, worüber heute jeder lachen würde. Die beiden Brüder, die bei allen Unternehmungen Leben und Besitz in die Waagschale warfen, entstammten vornehmem Geschlecht: ihr Ahnherr war Ninus, der vor der Gründung von Bagdad das Land beherrscht und auch Ninive erbaut hatte. Nun aber waren sie dem Baruc zinspflichtig, und sowohl Zinslast als auch Schande drückten sie. So war denn ein Krieg ausgebrochen, in dem beide Parteien abwechselnd Siege errangen und Niederlagen hinnehmen mußten und Helden große Taten vollbrachten. Gachmuret fuhr also zu Schiff übers Meer und fand den Baruc mitten im Heerlager. Man nahm ihn mit Freuden auf, doch ich beklage seine Reise.

Was da geschah, wie es dort zuging, wie das Kriegsglück wechselte, das erfuhr Frau Herzeloyde nicht. Sie strahlte vor Schönheit und Glück wie die Sonne und war ganz erfüllt von ihrer Liebe. Sie lebte in Reichtum und Jugendschönheit, im Überfluß des Glücks und sah selbst ihre kühnsten Wünsche übertroffen. Sie wandte ihr Herz dem Guten zu und gewann dadurch die Zuneigung ihrer Mitmenschen; ihr vorbildlicher

Nabuchodonosor: Wolfram benutzt hier die griechische Form des babylonischen Königsnamens Nebukadnezar II. (605–562 v. Chr.), der 586 Jerusalem zerstören und die jüdische Bevölkerung nach Babylonien deportieren ließ. Der Prophet Daniel (2 und 3) berichtet von ihm, er habe sich ein goldnes Standbild errichten lassen, als sei er ein Gott.

vrou Herzeloyd diu künegin,
ir site an lobe vant gewin,
5   ir kiusche was vür prîs erkant.
küngîn über driu lant,
Wâleys und Anschouwe,
dar über was si vrouwe,
si truog ouch crôn ze Norgâls
10   in der houbetstat ze Kingrivâls.
ir was ouch wol sô liep ir man,
ob ie kein vrouwe mêr gewan
sô werden vriunt, waz war ir daz?
si möhte ez lâzen âne haz.
15   do er ûze beleip ein halbez jâr,
sîns komens warte si vür wâr:
daz was ir lîpgedinge.
dô brast ir vröuden clinge
mitten ime hefte enzwei.
20   ôwê unde heiâ hei,
daz güete alsölhen kumber tregt
und immer triuwe jâmer regt!
alsus vert diu mennischeit,
hiute vröude, morgen leit.
25   Diu vrouwe umb einen mitten tac
eins angestlîchen slâfes pflac.
ir kom ein vorhtlîcher schric.
si dûhte wie ein sternen blic
si gein den lüften vuorte,
dâ si mit creften ruorte
104   manc viurîn donerstrâle.
die vlugen al zemâle
gein ir: dô sungelt unde sanc
von gänstern ir zöpfe lanc.
5   mit crache gap der doner duz:
brinnende zäher was sîn guz.
    ir lîp si dâ nâch wider vant,
dô zucte ein grîfe ir zeswen hant:

Lebenswandel fand reiches Lob, und ihre Keuschheit wurde
gepriesen. Sie war Königin über drei Länder, denn sie war
nicht nur Herrscherin von Valois und Anjou, sondern trug
in ihrer Hauptstadt Kingrivals auch die Krone von Norgals.
Ihren Gemahl liebte sie so sehr, daß sie jeder andern Frau
einen ebenso edlen Geliebten gegönnt hätte. Als er aber ein
halbes Jahr ferngeblieben war, erwartete sie sehnlichst seine
Rückkehr, denn sie lebte einzig von der Hoffnung auf
Gachmurets Wiederkehr. Doch da brach die Klinge ihres
Glücks in der Mitte des Griffs entzwei. Weh und ach! Daß
Güte solches Leid erfährt und Treue solchen Schmerz zei-
tigt! Das aber ist der Lauf der Welt: heute Freude, morgen
Leid.

Eines Tages befiel die edle Frau während der Mittagsruhe ein
beängstigender Traum. Furchtbarer Schrecken überkam sie.
Ihr war, als trüge ein Meteor sie hoch durch die Lüfte, wo
feurige Blitze sie gewaltig erschütterten. Alle zuckten auf sie
nieder, so daß es in ihren langen Zöpfen von Funken nur so
knisterte und zischte. Mit fürchterlichem Krachen hallte der
Donner und ließ feurige Tränen auf sie niederregnen. Als sie
wieder zu sich kam, zerrte ein Greif an ihrer rechten Hand.

Norgals: meint hier wohl Nordwales.

daz wart ir verkêrt hie mite.
10 si dûhte wunderlîcher site,
wie si waere eins wurmes amme,
der sît zervuorte ir wamme,
und wie ein trache ir brüste süge,
und daz der gâhes von ir vlüge,
15 sô daz si in nimmer mêr gesach.
daz herze er ir ûz dem lîbe brach:
die vorhte muosen ir ougen sehen.
ez ist selten wîbe mêr geschehen
in slâfe kumber dem gelîch.
20 dâ vor was si ritterlîch:
ach wênc, daz wirt verkêret gar,
si wirt nâch jâmer nu gevar.
ir schade wirt lanc unde breit:
ir nâhent komendiu herzenleit.
25   Diu vrouwe dô begunde,
daz si dâ vor niht kunde,
beidiu zabeln und wuofen,
in slâfe lûte ruofen.
vil juncvrouwen sâzen hie:
die sprungen dar und wacten sie.
105   dô kom geriten Tampanîs,
ir mannes meisterknappe wîs,
und cleiner junchêrren vil.
dâ gieng ez ûz der vröuden zil.
5 die sagten clagende ir hêrren tôt:
des kom vrou Herzeloyde in nôt,
si viel hin unversunnen.
die ritter sprâchen ›wie ist gewunnen
mîn hêrre in sîme harnas,
10 sô wol gewâpent sô er was?‹
swie den knappen jâmer jagte,
den helden er doch sagte
›mînen hêrren lebens lenge vlôch.
sîn härsenier von im er zôch:

Und von neuem wandelte sich das Traumbild. Merkwürdi-
gerweise schien es ihr, sie wäre die Amme eines Drachen,
der ihren Leib zerriß, an ihren Brüsten sog und dann rasch
davonflog, so daß sie ihn nicht mehr sah. Er riß ihr das Herz
aus der Brust; dies Entsetzliche mußte sie bei vollem
Bewußtsein mit eigenen Augen ansehen. Wohl kaum hat je
eine Frau im Schlaf solche Ängste ausstehen müssen. War
Herzeloyde bislang eine glänzende Dame, ach, so sollte sich
das jetzt ganz und gar ändern und Herzensweh ihren Glanz
verdüstern. Unfaßbar großer Verlust wird sie treffen,
schweres Herzeleid naht sich ihr! Hatte sie erst reglos
dagelegen, so warf sich die edle Frau nun im Schlafe hin und
her und begann laut zu wehklagen. Da sprangen die Jung-
frauen, die bei ihr saßen, hinzu und weckten sie.
In diesem Augenblick kam Tampanis, der kluge erste
Knappe ihres Gemahls, mit vielen Junkern geritten. Nun
war des Glückes Ende da, denn die Ankömmlinge verkün-
deten unter Klagen den Tod ihres Herrn. Die Nachricht traf
Frau Herzeloyde so schwer, daß sie ohnmächtig zu Boden
sank. Die Ritter aber fragten: »Wie konnte unser Herr in
seiner Rüstung, die ihn so zuverlässig schützte, den Tod
finden?«
Wie sehr den Knappen der Schmerz auch quälte, er berich-
tete doch den Helden: »Mein Herr mußte so jung sein Leben
lassen, weil er der großen Hitze wegen seine Kettenhaube

15   des twanc in starkiu hitze.
      gunêrtiu heidensch witze
      hât uns verstoln den helt guot.
      ein ritter hete bockes bluot
      genomen in ein langez glas:
20   daz sluog er ûf den adamas:
      dô wart er weicher danne ein swamp.
      den man noch mâlet vür daz lamp,
      und ouch daz criuze in sîne clân,
      den erbarme daz dâ wart getân.
25   dô si mit scharn ze ein ander riten,
      âvoy wie dâ wart gestriten!
      Des bâruckes ritterschaft
      sich werte wol mit ellens craft.
      vor Baldac ûf dem gevilde
      durchstochen wart vil schilde,
106   dâ si ze ein ander gâhten.
      die poynder sich dâ vlâhten,
      sich wurren die banier:
      dâ viel manec degen fier.
 5   aldâ worht mîns hêrren hant
      dâ von ir aller prîs verswant.
      dô kom gevarn Ipomidôn:
      mit tôde er mîme hêrren lôn
      gap, daz er in nider stach
10   da ez manec tûsent ritter sach
      von Alexandrîe,
      mîn hêrre valsches vrîe
      gein dem künege kêrte,
      des tjost in sterben lêrte.
15   sînen helm versneit des spers ort
      durch sîn houbet wart gebort,
      daz man den trunzûn drinne vant.
      iedoch gesaz der wîgant,
      al töunde er ûz dem strîte reit
20   ûf einen plân, der was breit.

ablegte. Verfluchte heidnische Hinterlist hat uns den tapfe-
ren Helden geraubt. Ein Ritter hatte Bocksblut in eine lange
Flasche gefüllt und zerschlug sie auf Gachmurets Diamant-
helm, der nun weicher wurde als ein Schwamm. Möge ihn,
den man als Lamm darstellt, das Kreuz zwischen den Füßen,
erbarmen, was sich nun abspielte! Hei, wie wurde da
gekämpft, als die Ritterscharen zusammenstießen! Die Rit-
ter des Baruc setzten sich mit Heldenkraft zur Wehr. Viele
Schilde wurden auf dem Feld vor Bagdad durchstoßen, als
sie aufeinanderprallten. Die Reiterhaufen verkeilten sich so
ineinander, daß sich die Wimpel verwickelten, und mancher
stolze Held mußte sein Leben lassen. Mein Herr vollbrachte
solche Taten, daß der Ruhm aller andern dagegen verblaßte.
Dann aber sprengte Ipomidon heran. Mit dem Tod übte er
Vergeltung an meinem Herrn, denn er stach ihn vor den
Augen von vielen tausend Rittern aus Alexandrien nieder.
Mein geradsinniger Herr hatte sich gegen den König
gewandt, dessen Lanze ihm den Tod bringen sollte, denn sie
durchstieß den Helm und durchbohrte seine Stirn, in der
man später die abgebrochene Spitze fand. Dennoch hielt sich
der Recke im Sattel und ritt zu Tode verwundet noch vom
Schlachtfeld auf einen freien Platz. Sein Kaplan beugte sich

über in kom sîn kappelân.
er sprach mit kurzen worten sân
sîne bîhte und sande her
diz hemde unt daz selbe sper

25 daz in von uns gescheiden hât.
er starp ân alle missetât.
junchêrren und die knappen sîn
bevalh er der künegîn.

     Er wart geleit ze Baldac.
diu kost den bâruc ringe wac.

107 mit golde wart gehêret,
grôz rîcheit dran gekêret
mit edelem gesteine,
dâ inne lît der reine.

5 gebalsemt wart sîn junger rê.
vor jâmer wart vil liuten wê.
ein tiure rubîn ist der stein
ob sîme grabe, dâ durch er schein.
uns wart gevolget hie mite:

10 ein criuze nâch der marter site,
als uns Cristes tôt lôste,
liez man stôzen im ze trôste,
ze scherm der sêle, überz grap.
der bâruc die koste gap:

15 ez was ein tiure smârât.
wir tâten ez âne der heiden rât:
ir orden kan niht criuzes pflegen,
als Cristes tôt uns liez den segen.
ez betent heiden sunder spot

20 an in als an ir werden got,
niht durch des criuzes êre
noch durch des toufes lêre,
der ze dem urteillîchen ende
uns loesen sol gebende.

25 diu manlîche triuwe sîn
gît im ze himel liehten schîn,

über den Sterbenden, der mit wenigen Worten beichtete; dies Hemd und die Lanzenspitze, die ihn uns genommen hat, schickte er hierher. Er befahl seine Pagen und Knappen der Huld der Königin und starb ohne Sünde.

Man überführte ihn nach Bagdad, wobei der Baruc keine Kosten scheute. Der Sarg, in dem der Held ohne Tadel ruht, wurde mit Gold und kostbaren Edelsteinen geschmückt, sein jugendblühender Leichnam einbalsamiert. Vor Kummer wurde vielen Menschen das Herz schwer. Sein Sargdeckel besteht aus einem kostbaren Rubin, so daß er darunter zu sehen ist. Auf unsere Bitte ließ man uns über seinem Grab ein Kreuz errichten, das an den Märtyrertod erinnert, mit dem uns Christus erlöst hat; es soll ihm Trost spenden und seiner Seele Schutz sein. Auch dafür stellte der Baruc die Mittel bereit. Das Kreuz besteht aus einem kostbaren Smaragd. Wir errichteten es ohne Hilfe der Heiden, deren Religion ja nichts weiß von dem Kreuz, an dem uns Christus durch seinen Tod erlöst hat. Die Heiden beten nun wahrhaftig Gachmuret an als ihren mächtigen Gott, doch nicht des Kreuzes oder der christlichen Lehre wegen, die uns am Jüngsten Tag Erlösung bringen wird. Mannestreue und

und ouch sîn riuwic bîhte.
der valsch was an im sîhte.
    In sînen helm, den adamas,
ein epitafum ergraben was,
108 versigelt ûfz criuze ob dem grabe.
sus sagent die buochstabe.
›durch disen helm ein tjoste sluoc
den werden der ellen truoc.
5 Gahmuret was er genant,
gewaldec künec über driu lant.
ieglîchez im der crône jach:
dâ giengen rîche vürsten nâch.
er was von Anschouwe erborn,
10 und hât vor Baldac verlorn
den lîp durch den bâruc.
sîn prîs gap sô hôhen ruc,
niemen reichet an sîn zil,
swâ man noch ritter prüeven wil.
15 er ist von muoter ungeborn,
zuo dem sîn ellen habe gesworn:
ich mein der schildes ambet hât.
helfe und manlîchen rât
gab er mit staete den vriunden sîn:
20 er leit durch wîp vil schärpfen pîn.
er truoc den touf und cristen ê:
sîn tôt tet Sarrazînen wê
sunder liegen, daz ist wâr.
sîner zît versunnenlîchiu jâr
25 sîn ellen sô nâch prîse warp,
mit ritterlîchem prîse er starp.
er hete der valscheit an gesigt.
nu wünscht im heiles, der hie ligt.‹
diz was alsô der knappe jach.
Wâleise man vil weinen sach.
109   Die muosen wol von schulden clagen.
diu vrouwe hete getragen

reuige Beichte werden Gachmuret im Himmel strahlenden Glanz verleihen. Er war ohne Falsch.

In seinen Diamanthelm ritzte man eine Inschrift, dann wurde der Helm an der Spitze des Kreuzes befestigt. Die Inschrift lautet: ›Durch diesen Helm traf ein Lanzenstoß den edlen, tapferen Helden. Er hieß Gachmuret, als mächtiger König herrschte er über drei Königreiche, und die Krone eines jeden Reiches machte ihm mächtige Fürsten untertan. In Anjou geboren, verlor er vor Bagdad sein Leben im Kampf für den Baruc. Sein Ruhm war so groß, daß sich ihm niemand vergleichen kann, wo man auch Ritter daraufhin prüfen wollte. Noch ist kein Ritter geboren, der ihm an Tapferkeit gleichkäme. Mit hilfreicher Tat und Mannesrat stand er seinen Freunden stets bei. Um der Frauen willen nahm er harte Prüfungen auf sich. Er war getauft und christlichen Glaubens. Sein Tod wurde wahrhaftig auch von den Sarazenen bedauert. Seit er zum Manne gereift war, strebte er kühn nach Mannesruhm; mit ritterlichem Ruhm starb er auch. Treulosigkeit kannte er nicht. Wünscht ihm Heil, der hier ruht!‹«

Und wirklich verhielt es sich so, wie der Knappe berichtet hatte. Viele aus Valois brachen in Tränen aus, und sie hatten wahrlich Grund zum Wehklagen. Die Herrscherin aber trug

ein kint, daz in ir lîbe stiez,
die man ân helfe ligen liez.
5   ahzehen wochen hete gelebt
des muoter mit dem tôde strebt,
vrou Herzeloyd diu künegin.
die andern heten cranken sin,
daz si hulfen niht dem wîbe:
10 wan si truoc in ir lîbe
der aller ritter bluome wirt,
ob in sterben hie verbirt.
dô kom ein altwîser man
durch clage über die vrouwen sân,
15 dâ si mit dem tôde ranc.
die zene er ir von ein ander twanc:
man gôz ir wazzer in den munt.
aldâ wart ir versinnen kunt.
    si sprach ›ôwê war kom mîn trût?‹
20 diu vrouwe in clagete über lût.
›mînes herzen vröude breit
was Gahmuretes werdekeit.
den nam mir sîn vrechiu ger.
ich was vil junger danne er,
25 und bin sîn muoter und sîn wîp.
ich trage alhie doch sînen lîp
und sînes verhes sâmen.
den gâben unde nâmen
unser zweier minne.
hât got getriuwe sinne,
110 sô lâz er mir in ze vrühte komen.
ich hân doch schaden ze vil genomen
An mînem stolzen werden man.
wie hât der tôt ze mir getân!
5   er enpfienc nie wîbes minnen teil,
ern waere al ir vröuden geil:
in müete wîbes riuwe.
daz riet sîn manlîch triuwe:

ein Kind unter dem Herzen, das sich in ihr bereits bewegte, als man sie ohne Hilfe liegenließ. Es hatte sich schon seit achtzehn Wochen geregt. Doch nun rang seine Mutter, die Königin Herzeloyde, mit dem Tode. Die andern waren offenbar alle wie von Sinnen, daß sie ihr nicht beisprangen, denn sie trug ja den in sich, der die herrlichste Blüte des Ritterstandes werden konnte, wenn der Tod jetzt an ihm vorüberging. Da kam, um ihr klagen zu helfen, ein kluger Alter zur Herrscherin, als sie schon mit dem Tode rang. Sogleich zwang er ihr die zusammengebissenen Zähne auseinander, so daß man ihr Wasser einflößen konnte. Da kam sie wieder zur Besinnung und sprach: »Wehe, wo ist mein Geliebter?«, und brach in herzzerreißende Klagen aus. »Gachmurets Herrlichkeit war meines Herzens ganzes Glück. Sein kühner Kampfeseifer hat ihn mir genommen. Nun bin ich ihm Gattin und Mutter zugleich, wenn auch viel jünger als er, denn ich trage ihn in mir, seinen Lebenskeim, den unsre Liebe in mich senkte. Wenn Gott treu ist, so lasse er ihn mir zur Frucht reifen. Habe ich doch mit meinem hochsinnigen und lieben Mann schon schwersten Verlust erlitten. Wie grausam hat der Tod an mir gehandelt! Nie hat Gachmuret Frauenliebe genossen, ohne sein Weib an seinem Glück teilnehmen zu lassen und ihr Leid mitzu-

wand er was valsches laere.‹

10 nu hoert ein ander maere,
   waz diu vrouwe dô begienc.
   kint und bûch si ze ir gevienc
   mit armen und mit henden.
   si sprach ›mir sol got senden
15 die werden vruht von Gahmurete.
   daz ist mînes herzen bete.
   got wende mich sô tumber nôt:
   daz waer Gahmurets ander tôt,
   ob ich mich selben slüege;
20 die wîle ich bî mir trüege
   daz ich von sîner minne enpfienc,
   der mannes triuwe an mir begienc. Herzelayde:

   diu vrouwe enruochte wer daz sach,
   daz hemde von der brust si brach.
25 ir brüstel linde unde wîz,
   dar an kêrte si ir vlîz,
   si dructe si an ir rôten munt.
   si tet wîplîche vuore kunt.
   alsus sprach diu wîse
   ›du bist kaste eins kindes spîse:
111 di hât ez vor im her gesant,
   sît ichz lebende im lîbe vant.‹

   Diu vrouwe ir willen dar an sach,
   daz diu spîse was ir herzen dach,
5 diu milch in ir tüttelîn:
   die dructe drûz diu künegîn.
   si sprach ›du bist von triuwen komen.
   het ich des toufes niht genomen,
   du waerest wol mîns toufes zil.
10 ich sol mich begiezen vil
   mit dir und mit den ougen,
   offenlîche und tougen:
   wand ich wil Gahmureten clagen.‹
   diu vrouwe hiez dar nâher tragen

tragen. Wahre Gattentreue hieß ihn so handeln, denn er war
ohne Falsch.«

Hört nun weiter, was die Herrscherin danach tat. Mit
Armen und Händen umschloß sie ihren Leib mit dem Kind
darin und sprach: »Gott lasse mich die edle Frucht Gachmu-
rets gebären; das ist mein Herzenswunsch. Gott bewahre
mich vor törichter Selbstgefährdung; es wäre Gachmurets
zweiter Tod, wenn ich mich an mir selbst verginge, solange
ich in mir trage, was ich von der Liebe dessen empfing, der
mir immer wahre Gattentreue bewies.«

Dann riß sich die Herrscherin das Hemd von der Brust,
unbekümmert, wer es sah. Sie faßte ihre zarten weißen
Brüste und drückte sie mit echt weiblicher Regung an ihre
roten Lippen. »Du bist«, sprach die wissende Frau, »Gefäß
für die Nahrung eines Kindes; es hat sie für sich bereitet, seit
es sich in mir regte.« Ihre innigsten Wünsche sah sie erfüllt,
nun diese Nahrung, die Milch ihrer Brüste, ihr Herz wie ein
Dach überwölbte. Sie drückte sie heraus und sprach dabei:
»Treue hat dich entstehen lassen. Wäre ich nicht schon
getauft, wollte ich mich mit dir taufen. Mit dir und meinen
Tränen will ich mich reich benetzen, vor aller Augen und im
geheimen, um Gachmuret so zu beklagen.«

Darauf ließ die Herrscherin das blutbespritzte Hemd holen,

15   ein hemde nâch bluote var,
       dar inne an des bâruckes schar
       Gahmuret den lîp verlôs,
       der werlîchen ende kôs
       mit rehter manlîcher ger.
20   diu vrouwe vrâgte ouch nâch dem sper,
       daz Gahmurete gab den rê.
       Ipomidôn von Ninnivê
       gap alsus werlîchen lôn,
       der stolze werde Babylôn:
25   daz hemde ein hader was von slegen.
       diu vrouwe wolde ez an sich legen,
       als si dâ vor hete getân,
       sô kom von ritterschaft ir man:
       dô nâmen siz ir ûz der hant.
       die besten über al daz lant
112   bestatten sper und ouch daz bluot
       ze münster, sô man tôten tuot.
       in Gahmuretes lande
       man jâmer dô bekande.
5   Dann über den vierzehenden tac
       diu vrouwe eins kindelîns gelac,
       eins suns, der sölher lide was
       daz si vil kûme dran genas.
         hie ist der âventiure wurf gespilt,
10   und ir begin ist gezilt:
       wand er ist alrêrst geborn,
       dem diz maere wart erkorn.
       sîns vater vröude und des nôt,
       beidiu sîn leben und sîn tôt,
15   des habt ir wol ein teil vernomen.
       nu wizzet wâ von iu sî komen
       dises maeres sachewalte,
       und wie man den behalte.
       man barg in vor ritterschaft,
20   ê er koeme an sîner witze craft.

in dem Gachmuret in des Barucs Heer umgekommen war –
gefallen voll Kampfesmut und wahrer Manneskühnheit. Sie
verlangte auch nach der Lanzenspitze, die Gachmuret den
Tod gebracht hatte. Ipomidon von Ninive, der kühne und
edle Babylonier, hatte an ihm im Kampf solche Vergeltung
geübt, daß das Hemd von vielen Schlägen zerfetzt war. Die
Herrscherin wollte es sich überstreifen, wie sie sonst getan
hatte, wenn ihr Gemahl nach ritterlichen Kämpfen heimge-
kehrt war, doch man nahm es ihr aus der Hand. Die
Edelsten des Reiches bestatteten die Lanzenspitze und das
blutgetränkte Hemd im Münster, als würde der Tote selbst
beigesetzt. Großes Wehklagen erhob sich nun in Gachmu-
rets Reich.

Vierzehn Tage darauf brachte die Herrscherin ein Kindlein
zur Welt; es war ein Sohn und so kräftig gebaut, daß seine
Geburt sie fast das Leben kostete. Nun beginnt die eigent-
liche Erzählung, denn erst jetzt ist der geboren, von dem sie
handelt. Bisher habt ihr von seines Vaters Glück und
Unglück, von seinem Leben und Sterben so mancherlei
vernommen. Nun wißt ihr, wo die Hauptperson dieser
Geschichte herstammt, und sollt auch erfahren, wie man ihn
behütete. Man hielt ihn nämlich von Kindheit an allem
ritterlichen Tun und Treiben fern.

dô diu küngîn sich versan
und ir kindel wider ze ir gewan,
si und ander vrouwen
begunden betalle schouwen
25 zwischen den beinen sîn visellîn.
er muose vil getriutet sîn,
do er hete manlîchiu lit.
er wart mit swerten sît ein smit,
vil viures er von helmen sluoc:
sîn herze manlîch ellen truoc.
113 die küngîn des geluste
daz si in vil dicke kuste.
si sprach hin ze im in allen vlîz
›bon fîz, scher fîz, bêâ fîz.‹
5   Diu küngîn nam dô sunder twâl
diu rôten välwelohten mâl:
ich meine ir tüttels gränsel:
daz schoup si im in sîn vlänsel.
selbe was sîn amme
10 diu in truoc in ir wamme:
an ir brüste si in zôch,
die wîbes missewende vlôch.
si dûht, si hete Gahmureten
wider an ir arm erbeten.
15 si kêrt sich niht an lôsheit:
diemuot was ir bereit.
    [vrou] Herzeloyde sprach mit sinne
›diu hoehste küneginne
Jêsus ir brüste bôt,
20 der sît durch uns vil scharpfen tôt
ame criuze mennischlîche enpfienc
und sîne triuwe an uns begienc.
swes lîp sîn zürnen ringet,
des sêle unsanfte dinget,
25 swie kiusche er sî und waere.
des weiz ich wâriu maere.‹

Nachdem die Königin sich erholt und ihr Kindlein wieder zu sich genommen hatte, beschaute sie mit ihren Hofdamen sein Gliedlein zwischen den Beinen. Immer wieder wurde er geherzt und geliebkost, da er so recht wie ein Mann gebaut war. Später sollte er mit den Schwertern wie ein Schmied umgehen und viele Funken aus den Helmen seiner Gegner schlagen, denn er trug Manneskühnheit im Herzen. Der Königin machte es Freude, ihn immer wieder zu küssen. Eindringlich sprach sie zu ihm: »Bon fils, cher fils, beau fils!« Voll Eifer ergriff sie ihre zartroten Male – ich meine ihre Brustspitzen – und schob sie ihm ins Mäulchen. Und die ihn in ihrem Schoß getragen hatte, war auch seine Amme: allen unweiblichen Wesens bar, nährte sie ihn selbst an ihren Brüsten. Es schien ihr fast, als hätte sie Gachmuret wieder in die Arme geschlossen. Sie entzog sich ihren Mutterpflichten nicht leichtfertig, sondern gab sich ihnen demütig hin. Sinnend sprach Frau Herzeloyde: »Die höchste Königin hat ihre Brüste Jesus gereicht, der später für uns in Menschengestalt einen qualvollen Tod am Kreuz erlitt und uns damit seine Treue bewies. Wer seinen Zorn mißachtet, dessen Seele hat einen schweren Stand vor seinem Gericht, wie rein er auch sei oder gewesen sein mag. Das ist die

transfer her feeling for Gahmuret ono parzival.

hereditary?

Bon fils ... beau fils: (frz.) Mein gutes Söhnchen, mein teures Söhnchen, mein schönes Söhnchen.

sich begôz des landes vrouwe
mit ir herzen jâmers touwe:
ir ougen regenden ûf den knaben.
si kunde wîbes triuwe haben.
114 beidiu siufzen und lachen
kunde ir munt vil wol gemachen.
si vröute sich ir suns geburt:
ir schimpf ertranc in riuwen vurt.

5 Swer nu wîben sprichet baz,
deiswâr daz lâze ich âne haz:
ich vriesche gerne ir vröude breit.
wan einer bin ich unbereit
dienstlîcher triuwe:
10 mîn zorn ist immer niuwe
gein ir, sît ich si an wanke sach.
ich bin Wolfram von Eschenbach,
unt kan ein teil mit sange,
unt bin ein habendiu zange
15 mînen zorn gein einem wîbe:
diu hât mîme lîbe
erboten solhe missetât,
ichne hân si hazzens keinen rât.
dar umb hân ich der andern haz.
20 ôwê war umbe tuont si daz?
    alein sî mir ir hazzen leit,
ez ist iedoch ir wîpheit,
sît ich mich versprochen hân
und an mir selben missetân;
25 daz lîhte nimmer mêr geschiht.
doch sulen si sich vergâhen niht
mit hurte an mîn hâmît:
si vindent werlîchen strît.
ichne hân des niht vergezzen,
ichne künne wol gemezzen

lautere Wahrheit.« Die Herrscherin des Reiches benetzte sich mit dem Schmerzenstau ihres Herzens. Ihre Augen regneten Tränen auf das Knäblein nieder, denn sie war eine rechte Frau: ihr Mund konnte ebenso seufzen wie lachen, sie war glücklich über die Geburt ihres Sohnes, doch ihre Freude ertrank im Strom ihres Leides.

Wenn jemand von Frauen besser zu sprechen weiß als ich, so macht mir dies nichts aus. Ich höre gern, was ihnen große Freude macht. Nur einer einzigen verweigere ich getreuen Dienst. Mein Zorn über sie hat sich stets erneuert, seit ich sie einmal untreu fand. Ich bin Wolfram von Eschenbach und verstehe mich einigermaßen auf die Sangeskunst. Ich bin aber auch wie eine Zange, die meinen Zorn auf diese Frau festhält. Sie hat mir solches Unrecht angetan, daß mein Groll gegen sie unstillbar ist. Deshalb grollen mir nun die anderen Frauen. Ach, warum tun sie das? Zwar schmerzt mich ihr Groll, doch entschuldigt sie ihr Frauenstolz; denn ich habe einmal das Maß überschritten und mir dadurch selbst geschadet; das soll mir so rasch nicht wieder geschehen. Doch sie mögen sich nicht leichtfertig meinen Bollwerken nähern; sie dürfen kräftiger Gegenwehr sicher sein. Ihr Wesen und Tun weiß ich durchaus gerecht einzuschätzen. Wird eine Frau von Keuschheit geleitet, so werde ich ihren

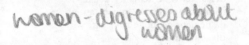

115 beide ir baerde unt ir site.
swelhem wîbe volget kiusche mite,
der lobes kempfe wil ich sîn:
mir ist von herzen leit ir pîn.

5   Sîn lop hinket ame spat,
swer allen vrouwen sprichet mat
durch sîn eines vrouwen.
swelhiu mîn reht wil schouwen,
beidiu sehen und hoeren,
10 die ensol ich niht betoeren.
schildes ambet ist mîn art:
swâ mîn ellen sî gespart,
swelhiu mich minnet umbe sanc,
sô dunket mich ir witze cranc.
15 ob ich guotes wîbes minne ger,
mag ich mit schilde und ouch mit sper
verdienen niht ir minne solt,
al dar nâch sî si mir holt.
vil hôhes topels er doch spilt,
20 der an ritterschaft nâch minnen zilt.
       hetens wîp niht vür ein smeichen,
ich solte iu vürbaz reichen
an disem maere unkundiu wort,
ich spraeche iu die âventiure vort.
25 swer des von mir geruoche,
der enzel si ze keinem buoche.
ichne kan deheinen buochstap.
dâ nement genuoge ir urhap:
disiu âventiure
vert âne der buoche stiure.
116 ê man si hete vür ein buoch,
ich waere ê nacket âne tuoch,
sô ich in dem bade saeze,
ob ich des questen niht vergaeze.

Ruhm streitbar vertreten, und ihr Schmerz ist mir von
Herzen leid. Wer allerdings einer einzigen Frau zuliebe von
allen andern Edelfrauen mit Geringschätzung spricht, des-
sen Rühmen hinkt. Einer jeden, die sehen und hören
möchte, wer ich wirklich bin, sei ohne Trug folgendes
gesagt: Dem Rittertum gehöre ich an durch Geburt und
Erziehung. Sollte mir eine Frau nur um der Dichtkunst
willen ihre Liebe schenken, meinen ritterlichen Mut jedoch
nicht achten, ich würde an ihrem Verstande zweifeln. Wenn
ich um die Liebe einer rechten Frau werbe, so möge sie ihre
Gunst danach bemessen, wie ich mir mit Schild und Lanze
den Lohn der Liebe zu erdienen weiß. Um hohen Einsatz
spielt, wer mit Rittertat um Liebe wirbt.

Wenn ich nun mit der Erzählung der Geschichte fortfahre
und mancherlei überraschende Dinge berichte, so mögen die
Frauen dies nicht als Schmeichelei auffassen. Wer aber will,
daß ich weitererzähle, darf diese Geschichte keineswegs als
gelehrtes Buch betrachten. Ich selbst kann nämlich weder
lesen noch schreiben. Es gibt ihrer freilich viele, die Dich-
tung auf Bildung und Gelehrsamkeit gründen. Diese meine
Geschichte fügt sich nicht den Grundsätzen gelehrter Schul-
weisheit. Ehe man sie für ein Buch solcher Art nähme,
wollte ich lieber nackt und ohne Badetuch im Bad sitzen,
wenn ich nur wenigstens den Badewedel zur Hand hätte.

Wer ... spricht: Anspielung auf eine Dichtung des Minnesängers Reinmar von
Hagenau (zwischen 1160/70 und 1230), in der die besungene Dame hoch über
alle andern Frauen gestellt wird.
Ich ... schreiben: Lange Zeit stritt man darüber, ob dieses Selbstzeugnis für
bare Münze zu nehmen sei. Die umfassende Kenntnis der literarischen Überlie-
ferung spricht jedoch entschieden dafür, daß es hier lediglich um einen
ironisierend übertreibenden Kontrapunkt zur selbstgefälligen Gelehrsamkeit
anderer Autoren geht.
viele, die Dichtung ... gründen: Möglicherweise liegt hier eine Anspielung auf
Hartmann von Aue (um 1168 – um 1210), einen der Klassiker der feudalhöfi-
schen Literatur, vor, der seine Gelehrsamkeit ausdrücklich hervorhob; Schöp-
fer der Ritterepen »Erec« und »Iwein« nach dem Franzosen Chrétien de
Troyes, der Erzählung »Gregorius« und der Novelle »Der arme Heinrich«,
außerdem Lyriker.

III.

5 Ez machet trûric mir den lîp,
daz alsô mangiu heizet wîp.
ir stimme sint gelîche hel:
genuoge sint gein valsche snel,
etslîche valsches laere:
10 sus teilent sich diu maere.
daz die gelîche sint genamt,
des hât mîn herze sich geschamt.
wîpheit, dîn ordenlîcher site,
dem vert und vuor ie triuwe mite.
15 genuoge sprechent, armuot,
daz diu sî ze nihte guot.
swer die durch triuwe lîdet,
helleviur die sêle mîdet.
die dolte ein wîp durch triuwe:
20 des wart ir gâbe niuwe
ze himel mit endelôser gebe.
ich waene ir nu vil wênic lebe,
die junc der erden rîchtuom
liezen durch des himeles ruom.
25 ich erkenne ir dehein.
man und wîp mir sint al ein:
die mitenz al gelîche.
vrou Herzeloyd diu rîche
ir drîer lande wart ein gast:
si truoc der vröuden mangels last.
117 der valsch sô gar an ir verswant,
ouge noch ôre in nie dâ vant.
ein nebel was ir diu sunne:
si vlôch der werlde wunne.

Drittes Buch

Es betrübt mich, daß so viele den Namen Frau tragen. Alle haben zwar helle Stimmen, aber die Mehrheit neigt zur Falschheit, und nur wenige sind ohne Falsch. Es gibt also in Wirklichkeit zwei Gruppen, und daß man ihnen unterschiedslos den gleichen Namen gibt, hat mein Herz schon immer verdrossen. Frauentum, zu deinem Wesen gehört und gehörte noch stets die Treue. Viele meinen, Not und Entbehrung taugen zu nichts. Wer sie jedoch um der Treue willen erduldet, dessen Seele bleibt vom Höllenfeuer verschont.

Eine Frau nahm sie tatsächlich um der Treue willen auf sich, und dafür wird sie im Himmel ewigen Lohn erhalten. Ich glaube, kaum jemand möchte schon in jungen Jahren auf irdische Macht und irdischen Reichtum verzichten um der himmlischen Herrlichkeit willen. Ich jedenfalls kenne niemand, und dies gilt für Männer und Frauen; sie alle würden eine solche Wahl nicht treffen. Die mächtige Herrscherin Herzeloyde jedoch ließ ihre drei Königreiche fahren und nahm die Last der Trübsal auf sich. Sie war so geläutert von allem Makel, daß weder Auge noch Ohr an ihr ein Fehl entdeckten. Nur noch ein Nebelstreif war ihr die Sonne; sie

5   ir was gelîch naht unt der tac:
     ir herze niht wan jâmers pflac.
       Sich zôch diu vrouwe jâmers balt
     ûz ir lande in einen walt,
     zer waste in Soltâne,
10   niht durch bluomen ûf die plâne.
     ir herzen jâmer was sô ganz,
     sine kêrte sich an keinen cranz,
     er waere rôt oder val.
     si brâhte dar durch vlühtesal
15   des werden Gahmuretes kint.
     liute, die bî ir dâ sint,
     müezen bûwen und riuten.
     si kunde wol getriuten
     ir sun. ê daz sich der versan,
20   ir volc si gar vür sich gewan:
     ez waere man oder wîp,
     den gebôt si allen an den lîp,
     daz si immer ritters wurden lût.
     ›wan vriesche daz mîns herzen trut,
25   welh ritters leben waere,
     daz wurde mir vil swaere.
     nu habt iuch an der witze craft,
     und helt in alle ritterschaft.‹
       der site vuor angestlîche vart.
     der knappe alsus verborgen wart
118   zer waste in Soltâne erzogen,
     an küneclîcher vuore betrogen;
     ez enmöhte an eime site sîn:
     bogen unde bölzelîn
5   die sneit er mit sîn selbes hant,
     und schôz vil vogele die er vant.
       Swenne aber er den vogel erschôz,
     des schal von sange ê was sô grôz,
     sô weinde er unde roufte sich,
10   an sîn hâr kêrt er gerich.

floh die Freuden der Welt. Tag und Nacht vergingen ihr ohne Unterschied, denn ihr Herz war voll Trauer um den verlorenen Gatten.

Die leiderfüllte Herrscherin zog sich in einen Wald zurück, und zwar in die Einöde Soltane. Doch sie wollte sich nicht an den Wiesenblumen erfreuen, denn ihr Herzenskummer war so groß, daß kein Blumenkranz, ob rot oder gelb, von ihr beachtet wurde. Dorthin brachte sie das Kind des edlen Gachmuret, um es vor den Gefährdungen der Welt zu schützen. Ihre Begleiter mußten roden und das Feld bebauen, während sie ihren Sohn liebevoll umsorgte. Ehe er verständiger wurde, versammelte sie ihr Gefolge – Männer und Frauen – um sich und verbot ihnen, über Ritter zu sprechen, wenn ihnen ihr Leben lieb wäre. »Erführe nämlich mein Herzensliebling etwas vom Ritterleben, erwüchse mir daraus schweres Leid. Seid also verständig und sagt ihm nichts vom Rittertum.« Das war allerdings schwer.

Der Knabe wuchs also in der Einöde Soltane in aller Abgeschiedenheit auf und wurde so um die königliche Erziehung gebracht. Nur in einem Punkt war dies anders: Mit eigener Hand schnitzte er sich Bogen und Pfeile und erlegte auf der Pirsch viele Vögel. Hatte er aber einen Vogel erlegt, der zuvor mit lautem Schall gesungen hatte, dann weinte er und raufte sich in Verzweiflung die Haare. Er selbst war schön

sîn lîp was clâr unde fier:
ûf dem plân am rivier
twuog er sich alle morgen.
erne kunde niht gesorgen,
15 ez enwaere ob im der vogelsanc,
des süeze in sîn herze dranc:
daz erstracte im sîniu brüstelîn.
al weinde er lief zer künegîn.
sô sprach si ›wer hât dir getân?
20 du waere hin ûz ûf dem plân.‹
ern kunde es ir gesagen niht,
als kinden lîhte noch geschiht.
    dem maere gienc si lange nâch.
eins tages si in kapfen sach
25 ûf die boume nâch der vogele schal.
si wart wol innen daz zeswal
von der stimme ir kindes brust.
des twang in art und sîn gelust.
vrou Herzeloyde kêrte ir haz
an die vogele, sine wesse umb waz:
119 si wolte ir schal vercrenken.
ir bûliute unde ir enken
die hiez si vaste gâhen,
vogele würgen und vâhen.
5 die vogele wâren baz geriten:
etslîches sterben wart vermiten:
der bleip dâ lebendic ein teil,
die sît mit sange wurden geil.
    Der knappe sprach zer künegîn
10 ›waz wîzet man den vogelîn?‹
er gerte in vrides sâ zestunt.
sîn muoter kuste in an den munt:
diu sprach ›wes wende ich sîn gebot,
der doch ist der hoehste got?
15 suln vogele durch mich vröude lân?‹
der knappe sprach zer muoter sân

und wohlgestaltet. Jeden Morgen wusch er sich am Bach auf der Wiese. Kummer kannte er nicht, wäre nicht der Gesang der Vögel gewesen, dessen Süße ihm seltsam tief ins Herz drang, so daß sich seine kindliche Brust voll Sehnsucht weitete. Dann lief er bitterlich weinend zur Königin. Sie fragte: »Wer hat dir etwas getan? Du warst doch nur draußen auf der Wiese.« Er konnte es jedoch nicht erklären, wie es bei Kindern häufig ist.

Die Königin ging dem lange nach, bis sie ihn eines Tages zu den Wipfeln der Bäume hinaufstarren und dem Vogelsang lauschen sah. Sie bemerkte wohl, daß sich die Brust ihres Kindes bei dem Gesang sehnsuchtsvoll weitete, bezwungen von angestammter Wesensart und kindlichem Lebensdrang. Ohne recht zu wissen, warum, richtete Frau Herzeloyde ihren Haß auf die Vögel und wollte ihren Gesang zum Verstummen bringen. Sie befahl ihren Ackersleuten und Knechten, alle Vögel zu fangen und zu töten. Doch die Vögel waren flinker als die Häscher, so daß einige dem Tode entgingen und am Leben blieben; die sangen nur um so fröhlicher.

Da sprach der Knabe zur Königin: »Was wirft man den Vögeln vor?« Und er verlangte, daß man sie auf der Stelle in Frieden ließe. Seine Mutter küßte ihn auf den Mund und rief: »Warum nur breche ich das Gebot des höchsten Gottes? Sollen die Vögel um meinetwillen auf ihren frohen Gesang verzichten?« Der Knabe aber fragte sogleich die Mutter: »Ei Mutter, was ist das, Gott?«

>ôwê muoter, waz ist got?<
>sun, ich sage dirz âne spot.
er ist noch liehter denne der tac,
20   der antlitzes sich bewac
nâch menschen antlitze.
sun, merk eine witze,
und vlêhe in umbe dîne nôt:
sîn triuwe der werlde ie helfe bôt.
25   sô heizet einer der helle wirt:
der ist swarz, untriuwe in niht verbirt.
von dem kêr dîne gedanke,
und ouch von zwîvels wanke.<
    sîn muoter underschiet im gar
daz vinster unt daz liehtgevar.
120   dar nâch sîn snelheit verre spranc.
er lernte den gabilôtes swanc,
dâ mit er mangen hirz erschôz,
des sîn muoter und ir volc genôz.
5   ez waere aber oder snê,
dem wilde tet sîn schiezen wê.
nu hoeret vremdiu maere.
swenne er erschôz daz swaere,
des waere ein mûl geladen genuoc,
10   als unzerworht hin heim erz truoc.
    Eins tages gieng er den weideganc
an einer halden, diu was lanc:
er brach durch blates stimme ein zwîc.
dâ nâhen bî im gienc ein stîc:
15   dâ hôrte er schal von huofslegen.
sîn gabylôt begunde er wegen:
dô sprach er >waz hân ich vernomen?
wan wolte et nu der tiuvel komen
mit grimme zorneclîche!
20   den bestüende ich sicherlîche.
mîn muoter vreisen von im sagt:
ich waene ir ellen sî verzagt.<

»Ich will ihn dir genau beschreiben, mein Sohn. Er hat sich entschlossen, Menschengestalt anzunehmen, und ist strahlender noch als der helle Tag. Merke dir eine Lehre, mein Sohn: Solltest du je in Not geraten, so flehe ihn um Beistand an, denn er hat der Menschheit in seiner Treue noch stets geholfen. Ein anderer heißt Höllenfürst. Der ist schwarz und voll Untreue. Vor ihm und vor zweifelndem Schwanken mußt du dich hüten!« So erklärte seine Mutter ihm den Unterschied zwischen Dunkelheit und Licht. Danach sprang er schnell davon.

Er lernte den Jagdspeer werfen und erlegte mit ihm manchen Hirsch, was seiner Mutter und ihrem Gefolge Nutzen brachte. Im Sommer wie im Winter zog er mit Erfolg auf die Jagd, und hört nur das Erstaunliche: Hatte er ein Wild erlegt, dessen Gewicht einem Maultier zu schaffen gemacht hätte, so trug er es unzerlegt auf seinen Schultern heim. Eines Tages jagte er auf einem langgestreckten Abhang. Gerade brach er einen Zweig, um auf einem Blatt die Locktöne des Wildes nachzuahmen, als er auf einem Waldweg in der Nähe den Klang von Hufschlägen vernahm. Er wog seinen Jagdspeer in der Hand und sprach: »Was habe ich gehört? Wollte doch der Teufel in zornigem Grimm herbeikommen, ich würde es mit ihm aufnehmen. Meine Mutter erzählt zwar schreckliche Dinge von ihm, aber ich

alsus stuont er in strîtes ger.
nu seht, dort kom geschûftet her
25   drî ritter nâch wunsche var,
von vuoze ûf gewâpent gar.
der knappe wânde sunder spot,
daz ieslîcher waere ein got.
dô stuont ouch er niht langer hie,
in den pfat viel er ûf sîniu knie.
121   lûte rief der knappe sân
›hilf, got: du maht wol helfe hân.‹
der vorder zornes sich bewac,
dô der knappe im pfade lac:
5   ›dirre toersche Wâleise
unsich wendet gâher reise.‹
(ein prîs den wir Beier tragen,
muoz ich von Wâleisen sagen:
die sint toerscher denne beiersch her,
10   unt doch bî manlîcher wer.
swer in den zwein landen wirt,
gevuoge ein wunder an im birt).
Dô kom geleischieret
und wol gezimieret
15   ein ritter, dem was harte gâch.
er reit in strîteclîchen nâch,
die verre wâren von im komen:
zwên ritter heten im genomen
eine vrouwen in sîm lande.
20   den helt ez dûhte schande:
in müete der juncvrouwen leit,
diu jaemerlîche vor in reit.
dise drî wârn sîne man.
er reit ein schoene kastelân:
25   sîns schildes was vil wênic ganz.
er hiez Karnahkarnanz
leh cons Ulterlec.
er sprach ›wer irret uns den wec?‹

glaube, ihr fehlt nur Mut.« Und voller Kampfbegier stand er
bereit.

Seht nur, da kamen drei Ritter galoppiert, herrlich anzuse-
hen, von Kopf bis Fuß gewappnet, so daß der Knabe jeden
der drei allen Ernstes für einen Gott hielt. Daher blieb er
nicht stehen, sondern warf sich mitten auf dem Weg auf die
Knie und rief laut: »Hilf mir, Gott, denn du kannst Hilfe
bringen!«

Der vorderste Reiter wurde zornig, als der Knabe auf dem
Wege kniete. »Dieser närrische Bursche aus Valois hemmt
unsern eiligen Ritt!«

Was man uns Bayern nachrühmt, muß ich auch den Leuten
aus Valois zuerkennen: sie sind zwar noch dümmer als die
Bayern, doch im Kampfe stehen sie ihren Mann. Wer in
diesen beiden Ländern aufwächst, ist ein Muster an Anstand
und Schicklichkeit.

Jetzt kam mit verhängten Zügeln noch ein Ritter in pracht-
voller Rüstung herangesprengt, der es offenbar sehr eilig
hatte. Voll Kampfbegier verfolgte er zwei Ritter, die großen
Vorsprung gewonnen hatten. Sie hatten aus seinem Reich
eine Edelfrau entführt, was dieser Held als schwere Schmach
empfand. Ihn bekümmerte die Verzweiflung der Jungfrau,
die leiderfüllt vor ihnen herritt. Die drei Ritter gehörten zu
seinem Gefolge. Er saß auf einem prächtigen Kastilianer,
und sein Schild sah arg mitgenommen aus. Der Ritter hieß
Karnachkarnanz und war der Graf von Ulterlec. Er rief:
»Wer versperrt uns den Weg?« und ritt auf den Knaben zu.

sus vuor er zuo dem knappen sân.
den dûhte er als ein got getân:
122 ern hete sô liehtes niht erkant.
ûf dem touwe der wâpenroc erwant.
mit guldîn schellen cleine
vor iewederm beine
5 wârn die stegreife erclenget
unt ze rehter mâze erlenget.
sîn zeswer arm von schellen clanc,
swar er in bôt oder swanc.
der was durch swertslege sô hel:
10 der helt was gein prîse snel.
sus vuor der vürste rîche,
gezimiert wünneclîche.
    Aller manne schoene ein bluomen cranz,
den vrâgte Karnahkarnanz
15 ›junchêrre, sâht ir vür iuch varn
zwên ritter die sich niht bewarn
kunnen an ritterlîcher zunft?
si ringent mit der nôtnunft
und sint an werdekeit verzagt:
20 si vüerent roubes eine magt.‹
der knappe wânde, swaz er sprach,
ez waere got, als im verjach
vrou Herzeloyd diu künegîn,
do si im underschiet den liehten schîn.
25 dô rief er lûte sunder spot
›nu hilf mir, hilferîcher got.‹
vil dicke viel an sîn gebet
fil li roy Gahmuret.
der vürste sprach ›ich bin niht got,
ich leiste aber gerne sîn gebot.
123 du maht hie vier ritter sehen,
ob du ze rehte kundest spehen.‹
    der knappe vrâgte vürbaz
›du nennest ritter: waz ist daz?

Dem aber erschien er wie ein Gott. So viel Glanz hatte er noch nie erblickt. Der Saum des Waffenrocks streifte das taufunkelnde Gras. Die Steigbügel waren mit klingenden Goldglöckchen verziert und hatten genau die richtige Länge. Wenn er den rechten Arm bewegte, erklangen gleichfalls Glöckchen. Er wünschte ihren hellen Klang als Begleitung der Schwertschläge, denn der Held war schnell bei der Hand, wenn es um ritterlichen Ruhm ging. So also ritt der prächtig geschmückte mächtige Fürst dahin.

Karnachkarnanz fragte nun den, der ein wahrer Blütenkranz männlicher Schönheit war: »Junker, habt Ihr hier zwei Ritter vorbeireiten sehen? Sie verdienen es nicht, überhaupt noch Ritter genannt zu werden, denn sie geben sich mit Frauenraub und Schändung ab und sind daher ehrlos. Sie schleppen ein geraubtes Mädchen mit sich.«

Als er so sprach, hielt ihn der Knabe für Gott, denn Frau Herzeloyde, die Königin, hatte Gott als Lichtgestalt beschrieben. Daher rief er laut und überzeugt: »Hilf mir, hilfreicher Gott!« Immer wieder warf sich der Sohn Gachmurets anbetend auf die Knie.

Der Fürst entgegnete: »Ich bin nicht Gott, doch seine Gebote erfülle ich gern. Wenn du richtig hinsiehst, wirst du hier vier Ritter erkennen.«

Da fragte der Knabe: »Du sprichst von Rittern. Was ist das?

5   hâstu niht gotlîcher craft,
sô sage mir, wer gît ritterschaft?‹
›daz tuot der künec Artûs.
junchêrre, komt ir in des hûs,
der bringet iuch an ritters namen,

10   daz irs iuch nimmer durfet schamen.
ir mugt wol sîn von ritters art.‹
von den helden er geschouwet wart:
Dô lac diu gotes kunst an im.
von der âventiure ich daz nim,

15   diu mich mit wârheit des beschiet.
nie mannes varwe baz geriet
vor im sît Adâmes zît.
des wart sîn lop von wîben wît.

   aber sprach der knappe sân,

20   dâ von ein lachen wart getân
›ay ritter got, waz mahtu sîn?
du hâst sus manec vingerlîn
an dînen lîp gebunden,
dort oben unt hie unden.‹

25   aldâ begreif des knappen hant
swaz er îsers an dem vürsten vant:
daz harnasch begunde er schouwen.
›mîner muoter juncvrouwen
ir vingerlîn an snüeren tragent,
diu niht sus an einander ragent.‹

124   der knappe sprach durch sînen muot
zem vürsten ›war zuo ist diz guot,
daz dich sô wol kan schicken?
ichne mag es niht ab gezwicken.‹

5   der vürste im zeigete sâ sîn swert:
›nu sich, swer an mich strîtes gert,
des selben were ich mich mit slegen:
vür die sîne muoz ich an mich legen,
und vür den schuz und vür den stich

10   muoz ich alsus wâpen mich.‹

Hast du nicht die Stärke Gottes, dann sage mir, wer die Ritterwürde verleiht.«

»Das tut König Artus. Wenn Ihr an seinen Hof kommt, Junker, wird er Euch zum Ritter machen, daß Ihr Euch dessen nie zu schämen braucht. Es scheint, als wäret Ihr ritterlicher Herkunft.«

Nun betrachteten ihn die Helden genauer und erkannten, daß Gott an ihm ein wahres Wunderwerk vollbracht hatte. Der Erzählung – die es verläßlich überlieferte – entnehme ich, daß es seit Adams Zeit keinen schöneren Mann gegeben hat. Später war sein Lobpreis in aller Frauen Munde.

Der Knabe sprach weiter – und erregte damit Gelächter: »Ei, edler Ritter, was bist du eigentlich für ein Wesen? Du hast dir am ganzen Leib von oben bis unten viele Ringe umgebunden.« Er betastete die Eisenteile der Rüstung des Fürsten, betrachtete den Kettenpanzer und meinte: »Die Jungfrauen meiner Mutter tragen ihre Ringe an Schnüren; sie sind bei ihnen nicht so miteinander verflochten.« Dann sprach er in seiner Einfalt: »Wozu braucht man, was dir so gut paßt? Ich kann nichts davon losbekommen.«

Da zeigte der Fürst ihm sein Schwert: »Sieh her! Wenn mich jemand zum Kampf herausfordert, so setze ich mich mit dem Schwert zur Wehr. Um mich vor seinen Schlägen zu schützen, muß ich mich so kleiden; gegen Stoß und Stich muß ich gewappnet sein.«

aber sprach der knappe snel
›ob die hirze trüegen sus ir vel,
so verwunt ir niht mîn gabylôt.
der vellet manger vor mir tôt.‹

15   Die ritter zurnden daz er hielt
bî dem knappen der vil tumpheit wielt.
der vürste sprach ›got hüete dîn.
ôwî wan waer dîn schoene mîn!
dir hete got den wunsch gegeben,
20   ob du mit witzen soldest leben.
diu gotes craft dir virre leit.‹
die sîne und ouch er selbe reit,
unde gâhten harte balde
ze einem velde in dem walde.
25   dâ vant der gevüege
vroun Herzeloyden pflüege.
ir volke leider nie geschach;
die er balde eren sach:
si begunden saen, dar nâch egen,
ir gart ob starken ohsen wegen.

125   der vürste in guoten morgen bôt,
und vrâgte si, ob si saehen nôt
eine juncvrouwen lîden.
sine kunden niht vermîden,
5   swes er vrâgt daz wart gesagt.
›zwêne ritter unde ein magt
dâ riten hiute morgen.
diu vrouwe vuor mit sorgen:
mit sporn si vaste ruorten,
10   die die juncvrouwen vuorten.‹
ez was Meljahkanz.
den ergâhte Karnachkarnanz,
mit strîte er im die vrouwen nam:
diu was dâ vor an vröuden lam.
15   si hiez Imâne
von der Bêâfontâne.

Darauf sagte der Knabe eifrig: »Hätten die Hirsche so ein Fell, dann könnte sie mein Jagdspeer nicht verwunden. Mit ihm habe ich schon viele erlegt.«

Die Ritter wurden ärgerlich, daß sich ihr Herr so lange bei dem närrischen Knaben aufhielt. Der Fürst aber sprach: »Gott schütze dich! Ach, wäre ich so schön wie du! Gott hätte dich vollkommen geschaffen, wenn du auch mit Verstand zu leben wüßtest. Seine Allmacht halte alles Unheil von dir fern!«

Danach ritt er mit den Seinen davon, und sie erreichten bald eine Rodung, wo der Edle auf die Pflüger Frau Herzeloydes stieß. Er sah, wie ihre Leute eifrig das Feld bestellten; nie hätte ihnen größeres Leid widerfahren können. Sie säten, eggten und schwangen die Peitschen über den kräftigen Ochsen. Der Fürst bot ihnen einen guten Morgen und fragte, ob sie eine Jungfrau in Bedrängnis gesehen hätten. Bereitwillig beantworteten sie seine Frage: »Heute morgen ritten zwei Ritter mit einer Jungfrau vorüber, die sehr niedergeschlagen schien; die sie mit sich führten, spornten die Pferde zu großer Eile.« Der Entführer war ein gewisser Meljakanz. Karnachkarnanz holte ihn ein und entriß ihm im Kampfe die Jungfrau, die sehr betrübt gewesen war. Sie hieß Imane von der Beafontane.

Die bûliute verzagten,
do die helde vür si jagten.
si sprâchen ›wie ist uns sus geschehen?
20   hât unser junchêrre ersehen
ûf disen rittern helme schart,
sone hân wir uns niht wol bewart.
wir sulen der küneginne haz
von schulden hoeren umbe daz,
25   wand er mit uns dâ her lief
hiute morgen dô si dannoch slief.‹
der knappe enruochte ouch wer dô schôz
die hirze cleine unde grôz:
er huop sich gein der muoter wider,
und sagte ir maer. dô viel si nider:
126 sîner worte si sô sêre erschrac,
daz si unversunnen vor im lac.
dô diu küneginne
wider kom ze ir sinne,
5   swie si dâ vor waere verzagt,
dô sprach si ›sun, wer hât gesagt
dir von ritters orden?
wâ bist du es innen worden?‹
›muoter, ich sach vier man
10   noch liehter danne got getân:
die sagten mir von ritterschaft.
Artûses küneclîchiu craft
sol mich nâch ritters êren
an schildes ambet kêren.‹
15   sich huop ein niuwer jâmer hie.
diu vrouwe enwesse rehte, wie
daz si ir den list erdaehte
unde in von dem willen braehte.
    Der knappe tump unde wert
20   iesch von der muoter dicke ein pfert.
daz begunde si in ir herzen clagen.
si dâhte ›ichn wil im niht versagen:

Nachdem die vier Helden an ihnen vorübergesprengt waren, waren die Knechte recht bestürzt. Sie sprachen untereinander: »Was für ein Unheil! Wenn unser Junker die von Hieben gezeichneten Helme der Ritter gesehen hat, dann haben wir schlecht aufgepaßt. Zu Recht werden wir von der Königin zornige Vorwürfe hören, denn er ist heute morgen, als sie noch schlief, mit uns hierhergelaufen.«

Wirklich war es dem Knaben von Stund an gleichgültig, wer die kleinen und großen Hirsche erlegte. Er lief zur Mutter und erzählte ihr das Erlebnis. Bei seinen Worten erschrak sie so sehr, daß sie niedersank und ohnmächtig vor ihm lag. Nachdem sie das Bewußtsein wiedererlangt und den Schwächeanfall überwunden hatte, sprach sie: »Mein Sohn, wer hat dir etwas vom Ritterstand erzählt? Wo hast du davon erfahren?«

»Mutter, ich habe vier Männer gesehen, die noch strahlender waren als Gott. Sie haben mir vom Rittertum erzählt. König Artus muß mich durch seine Herrschergewalt zum Ritter machen, wie es die Ritterehre verlangt.«

Da packte sie erneut Verzweiflung. Die Herrscherin suchte vergeblich nach einem klugen Einfall, um ihn von seinem Vorsatz abzubringen. Der töricht-edle Knabe verlangte von seiner Mutter immer wieder ein Pferd, so daß ihr das Herz schwer wurde. Endlich dachte sie bei sich: »Ich werde es

ez muoz aber vil boese sîn.‹
do gedâhte mêr diu künegîn
25 ›der liute vil bî spotte sint.
tôren cleider sol mîn kint
ob sîme liehten lîbe tragen.
wirt er geroufet unt geslagen,
sô kumt er mir her wider wol.‹
ôwê der jaemerlîchen dol!

127 diu vrouwe nam ein sactuoch:
si sneit im hemde unde bruoch,
daz doch an eime stücke erschein,
unz enmitten an sîn blankez bein.
5 daz wart vür tôren cleit erkant.
ein gugel man obene drûfe vant.
al vrisch rûch kelberîn
von einer hût zwei ribbalîn
nâch sînen beinen wart gesniten.
10 dâ wart grôz jâmer niht vermiten.
    diu küngîn was alsô bedâht,
si bat belîben in die naht.
›dune solt niht hinnen kêren,
ich wil dich list ê lêren.
15 an ungebanten strâzen
soltu tunkel vürte lâzen:
die sîhte und lûter sîn,
dâ soltu al balde rîten in.
du solt dich site nieten,
20 der werlde grüezen bieten.
Ob dich ein grâ wîse man
zuht wil lêren als er wol kan,
dem soltu gerne volgen,
und wis im niht erbolgen.
25 sun, lâ dir bevolhen sîn,
swa du guotes wîbes vingerlîn
mügest erwerben unt ir gruoz,
daz nim: ez tuot dir kumbers buoz.

ihm zwar nicht abschlagen, aber es muß ein recht erbärmlicher Gaul sein.« Und weiter überlegte die Königin bei sich: »Die Menschen sind mit Spott schnell bei der Hand. Mein Kind soll seine herrliche Gestalt in Narrenkleider hüllen. Wird er dann gezaust und verprügelt, findet er sicher zu mir zurück.« Ach, wie groß waren ihre Herzensqualen!

Die Herrscherin nahm grobes Sackleinen und schnitt aus einem Stück Hemd und Hose zurecht; die Hose bedeckte allerdings seine nackten Beine nur zur Hälfte. So kleideten sich jedoch Narren. Oben war noch eine Kapuze. Seinen Füßen wurden Bauernstiefel aus ungegerbter Kalbshaut angepaßt. Und wieder gab es großes Wehklagen. Die Königin bat ihn, noch eine Nacht zu bleiben, da sie etwas auf dem Herzen hatte. »Du sollst nicht davonziehen, ohne von mir einige gute Ratschläge zu erhalten. Ziehst du auf ungebahnten Wegen, so meide dunkle Furten; seichte und durchsichtig klare Furten kannst du ohne weiteres durchreiten. Zeige dich höflich und grüße alle Menschen, denen du begegnest. Hält dich ein alter, erfahrener Mann zu gutem Benehmen an, dann folge willig seiner Lehre und zürne ihm nicht. Kannst du von einer edlen Frau Ring und freundlichen Gruß erringen, so greife zu, denn es vertreibt alle

du solt ze ir kusse gâhen
und ir lîp vast umbevâhen:
128   daz gît gelücke und hôhen muot,
ob si kiusche ist unde guot.
    du solt ouch wizzen, sun mîn,
der stolze küene Lähelîn
5   dînen vürsten abe ervaht zwei lant,
diu solten dienen dîner hant,
Wâleis und Norgâls.
ein dîn vürste Turkentâls
den tôt von sîner hende enpfienc:
10   dîn volc er sluoc unde vienc.‹
›diz riche ich, muoter. ruocht es got,
in verwundet noch mîn gabylôt.‹
    des morgens dô der tag erschein,
der knappe balde wart enein,
15   im was gein Artûse gâch.
[vrou] Herzeloyde in kuste und lief im nâch.
der werlde riuwe aldâ geschach.
dô si ir sun niht langer sach
(der reit enwec, wem ist deste baz?),
20   dô viel diu vrouwe valsches laz
ûf die erde, aldâ si jâmer sneit
sô daz si ein sterben niht vermeit.
    ir vil getriulîcher tôt
der vrouwen wert die hellenôt.
25   ôwol si daz si ie muoter wart!
sus vuor die lônes bernden vart
ein wurzel der güete
und ein stam der diemüete.
ôwê daz wir nu niht enhân
ir sippe unz an den eilften spân!
129   des wirt gevelschet manec lîp.
doch solten nu getriuwiu wîp
heiles wünschen disem knaben,
der sich hie von ir hât erhaben.

trüben Gedanken. Zögere nicht lange beim Küssen und schließe sie fest in die Arme. Wenn sie keusch und rechtschaffen ist, erlangst du Glück und edlen Sinn. Ferner sollst du erfahren, mein Sohn, daß der stolze, kühne Lähelin deinen Fürsten zwei Reiche – Valois und Norgals – entrissen hat, die eigentlich dir untertan sein sollten. Einen deiner Fürsten, Turkentals, hat er getötet, deine Untertanen ließ er erschlagen oder in die Gefangenschaft führen.«

»Das werde ich ihm heimzahlen, Mutter, so Gott will. Mein Jagdspeer wird sein Blut fließen lassen!«

Früh bei Tagesanbruch hatte der Knabe rasch seinen Entschluß gefaßt: er wollte zu Artus, so schnell wie irgend möglich. Frau Herzeloyde küßte ihn und lief ihm nach. Als sie den Sohn, der frohgemut davonritt, nicht mehr sehen konnte, geschah etwas zutiefst Trauriges. Die makellos reine Herrscherin sank zu Boden, und der Schmerz zerriß ihr Herz unbarmherzig, so daß sie starb. Der Tod aus Mutterliebe hält der edlen Frau alle Höllenqualen fern. Wohl ihr, daß sie eine rechte Mutter war! Eine Wurzel wahrer Güte, ein Baumstamm weiblicher Demut – so trat sie die Fahrt ins andere Leben an, die ihr reichen Lohn bringen sollte. Ach, daß wir heutzutage ihresgleichen nicht mehr haben – nicht einmal im elften Verwandtschaftsgrad! Derart macht sich Untreue breit. Wirklich treue Frauen jedoch mögen dem Knaben, der seine Mutter verlassen hat, Glück auf den Weg wünschen.

5   Dô kêrt der knabe wol getân
gein dem fôrest in Brizljân.
er kom an einen bach geriten.
den hete ein han wol überschriten:
swie dâ stuonden bluomen unde gras,
10   durch daz sîn vluz sô tunkel was,
der knappe den vurt dar an vermeit.
den tag er gar derneben reit,
als ez sînen witzen tohte.
er beleip die naht swie er mohte,
15   unz im der liehte tag erschein,
der knappe huob sich dan al ein
ze eime vurte lûter wol getân.
dâ was anderhalp der plân
mit eime gezelt gehêret,
20   grôz rîcheit dran gekêret.
von drîer varwe samît
ez was hôch unde wît:
ûf den naeten lâgen borten guot.
dâ hienc ein liderîn huot,
25   den man drüber ziehen solte
immer swenne ez regenen wolte.
    duc Orilus de Lalander,
des wîp dort unde vand er
ligende wünneclîche,
die herzoginne rîche
130   glîch eime ritters trûte.
si hiez Jeschûte.
    Diu vrouwe was entslâfen.
si truoc der minne wâfen,
5   einen munt durchliuhtic rôt,
und gerndes ritters herzen nôt.
innen des diu vrouwe slief,
der munt ir von einander lief:
der truoc der minne hitze viur.
10   sus lac des wunsches âventiur.

Der schöne Knabe wandte sich zunächst zum Wald von Briziljan. Er kam an einen Bach, den selbst ein Hahn durchwaten konnte. Obwohl ihn nur überhängende Blumen und Gräser dunkel erscheinen ließen, durchquerte der Knabe ihn nicht. Da sein Verstand nicht weiter reichte, ritt er den ganzen Tag am Bach entlang. Die Nacht verbrachte er, so gut es ging, bis der helle Tag heraufdämmerte. Da brach der Knabe auf und gelangte zu einer durchsichtig klaren Furt. Die Wiese auf der andern Seite wurde von einem kostbaren Zelt geschmückt. Es war aus dreifarbigem Samt, hoch, geräumig, und kostbare Borten deckten die Nähte. Daneben hing ein lederner Überzug, den man darüberstülpen 'konnte, wenn es regnete. Im Zelt fand er die Gemahlin des Herzogs Orilus von Lalant. Die edle Herzogin lag da in bezaubernder Schönheit; man sah, daß sie die Geliebte eines Ritters war. Sie hieß Jeschute. Die edle Frau war eingeschlafen. Ihr Mund war brennendrot, Waffe der Liebe und Herzensqual des liebesdurstigen Ritters. Im Schlaf hatten sich ihre von heißer Liebesglut gezeichneten Lippen leicht geöffnet. Sie lag da, ein wahres Wunder an

Wald von Briziljan: der Zauberwald der Bretonen.

von snêwîzem beine
nâhe bî ein ander cleine,
sus stuonden ir die liehten zene.
ich waen mich iemen küssens wene
15 an ein sus wol gelobten munt:
daz ist mir selten worden kunt.
    ir deckelachen zobelîn
erwant an ir hüffelîn,
daz si durch hitze von ir stiez,
20 dâ si der wirt al eine liez.
si was geschicket unt gesniten,
an ir was künste niht vermiten:
got selbe worhte ir süezen lîp.
ouch hete daz minneclîche wîp
25 langen arm und blanke hant.
der knappe ein vingerlîn dâ vant,
daz in gein dem bette twanc,
da er mit der herzoginne ranc.
dô dâhte er an die muoter sîn:
diu riet an wîbes vingerlîn.
131 ouch spranc der knappe wol getân
von dem teppiche an daz bette sân.
    Diu süeze kiusche unsanfte erschrac,
do der knappe an ir arme lac:
5 si muose iedoch erwachen.
mit schame al sunder lachen
diu vrouwe zuht gelêret
sprach ›wer hât mich entêret?
junchêrre, es ist iu gar ze vil:
10 ir möht iu nemen ander zil.‹
    diu vrouwe lûte clagte:
ern ruochte waz si sagte,
ir munt er an den sînen twanc.
dâ nâch was dô niht ze lanc,
15 er dructe an sich die herzogîn
und nam ir ouch ein vingerlîn.

Vollkommenheit. Ihre kleinen glänzenden Zähne, schnee-
weiß wie Elfenbein, reihten sich lückenlos aneinander. Es
wird mir wohl nicht vergönnt sein, jemals so hoch gerühmte
Lippen zu küssen; bisher ist es mir jedenfalls nicht beschie-
den gewesen. Die Zobeldecke bedeckte sie nur bis zu den
zarten Hüften; der Hitze wegen hatte sie die Decke fortge-
schoben, als ihr Geliebter sie allein ließ. Ihr Körper war
wohlgestaltet, wie von Künstlerhand geformt, die alle
Gaben an ihr offenbaren wollte. Gott selbst war es, der
ihren betörend schönen Körper geschaffen hatte. Die bezau-
bernde Frau ließ einen schlanken Arm und eine schneeweiße
Hand sehen, an der unser Knabe einen Ring entdeckte. Der
Ring zog ihn unwiderstehlich zum Bett, wo er mit der
Herzogin zu ringen begann. Er erinnerte sich nämlich seiner
Mutter und ihres Ratschlags, der sich auf den Frauenring
bezog. Der schöne Knabe sprang also mit einem Satz vom
Teppich aufs Bett. Als er unversehens in ihren Armen lag,
fuhr die liebliche keusche Frau erschrocken empor, denn an
Weiterschlafen war nicht zu denken. Schamvoll und entrü-
stet rief die edle, wohlerzogene Frau: »Wer hat mich ent-
ehrt? Junker, Ihr nehmt Euch zuviel heraus! Sucht Euch eine
andere!«
Obwohl die Edelfrau in laute Klagen ausbrach, kümmerte er
sich nicht um ihre Worte, sondern zwang ihre Lippen an die
seinen, preßte die Herzogin sogleich heftig an sich und

an ir hemde ein vürspan er dâ sach:
ungevuoge erz dannen brach.
diu vrouwe was mit wîbes wer:
20   ir was sîn craft ein ganzez her.
doch wart dâ ringens vil getân.
der knappe clagete den hunger sân.
diu vrouwe was ir lîbes lieht:
si sprach ›ir solt mîn ezzen niht.
25   waert ir ze vrumen wîse,
ir naemt iu ander spîse.
dort stêt brôt unde wîn,
und ouch zwei pardrîsekîn,
als si ein juncvrouwe brâhte,
diu es wênec iu gedâhte.‹
132   Ern ruochte wâ diu wirtin saz:
einen guoten cropf er az,
dar nâch er swaere trünke tranc.
die vrouwen dûhte gar ze lanc
5   sîns wesens in dem poulûn.
si wânde, er waere ein garzûn
gescheiden von den witzen.
ir scham begunde switzen.
iedoch sprach diu herzogîn
10   ›junchêrre, ir sult mîn vingerlîn
hie lâzen unt mîn vürspan.
hebt iuch enwec: wan kumt mîn man,
ir müezet zürnen lîden,
daz ir gerner möhtet mîden.‹
15   dô sprach der knappe wol geborn
›wê waz vürhte ich iuwers mannes zorn?
wan schadet ez iu an êren,
sô wil ich hinnen kêren.
dô gieng er zuo dem bette sân:
20   ein ander kus dâ wart getân.
daz was der herzoginne leit.
der knappe ân urloup dannen reit:

nahm ihr auch einen Ring. Als er an ihrem Hemd eine
Brosche entdeckte, riß er sie mit Gewalt ab. Obwohl die
Edeldame nur eine schwache Frau und seine Stärke für sie
wie die Macht eines ganzen Heeres war, kam es doch zu
stürmischem Ringen. Danach klagte der Knabe über Hun-
ger. Die strahlendschöne Dame rief: «So eßt mich nur nicht
selbst! Wüßtet Ihr, was gut für Euch ist, so nähmt Ihr Euch
andere Speise. Dort stehen Brot, Wein und zwei junge
Rebhühner, die ein Hoffräulein gebracht hat, ohne dabei
freilich an Euch zu denken.«
Er kümmerte sich nicht um die Gastgeberin, sondern füllte
sich tüchtig den Magen und trank danach in langen Zügen.
Der Edelfrau schien sein Verweilen im Zelt eine Ewigkeit zu
dauern. Sie hielt ihn für einen Burschen, der den Verstand
verloren hatte. Vor Scham brach ihr der Schweiß aus den
Poren. Dennoch sprach die Herzogin: »Junker, laßt meinen
Ring und meine Brosche hier und macht, daß Ihr fort-
kommt. Kehrt mein Gemahl zurück, so trifft Euch sein
Zorn, den Ihr lieber fliehen solltet.«
Der hochgeborene Knabe aber sprach: »Warum sollte ich
den Zorn Eures Mannes fürchten? Doch wenn es Eurer Ehre
schadet, will ich fortziehen.« Er ging zu ihrem Bett, küßte
sie zu ihrem Verdruß ein zweites Mal und ritt ohne ihren

iedoch sprach er ›got hüete dîn:
alsus riet mir diu muoter mîn.‹
25   der knappe des roubes was gemeit.
do er eine wîl von dan gereit,
wol nâch gein der mîle zil,
dô kom von dem ich sprechen wil.
der spürte an dem touwe
daz gesuochet was sîn vrouwe.
133   der snüere ein teil was ûz getret:
dâ hete ein knappe daz gras gewet.
Der vürste wert unt erkant
sîn wîp dort unde al trûric vant.
5   dô sprach der stolze Orilus
›ôwê vrouwe, wie hân ich sus
mîn dienst gein iu gewendet!
mir ist nâch laster gendet
manec ritterlîcher prîs.
10   ir habt ein ander âmîs.‹
diu vrouwe bôt ir lougen
mit wazzerrîchen ougen
sô, daz si unschuldic waere.
ern geloubte niht ir maere.
15   iedoch sprach si mit vorhten siten
›dâ kom ein tôr her zuo geriten:
swaz ich liute erkennet hân,
ichne gesach nie lîp sô wol getân.
mîn vürspan unde ein vingerlîn
20   nam er âne den willen mîn.‹
›hey, sîn lîp iu wol gevellet.
ir habt iuch ze im gesellet.‹
dô sprach si ›nune welle got.
sîniu ribbalîn sîn gabilôt
25   wâren mir doch ze nâhen.
diu rede iu solte smâhen:
vürstinne ez übele zaeme,
ob si dâ minne naeme.‹

Abschiedsgruß davon. Vorher sagte er noch: »Gott schütze
Euch! – Dies riet mir meine Mutter.«

Der Knabe war sehr vergnügt über seine Beute. Nachdem er
eine Weile geritten war – er mochte wohl eine Meile hinter
sich gebracht haben –, kehrte der zurück, von dem ich nun
erzählen will. An der Spur im taufeuchten Gras erkannte er,
daß seine Gattin Besuch gehabt hatte. Auch einige Zelt-
schnüre waren losgerissen. Offenbar hatte ein Knappe das
Gras niedergetreten. Der vornehme, berühmte Fürst fand
seine Frau niedergedrückt im Zelt: »Wehe, edle Frau«,
sprach der stolze Orilus, »habe ich Euch nicht treu gedient?
Nun aber wird mein Ritterruhm mit Schande bedeckt. Ihr
habt einen anderen Geliebten!«

Mit tränengefüllten Augen wies die Edelfrau den Vorwurf
zurück und beteuerte ihre Unschuld, aber er glaubte ihr
nicht. Da sagte sie voll Angst: »Ein Narr kam hergeritten.
Wie viele Menschen mir auch begegneten – nie sah ich so viel
Schönheit. Mit Gewalt nahm er mir meine Brosche und
einen Ring.«

»Ah, er gefällt Euch also! Ihr habt Euch ihm hingegeben!«

Sie aber rief: »Da sei Gott vor! Seine groben Stiefel und sein
Jagdspieß zeigten mir deutlich genug, mit wem ich es zu tun
hatte! Ihr solltet Euch Eurer Worte schämen! Schlecht
stünde es einer Fürstin an, sich einem Narren hinzu-
geben.«

J. tells her
husband how
beautiful
P.-v.

aber sprach der vürste sân
›vrouwe, ich hân iu niht getân:
134 irn welt iuch einer site schamen:
ir liezet küneginne namen
und heizt durch mich ein herzogin:
der kouf gît mir ungewin.
5   Mîn manheit ist doch sô quec,
daz iuwer bruoder Erec,
mîn swâger, fil li roy Lac,
iuch wol dar umbe hazzen mac.
mich erkennet ouch der wîse
10   an sô bewantem prîse
der ninder mag entêret sîn,
wan daz er mich vor Prurîn
mit sîner tjoste valte.
an im ich sît bezalte
15   hôhen prîs vor Karnant.
ze rehter tjost stach in mîn hant
hinderz ors durch fîanze:
durch sînen schilt mîn lanze
iuwer cleinoete brâhte.
20   vil wênc ich dô gedâhte
iuwerre minne eim anderm trûte,
mîn vrouwe Jeschûte.
vrouwe, ir sult gelouben des
daz der stolze Gâlôes
25   fil li roy Gandîn
tôt lac von der tjoste mîn.
ir hielt ouch dâ nâhen bî,
dâ Plihopliherî
gein mir durch tjostieren reit
und mich sîn strîten niht vermeit.
135 mîn tjoste in hinderz ors verswanc,
daz in der satel ninder dranc.
ich hân dicke prîs bezalt
und manegen ritter ab gevalt.

Der Fürst entgegnete darauf: »Edle Frau, ich habe Euch nie etwas zuleide getan, es sei denn, Ihr bereut es, um meinetwillen auf die Königswürde verzichtet zu haben und lediglich Herzogin zu heißen. Der Handel kommt mich nun teuer zu stehen. Dabei ist mein Mannesmut so bekannt, daß selbst Euer Bruder und mein Schwager Erec, Sohn König Lacs, Euch darum gram sein dürfte. Jeder Kundige weiß von meinem Ritterruhm, der nur getrübt wurde, als mich Erec vor Prurin im Zweikampf zu Boden streckte. Dafür errang ich vor Karnant großen Siegesruhm, als ich ihn in regelrechtem Zweikampf hinter das Pferd fegte, so daß er sich mir ergeben mußte. Meine Lanze fuhr so weit durch seinen Schild, daß sie sogar Eure kostbaren Angebinde hindurchdrückte. Damals dachte ich gar nicht daran, daß Ihr Euch einem anderen Geliebten zuwenden könntet, vieledle Frau Jeschute. Ihr könnt mir glauben, daß der stolze Galoes, Sohn König Gandins, von mir im Zweikampf getötet wurde. Ihr saht selber zu, als Pliopliheri im Turnier gegen mich anritt und mir den Zweikampf aufzwang. Mein Stoß schleuderte ihn so wuchtig hinters Pferd, daß ihn der Sattel nie mehr drückte. Oft genug habe ich den Siegeslorbeer errungen und viele Ritter zu Boden gestreckt. All das nützt mir

---

Karnant: Heimat Erecs und Jeschutes; ihr Vater Lac trägt seinen Namen nach einem dortigen zauberkräftigen Quell. Die Geschichte von Erec und Jeschute gestaltete Hartmann von Aue in seinem Ritterepos »Erec« (um 1185) nach dem Vorbild des gleichnamigen Epos von Chrétien de Troyes.

5   des enmohte ich nu geniezen niht:
     ein hôhez laster mir des giht.
         Si hazzent mich besunder,
     die von der tavelrunder,
     der ich ähte nider stach,
10   da ez manec wert juncvrouwe sach,
     umbe den spärwaer ze Kanedic.
     ich behielt iu prîs und mir den sic.
     daz sâhet ir unt Artûs,
     der mîne swester hât ze hûs,
15   die süezen Cunnewâren.
     ir munt kan niht gebâren
     mit lachen, ê si den gesiht
     dem man des hôhsten prîses giht.
     wan koem mir doch der selbe man!
20   sô wurde ein strîten hie getân,
     als hiute morgen, dô ich streit
     und eime vürsten vrumte leit,
     der mir sîn tjostieren bôt:
     von mîner tjoste lag er tôt.
25   ich enwil iu niht von zorne sagen,
     daz manger hât sîn wîp geslagen
     umbe ir crenker schulde.
     het ich dienst oder hulde,
     daz ich iu solte bieten,
     ir müest iuch mangels nieten.
136 ich ensol niht mêr erwarmen
     an iuweren blanken armen,
     dâ ich etswenn durch minne lac
     manegen wünneclîchen tac.
5   ich sol velwen iuweren rôten munt,
     [und] iuwern ougen machen roete kunt.
     ich sol iu vröude entêren,
     [und] iuwer herze siuften lêren.‹
         Diu vürstin an den vürsten sach:
10   ir munt dô jâmerlîchen sprach

freilich nichts, wie die große Schmach zeigt, die mir wider-
fahren ist. Ich weiß, jeder einzelne Ritter von des Artus'
Tafelrunde haßt mich, seit ich im Kampf um den Sperber zu
Kanedic vor den Augen vieler edler Jungfrauen acht von
ihnen niederstreckte. Euch errang ich den Ruhm, mir den
Sieg. Ihr saht mir dabei zu und Artus, an dessen Hof die
liebliche Cunneware, meine Schwester, lebt. Ihr Mund darf
nicht lächeln, bis sie den Mann erblickt, dem höchster
Ruhmespreis gebührt. Wenn dieser Mann mir doch begeg-
nete! Das setzte einen Kampf, wie ich ihn heute früh austrug
gegen einen Fürsten, der mich zum Zweikampf herausfor-
derte. Ich wurde sein Unglück, denn mein Lanzenstoß
brachte ihm den Tod. Ich will mich nicht vom Zorn dazu
hinreißen lassen, Euch zu sagen, daß mancher Mann seine
Frau wegen geringerer Vergehen gezüchtigt hat. Fortan aber
könnt Ihr lange warten, ehe ich Euch ritterlichen Dienst
leiste oder Ehrerbietung bezeige. In Euern weißen Armen,
in denen ich früher so manchen glücklichen Tag in Liebe lag,
will ich nie mehr erglühen. Eure Lippen sollen ihre Farbe
verlieren, Eure Augen sich röten! All Euer Glück will ich
vernichten und Euer Herz seufzen lehren!«
Da sah die Fürstin den Fürsten an und sprach jammervoll:

Artus' Tafelrunde: Die Tafelrunde des sagenhaften Königs Artus stellt die
illusionäre Zielvorstellung zahlreicher Adelsideologen dar. Nur die hervorra-
gendsten, im Kampf bewährten Ritter fanden mit ihren Damen Aufnahme in
diese erlesene Schar. Die Rundtafel bewirkte, daß niemand vor den andern
ausgezeichnet wurde. Selbst König Artus war hier nur primus inter pares (d. h.
der Erste unter Gleichgestellten). Hier spiegelt sich also die Idee von der
Gleichheit aller Angehörigen des Ritterstandes wider.
Kampf um den Sperber: In Hartmann von Aues Ritterepos »Erec« (um 1185)
wird ein Sperber als Preis für die schönste Dame ausgesetzt, wobei ihr Ritter
ihren Anspruch dreimal im Waffengang durchsetzen mußte (676 ff.).

›nu êret an mir ritters prîs.
ir sît getriuwe unde wîs,
und ouch wol sô gewaldic mîn,
ir muget mir geben hôhen pîn.
15 ir sult ê mîn gerihte nemen.
durch elliu wîp lât es iuch gezemen.
ir mugt mir dannoch vüegen nôt.
laege ich von andern handen tôt,
daz iu niht prîs geneicte,
20 swie schiere ich denne veicte,
daz waere mir ein süeziu zît,
sît iuwer hazzen an mir lît.‹
      aber sprach der vürste mêr
›vrouwe, ir wert mir gar ze hêr:
25 des sol ich an iu mâzen:
geselleschaft wirt lâzen
mit trinken und mit ezzen,
bî ligens wirt vergezzen.
ir enpfâhet mêr dehein gewant,
wan als ich iuch sitzen vant.
137 iuwer zoum muoz sîn ein bästîn seil,
iuwer pfert bejagt wol hungers teil,
iuwer satel wol gezieret
der wirt enschumpfieret.‹
5 vil balde er zarte unde brach
den samît drabe: dô daz geschach,
er zersluoc den satel dâ si inne reit
(ir kiusche unde ir wîpheit
Sîn hazzen lîden muosten):
10 mit bästînen buosten
bant er in aber wider zuo.
ir kom sîn hazzen alze vruo.
      dô sprach er an den zîten
›vrouwe, nu sulen wir rîten.
15 koem ich an in, des wurde ich geil,
der hie nam iuwerre minne teil.

»Vernichtet durch Euer Betragen nicht Euer ritterliches
Ansehen! Ihr seid doch treu und lebenserfahren und habt
mich in Eurer Gewalt, so daß Ihr mich empfindlich strafen
könnt. Aber vorher hört meine Rechtfertigung. Laßt Euch
aus Achtung vor den Frauen doch dazu herbei! Danach
könnt Ihr mich immer noch bestrafen. Ich wollte nur, daß
mich ein anderer tötete, damit man diese Tat nicht Euch
zum Vorwurf machen kann. Und ich würde gern sterben, da
Ihr mich haßt.«

Der Fürst aber sagte: »Ihr werdet mir gar zu übermütig,
meine Dame! Doch das soll Euch vergehn! Von jetzt an ist's
vorbei mit der Gemeinsamkeit von Tisch und Bett. Kein
andres Kleid sollt Ihr tragen als das, in dem ich Euch hier
sitzen fand. Ein Bastseil wird jetzt Euer Zaumzeug sein,
Euer Pferd wird hungern müssen, und Euer reichge-
schmückter Sattel soll gleich einen kläglichen Anblick bie-
ten!« Damit riß er die Samtdecke herunter und zerschlug
ihren Reitsattel; danach band er ihn notdürftig mit Bast-
schnüren zusammen. Trotz Keuschheit und rechtem Frau-
entum mußte sie seinen Zorn über sich ergehen lassen, der
sie wie ein Blitz aus heiterem Himmel überfiel. Danach sagte
er: »Meine Dame, wir reiten los. Finde ich den, der hier
Eure Liebe genoß, so will ich frohlocken. Ich wollte den

ich bestüende in doch durch âventiur,
ob sîn âtem gaebe viur,
als eines wilden trachen.‹
20   al weinde sunder lachen
diu vrouwe jâmers rîche
schiet dannen trûreclîche.
sine müete niht, swaz ir geschach,
wan ir mannes ungemach:
25   des trûren gap ir grôze nôt,
daz si noch sanfter waere tôt.
nu sult ir si durch triuŵe clagen:
si beginnt nu hôhen kumber tragen.
waer mir aller wîbe haz bereit,
mich müet doch vroun Jeschûten leit.
138   sus riten si ûf der slâ hin nâch:
dem knappen vor in ouch was vil gâch.
doch wesse der unverzagte
niht daz man in jagte:
5   wan swen sîn ougen sâhen,
so er dem begunde nâhen,
den gruozte der knappe guoter,
und jach ›sus riet mîn muoter.‹
sus kom unser toerscher knabe
10   geriten eine halden abe.
wîbes stimme er hôrte
vor eines velses orte.
ein vrouwe ûz rehtem jâmer schrei:
ir was diu wâre vröude enzwei.
15   der knappe reit ir balde zuo.
nu hoeret waz diu vrouwe tuo.
dâ brach vrou Sigûne
ir langen zöpfe brûne
vor jâmer ûz der swarten.
20   der knappe begunde warten:
Schîânatulander
den vürsten tôt dâ vand er

Kampf mit ihm aufnehmen, selbst wenn er wie ein wilder Drache Feuer aus den Nüstern bliese!«

Die edle Frau brach auf, bitterlich weinend, voller Jammer und tiefbetrübt. Nicht das eigne Unglück, sondern die leidvolle Verbitterung ihres Mannes bedrückte sie. Sein Kummer schmerzte sie so sehr, daß sie lieber tot gewesen wäre. Beklagt ihre Treue, denn von nun an lebt sie in tiefer Betrübnis! Frau Jeschutes Herzeleid würde mein Mitgefühl wecken, auch wenn alle andern Frauen mich haßten.

Sie verfolgten die Spur des Knaben, doch der hatte es gleichfalls eilig. Der furchtlose Jüngling ahnte nicht, daß man ihn verfolgte. Wer sich ihm unterwegs nahte, den grüßte der wackere Bursche; dabei sagte er stets: »Das riet mir meine Mutter!«

Unser törichter Knabe ritt gerade einen Abhang hinunter, als er vor einem Felswinkel hörte, wie eine Frau im höchsten Jammer schrie, als sei all ihr Glück vernichtet. Rasch ritt er näher, und nun hört, was sie dort tat: Frau Sigune riß sich vor Herzeleid die langen braunen Zöpfe aus. Als der Knabe genauer hinsah, erblickte er im Schoß der Jungfrau den toten

Sigune ... Schionatulander: In seinem »Titurel«-Fragment (nach 1215) unternahm es Wolfram von Eschenbach, das Schicksal dieser unglücklich Liebenden zu gestalten.

der juncvrouwen in ir schôz.
aller schimpfe si verdrôz.
25   ›er sî trûric oder vröuden var,
die bat mîn muoter grüezen gar.
got halde iuch‹, sprach des knappen munt.
›ich hân hie jaemerlichen vunt
in iuwerm schôze vunden.
wer gab iu den ritter wunden?‹
139   der knappe unverdrozzen
sprach ›wer hât in erschozzen?
geschach ez mit eime gabylôt?
mich dunket, vrouwe, er lige tôt.
5   welt ir mir dâ von iht sagen,
wer iu den ritter habe erslagen?
ob ich in müge errîten,
ich wil gerne mit im strîten.‹
     Dô greif der knappe maere
10   zuo sîme kochaere:
vil scharpfiu gabylôt er vant.
er vuorte ouch dannoch beidiu pfant,
diu er von Jeschûten brach
unde ein tumpheit dâ geschach.
15   het er gelernt sîns vater site,
die werdeclîche im wonten mite,
diu buckel waere gehurtet baz,
da diu herzoginne al eine saz,
diu sît vil kumbers durch in leit.
20   mêr danne ein ganzes jâr si meit
gruoz von ir mannes lîbe.
unrehte geschach dem wîbe.
     nu hoert ouch von Sigûnen sagen:
diu kunde ir leit mit jâmer clagen.
25   si sprach zem knappen ›du hâst tugent.
gêret sî dîn süeziu jugent
unt dîn antlütze minneclîch.
deiswâr du wirst noch saelden rîch.

Fürsten Schionatulander. Das war der Grund ihrer Ver-
zweiflung.

»Ob traurig oder fröhlich, meine Mutter hieß mich alle
grüßen; Gott beschütze Euch!« sprach der Knabe. »Ich
mache einen traurigen Fund in Eurem Schoß. Von wem habt
Ihr den verwundeten Ritter?« – Unbeeindruckt von ihrem
Schweigen fragte er weiter: »Wer hat ihn durchbohrt? War's
mit einem Jagdspeer? Er scheint tot, edle Frau. Wollt Ihr
mir nicht sagen, wer Euch den Ritter erschlagen hat? Ich
würde gern mit ihm kämpfen, wenn ich ihn noch einholen
kann.«

Bei diesen Worten griff der wackere Knabe nach seinem
Köcher, in dem viele spitze Wurfspieße steckten. Er besaß
auch noch die beiden Erinnerungspfänder, die er in seiner
Einfalt Jeschute genommen hatte. Hätte er den feinen
Anstand seines Vaters gehabt, wäre er einem besseren Ziel
zugestrebt, als er die Herzogin allein fand. Seinetwegen
erduldete sie nun großen Kummer, denn länger als ein Jahr
mußte sie die Verachtung ihres Mannes tragen. Der Frau
geschah Unrecht damit.

Nun laßt euch aber von Sigune erzählen, die mit gutem
Grund ihr Unglück jammervoll beklagte. Sie sprach zu dem
Knaben: »Du hast edlen Sinn. Gepriesen sei deine anmuts-
volle Jugend und dein liebliches Antlitz! Du wirst gewiß viel

disen ritter meit daz gabylôt:
er lac ze tjostieren tôt.
140 du bist geborn von triuwen,
daz er dich sus kan riuwen.‹
ê si den knappen rîten lieze,
si vrâgte in ê wie er hieze,
5 und jach er trüege den gotes vlîz.
›bon fîz, scher fîz, bêâ fîz,
alsus hât mich genennet
der mich dâ heime erkennet.‹
    Dô diu rede was getân,
10 si erkante in bî dem namen sân.
nu hoert in rehter nennen,
daz ir wol müget erkennen
wer dirre âventiure hêrre sî:
der hielt der juncvrouwen bî.
15   ir rôter munt sprach sunder twâl
›deiswâr du heizest Parzivâl.
der name ist ›Rehte enmitten durch‹.
grôz liebe ier solh herzen vurch
mit dîner muoter triuwe:
20 dîn vater liez ir riuwe.
ichn gihe dirs niht ze ruome,
dîn muoter ist mîn muome,
und sag dir sunder valschen list
die rehten wârheit, wer du bist.
25 dîn vater was ein Anschevîn:
ein Wâleis von der muoter dîn
bistu geborn von Kanvoleiz.
die rehten wârheit ich des weiz.
du bist ouch künec ze Norgâls:
in der houbetstat ze Kingrivâls
141 sol dîn houbet crône tragen.
dirre vürste wart durch dich erslagen,
wand er dîn lant ie werte:
sine triuwe er nie verscherte.

Glück im Leben haben. Den Ritter hier traf kein Wurfspieß;
er fiel im ritterlichen Zweikampf. Du bist ein guter Mensch,
daß du an seinem Geschick solchen Anteil nimmst.« Ehe sie
den Knaben davonreiten ließ, fragte sie nach seinem Namen
und beteuerte, sein Äußeres lasse Gottes Meisterhand er-
kennen.

»Bon fils, cher fils, beau fils, so wurde ich daheim ge-
nannt.«

Nach diesen Worten war ihr klar, wen sie vor sich hatte, und
auch euch sei er näher vorgestellt, damit ihr wißt, wer der
Held dieser Erzählung ist, der gerade bei der Jungfrau weilt.
Sie sagte sogleich: »Du heißt Parzival, und der Name bedeu-
tet ›Mittenhindurch‹. Weil deine Mutter so treu war, pflügte
nämlich die große Liebe eine Furche mitten durch ihr Herz,
denn dein Vater ließ sie voll Herzeleid allein. Dies erzähle
ich dir nicht, um mich meiner Kenntnis zu rühmen. Doch
deine Mutter ist die Schwester der meinen, und so kann ich
dir ohne Trug die Wahrheit über deine Herkunft sagen.
Dein Vater war aus Anjou, und mütterlicherseits stammst
du aus Valois. Geboren bist du in Kanvoleis. Ich kann dir
alles wahrheitsgetreu sagen. Du bist auch König von Nor-
gals und solltest in der Hauptstadt Kingrivals die Krone
tragen. Dieser Fürst hier wurde um deinetwillen erschlagen,
denn er verteidigte stets dein Reich. Nie hat er seine Treue

›Mittenhindurch‹: Diese Deutung des Namens Parzival geht auf frz. *Perce-val*
zurück, ohne daß die form *val* hinsichtlich ihrer Bedeutung eindeutig bestimm-
bar wäre (vielleicht ›Tal‹).

5 junc vlaetic süezer man,
   die gebruoder hânt dir vil getân.
   zwei lant nam dir Lähelîn:
   disen ritter unt den vetern dîn
   ze tjostiern sluoc Orilus.
10 der liez ouch mich in jâmer sus.
   Mir diende ân alle schande
   dirre vürste von dîm lande:
   dô zôch mich dîn muoter.
   lieber neve guoter,
15 nu hoer waz disiu maere sîn.
   ein bracken seil gap im den pîn.
   in unser zweier dienste den tôt
   hât er bejagt, und jâmers nôt
   mir nâch sîner minne.
20 ich hete cranke sinne,
   daz ich im niht minne gap:
   des hât der sorgen urhap
   mir vröude verschrôten:
   nu minne ich in alsô tôten.‹
25   dô sprach er ›niftel, mir ist leit
   dîn kumber und mîn laster breit.
   swenn ich daz mac gerechen,
   daz wil ich gerne zechen.‹
   dô was im gein dem strîte gâch.
   si wîste in unrehte nâch:
142 si vorht daz er den lîp verlür
   unt daz si groezeren schaden kür.
   eine strâze er dô gevienc,
   diu gein den Berteneysen gienc:
5 diu was gestrîcht unde breit.
   swer im widergienc oder widerreit,
   ez waere ritter oder koufman,
   die selben gruozte er alle sân,
   und jach, ez waer sîner muoter rât.
10 diu gab in ouch âne missetât.

gebrochen. Junger, stattlicher, anmutsvoller Mann, zwei Brüder haben dir viel Böses zugefügt. Lähelin raubte dir zwei Reiche, und Orilus tötete im Zweikampf diesen Ritter, deinen Vetter. Mich aber stieß er in Jammer und Not. Dieser Fürst aus deinem Land, in dem deine Mutter mich erzog, hat mir in Treue und Liebe gedient. Lieber und wackerer Vetter, höre unsere Geschichte: Ein Hundehalsband stürzte ihn ins Verderben. In deinem und meinem Dienst hat er den Tod gefunden, und mich ließ er in verzehrender Sehnsucht nach seiner Liebe zurück. Ich war töricht genug, ihm meine Liebe zu verweigern, und nun hat das böse Schicksal all mein Glück zerstört. Jetzt liebe ich ihn im Tode.«

Er sprach darauf: »Base, dein Kummer und die große Schmach, die man mir zugefügt hat, schmerzen mich. Kann ich mich rächen, so tue ich das mit Freuden!« Er fieberte geradezu nach dem Kampf. Sie aber wies ihm einen falschen Weg, fürchtete sie doch, er würde sein Leben verlieren und ihr damit noch größeren Verlust aufbürden. So gelangte er auf eine ebene, breite Landstraße, die zu den Bretonen führte. Er grüßte jeden, dem er begegnete, ob zu Fuß oder zu Pferd, ob Ritter oder Kaufmann, und stets fügte er hinzu, er täte dies auf seiner Mutter Rat. Und sie hatte ihm diesen Rat ja auch wirklich ohne böse Absicht gegeben. Als der

---

Hundehalsband ... Verderben: Schionatulander wird von Orilus im Zwei-kampf getötet, als er auf den törichten Wunsch Sigunes hin einem vorbeijagenden Hund nacheilt, um ihr das prächtig geschmückte Halsband bzw. die Führleine zu gewinnen.

der âbent begunde nâhen,
grôz müede gein im gâhen.
Do ersach der tumpheit genôz
ein hûs ze guoter mâze grôz.
15 dâ was inne ein arger wirt,
als noch ûf ungeslähte birt.
daz was ein vischaere
und aller güete laere.
den knappen hunger lêrte
20 daz er dergegene kêrte
und clagte dem wirte hungers nôt.
der sprach ›ichn gaebe ein halbez brôt
iu niht ze drîzec jâren.
swer mîner milte vâren
25 vergebene wil, der sûmet sich.
ichne sorge umb niemen danne um mich,
dar nâch umb mîniu kindelîn.
iren komt tâlanc dâ her în.
het ir pfenninge oder pfant,
ich behielte iuch al zehant.‹
143 dô bôt im der knappe sân
vroun Jeschûten vürspan.
dô daz der vilân ersach,
sîn munt dô lachete unde sprach
5 ›wiltu belîben, süezez kint,
dich êrent al die hinne sint.‹
›wiltu mich hînt wol spîsen
und morgen rehte wîsen
gein Artûs (dem bin ich holt),
10 sô mac belîben dir daz golt.‹
›diz tuon ich‹, sprach der vilân.
›ichne gesach nie lîp sô wol getân.
ich bringe dich durch wunder
vür des künges tavelrunder.‹
15 Die naht beleip der knappe dâ:
man sach in des morgens anderswâ.

Abend nahte, überkam ihn große Müdigkeit. Da erblickte dieser Gefährte der Unerfahrenheit ein stattliches Haus. Dort wohnte ein habgieriger Mann, wie man ihm bei Menschen niederer Herkunft oft begegnet. Er war ein hartherziger Fischer. Der Hunger ließ den Knaben hinreiten, und er klagte dem Hausherrn seine Not. Der aber sagte: »Ich gebe Euch nicht einmal ein halbes Brot, und wenn Ihr dreißig Jahre darum bittet. Wer mit meiner Mildtätigkeit rechnet, verliert Zeit und Mühe. Ich sorge nur für mich und meine Kinder. Ihr kommt mir heute nicht ins Haus. Ja, hättet Ihr Geld oder Schmuck, wollte ich Euch schon aufnehmen.«

Da zeigte ihm der Knabe die Brosche von Frau Jeschute. Als der bäuerliche Grobian die erblickte, zog er seinen Mund freundlich in die Breite und sprach: »Du süßes Kind, willst du bleiben, so werden dir alle, die hier wohnen, Ehrerbietung erweisen.«

»Du sollst das Gold haben, wenn du mich heute beköstigst und mir morgen den Weg zu Artus zeigst, denn zu ihm zieht es mich hin.«

»Das tu' ich«, sprach der Bauerntölpel, »denn noch nie sah ich solch wohlgestalteten Jüngling. Schon deiner ungewöhnlichen Schönheit wegen bringe ich dich vor die Tafelrunde des Königs.«

Der Knabe blieb die Nacht über, aber schon am frühen Morgen sah man ihn unterwegs; er hatte den Tag kaum

des tages er kûme erbeite.
der wirt ouch sich bereite
und lief im vor, der knappe nâch
20   reit: dô was in beiden gâch.

  mîn hêr Hartman von Ouwe,
vrou Ginovêr iuwer vrouwe
und iuwer hêrre der künc Artûs,
den kumt ein mîn gast ze hûs.
25   bitet hüeten sîn vor spotte.
ern ist gîge noch diu rotte:
si sulen ein ander gampel nemen:
des lâzen sich durch zuht gezemen,
anders iuwer vrouwe Enîde
unt ir muoter Karsnafîde
144   werdent durch die mül gezücket
unde ir lop gebrücket.
sol ich den munt mit spotte zern,
ich wil mînen vriunt mit spotte wern.
5   dô kom der vischaere
und ouch der knappe maere
einer houbetstat sô nâhen,
aldâ si Nantes sâhen.
dô sprach er ›kint, got hüete dîn›
10   nu sich, dort soltu rîten în.
dô sprach der knappe an witzen laz
›du solt mich wîsen vürbaz.‹
›wie wol mîn lîp daz bewart!
diu mässenîe ist sölher art,
15   genaeht ir immer vilân,
daz waer vil sêre missetân.‹

  Der knappe al eine vürbaz reit
ûf einen plân niht ze breit:
der stuont von bluomen lieht gemâl.
20   in zôch dehein Curvenâl:
er kunde curtôsîe niht,
als ungevarnem man geschiht.

erwarten können. Auch sein Wirt war zeitig aufgestanden
und lief nun vor ihm her; Parzival ritt hinterdrein, und beide
hatten es eilig.

Herr Hartmann von Aue, Frau Ginover, Eurer Herrin, und
König Artus, Eurem Herrn, kommt nun ein Gast ins Haus,
den ich geschickt. Bittet darum, ihn nicht zu verspotten,
denn er ist weder eine Geige noch eine Rotte, auf der man
nach Belieben spielen kann. Die Höflinge sollen an ihre gute
Erziehung denken und mit anderen Dingen spielen. Sonst
drehe ich Eure Edelfrau Enite samt ihrer Mutter Karsnafite
durch die Spottmühle, so daß von ihrem Ruhm nichts bleibt.
Reizt man mich zum Spott, so werde ich meinen Schützling
mit Spott auch verteidigen.

Der Fischer und der wackere Knabe hatten sich der Haupt-
stadt so weit genähert, daß sie Nantes in der Ferne erblick-
ten. Da sprach der Fischer: »Mein Kind, Gott schütze dich!
Sieh hin, in diese Stadt mußt du reiten.«

Der weltfremde Knabe meinte jedoch: »So führe mich doch
weiter!«

»Das werde ich wohl bleibenlassen! Die Hofgesellschaft ist
so vornehm, daß das Erscheinen eines Mannes aus niederem
Stand als schweres Vergehen gelten würde.« Der Knabe ritt
also allein weiter über eine schmale, von leuchtendbunten
Blumen übersäte Wiese. Ihn hatte kein Curvenal erzogen,
und von höfischem Benehmen wußte er, wie jeder weltuner-
fahrene Mensch, nicht das mindeste. Sein Zaumzeug war aus

gives the fisherman the boat .

Hartmann ... Artus: Anspielung auf Hartmann von Aues Ritterepen »Erec«
und »Iwein«, deren Zentralgestalten Ritter des Artuskreises sind.
Rotte: zitherähnliches Saiteninstrument mit einem Resonanzboden, dessen
Darmsaiten mit einem Bogen gestrichen wurden.
Enite ... Karsnafite: Gestalten aus Hartmann von Aues Ritterepos »Erec«.
Curvenal: In den Epen um Tristan und Isolde ist Curvenal der Erzieher
Tristans. Am bekanntesten wurde die Gestaltung Gottfrieds von Straßburg
(»Tristan und Isolde«, 1205/15).

    sîn zoum der was bästîn,
    und harte cranc sîn pfärdelîn:
25 daz tet von strûchen manegen val.
    ouch was sîn satel über al
    unbeslagen mit niuwen ledern.
    samît, härmîner vedern
    man dâ vil lützel an im siht.
    ern bedorfte der mantelsnüere niht:
145 vür suknî und vür surkôt,
    dâ vür nam er sîn gabylôt.
    des site man gein prîse maz,
    sîn vater was gecleidet baz
5   ûf dem teppich vor Kanvoleiz.
    der geliez nie vorhtlîchen sweiz,
      im kom ein ritter widerriten.
    den gruozte er nâch sînen siten,
    ›got halde iuch, riet mîn muoter mir.‹
10 ›junchêrre, got lôn iu unt ir,‹
    sprach Artûses basen sun.
    den zôch Utepandragûn:
    ouch sprach der selbe wîgant
    erbeschaft ze Bertâne ûf daz lant.
15 ez was Ithêr von Gaheviez:
    den rôten ritter man in hiez.
    Sîn harnasch was gar sô rôt
    daz ez den ougen roete bôt:
    sîn ors was rôt unde snel,
20 al rôt was sîn gügerel,
    rôt samît was sîn covertiur,
    sîn schilt noch roeter danne ein viur,
    al rôt was sîn kursît
    und wol an in gesniten wît,
25 rôt was sîn schaft, rôt was sîn sper,
    al rôt nâch des heldes ger
    was im sîn swert geroetet,
    nâch der scherpfe iedoch geloetet.

Bast, sein Pferdchen derart elend, daß es oft strauchelte und
in die Knie brach. Brüchig und alt war sein Sattelzeug, und
an ihm selbst war weder Samt noch Pelzwerk zu entdecken.
Mantelschnüre brauchte er nicht, denn statt Überrock und
Mantel trug er seinen Jagdspieß. Sein Vater, dem man
höfisches Benehmen nachrühmte, war besser gekleidet, als
er vor Kanvoleis auf seinem Teppich saß. Da kam dem
Knaben, dem nie der Angstschweiß ausbrach, ein Ritter zu
Pferd entgegen. Er grüßte ihn in bekannter Weise: »Gott
behüte Euch! So riet es mir meine Mutter.«

»Junker, Gott lohne es Euch und ihr!« antwortete da der
Sohn von Artus' Base. Utepandragun hatte ihn erzogen, und
der Held erhob Erbschaftsansprüche auf die Bretagne. Es
war Ither von Gaheviez, und man nannte ihn den »Roten
Ritter«. Seine Rüstung war so grellrot, daß die Augen
schmerzten. Sein Pferd war rot und flink, und auch das
Zaumzeug war rot. Seine Satteldecke war aus rotem Samt,
der Schild röter noch als eine Flamme; ganz rot, gut
geschnitten und bequem war sein Überrock; rot waren
Schaft und Spitze der Lanze; rot war nach seinem Wunsch
auch sein Schwert, das der größeren Schärfe wegen gehärtet

der künec von Kukûmerlant,
al rôt von golde ûf sîner hant
146   stuont ein kopf vil wol ergraben,
ob tavelrunder ûf erhaben.
blanc was sîn vel, rôt was sîn hâr.
der sprach zem knappen sunder vâr
5   ›gêret sî dîn süezer lîp:
dich brâht zer werlde ein reine wîp.
ôwol der muoter diu dich bar!
ichne gesach nie lîp sô wol gevar.
du bist der wâren minne blic,
10   ir schumpfentiure unde ir sic.
vil wîbes vröude an dir gesigt,
der nâch dir jâmer swaere wigt.
lieber vriunt, wilt du dâ hin în,
sô sage mir durch den dienest mîn
15   Artûse und den sînen,
ichne süle niht vlühtic schînen:
ich wil hie gerne beiten
swer zer tjost sich sol bereiten,
      Ir deheiner hab ez vür wunder.
20   ich reit vür tavelrunder,
mîns landes ich mich underwant:
disen Kopf mîn ungevüegiu hant
ûf zucte, daz der wîn vergôz
vroun Ginovêrn in ir schôz.
25   underwinden mich daz lêrte.
ob ich schoube umbe kêrte,
sô wurde ruozec mir mîn vel.
daz meit ich‹, sprach der degen snel.
›ichne hânz ouch niht durch roup getân:
des hât mîn crône mich erlân.
147   vriunt, nu sage der künegîn,
ich begüzze si ân den willen mîn,
aldâ die werden sâzen,
die rehter wer vergâzen.

worden war. Der König von Kukumerland trug in seiner
Hand einen rotgoldenen Becher mit kunstvoller Gravierung,
den er von der Tafelrunde mitgenommen hatte. Weiß war
seine Haut, rot sein Haar. Mit aufrichtiger Bewunderung
sprach er zu dem Knaben: »Gepriesen sei deine Anmut!
Dich brachte sicher eine makellose Frau zur Welt. Heil der
Mutter, die dich geboren hat! Noch nie sah ich solche
Mannesschönheit. Du bist wie der Glanz wahrer Liebe, ihr
Unterliegen und ihr Sieg zugleich: Sieg meint erfülltes Frau-
englück, Unterliegen sehnsuchtsvolle Frauenqual. Lieber
Freund, wenn du in die Residenz willst, so tu mir einen
Gefallen. Sage König Artus und seinem Gefolge, ich sei
keineswegs geflohen. Gern will ich hier alle erwarten, die
sich zum Zweikampf rüsten. Man soll sich über das Gesche-
hene nicht wundern. Ich ritt vor die Tafelrunde, um
Anspruch auf mein Reich zu erheben. Aus diesem Grund riß
ich den Becher vom Tisch, leider so unachtsam, daß der
Wein über Frau Ginovers Schoß floß. Meinen Rechtsan-
spruch, wie es auch möglich gewesen wäre, durch ein ange-
sengtes und umgekehrtes Strohbündel anzumelden, unter-
ließ ich, da ich mich dabei mit Ruß beschmutzt hätte.« So
sprach der kühne Held. Und weiter: »Es geschah also nicht
in räuberischer Absicht; dessen bedarf ich nicht, der ich eine
Krone trage. Freund, sage der Königin, ich hätte sie verse-
hentlich begossen, während die Edelleute dasaßen, ohne

König von Kukumerland: Ither von Gaheviez wird als König von Kukumer-
land vorgestellt (wahrscheinlich ist Cumberland gemeint).
riß ... vom Tisch: Die Inbesitznahme eines beanspruchten Gutes geschah
symbolisch dadurch, daß ein Besitzstück des Gegners fortgenommen wurde.
Rechtsanspruch ... anzumelden: Herrenloses Land wurde durch Entzünden
eines Feuers in Besitz genommen.

5   ez sîn künge oder vürsten,
  wes lânt si ir wirt erdürsten?
  wan holent si im hie sîn goltvaz?
  ir sneller prîs wirt anders laz.‹
    der knappe sprach ›ich wirbe dir
10 swaz du gesprochen hâst ze mir.‹
  er reit von im ze Nantes în.
  dâ volgeten im diu kindelîn
  ûf den hof vür den palas,
  dâ maneger slahte vuore was.
15 schiere wart umb in gedranc.
  Iwânet dar nâher spranc:
  der knappe valsches vrîe
  erbôt im cumpânîe.
    Der knappe sprach ›got halde dich,
20 bat reden mîn muoter mich,
  ê daz ich schiede von ir hûs.
  ich sihe hie mangen Artûs:
  wer sol mich ritter machen?‹
  Iwânet begunde lachen,
25 er sprach ›du ensihst des rehten niht;
  daz aber schiere nu geschiht.‹
    er vuorte in în zem palas,
  dâ diu werde massenîe was.
  sus vil kund er in schalle,
  er sprach ›got halde iuch [hêrren] alle,
148 benamen den künec und des wîp.
  mir gebôt mîn muoter an den lîp,
  daz ich die gruozte sunder:
  unt die ob [der] tavelrunder
5   von rehtem prîse heten stat,
  die selben si mich grüezen bat.
  dar an ein kunst mich verbirt,
  ichne weiz niht welher hinne ist wirt.
  dem hât ein ritter her enboten
10 (den sach ich allenthalben roten),

mich daran zu hindern! Warum lassen sie – Könige oder
Fürsten – ihren Herrscher vor Durst umkommen? Warum
holen sie nicht seinen goldenen Becher zurück? Tun sie es
nicht, ist ihr Ruhm dahin.«

Der Knabe sprach: »Ich richte aus, was du mir aufgetragen
hast!« Dann ritt er von ihm fort und in Nantes ein. Neugie-
rig folgte ihm die Schar der Pagen bis auf den Palasthof, wo
lebhaftes Treiben herrschte. Sogleich entstand ein Gedränge
um ihn. Da eilte Iwanet, ein Edelknabe, herbei und bot ihm
freundschaftliche Hilfe an. Unser Knabe sprach zu ihm:
»Gott beschütze dich! So hieß mich meine Mutter reden, als
ich von daheim Abschied nahm. Doch ich sehe hier so
manchen Artus. Wer wird mich nun zum Ritter machen?«
Iwanet begann zu lachen und sagte: »Den richtigen siehst du
nicht! Aber das wird bald geschehen!« Und er führte ihn
zum Palast, wo sich die vornehme Hofgesellschaft versam-
melt hatte. Parzival übertönte das laute Stimmengewirr und
rief: »Gott schütze euch, ihr Herren, vor allem jedoch den
König und seine Gemahlin! Meine Mutter hat mir einge-
schärft, diese beiden ganz besonders zu grüßen, dann aber
auch alle, die durch Heldenruhm ihren Platz an dieser
Tafelrunde gefunden haben. Leider weiß ich nicht, wer von
euch der Herrscher ist. Ein roter Ritter läßt ihm sagen, daß

er well sîn dâ ûze bîten.
mich dunct er welle strîten.
im ist ouch leit daz er den wîn
vergôz ûf die künegîn.
15 ôwî wan hete ich sîn gewant
enpfangen von des künges hant!
sô waer ich vröuden rîche:
wan ez stêt sô ritterlîche.‹
    Der knappe unbetwungen
20 wart harte vil gedrungen,
gehurtet her unde dar.
si nâmen sîner varwe war.
diz was selpschouwet,
gehêrret noch gevrouwet
25 wart nie minneclîcher vruht.
got was an einer süezen zuht,
do er Parzivâlen worhte,
der vreise wênec vorhte.
    sus wart vür Artûsen brâht
an dem got wunsches hete erdâht.
149 im kunde niemen vîent sîn.
do besach in ouch diu künegîn,
ê si schiede von dem palas,
dâ si dâ vor begozzen was.
5 Artûs an den knappen sach:
zuo dem tumben er dô sprach
›junchêrre, got vergelte iu gruoz,
den ich vil gerne dienen muoz
mit [dem] lîbe und mit dem guote.
10 des ist mir wol ze muote.‹
    ›wolte et got, wan waer daz wâr!
der wîle dunket mich ein jâr,
daz ich niht ritter wesen sol:
daz tuot mir wirs denne wol.
15 nune sûmet mich niht mêre,
pflegt mîn nâch ritters êre.‹

er ihn draußen auf dem Feld erwartet; ich glaube, er will kämpfen. Er bedauert aber, daß er die Königin mit Wein begossen hat. Ach, hätte ich seine Rüstung aus der Hand des Königs, ich wäre überglücklich! Sie ist so richtig ritterlich.«

Der sorglos-fröhliche Knabe geriet nun ins Gedränge, denn er wurde von einem zum anderen geschoben. Man betrachtete ihn und überzeugte sich, daß noch nie solch liebenswertes Kind geboren worden war. Gott war in wahrer Schöpferlaune, als er den furchtlos-kühnen Parzival erschuf. Dieses Meisterwerk Gottes, dem niemand gram sein konnte, wurde nun vor Artus gebracht. Auch die Königin betrachtete ihn, ehe sie den Palast verließ, wo sie zuvor mit Wein begossen worden war. Artus blickte den Knaben an und sprach zu dem weltfremden Toren: »Junker, Gott vergelte Euern Gruß, für den ich mich gern mit Gut und Blut dankbar erweisen will. Mit Freuden bin ich dazu bereit.«

»Geb's Gott, es wäre so! Es dauert mir zu lange, bis ich endlich Ritter werde; das Warten gefällt mir gar nicht. Haltet mich also nicht weiter hin, sondern macht mich zum Ritter!«

›daz tuon ich gerne‹, sprach der wirt,
›ob werdekeit mich niht verbirt.
Du bist wol sô gehiure,
20   rîche an koste stiure
wirt dir mîn gâbe undertân.
dêswâr ich solz ungerne lân.
du solt unz morgen beiten:
ich wil dich wol bereiten.‹
25   der wol geborne knappe
hielt gagernde als ein trappe.
er sprach ›ichn wil hie nihtes biten.
mir kom ein ritter widerriten:
mac mir des harnasch werden niht,
ichne ruoch wer küneges gâbe giht.
150   sô gît mir aber diu muoter mîn:
ich waen doch diu ist ein künegîn.‹
Artûs sprach zem knappen sân
›daz harnasch hât an im ein man,
5   daz ich dirs niht getörste geben.
ich muoz doch sus mit kumber leben
ân alle mîne schulde,
sît ich darbe sîner hulde.
ez ist Ithêr von Gaheviez,
10   der trûren mir durch vröude stiez.‹
›ir waert ein künec unmilte,
ob iuch sölher gâbe bevilte.
gebtz im dar‹, sprach Keye sân,
›und lât in zuo ze im ûf den plân.
15   sol iemen bringen uns den kopf,
hie helt diu geisel, dort der topf:
lât daz kint in umbe trîben:
sô lobt manz vor den wîben.
ez muoz noch dicke bâgen
20   und sölhe schanze wâgen.
Ichne sorge umb ir dewederz leben:
man sol hunde umb ebers houbet geben.‹

»Das will ich gern tun«, sprach der Hausherr, »wenn ich wirklich dessen würdig bin. Du gefällst mir so gut, daß ich dich außerdem reich beschenken werde. Ich tue es von Herzen gern. Gedulde dich bis morgen; ich werde dich vorzüglich ausrüsten.«

Der wohlgeborene Knabe blieb jedoch, stelzte ungeduldig wie eine Trappe hin und her und rief: »Hier nehme ich keine Geschenke! Kann ich nicht die Rüstung des Ritters haben, dem ich begegnet bin, so sind mir alle Königsgaben gleichgültig! Die kann ich auch von meiner Mutter bekommen; sie ist schließlich auch eine Königin!«

Artus aber erklärte dem Knaben: »Diese Rüstung trägt ein solcher Held, daß ich sie dir nicht zu schenken wage. Ohnehin lebe ich schuldlos in tiefer Betrübnis, seit er mir nicht mehr freund ist. Es ist Ither von Gaheviez, der meine Lebensfreude mit Trauer überschattet.«

»Ihr wäret nicht gerade ein freigebiger König, wenn Euch dies Geschenk zu kostbar schiene. Gebt es ihm doch«, sprach Keye, »und laßt ihn zu ihm aufs Feld. Wenn uns jemand den Becher bringen soll, so steht hier die Peitsche, dort der Kreisel. Laßt also das Knäblein den Kreisel umhertreiben, damit die Weiber sein Lob singen können. Er wird oft genug fechten und solche Prüfungen bestehen müssen. Das Leben der beiden schert mich wenig. Man muß Hunde aufs Spiel setzen, wenn man den Eber jagen will.«

Peitsche ... Kreisel: Gemeint ist hier Parzival, während Ither als Kreisel aufgefaßt ist.

›ungerne wolte ich im versagen,
wan daz ich vürhte er werde erslagen,
25   dem ich helfen sol der ritterschaft‹,
sprach Artûs ûz triuwen craft.

   der knappe iedoch die gâbe enpfienc,
dâ von ein jâmer sît ergienc.
dô was im von dem künege gâch.
junge und alte im drungen nâch.

151   Iwânet in an der hende zôch
vür eine louben niht ze hôch.
dô sach er vür unde wider:
ouch was diu loube sô nider,
5   daz er drûffe hôrte unde ersach
dâ von ein trûren im geschach.

   dâ wolt ouch diu künegîn
selbe an dem venster sîn
mit rittern und mit vrouwen.
10   die begunden in alle schouwen.
dâ saz vrou Cunnewâre
diu fiere und diu clâre.
diu enlachte deheinen wîs,
sine saehe in der den hôhsten prîs
15   hete oder solte erwerben:
si wolte ê sus ersterben.
allez lachen si vermeit,
unz daz der knappe vür si reit:
do erlachte ir minneclîcher munt.
20   des wart ir rücke ungesunt.

   Dô nam Keye scheneschlant
vroun Cunnewâren de Lâlant
mit ir reiden hâre:
ir lange zöpfe clâre
25   die want er umbe sîne hant,
er spancte si âne türbant.
ir rücke wart kein eit gestabt:
doch wart ein stap sô dran gehabt,

»Ich will ihm nichts versagen, müßte ich nicht fürchten, daß er dabei getötet wird, den ich zum Ritter schlagen soll«, sprach der wohlwollende Artus. Dennoch setzte der Knabe seinen Willen durch, was zu großem Jammer führen sollte. Er verließ den König in großer Eile, von jung und alt gefolgt. Iwanet aber zog ihn an der Hand zu einer niedrig gelegenen Galerie, wo er sich umsah. Die Galerie war so tief, daß er sehen und hören konnte, was sich darauf abspielte und was ihn traurig machen sollte. Die Königin hatte sich nämlich in Begleitung von Rittern und Edelfrauen an ein Fenster begeben, aus dem man ihn neugierig musterte. Bei ihnen saß die stolze, schöne Frau Cunneware. Sie hatte bei ihrem Leben gelobt, erst dann wieder zu lachen, wenn sie den Mann erblicken würde, der höchsten Ruhm errungen hatte oder erringen sollte. Wirklich hatte sie noch nie gelacht, bis der Knabe an ihr vorüberritt. Da aber ertönte helles Lachen aus ihrem süßen Mund, doch dies bekam ihrem Rücken übel. Seneschall Keye packte nämlich Frau Cunneware von Lalant bei den Locken, wand ihre langen blonden Zöpfe um seine Faust und hielt sie eisern fest. Ohne daß ihr Rücken aufgerufen war, beim Eid den Richterstab zu berühren, wurde er mit einem Stecken derart traktiert, daß

Seneschall: Der Seneschall (auch Truchseß genannt) hatte die Oberaufsicht über die königliche Hofhaltung. Die vier wichtigsten Hofämter waren: der Kämmerer (Schatzmeister), der Mundschenk, der Truchseß oder Seneschall, der Marschall.

unz daz sîn siusen gar verswanc,
durch die wât unt durch ir vel ez dranc.

152 dô sprach der unwîse
  ›iuwerm werdem prîse
ist gegeben ein smaehiu letze:
ich bin sîn vängec netze,
5 ich sol in wider in iuch smiden
daz irs enpfindet ûf den liden.
ez ist dem künege Artûs
ûf sînen hof unt in sîn hûs
sô manec werder man geriten,
10 durch den ir lachen hât vermiten,
und lachet nu durch einen man
der niht mit ritters vuore kan.‹
  in zorne wunders vil geschiht.
sîns slages waer im erteilet niht
15 vor dem rîche ûf dise magt,
diu vil von vriunden wart geclagt.
ob si halt schilt solde tragen,
diu unvuoge ist dâ geslagen:
wan si was von arde ein vürstîn.
20 Orilus und Lähelîn
ir bruoder, hetenz die gesehen,
der slege minre waere geschehen.
  Der verswigen Antanor,
der durch swîgen dûhte ein tôr,
25 sîn rede unde ir lachen
was gezilt mit einen sachen:
ern wolde nimmer wort gesagen,
sine lachte diu dâ wart geslagen.
dô ir lachen wart getân,
sîn munt sprach ze Keyen sân
153 ›got weiz, hêr scheneschlant,
daz Cunnewâre de Lâlant
durch den knappen ist zerbert,
iuwer vröude es wirt verzert

sie die Schläge durch Kleid und Haut spürte, bis der Stab brach. Dabei rief der unvernünftige Keye: »Ihr habt Euer vornehmes Ansehen schmählich verloren; doch ich habe es eingefangen und bleue es Euch wieder ein, daß Ihr es in allen Gliedern spürt! An Hof und Residenz des Königs Artus kamen viele edle Helden geritten, ohne daß Ihr gelacht hättet. Nun bringt Euch ein Bursche zum Lachen, der von ritterlichem Benehmen aber auch gar nichts weiß!«

Im Zorn tut man oft Schlimmes, doch das Recht zur Züchtigung der Jungfrau hätte ihm nicht einmal der Kaiser zusprechen können; Cunnewares Freunde beklagten sie sehr. Selbst wenn die Schläge einen wehrhaften Mann getroffen hätten, wäre der Vorfall unerhört, entstammte sie doch fürstlichem Geschlecht. Wären ihre Brüder Orilus und Lähelin zugegen gewesen, hätte man sie nicht so mißhandelt.

Nun lebte am Hofe der stumme Antanor, den man ob seines Schweigens für einen Narren hielt. Seine Rede war jedoch an die gleiche Bedingung geknüpft wie ihr Lachen: er wollte erst dann sprechen, wenn die Jungfrau, die man gezüchtigt hatte, zu lachen begann. Als sie wirklich gelacht hatte, wandte er sich an Keye: »Weiß Gott, Herr Seneschall, der Knabe, um dessentwillen Ihr Cunneware von Lalant

5   noch von sîner hende,
     ern sî nie sô ellende.‹
          ›sît iuwer êrste rede mir dröut,
     ich waene irs wênic iuch gevröut.‹
     sîn brât wart gâlûnet,
10   mit slegen vil gerûnet
     dem witzehaften tôren
     mit viusten in sîn ôren:
     daz tet Kaye sunder twâl.
     dô muose der junge Parzivâl
15   disen kumber schouwen
     Antanors unt der vrouwen.
     im was von herzen leit ir nôt:
     vil dicke er greif zem gabilôt.
     vor der künegîn was sölh gedranc,
20   daz er durch daz vermeit den swanc.
          urloup nam dô Iwânet
     zem fil li roy Gahmuret:
     Des reise al eine wart getân
     hin ûz gein Ithêr ûf den plân.
25   dem sagte er sölhiu maere,
     daz niemen dinne waere
     der tjostierens gerte.
     ›der künec mich gâbe werte.
     ich sagte, als du mir jaehe,
     wie ez âne danc geschaehe
154 daz du den wîn vergüzze,
     unvuoge dich verdrüzze.
     ir deheinen lüstet strîtes.
     gip mir dâ du ûffe rîtes,
5   unt dar zuo al dîn harnas:
     daz enpfieng ich ûf dem palas:
     dar inne ich ritter werden muoz.
     widersagt sî dir mîn gruoz,
     ob du mirz ungerne gîst.
10   wer mich, ob du bî witzen sîst.‹

geschlagen habt, wird es Euch zu Euerm Verdruß noch
heimzahlen. Darauf könnt Ihr Euch verlassen!«

»Da Ihr mir droht mit Euren ersten Worten, werden sie
Euch wenig Freude bringen!« Und Antanors Fell wurde mit
Schlägen tüchtig durchgegerbt. Keye flüsterte dem klugen
»Narren« die Antwort mit Faustschlägen in die Ohren. Dem
jungen Parzival, der die Demütigung Antanors und der
Edelfrau mit ansehen mußte, tat ihre Not von Herzen leid.
Seine Hand fuhr mehr als einmal zum Jagdspeer, doch vor
der Königin war ein solches Gedränge entstanden, daß er auf
den rächenden Wurf verzichten mußte. Iwanet nahm nun
Abschied vom Sohn König Gachmurets, der allein zu Ither
aufs Feld hinausritt. Dem erzählte er, es habe sich niemand
gefunden, der mit ihm kämpfen wolle: »Der König hat mir
auch etwas geschenkt! Ich habe ihm gesagt, du hättest den
Wein versehentlich vergossen und deine Ungeschicklichkeit
täte dir leid. Da nun niemand mit dir kämpfen will, gib mir
dein Pferd und deine Rüstung. Das hat man mir im Palast
geschenkt, damit ich ein Ritter werden kann. Weigerst du
dich, so fordere ich dich hiermit zum Kampf heraus. Gib
also freiwillig, wenn du klug bist!«

der künec von Kukûmerlant
sprach ›hât Artûses hant
dir mîn harnasch gegeben,
dêswâr daz taete er ouch mîn leben,
15 möhtestu mirz an gewinnen.
sus kan er vriunde minnen.
was er dir aber ê iht holt,
dîn dienst gedient sô schiere den solt.‹
›ich getar wol dienen swaz ich sol:
20 ouch hât er mich gewert vil wol.
gip her und lâz dîn lantreht:
ichne wil niht langer sîn ein kneht,
ich sol schildes ambet hân.‹
er greif im nâch dem zoume sân:
25 ›du maht wol wesen Lähelîn,
von dem mir claget diu muoter mîn.‹
    Der ritter umbe kêrt den schaft,
und stach den knappen sô mit craft,
daz er und sîn pfärdelîn
muosen vallende ûf die bluomen sîn.
155 der helt was zornes draete:
er sluog in daz im waete
von dem schafte ûz der swarten bluot.
Parzivâl der knappe guot
5 stuont al zornic ûf dem plân.
sîn gabylôt begreif er sân.
dâ der helm unt diu barbier
sich locheten ob dem härsnier,
durchz ouge in sneit daz gabylôt,
10 unt durch den nac, sô daz er tôt
viel, der valscheit widersatz.
[wîbe] siufzen, herzen jâmers cratz
gap Ithêrs tôt von Gaheviez,
der wîben nazziu ougen liez.
15 swelhiu sîner minne enpfant,
durch die vröude ir was gerant,

Der König von Kukumerland antwortete: »Hat dir Artus meine Rüstung geschenkt, so müßte er dir auch mein Leben gegeben haben. Sieh zu, ob du's mir nehmen kannst! Wie großzügig er doch seine Freunde beschenkt! Zwar hat er dir bereits Huld genug erzeigt, doch dein Dienst wird jetzt erst gebührend belohnt!«

»Was mir gehört, will ich mir schon verdienen! Auch hat er es mir gern gegeben. Also her damit! Schluß mit dem Geschwätz! Ich will nicht länger Knappe sein! Ein Ritter will ich werden!« Und er griff nach dem Zaum von Ithers Roß. »Du bist wohl gar Lähelin, über den sich meine Mutter beklagt hat!«

Da kehrte der Ritter die Lanze um und stieß mit dem stumpfen Ende so wuchtig zu, daß der Knabe samt seiner Mähre auf die Blumen purzelte. Der Held war in Wut geraten und schlug mit dem Lanzenschaft so hart zu, daß Blut hervorspritzte. Parzival, der unerschrockene Knabe, sprang auf und stand zornentbrannt auf dem Rasen. Blitzschnell ergriff er seinen Jagdspeer. Durch den Sehschlitz zwischen Helmdach und Visier, der auch von der Kettenhaube nicht geschützt wird, fuhr der Speer durch Ithers Augenhöhle und durchstieß noch seinen Nacken. Tot fiel der treue Held zu Boden. Der Tod Ithers von Gaheviez ließ Frauen seufzen, machte ihre Herzen wund vor Schmerz und ihre Augen tränennaß. Die seine Liebe empfangen hatte, sah ihr Glück zerstört, ihre Lebenslust vernichtet; ein steiniger Leidensweg begann für sie.

unde ir schimpf enschumpfiert,
gein der riuwe gecondewiert.
Parzivâl der tumbe
20 kêrte in dicke al umbe.
er kunde im ab geziehen niht:
daz was ein wunderlîch geschiht:
helmes snüer noch sîniu schinnelier,
mit sînen blanken handen fier
25 kund ers niht ûf gestricken
noch sus her ab gezwicken.
vil dicke erz doch versuochte,
wîsheit der unberuochte.

Daz ors unt daz pfärdelîn
erhuoben ein sô hôhen grîn,
156 daz ez Iwânet erhôrte
vor der stat an des graben orte,
vroun Ginovêrn knappe unde ir mâc.
do er von dem orse erhôrte den bâc,
5 und dô er niemen drûffe sach
(von sînen triuwen daz geschach
die er nâch Parzivâle truoc),
dô gâhte dar der knappe cluoc.
er vant Ithêren tôt,
10 unt Parzivâln in tumber nôt.
snellîche er ze in beiden spranc:
dô saget er Parzivâle danc
prîses des erwarp sîn hant
an dem von Kukûmerlant.
15 ›got lôn dir. nu rât waz ich tuo:
ich kan hie harte wênic zuo:
wie bringe ichz abe im unde an mich?‹
›daz kan ich wol gelêren dich‹,
sus sprach der stolze Iwânet
20 zem fil li roy Gahmuret.
entwâpent wart der tôte man
aldâ vor Nantes ûf dem plân,

Der einfältige Parzival wälzte den Toten hin und her, denn er brachte die Rüstung nicht herunter. Was war das doch für eine merkwürdige Sache! Mit seinen schönen weißen Händen konnte er weder die Helmschnüre noch die Verschnürung der Beinpanzer aufknoten oder abreißen. Dennoch versuchte es der unerfahrene Knabe immer wieder. Da begannen das Roß des Toten und Parzivals Schindmähre so laut zu wiehern, daß es Iwanet, Frau Ginovers blutsverwandter Page, vor der Stadt am Ende des Wallgrabens hörte. Als er das Pferd wiehern hörte, aber niemanden darauf sah, lief der schmucke Knappe rasch herbei, fühlte er doch zu Parzival freundschaftliche Zuneigung. Er fand Ither tot und Parzival in tölpelhafter Verlegenheit. Schnell sprang er hinzu und bewunderte Parzivals ruhmvolle Tat, die er im Kampf mit dem König von Kukumerland vollbracht hatte.

»Gott lohne es dir! Doch sag, was soll ich tun! Ich weiß mir keinen Rat. Wie ziehe ich ihm die Rüstung aus? Wie lege ich sie an?«

»Das zeige ich dir schon!« sprach der hübsche Iwanet zum Sohn König Gachmurets. Auf der Wiese vor Nantes wurde dem Toten die Rüstung abgenommen und dem Lebenden

und an den lebenden geleget,
den dannoch grôziu tumpheit reget.
25 Iwânet sprach ›diu ribbalîn
sulen niht under dem îsern sîn:
du solt nu tragen ritters cleit.‹
diu rede was Parzivâle leit:
Dô sprach der knappe guoter
›swaz mir gap mîn muoter,
157 des sol vil wênic von mir komen,
ez gê ze schaden oder ze vromen.‹
daz dûhte wunderlîch genuoc
Iwâneten (der was cluoc):
5 iedoch muos er im volgen,
ern was im niht erbolgen.
zwuo liehte hosen îserîn
schuohte er im über diu ribbalîn.
sunder leder mit zwein borten
10 zwêne sporen dar zuo gehôrten:
er spien im an daz goldes werc.
ê er im büte dar den halsperc,
er stricte im umb diu schinnelier.
sunder twâl vil harte schier
15 von vuoze ûf gewâpent wol
wart Parzivâl mit gernder dol.
dô iesch der knappe maere
sînen kochaere.
›ich enreiche dir kein gabylôt:
20 diu ritterschaft dir daz verbôt‹
sprach Iwânet der knappe wert.
der gurte im umbe ein scharpfez swert:
daz lêrte er in ûz ziehen
und widerriet im vliehen.
25 dô zôch er im dar nâher sân
des tôten mannes kastelân:
daz truoc bein hôch unde lanc.
der gewâpente in den satel spranc:

angelegt, der noch völlig weltfremd und unerfahren war.
Iwanet sagte: »Die groben Bauernstiefel gehören nicht unter
die Beinpanzer! Von nun an mußt du auch Ritterkleidung
tragen!«
Diese Worte verdrossen Parzival; der wackere Knabe
sprach: »Was mir meine Mutter gegeben hat, behalte ich,
was immer auch geschieht!«
Dies erschien dem feinen Iwanet zwar unverständlich, doch
er fügte sich, ohne gekränkt zu sein, und schnallte Parzival
die glänzenden eisernen Beinpanzer über die groben Bauern-
stiefel. Zwei goldene Sporen wurden befestigt, doch nicht
mit Lederriemen, sondern mit golddurchwirkten Borten.
Ehe er ihm den Brustpanzer anlegte, band er die Kniebergen
um. So wurde der vor Ungeduld brennende Parzival von
geschickten Händen im Nu von Kopf bis Fuß gewappnet.
Als er nach seinem Köcher verlangte, sprach der edle Iwa-
net: »Ich gebe dir keinen Jagdspieß; einem Ritter ist solche
Waffe nicht erlaubt!« Dafür gürtete er ihm ein scharfes
Schwert um; er zeigte ihm, wie man es aus der Scheide zieht,
und mahnte ihn, nie zu fliehen. Dann führte er den hochbei-
nigen Kastilianer des toten Helden heran, und Parzival,
dessen kraftvolle Behendigkeit wir noch öfter bewundern
werden, sprang in voller Rüstung in den Sattel, ohne die

ern gerte stegereife niht,
dem man noch snelheite giht.

158   Ywâneten niht bevilte,
ern lêrte in underm schilte
künsteclîch gebâren
und der vîende schaden vâren.

5   er bôt im in die hant ein sper:
daz was gar âne sîne ger:
doch vrâgte er in ›war zuo ist diz vrum?‹
›swer gein dir zer tjoste kum,
dâ soltuz balde brechen,

10   durch sînen schilt verstechen.
wiltu des vil getrîben,
man lobt dich vor den wîben.‹
als uns diu âventiure giht,
von Kölne noch von Mâstrieht

15   kein schiltaere entwürfe in baz
denn alse er ûf dem orse saz.
dô sprach er ze Ywânete sân
›lieber vriunt, mîn cumpân,
ich hân hie erworben des ich bat.

20   du solt mîn dienst in die stat
dem künege Artûse sagen
und ouch mîn hôhez laster clagen.
bringe im wider sîn goltvaz.
ein ritter sich an mir vergaz,

25   daz er die juncvrouwen sluoc
durch daz si lachens mîn gewuoc.
mich müent ir jaemerlîchen wort.
diu enrüerent mir kein herzen ort:
jâ muoz enmitten drinne sîn
der vrouwen ungedienter pîn.

159   Nu tuoz durch dîne gesellekeit,
und lâz dir [sîn] mîn laster leit.
got hüet dîn: ich wil von dir varn:
der mag uns bêde wol bewarn.‹

Steigbügel zu benutzen. Iwanet wurde nicht müde, ihn zu unterrichten, wie er, vom Schild gedeckt, seine Feinde nach allen Regeln der Kunst bekämpfen sollte. Nicht sehr erfreut war Parzival, als er ihm die Lanze in die Hand drückte, und er fragte: »Wozu ist das Ding eigentlich nütze?«

»Wenn dich jemand angreift, durchbohrst du mit der Lanze seinen Schild, so daß sie zersplittert. Gelingt dir das oft genug, dann rühmt man dich vor den Frauen.«

Die Erzählung berichtet, zwischen Köln und Maastricht gäbe es keinen Maler, der ein eindrucksvolleres Bild von ihm hätte malen können, als er es, stattlich zu Pferde sitzend, in Wirklichkeit bot. Er sprach zu Iwanet: »Lieber Freund und Gesell, ich habe nun alles, was ich wollte. Geh jetzt in die Residenz, versichere König Artus meiner Ergebenheit und erhebe Klage über die große Schmach, die mir widerfahren ist. Bring ihm seinen goldenen Becher und sage, einer seiner Ritter hat mich beleidigt, denn er mißhandelte die Jungfrau, die um meinetwillen zu lachen begann. Ihre Schmerzens-schreie und ihre unverschuldete Not haben mich im tiefsten Herzen getroffen. Tu dies bei deiner Freundschaft und lasse dir meine Kränkung leid sein! Ich muß dich verlassen. Gott schütze dich! Er nehme uns beide in seine Hut!«

5   Ithêrn von Gaheviez
       er jaemerlîche ligen liez.
       der was doch tôt sô minneclîch:
       lebende was er saelden rîch.
       waer ritterschaft sîn endes wer,
10   zer tjost durch schilt mit eime sper,
       wer clagte dann die wunders nôt?
       er starp von eime gabylôt.
          Iwânet ûf in dô brach
       der liehten bluomen ze eime dach.
15   er stiez den gabylôtes stil
       zuo ze im nâch der marter zil.
       der knappe kiusche unde stolz
       dructe en criuzes wîs ein holz
       durch des gabylôtes snîden.
20   done wolte er niht vermîden,
       hin in die stat er sagte
       des manec wîp verzagte
       und manec ritter weinde,
       der clagende triuwe erscheinde.
25   dâ wart jâmers vil gedolt.
       der tôte schône wart geholt.
       diu künegîn reit ûz der stat:
       daz heilictuom si vüeren bat.
          ob dem künege von Kukûmerlant,
       den tôte Parzivâles hant,
160   Vrou Ginovêr diu künegin
       sprach jaemerlîcher worte sin.
       ›ôwê unde heiâ hei,
       Artûses werdekeit enzwei
5   sol brechen noch diz wunder,
       der ob der tavelrunder
       den hoehsten prîs solde tragen,
       daz der vor Nantes lît erslagen.
       sîns erbeteils er gerte,
10   dâ man in sterbens werte.

Ither von Gaheviez ließ er jämmerlich liegen. Ither, der im Leben vom Glück begünstigt wurde, sah noch im Tode liebenswert aus. Wäre er wenigstens im regelrechten ritterlichen Zweikampf umgekommen, von der Lanze durch den Schild getroffen, so hätte man dieses schreckliche Unheil eher verschmerzen können. So aber tötete ihn ein Jagdspeer! Iwanet streute bunte Blumen wie eine Decke über ihn. Ihm zu Häupten stieß er den Schaft des Jagdspeers in den Boden. Der unschuldige, hübsche Knabe hatte einen Holzstab auf die Speerspitze gespießt, so daß der Jagdspeer als Kreuzzeichen diente. Dann brach er auf und verbreitete in der Residenz die Nachricht, die viele Frauen mit Schrecken erfüllte und viele Ritter weinen ließ; ihr Jammer war Zeichen ihrer Treue. Viele Hofleute empfanden tiefes Weh.

Der Tote wurde in feierlichem Zeremoniell in die Stadt geholt. Sogar die Königin ritt aus der Stadt und ließ eine Monstranz mitführen. Vor der Leiche des Königs von Kukumerland, den Parzival getötet hatte, brach Königin Ginover in Klagen aus: »Weh und ach, dies schreckliche Unglück wird Artus' königliches Ansehen zunichte machen, denn der in der Tafelrunde höchsten Ruhm genießen sollte, liegt tot vor Nantes. Er hat sein Erbteil gefordert und statt dessen

er was doch mässenîe alhie
alsô daz dehein ôre nie
dehein sîn untât vernam.
er was vor wildem valsche zam:
15 der was vil gar von im geschaben.
nu muoz ich alze vruo begraben
ein slôz ob dem prîse.
sîn herze an zühten wîse,
ob dem slôze ein hantveste,
20 riet im benamen daz beste,
swâ man nâch wîbes minne
mit ellenthaftem sinne
solt erzeigen mannes triuwe.
ein berendiu vruht al niuwe
25 ist trûrens ûf diu wîp gesaet.
ûz dîner wunden jâmer waet.
dir was doch wol sô rôt dîn hâr,
daz dîn bluot die bluomen clâr
niht roeter dorfte machen.
du swendest wîplich lachen.‹

161   Ithêr der lobes rîche
wart bestatet küneclîche.
des tôt schoup siufzen in diu wîp.
sîn harnasch im verlôs den lîp:
5 dar umbe was sîn endes wer
des tumben Parzivâles ger.
sît dô er sich baz versan,
ungerne hete erz dô getân.
daz ors einer site pflac:
10 grôz arbeit ez ringe wac:
ez waere kalt oder heiz,
ezn liez durch reise keinen sweiz,
ez traete stein oder ronen.
er dorfte im keines gürtens wonen
15 doch eines loches nâher baz,
swer zwêne tage drûffe saz.

den Tod gefunden. Er gehörte zum ritterlichen Gefolge des Artushofes, und nie hat man ihm eine Untat nachsagen können. Freche Falschheit war ihm fremd und unbekannt. Zu früh muß ich nun diese Krone allen Ruhms ins Grab legen. Sein Herz, ein sicherer Schrein wahrer Vornehmheit, war ihm stets ein guter Ratgeber, wenn es mit kühnem Mut und fester Mannestreue um Frauenliebe zu ringen galt. Jetzt ist in die Herzen der Frauen ein ewiges Saatkorn der Trauer gesenkt. Aus deiner Wunde erwächst uns Herzeleid. Ach, dein Haar war so rot, daß selbst dein Blut die leuchtenden Blumen nicht röter färben kann! Dein Tod läßt das Lachen der Frauen verstummen.«

Der berühmte Ither erhielt ein königliches Begräbnis. Sein Tod ließ die Frauen klagen. Seine Rüstung war sein Verderben, denn um ihretwillen trachtete der einfältige Parzival ihm nach dem Leben. Als er verständiger geworden war, bereute er diese Tat.

Das Roß des toten Ither ertrug mühelos die größten Anstrengungen. Ritte bei Kälte und Hitze, über Stock und Stein brachten es nie in Schweiß. Blieb auch der Reiter zwei Tage im Sattel, er mußte den Sattelgurt nicht einmal ein

gewâpent reit ez der tumbe man
den tac sô verre, ez hete lân
ein blôz wîser, solte erz hân geriten
20 zwêne tage, ez waere vermiten.
er liez ez et schûften, selten draben:
er kunde im lützel ûf gehaben.
     hin gein dem âbent er ersach
eins turnes gupfen unt des dach.
25 den tumben dûhte sêre,
wie der türne wüehse mêre:
der stuont dâ vil ûf eime hûs.
dô wânde er si saet Artûs:
des jach er im vür heilikeit,
unt daz sîn saelde waere breit.

162 Alsô sprach der tumbe man
›mîner muoter volc niht bûwen kan.
jane wehset niht sô lanc ir sât,
swaz si ir in dem walde hât:
5 grôz regen si selten dâ verbirt.‹
Gurnemanz de Grâharz hiez der wirt
ûf dirre burc dar zuo er reit.
dâ vor stuont ein linde breit
ûf einem grüenen anger:
10 der was breiter noch langer
niht wan ze rehter mâze.
daz ors und ouch diu strâze
in truogen dâ er sitzen vant
des was diu burc unt ouch daz lant.
15   ein grôziu müede in des betwanc,
daz er den schilt unrehte swanc,
ze verre hinder oder vür,
et ninder nâch der site kür
die man dâ gein prîse maz.
20 Gurnamanz der vürste al eine saz:
ouch gab der linden tolde
ir schaten, als si solde,

Loch enger schnallen. Der unerfahrene Jüngling brachte in voller Rüstung an einem einzigen Tag eine Strecke Weges hinter sich, wie sie ein Mensch mit Verstand ungewappnet nicht einmal in zwei Tagen bewältigt. Da Parzival nicht wußte, wie man das Pferd mit dem Zügel zurückhält, ließ er es die ganze Zeit galoppieren und nur selten traben. Gegen Abend gewahrte er Spitze und Dach eines Turmes. Als der einfältige Jüngling beim Weiterreiten am Horizont weitere Türme des Gebäudes wie aus der Erde emporwachsen sah, glaubte er, Artus habe sie ausgesät. Er hielt ihn daher für einen wundertätigen Heiligen. Der törichte Jüngling sprach zu sich: »Die Leute meiner Mutter wissen aber auch gar nichts vom Ackerbau. Was sie im Wald säen, wächst nicht so hoch empor. Wahrscheinlich regnet es dort zuviel!«

Der Herr der Burg, auf die er zuritt, hieß Gurnemanz von Graharz. Auf einer weiten grünen Wiese vor der Burg stand eine breitästige Linde. Der Weg und sein Roß führten Parzival geradewegs dorthin, wo er den Burg- und Landesherrn geruhsam sitzen fand. Todmüde ließ Parzival den Schild hin und her baumeln, was gegen alle Regeln verstieß und nicht Ritterart war. Fürst Gurnemanz saß ganz allein, und der Lindenwipfel warf seinen Schatten über diesen Meister adliger Erziehung. Der redliche Gurnemanz empfing seinen Gast, wie es sich gehört. Da bei dem Fürsten weder Ritter noch Knechte waren, erwiderte Parzival den

dem houbetman der wâren zuht.
des site was vor valsche ein vluht,
25 der enpfienc den Gast: daz was sîn reht.
bî im was ritter noch kneht.
　　sus antwurt im dô Parzivâl
ûz tumben witzen sunder twâl
›mich bat mîn muoter nemen rât
ze dem der grâwe locke hât.
163 dâ wil ich iu dienen nâch,
sît mir mîn muoter des verjach.‹
›Sît ir durch râtes schulde
her komen, iuwer hulde
5 müezt ir mir durch râten lân,
und welt ir râtes volge hân.‹
　　dô warf der vürste maere
ein mûzerspärwaere
von der hende. in die burc er swanc:
10 ein guldîn schelle dran erclanc.
daz was ein bote: dô kom im sân
vil junchêrren wol getân.
er bat den gast, den er dâ sach,
în vüern und schaffen sîn gemach.
15 der sprach ›mîn muoter sagt al wâr:
altmannes rede stêt niht ze vâr.‹
　　hin în si in vuorten al zehant,
da er manegen werden ritter vant.
ûf dem hove an einer stat
20 ieslîcher in erbeizen bat.
dô sprach an dem was tumpheit schîn
›mich hiez ein künec ritter sîn:
swaz halt drûffe mir geschiht,
ichne kum von diesem orse niht.
25 gruoz gein iu riet mîn muoter mir.‹
si dancten beidiu im unt ir.
　　dô daz grüezen wart getân
(daz ors was müede und ouch der man),

Gruß ebenso einfältig wie unbekümmert: »Meine Mutter riet mir, den Rat eines Graukopfs anzunehmen. Weil's meine Mutter mir gesagt hat, stehe ich Euch zu Diensten.«

»Wenn Ihr gekommen seid, um von mir belehrt zu werden, so bitte ich um Eure Freundschaft. Wollt Ihr meinen Rat, so müßt Ihr sie mir schenken.« Damit warf der Fürst einen Sperber in die Luft, der auf seiner Hand gesessen hatte. Der Vogel strich hinauf zur Burg und ließ dabei ein goldnes Glöckchen an seinem Fuß erklingen. Er war des Fürsten Bote, denn sofort stürzten viele gutgekleidete Junker aus der Burg. Der Fürst befahl ihnen, seinen Gast in die Burg zu führen und es ihm bequem zu machen.

Der meinte: »Meine Mutter hatte recht. Bei einem Graukopf ist man gut aufgehoben.«

Die Knappen führten ihn in die Burg, wo er viele edle Ritter erblickte. Man bat ihn, auf dem Hof beim Reiterstein abzusitzen, doch er erklärte in seiner Einfalt: »Mich hat ein König zum Ritter gemacht, und ich steige nicht von diesem Roß, was auch geschieht! Doch grüßen will ich euch – das riet mir meine Mutter.«

Sie dankten ihm und ihr. Nachdem man den Willkommens-

maneger bete si gedâhten,
ê si in von dem orse brâhten
164   in eine kemenâten.
si begunden im alle râten
›lât daz harnasch von iu bringen
und iuweren liden ringen.‹
5   Schiere er muose entwâpent sîn.
dô si diu rûhen ribbalîn
und diu tôren cleit gesâhen,
si erschrâken die sîn pflagen.
vil blûge ez wart ze hove gesagt:
10   der wirt vor schame was nâch verzagt.
ein ritter sprach durch sîne zuht
›deiswâr sô werdeclîche vruht
erkôs nie mîner ougen sehe.
an im lît der saelden spehe
15   mit reiner süezen hôhen art.
wie ist der minnen blic alsus bewart?
mich jâmert immer daz ich vant
an der werlde vröude alsölh gewant.
wol doch der muoter diu in truoc,
20   an dem des wunsches lît genuoc.
sîn zimierde ist rîche:
daz harnasch stuont ritterlîche
ê ez koem von dem gehiuren.
von einer quaschiuren
25   bluotige amesiere
kôs ich an im schiere.‹
der wirt sprach zem ritter sân
›daz ist durch wîbe gebot getân.‹
›nein, hêrre: er ist mit sölhen siten,
ern kunde nimer wîp gebiten
165   daz si sîn dienst naeme.
sîn varwe der minne zaeme.‹
der wirt sprach ›nu sule wir sehen
an des waete ein wunder ist geschehen.‹

gruß gewechselt hatte, kostete es noch viele gute Worte, bis man ihn vom Pferd herab und in eine Kemenate brachte, so müde auch Roß und Reiter waren. Dann drangen sie in ihn: »Laßt Euch die Rüstung abnehmen und macht es Euch bequem!« Bald war er von der Rüstung befreit, doch als seine Helfer die groben Bauernstiefel und die Narrenkleidung darunter entdeckten, fuhren sie zurück. Peinlich berührt unterrichtete man den Burgherrn, der vor Verlegenheit nicht wußte, was er tun sollte. Ein Ritter aber sprach wohlwollend: »Wahrhaftig, noch nie sah ich ein so vollkommenes Menschenkind! Auf ihm liegt der Glanz des Glücks und läßt Reinheit, Liebreiz und Hoheit erkennen. Doch wie ist der liebenswerte Jüngling nur gekleidet! Es empört mich, diese Augenweide aller Menschen in solchen Lumpen zu sehen! Wohl der Mutter, die den vollendet schönen Jüngling geboren hat! Er ist so kostbar ausgestattet und machte in seiner Rüstung einen durchaus ritterlichen Eindruck, bis man den anmutigen Jüngling schließlich entwappnete. Übrigens habe ich einige blutunterlaufene Stellen an ihm entdeckt, die wohl von einer Quetschung herrühren.«

Der Burgherr entgegnete dem Ritter: »Das Ganze hängt sicher mit dem Gebot einer Frau zusammen.«

«O nein, Herr! Mit seinem Benehmen könnte er keine Frau dazu bewegen, seinen Ritterdienst anzunehmen, obwohl er äußerlich durchaus liebenswert ist.«

Da meinte der Burgherr: »Sehen wir uns diesen merkwürdig gekleideten Jüngling einmal näher an!«

5   Si giengen dâ si vunden
       Parzivâln den wunden
       von eime sper, daz bleip doch ganz.
       sîn underwant sich Gurnemanz.
       sölh was sîn underwinden,
10   daz ein vater sînen kinden,
       der sich triuwekunde nieten,
       möhte ez in niht baz erbieten.
       sîne wunden wuosch unde bant
       der wirt mit sîn selbes hant.
15   dô was ouch ûf geleit daz brôt.
       des was dem jungen gaste nôt,
       wand in grôz hunger niht vermeit.
       al vastende er des morgens reit
       von dem vischaere.
20   sîn wunde und harnasch swaere,
       die vor Nantes er bejagete,
       im müede unde hunger sagete,
       unt diu verre tagereise
       von Artûse dem Berteneise,
25   dâ man in allenthalben vasten liez.
       der wirt in mit im ezzen hiez:
       der gast sich dâ gelabte.
       in den barn er sich sô habte,
       daz er der spîse swande vil.
       daz nam der wirt gar ze eime spil:
166   dô bat in vlîzeclîche
       Gurnemanz der triuwen rîche,
       daz er vaste aeze
       unt der müede sîn vergaeze.
5   Man huop den tisch, dô des wart zît.
       ›ich waene daz ir müede sît‹,
       sprach der wirt: ›waert ir iht vruo?‹
       ›got weiz, mîn muoter slief duo.
       diu kan sô vil niht wachen.‹
10   der wirt begunde lachen,

Sie gingen zu Parzival, den eine Lanze verwundet hatte, ohne dabei zu zerbrechen. Gurnemanz war um ihn bemüht, wie sich ein treusorgender Vater der eigenen Kinder nicht liebevoller annehmen könnte. Er wusch ihm die Wunden und verband ihn eigenhändig. Dann wurde das Abendessen aufgetragen, und der jugendliche Gast konnte es kaum erwarten, denn er hatte wahren Bärenhunger. Er war ja frühzeitig, ohne Mahlzeit, beim Fischer aufgebrochen; seine Wunden, die schwere Rüstung, die er vor Nantes errungen hatte, und der weite Tagesritt von dem Bretonen Artus, wo man ihm auch nichts vorgesetzt hatte, ließen ihn nun Müdigkeit und Hunger fühlen. Der Burgherr lud ihn ein, mit ihm zu speisen, und sein Gast aß mit großem Appetit. Er fiel so gierig über die Speisen her, daß sie im Nu verschwanden. Der Burgherr sah mit heimlichem Vergnügen zu und nötigte ihn immer wieder, tüchtig zuzulangen, um seiner Erschöpfung Herr zu werden.

Als Parzival gesättigt war, hob man die Tafel auf. »Ich vermute, daß Ihre müde seid«, sagte der Burgherr. »Ihr seid wohl früh aufgebrochen?«

»Weiß Gott, ja! Meine Mutter hat sicher noch geschlafen, sie steht nicht so zeitig auf.«

er vuorte in an die slâfstat.
der wirt in sich ûz sloufen bat:
ungerne erz tet, doch muose ez sîn.
ein declachen härmîn
15 wart geleit über sîn blôzen lîp.
sô werde vruht gebar nie wîp.
    grôz müede und slâf in lêrte
daz er sich selten kêrte
an die anderen sîten.
20 sus kunde er tages erbîten.
dô gebôt der vürste maere
daz ein bat bereite waere
reht umbe den mitten morgens tac
ze ende am teppich, da er dâ lac.
25 daz muose des morgens alsô sîn.
man warf dâ rôsen oben în.
swie wênic man umb in dâ rief,
der gast erwachte der dâ slief.
der junge werde süeze man
gienc sitzen in die kuofen sân.

167   ichne weiz wer si des baete:
juncvrouwen in rîcher waete
und an lîbes varwe minneclîch,
die kômen zühte site gelîch.
5 Si twuogen und strichen schiere
von im sîn amesiere
mit blanken linden henden.
jane dorfte in niht ellenden
der dâ was witze ein weise.
10 sus dolte er vröude und eise,
tumpheit er wênc gein in engalt.
juncvrouwen kiusche unde balt
in alsus kunrierten.
swâ von si parlierten,
15 dâ kunde er wol geswîgen zuo.
ez dorfte in dunken niht ze vruo:

Der Burgherr lachte und führte ihn zu seinem Nachtlager.
Dort bat er ihn, sich zu entkleiden, was Parzival, wenn auch
ungern, schließlich tat, da es nicht zu vermeiden war. Über
den nackten Körper des edelsten Knaben, den je eine Mutter
geboren hat, wurde eine Hermelinpelzdecke gebreitet. Par-
zival war todmüde und schlief so fest, daß er sich nicht ein
einziges Mal umdrehte. Er schlief bis in den hellen Tag
hinein. Am späten Vormittag ließ ihm der Fürst vor dem
Teppich seines Schlafgemachs ein Bad richten, wie man es
dort jeden Morgen zu nehmen pflegte. In das Badewasser
warf man duftende Rosen. Bei diesem Tun erwachte der
Gast, ohne daß man ihn gerufen hätte, und der edle, anmu-
tige Jüngling setzte sich in die Badekufe.
Ich weiß nicht, wer sie dazu veranlaßt hat, jedenfalls erschie-
nen wunderschöne, prachtvoll gekleidete Jungfrauen, die
Blicke sittsam niedergeschlagen. Mit zarten weißen Händen
wuschen und strichen sie seine Quetschungen. Trotz seiner
Einfalt fanden sie ihn keineswegs abstoßend. Diesmal wurde
seine Einfalt nicht zum Ärgernis, und er genoß das Bad
vergnügt und mit Behagen. Jungfrauen nahmen sich seiner
zwar ohne Zudringlichkeit, doch mit heiterer Unbefangen-
heit an, obwohl er sich aus Schüchternheit an ihrem fröhli-
chen Geplauder nicht beteiligte. Über Dunkelheit brauchte

wan von in schein der ander tac.
der glast alsus en strîte lac,
sîn varwe laschte beidiu lieht:
20   des was sîn lîp versûmet niht.
      man bôt ein badelachen dar:
des nam er vil cleine war.
sus kunde er sich bî vrouwen schemen,
vor in wolt erz niht umbe nemen.
25   die juncvrouwen muosen gên:
sine torsten dâ niht langer stên.
ich waen si gerne heten gesehen,
ob im dort unde iht waere geschehen.
wîpheit vert mit triuwen:
si kan vriundes kumber riuwen.
168   der gast an daz bette schreit.
al wîz gewant im was bereit.
von golde unde sîdîn
einen bruochgürtel zôch man drîn.
5   scharlachens hosen rôt man streich
an in dem ellen nie gesweich.
Avoy wie stuonden sîniu bein!
reht geschickede abe in schein.
brûn scharlach wol gesniten,
10   (dem was furrieren niht vermiten)
beidiu innen härmîn blanc,
roc und mantel wâren lanc:
breit swarz unde grâ
zobel dervor man kôs aldâ.
15   daz leit an der gehiure.
under einen gürtel tiure
wart er gefischieret,
und wol gezimieret
mit einem tiuren vürspan.
20   sîn munt dâ bî vor roete bran.
      dô kom der wirt mit triuwen craft:
nâch dem gienc stolziu ritterschaft.

er nicht zu klagen, denn die Jungfrauen verbreiteten gleichsam eines zweiten Tages Helligkeit. Tageslicht und Mädchenschönheit lagen miteinander im Widerstreit, doch Parzivals Schönheit übertraf sie beide. Als man ihm das Badelaken reichte, nahm er es nicht, denn er schämte sich vor den Jungfrauen und wollte nicht unter ihren Blicken aufstehen. Nun verließen ihn die Jungfrauen, da längeres Verweilen unschicklich gewesen wäre. Ich denke mir aber, sie hätten gern gesehen, ob ihm weiter unten etwas passiert war, denn die Frau ist treu besorgt um ihren Liebsten, wenn er in Nöten ist.

Unser Gast begab sich wieder zu seinem Lager, wo man ihm ein weißes Gewand mit golddurchwirktem seidenem Hosengurt zurechtgelegt hatte. Scharlachrote Hosen zog man ihm über. O ja, nun boten seine wohlgeformten Beine den rechten Anblick! Scharlachfarben, wenn auch etwas dunkler, waren Rock und Mantel, beide lang herabfallend, von feinem Zuschnitt, mit weißem Hermelin gefüttert und mit breitem schwarzgrauem Zobel besetzt. Dies alles zog der hübsche Jüngling an. Ein kostbarer Gürtel hielt den Mantel zusammen, den eine wertvolle Spange zierte. Parzivals Lippen brannten vor Aufregung in hellem Rot.

Nun kam der Burgherr herbei, begleitet von stolzem ritter-

der enpfienc den gast. dô daz geschach,
der ritter ieslîcher sprach,

25 sine gesaehen nie sô schoenen lîp.
mit triuwen lobten si daz wîp,
diu gab der werlde alsölhe vruht.
durch wârheit und umbe ir zuht
si jâhen ›er wirt wol gewert,
swâ sîn dienst genâden gert:

169 im ist minne und gruoz bereit,
mag er geniezen werdekeit.‹
ieslîcher im des dâ verjach,
unt dar nâch swer in ie gesach.

5   Der wirt in mit der hant gevienc,
gesellechlîche er dannen gienc.
in vrâgt der vürste maere,
welh sîn ruowe waere
des nahtes dâ bî im gewesen.

10 ›hêr, dane waere ich niht genesen,
wan daz mîn muoter her mir riet
des tages dô ich von ir schiet.‹
›got müeze lônen iu unt ir.
hêrre, ir tuot genâde an mir.‹

15 dô gienc der helt mit witzen cranc
dâ man got und dem wirte sanc.
der wirt zer messe in lêrte
daz noch die saelde mêrte,
opfern unde segnen sich,

20 und gein dem tiuvel kêrn gerich.
dô giengen si ûf den palas,
aldâ der tisch gedecket was.
der gast ze sîme wirte saz,
die spîse er ungesmaehet az.

25 der wirt sprach durch höfscheit
›hêrre, iu sol niht wesen leit,
ob ich iuch vrâge maere,
wannen iuwer reise waere.‹

lichem Gefolge. Er begrüßte den Gast, und die Ritter versicherten einander, noch nie so viel Schönheit gesehen zu haben. Sie priesen die Frau, die der Welt solch ein Kind geschenkt hatte. Nicht nur aus Höflichkeit, sondern in voller Überzeugung äußerten sie: »Wirbt er mit Ritterdienst um Frauengunst, wird er mit Sicherheit erhört. Freundlicher Gruß und Liebeserfüllung sind ihm bei seiner vornehmen Gestalt gewiß!« Hier wurde vorausgesagt, was später ein jeder bekunden sollte, der ihn erblickte.

Der Burgherr nahm ihn bei der Hand und verließ mit ihm den Raum. Der Fürst fragte, wie er des Nachts geruht habe. »Herr, ich wäre zugrunde gegangen, hätte mir nicht meine Mutter in der Abschiedsstunde geraten, mich an Euch zu wenden.«

»Gott lohne Euch und ihr die freundliche Meinung, Herr. Ihr seid zu gütig.«

Unser einfältiger Held begab sich nun in die Burgkapelle, wo Gott und dem Burgherrn die Messe gelesen wurde. Der Burgherr lehrte ihn dabei, daß die Teilnahme am Meßopfer, das Kreuzzeichen und die Abkehr vom Teufel des Menschen Glück vermehren. Danach gingen sie in den Palast, wo der Tisch schon gedeckt war. Der Gast nahm Platz an der Seite des Burgherrn und ließ sich das Essen schmecken. Der Burgherr wandte sich ihm höflich zu: »Mein Herr, verübelt mir nicht, wenn ich Euch nun frage, woher Ihr kommt.«

er saget im gar die underscheit,
wie er von sîner muoter reit,
170 umbe daz vingerl unde umb daz vürspan,
und wie er daz harnasch gewan.
der wirt erkante den ritter rôt:
er ersiufte, in erbarmt sîn nôt.
5 sînen gast des namen er niht erliez,
den rôten ritter er in hiez.

Dô man den tisch hin dan genam,
dar nâch wart wilder muot vil zam.
der wirt sprach zem gaste sîn
10 ›ir redet als ein kindelîn.
wan geswîgt ir iuwerre muoter gar
und nemet anderre maere war?
habt iuch an mînen rât:
der scheidet iuch von missetât.
15   sus hebe ich an (lât es iuch gezemen):
ir sult niemer iuch verschemen.
verschamter lîp, waz touc der mêr?
der wont in der mûze rêr,
dâ im werdekeit entrîset
20 unde in gein der helle wîset.
ir tragt geschickede unde schîn,
ir mugt wol volkes hêrre sîn.
ist hôch und hoeht sich iuwer art,
lât iuweren willen des bewart,
25 iuch sol erbarmen nôtec her:
gein des kumber sît ze wer
mit milte und mit güete:
vlîzet iuch diemüete.
der kumberhafte werde man
wol mit schame ringen kan
171 (daz ist ein unsüez arbeit):
dem sult ir helfe sîn bereit.
swenne ir dem tuot kumbers buoz,
sô nâhet iu der gotes gruoz.

Parzival berichtete, wie er von seiner Mutter fortgeritten war, wie er Ring und Brosche erlangt und die Rüstung errungen hatte. Der Burgherr, der den Roten Ritter kannte, seufzte und betrauerte seinen Tod, und er gab nun seinem Gast den Namen »Roter Ritter«.

Nachdem man die Tafel aufgehoben hatte, begann die Erziehung des ungebärdigen Parzival. Der Burgherr sprach nämlich zu seinem Gast: »Ihr plappert wie ein unmündiges Kind. Warum laßt Ihr nicht endlich Eure Mutter aus dem Spiel und sprecht von andern Dingen? Haltet Euch an meine Lehren, und Ihr werdet gut dabei fahren. So will ich denn beginnen: Versäumt es nie, Euer Verhalten zu überprüfen. Ein unbedachter Mensch taugt nichts. Er steht gleichsam in der Mauser, verliert alles Ansehen und fährt schließlich in die Hölle. Dem Äußeren nach habt Ihr die Gaben zum Herrscher. Doch so hoch Ihr emporsteigt, vergeßt nie, Euch der Notleidenden zu erbarmen; bekämpft ihr Elend durch Freigebigkeit und Güte. Seid stets leutselig und nicht hochmütig. Der notleidende Edle ringt mit der Scham, was bitter genug für ihn ist. Erweist Euch ihm stets hilfsbereit, denn wenn Ihr seine Not lindert, so ist Euch Gottes Gnade sicher.

advice to parival.

5 im ist noch wirs dan den die gênt
nâch brôte aldâ diu venster stênt.
  Ir sult bescheidenlîche
sîn arm unde rîche.
wan swâ der hêrre gar vertuot,
10 daz ist niht hêrenlîcher muot:
sament er aber schaz ze sêre,
daz sint ouch unêre.
  gebt rehter mâze ir orden.
ich bin wol innen worden
15 daz ir râtes dürftic sît:
nu lât der unvuoge ir strît.
  irn sult niht vil gevrâgen:
ouch sol iuch niht betrâgen
bedâhter gegenrede, diu gê
20 rehte als jenes vrâgen stê,
der iuch wil mit worten spehen.
ir kunnet hoeren unde sehen,
entseben unde draehen:
daz solte iuch witzen naehen.
25   lât erbärme bî der vrävel sîn
(sus tuot mir râtes volge schîn).
an swem ir strîtes sicherheit
bezalt, ern habe iu sölhiu leit
getân diu herzen kumber wesen,
die nemt, und lâzet in genesen.
172   ir müezet dicke wâpen tragen:
so ez von iu kom, daz ir getwagen
under ougen unde an handen sît
(des ist nâch îsers râme zît),
5 sô wert ir minneclîch gevar:
des nement wîbes ougen war.
  Sît manlîch und wol gemuot:
daz ist ze werdem prîse guot.
und lât iu liep sîn diu wîp:
10 daz tiuret junges mannes lîp.

Ein solcher Mensch ist nämlich weit schlimmer dran als jene, die offen um milde Gaben betteln. Ihr müßt aber auch klug hauszuhalten wissen! Sinnlose Verschwendung ist kein Zeichen echten Herrschertums, ebensowenig allerdings das geizige Anhäufen von Schätzen. Findet stets das rechte Maß. Ich habe wohl bemerkt, daß Euch gute Lehren bitter nötig sind. Streift Euer ungebührliches Betragen ab! Stellt keine überflüssigen Fragen, doch will Euch jemand mit seiner Rede ausforschen, so seid schnell bei der Hand mit einer wohlüberlegten Antwort. Ihr habt doch Eure fünf gesunden Sinne, also gebraucht sie und kommt endlich zu Verstande. Paart stets Kühnheit mit Erbarmen, dann habt Ihr meine Lehren recht begriffen. Will sich ein bezwungener Ritter ergeben, so verschont ihn, wenn er Euch nicht solch bitteren Schmerz zugefügt hat, daß tiefes Herzeleid zurückblieb. Ihr werdet oft die Rüstung tragen. Legt Ihr sie ab, dann wascht Euch die Rostspuren von Gesicht und Händen, damit Ihr einen angenehmen Anblick bietet; denn Frauen achten darauf. Seid manneskühn und frohgemut zugleich, dann werdet Ihr Ruhm gewinnen. Und schließt die Frauen in Euer Herz,

gewenket nimmer tag an in:
daz ist reht manlîcher sin.
welt ir in gerne liegen,
ir muget ir vil betriegen:
15 gein werder minne valscher list
hât gein prîse kurze vrist.
dâ wirt der slîchaere clage
daz dürre holz im hage:
daz bristet unde crachet:
20 der wahtaere erwachet.
ungeverte und hâmît,
dar gedîhet manec strît:
diz mezzet gein der minne.
diu werde hât sinne,
25 gein valsche listeclîche kunst:
swenn ir bejaget ir ungunst,
sô müezet ir gunêret sîn
und immer dulten schemeden pîn.
    dise lêre sult ir nâhe tragen:
ich wil iu mêr von wîbes orden sagen.
173 man und wîp diu sint al ein;
als diu sunne diu hiute schein,
und ouch der name der heizet tac.
der enwederz sich gescheiden mac:
5 si blüent ûz eime kerne gar.
des nemet künsteclîche war.‹
    Der gast dem wirt durch râten neic.
sîner muoter er gesweic
mit rede, und in dem herzen niht,
10 als noch getriuwem man geschiht.
    der wirt sprach sîn êre.
›noch sult ir lernen mêre
kunst an ritterlîchen siten.
wie kômet ir zuo mir geriten!
15 ich hân beschouwet manege want
dâ ich den schilt baz hangen vant

das veredelt den Jüngling. Ein rechter Mann verrät sie nie!
Legt Ihr es darauf an, sie zu betrügen, werdet Ihr viele
hinters Licht führen können, doch Falschheit in der Liebe
läßt Euer Ansehen rasch schwinden. Der tückisch schlei-
chende Bösewicht verflucht die dürren Äste im Wald, denn
sie brechen und knacken und wecken den Wächter. Kampf
entbrennt oft in Gehölz und Verhau. Genauso ist es in der
Liebe! Sie hat ein feines Gefühl für Falschheit und Hinter-
list, und seid Ihr erst einmal in Ungnade bei ihr gefallen,
dann kommt Schande über Euch, und Ihr quält Euch Euer
Leben lang mit bitteren Selbstvorwürfen. Nehmt Euch diese
Lehren zu Herzen! Noch eins sei Euch über das Wesen der
Frau gesagt: Mann und Frau sind untrennbar eins wie Sonne
und Tag. Aus einem Samenkorn erblühen sie und sind
nicht voneinander zu trennen. Haltet Euch das stets vor
Augen!«
Dankbar für die empfangenen Belehrungen verneigte sich
der Gast vor dem Burgherrn. Er erwähnte seine Mutter
nicht mehr, doch bewahrte er sie treu im Herzen. Der
Burgherr sprach nun Worte, die ihm Ehre machten: »Ihr
müßt jetzt lernen, wie sich ein rechter Ritter zu benehmen
hat. Wie kamt Ihr angeritten! Ich kenne viele Wände, wo der

denn er iu ze halse taete.
ez ist uns niht ze spaete:
wir sulen ze velde gâhen:
20   dâ sult ir künste nâhen.
bringet im sîn ors, und mir daz mîn,
und ieslîchem ritter daz sîn.
junchêrren sulen ouch dar komen,
der ieslîcher habe genomen
25   einen starken schaft, und bringe in dar,
der nâch der niuwe sî gevar.‹
     sus kom der vürste ûf den plân:
dâ wart mit rîten kunst getân.
sîme gaste er râten gap,
wie er daz ors ûz dem walap
174   mit sporen gruozes pîne
mit schenkelen vliegens schîne
ûf den poinder solde wenken,
[und] den schaft ze rehte senken,
5   [und] den schilt gein tjoste vür sich nemen.
er sprach ›des lâzet iuch gezemen.‹
     Unvuoge er im sus werte
baz denne ein swankel gerte
diu argen kinden brichet vel.
10   dô hiez er komen ritter snel
gein im durch tjostieren.
er begunde in condwieren
einem zegegen an den rinc.
dô brâhte der jungelinc
15   sîn êrsten tjost durch einen schilt,
deis von in allen wart bevilt
unt daz er hinderz ors verswanc
einen starken ritter niht ze cranc.
     ein ander tjostiur was komen.
20   dô hete ouch Parzivâl genomen
einen starken niuwen schaft.
sîn jugent het ellen unde craft.

Schild besser hing als an Euerm Halse. Noch ist Zeit, aufs freie Feld hinauszureiten. Dort sollt Ihr die Kunst der Waffenführung lernen. Bringt ihm sein Pferd! Mir bringt das meine! Auch allen Rittern bringt die Pferde! Die Junker sollen uns begleiten, und ein jeder soll eine starke, neue Turnierlanze haben!«

Der Fürst sprengte aufs Feld hinaus, wo erst die Kunst des Reitens geübt wurde. Er lehrte seinen Gast, sein Pferd mit Schenkelhilfe und mit Sporen aus dem Galopp in den Angriff zu werfen, die Lanze richtig einzulegen und sich mit dem Schild vorm Gegenstoß zu decken. »Seht«, sagte er, »so müßt Ihr's machen!« Parzivals Fehler korrigierte er auf diese Weise besser als mit einer Weidenrute, mit der man bösen Kindern das Fell gerbt.

Danach befahl er einen starken Ritter zu sich, der gegen Parzival zum Turnier antreten sollte. Beim ersten Lanzenstechen geleitete er seinen Schützling bis zum Kampfplatz, und nun jagte der Jüngling zum ersten Mal seine Lanze durch einen Schild, daß alle nur so staunten, denn er schleuderte den kräftigen Ritter einfach hinters Pferd. Ein zweiter Kämpfer trat an. Inzwischen hatte Parzival, von Jugendkühnheit und Jugendkraft strotzend, eine starke neue Lanze

der junge süeze âne bart,
den twanc diu Gahmuretes art
25 und an geborniu manheit,
daz ors von rabbîne er reit
mit volleclîcher hurte dar,
er nam der vier nagele war.
des wirtes ritter niht gesaz,
al vallende er den acker maz.
175 dô muosen cleiniu stückelîn
aldâ von trunzûnen sîn.
sus stach er ir vünve nider.
der wirt in nam und vuorte in wider.
5 aldâ behielt er schimpfes prîs:
er wart ouch sît an strîte wîs.
    Die sîn rîten gesâhen,
al die wîsen im des jâhen,
dâ vüere kunst und ellen bî.
10 ›nu wirt mîn hêrre jâmers vrî:
sich mac nu jungen wol sîn leben.
er sol im ze wîbe geben
sîne tohter, unser vrouwen.
ob wir in bî witzen schouwen,
15 sô lischet im sîn jâmers nôt.
vür sîner drîer süne tôt
ist im ein gelt ze hûs geriten:
nu hât in saelde niht vermiten.‹
    sus kom der vürste des âbents în.
20 der tisch gedecket muose sîn.
sîne tohter bat er komen
ze tische: alsus hân ichz vernomen.
do er die maget komen sach,
nu hoeret wie der wirt sprach
25 ze der schoenen Lîâzen.
›du solt dich küssen lâzen,
disen ritter, biute im êre:
er vert mit saelden lêre.

ergriffen. Der anmutige bartlose Jüngling zeigte sich als würdiger Sohn Gachmurets und bewies seine angeborene Tapferkeit. Er warf sein Pferd in voller Karriere in den Angriff und zielte genau zwischen die vier Schildnägel, so daß sich des Burgherrn Ritter nicht im Sattel halten konnte; er wankte und krachte auf den Boden. Bald lagen überall Lanzensplitter umher, denn Parzival warf noch fünf Gegner aus dem Sattel, bis ihn der Burgherr zur Burg zurückführte. Errang er diesmal den Siegesruhm im Kampfspiel, so sollte er sich später auch im ernsthaften Kampf bewähren. Alle erprobten Ritter, die seine Angriffe beobachtet hatten, bestätigten seine Geschicklichkeit und Kraft. Einer meinte: »Nun wird wohl unser Fürst von seinem Kummer erlöst und noch einmal jung werden. Er sollte ihm seine Tochter, unsere künftige Herrscherin, vermählen. Ist er klug, dann nimmt seine kummervolle Trübsal ein Ende. Für drei gefallene Söhne kam ihm Ersatz ins Haus geritten. Jetzt lächelt ihm wieder das Glück!«

Als der Fürst am Abend in die Burg zurückkehrte, war der Tisch bereits gedeckt. Er bat seine Tochter, an der Mahlzeit teilzunehmen. Nun hört, was der Burgherr zur schönen Liaze beim Eintritt sagte: »Ehre diesen Ritter durch deinen Willkommenskuß, denn das Glück ist ihm hold. Euch aber

---

Schildnägel: Der Schildbuckel wurde mit vier Nägeln auf dem Holzschild befestigt. Die Nägel umrissen also den Mittelpunkt des Schildes und waren der Zielpunkt des angreifenden Ritters (vgl. Anm. zu S. 67).

ouch solte an iuch gedinget sîn
daz ir der meide ir vingerlîn
176 liezet, ob siz möhte hân.
nune hât sis niht, noch vürspan:
wer gaebe ir sölhen volleist
so der vrouwen in dem fôreist?
5 diu het etswen von dem si enpfienc
daz iu ze enpfâhen sît ergienc.
ir muget Lîâzen niht genemen.‹
der gast begunde sich des schemen,
Iedoch kuste er si an den munt:
10 dem was wol viures varwe kunt.
Lîâzen lîp was minneclîch,
dar zuo der wâren kiusche rîch.
      der tisch was nider unde lanc.
der wirt mit niemen sich dâ dranc.
15 er saz al eine an den ort.
sînen gast hiez er sitzen dort
zwischen im unt sîme kinde.
ir blanken hende linde
muosen snîden, sô der wirt gebôt,
20 den man dâ hiez den ritter rôt,
swaz der ezzen wolde.
nieman si wenden solde,
sine gebârten heinlîche.
diu magt mit zühten rîche
25 leiste ir vater willen gar.
si unt der gast wârn wol gevar.
      dar nach schier gienc diu maget wider.
sus pflac man des heldes sider
unz an den vierzehenden tac.
bî sîme herzen kumber lac
177 anders niht wan umbe daz:
er wolt ê gestrîten baz,
ê daz er dar an wurde warm,
daz man dâ heizet vrouwen arm.

möchte ich bitten, dem Mädchen ihren Ring zu lassen, falls
sie einen trüge. Freilich hat sie weder Ring noch Brosche,
und wer sollte ihr auch solche Kostbarkeiten schenken, wie
sie die Edelfrau im Walde trug. Diese hatte einen, der ihr
gab, was Ihr später in Euern Besitz brachtet. Liaze könnt Ihr
allerdings nichts nehmen.«
Der Gast schämte sich sehr, doch er küßte sie auf den Mund,
der rot wie eine Flamme war. Liaze war ein liebliches und
keusches Mädchen.
Der Tisch war niedrig und lang, der Burgherr saß unbeengt
und bequem am Kopfende der Tafel und wies seinem Gast
den Platz zwischen sich und seiner Tochter an. Er gebot ihr,
dem Roten Ritter mit ihren zarten weißen Händen vorzu-
schneiden, was er essen wollte. Niemand sollte sie daran
hindern, miteinander vertraut zu werden. Das Mädchen tat
folgsam alles, was der Vater wollte; sie und der Gast boten
eine wahre Augenweide. Gleich nach der Mahlzeit ver-
schwand das Mädchen wieder.
So umsorgte man unsern Helden vierzehn Tage lang. Er
fühlte jedoch Unrast im Herzen, und zwar aus folgendem
Grunde: Bevor er in einem Frauenarm erglühen mochte,
wollte er erst viele Kampfestaten vollbringen. Ihm schien,

5 in dûhte, wert gedinge
   daz waere ein hôhiu linge
   ze disem lîbe hie unt dort.
   daz sint noch ungelogeniu wort.
       Eins morgens urloubes er bat;
10 dô rûmte er Grâharz die stat.
   der wirt mit im ze velde reit:
   dô huop sich niuwez herzenleit.
   dô sprach der vürste ûz triuwe erkorn
   ›ir sît mîn vierder sun verlorn.
15 jâ wând ich ergetzet waere
   drîer jaemerlîchen maere.
   der wâren dennoch niht wan driu:
   der nu mîn herze envieriu
   mit sîner hende slüege
20 und ieslîch stücke trüege,
   daz diuhte mich ein grôz gewin,
   einz vür iuch (ir rîtet hin),
   diu driu vür mîniu werden kint
   diu ellenthaft erstorben sint.
25 sus lônt iedoch diu ritterschaft:
   ir zagel ist jâmerstricke haft.
       ein tôt mich lemt an vröuden gar,
   mînes sunes wol gevar,
   der was geheizen Schenteflûrs.
   dâ Cundwîr âmûrs
178 lîp unde ir lant niht wolte geben,
   in ir helfe er vlôs sîn leben
   von Clâmidê und von Kingrûn.
   des ist mir dürkel als ein zûn.
5 mîn herze von jâmers sniten.
   nu sît ir alze vruo geriten
   von mir trôstelôsen man.
   ôwe daz ich niht sterben kan,
   sît Lîâze diu schoene magt
10 und ouch mîn lant iu niht behagt.

solch edles Streben verbürge höchstes Glück in diesem
Leben wie im Leben nach dem Tode, und das ist auch
wirklich so.

Eines Morgens nahm er Abschied von seinem Gastgeber und
verließ die Stadt Graharz. Der Burgherr begleitete ihn noch
ein Stück Weges, das Herz von neuem Leid erfüllt. Schließ-
lich sprach der Fürst: »Ihr seid nun der vierte Sohn, den ich
verliere. Ich hoffte, durch Euch für die drei schweren Heim-
suchungen entschädigt zu werden. Vorher waren es wenig-
stens nur drei. Wollte nun jemand mein Herz in vier Stücke
schneiden und meinen drei edlen, mutig gestorbenen Söhnen
wie auch Euch, der Ihr fortreitet, je ein Stück überbringen,
so wäre ich zufrieden damit. Daß uns am Ende Trauerbande
umstricken, ist das Los ritterlichen Lebens. Der Tod meines
herrlichen Sohnes Schenteflurs schmerzt mich ganz beson-
ders. Er verlor sein Leben im Kampf mit Clamide und
Kingrun, vor denen er Condwiramurs beschützte, als sie
diesen Freiern weder ihre Hand noch ihr Land überlassen
wollte. Vor Schmerz darüber hat mein Herz so viele Wun-
den, wie ein Zaun Lücken zählt. Viel zu früh laßt Ihr mich
in tiefer Hoffnungslosigkeit zurück. Ach, warum holt mich
nicht der Tod, nachdem Ihr Liaze, die schöne Jungfrau, und

Kingrun: Clamides Seneschall.

Mîn ander sun hiez cons Lascoyt.
den sluoc mir Idêr vil Noyt
umb einen sparwaere.
des stên ich vröuden laere.
15 mîn dritter sun hiez Gurzgrî.
dem reit Mahaute bî
mit ir schoenem lîbe:
wan si gab im ze wîbe
ir stolzer bruoder Ehkunat.
20 gein Brandigân der houbetstat
kom er nâch Schoydelacurt geriten.
dâ wart sîn sterben niht vermiten:
dâ sluog in Mâbonagrîn.
des verlôs Mahaute ir liehten schîn,
25 und lac mîn wîp, sîn muoter, tôt:
grôz jâmer irz nâch im gebôt.‹
    der gast nam des wirtes jâmer war,
wand erz im underschiet sô gar.
dô sprach er ›hêrre, ichn bin niht wîs:
bezale aber ich iemer ritters prîs,
179 sô daz ich wol mac minne gern,
ir sult mich Lîâzen wern,
iuwerre tohter, der schoenen magt.
ir habt mir alze vil geclagt:
5 mag ich iu jâmer denne entsagen,
des lâze ich iuch sô vil niht tragen.‹
    urloup nam der junge man
von dem getriuwen vürsten sân
unt ze al der massenîe.
10 des vürsten jâmers drîe
was riuwic an daz quater komen:
die vierden vlust het er genomen.

mein Land verschmäht habt! Mein zweiter Sohn war der Graf Lascoyt. Ihn erschlug mir Iders, Noyts Sohn, um einen Sperber. Das hat mir alle Freude geraubt. Mein dritter Sohn endlich hieß Gurzgri. Ihn begleitete auf seinen Fahrten die schöne Mahaute, die ihr stolzer Bruder Echkunacht meinem Sohn zur Frau gegeben hatte. Auf dem Weg nach der Hauptstadt Brandigan kam er zum Schoydelacurt, wo er sein Leben ließ; dort erschlug ihn Mabonagrin. Durch dieses Unglück verlor Mahaute ihre glänzende Schönheit und meine Frau, seine Mutter, das Leben; der große Schmerz um den letzten Sohn gab ihr den Tod.«

Der Gast nahm Anteil am Herzeleid seines Gastgebers, das ihm so ausführlich geschildert wurde. Er sprach jedoch: »Herr, ich bin noch völlig unerfahren. Erst wenn ich ein rechter Ritter geworden bin und mit einiger Berechtigung um Liebe werben darf, sollt Ihr mir Eure Tochter Liaze, das schöne Mädchen, zur Frau geben. Doch genug der Klagen! Wenn ich Euch von Eurem Schmerz befreien kann, so wird es eines Tages gewiß geschehen.« Damit nahm der Jüngling Abschied von dem getreuen Fürsten und seinem Gefolge. Der dreifache Schmerz des Fürsten war um ein weiteres Leid vermehrt, mußte er doch ein viertes Mal schmerzlichen Verlust dulden.

Brandigan: Hauptstadt von Iserterre, dem Land Clamides.
Schoydelacurt (›Freude des Hofes‹): als herrlicher Park zu denken, dessen Betreten mit einem Kampf auf Leben und Tod verbunden war. Das Abenteuer des Schoydelacurt ist ausführlich in Hartmann von Aues »Erec« (8990 ff.) gestaltet.

IV.

Dannen schiet sus Parzivâl.
ritters site und ritters mâl
15 sîn lîp mit zühten vuorte,
ôwê wan daz in ruorte
manec unsüeziu strenge.
im was diu wîte ze enge,
und ouch diu breite gar ze smal:
20 elliu grüene in dûhte val,
sîn rôt harnasch in dûhte blanc:
sîn herze diu ougen des bedwanc.
sît er tumpheit âne wart,
done wolte in Gahmuretes art
25 denkens niht erlâzen
nâch der schoenen Lîâzen,
der meide saelden rîche,
diu im geselleclîche
sunder minne bôt êre.
swar sîn ors nu kêre,
180 er enmag es vor jâmer niht enthaben,
ez welle springen oder draben.
    criuze unde stûden stric,
dar zuo der wagenleisen bic
5 sîne waltstrâzen meit:
vil ungevertes er dô reit,
dâ wênic wegerîches stuont.
tal und berc wârn im unkunt.
genuoge hânt des einen site
10 und sprechent sus, swer irre rite
daz der den slegel vünde:
slegels urkünde

Viertes Buch

Parzival zog also von dannen. Nach Gestalt und Betragen war er ein vollkommener Ritter, doch ihn bedrängte gärende Unruhe. Die Weite schien ihm zu eng, die Breite zu schmal, das Grün der Wiesen und Bäume zu blaß, das Rot seiner Rüstung farblos. Sein Herz verwirrte seine Augen. Nachdem er Einfalt und Unwissenheit hinter sich gelassen hatte, ließ ihm die von Gachmuret überkommene Wesensart keine Ruhe; wie unter einem Zwang mußte er an die schöne Liaze denken, das reizende Mädchen, das ihn in jeder Weise ausgezeichnet hatte; nur ihre Liebe hatte sie ihm nicht geschenkt. Willenlos ließ er sich von seinem Roß davontragen, wohin es sich auch wandte, ob es galoppierte oder trabte. Auf dem Ritt durch den Wald sah er keine Wegkreuze, keine Hauszäune und keine Wagenspuren. Sein Ritt führte ohne Weg und Steg durch unerschlossene Wildnis, über unbekannte Berge und durch fremde Täler. Doch wie es im Sprichwort heißt: Wer ziellos reitet, findet die Axt.

lac dâ âne mâze vil,
sulen grôze ronen sîn slegels zil.

15   Doch reit er wênec irre,
wan die slihte an der virre
kom er des tages von Grâharz
in daz künecrîch ze Brôbarz
durch wilde gebirge hôch.
20   der tac gein dem âbent zôch.
dô kom er an ein wazzer snel:
daz was von sîme duzze hel:
ez gâben die velse ein ander.
daz reit er nider: dô vand er
25   die stat ze Pelrapeire.
der künec Tampenteire
het si gerbet ûf sîn kint,
bî der vil liute in kumber sint.

daz wazzer vuor nâch bolze siten,
die wol gevidert unt gesniten
181   sint, sô si armbrustes span
mit senewen swanke trîbet dan:
dar über gienc ein brücken slac,
dâ manec hurt ûffe lac:
5   ez vlôz aldâ reht in daz mer.
Pelrapeir stuont wol ze wer.
seht wie kint ûf schocken varn,
die man schockes niht wil sparn:
sus vuor diu brücke âne seil:
10   diu enwas vor jugende niht sô geil.
dort anderhalben stuonden
mit helmen ûf gebunden
sehzec ritter oder mêr.
die riefen alle kêrâ kêr:
15   mit ûf geworfen swerten
die cranken strîtes gerten.
Durch daz si in dicke sâhen ê,
si wânden ez waer Clâmidê,

Spuren davon gab es genug, sofern niedergebrochene große Stämme ihr Werk sein sollten. Doch Parzivals Weg führte nicht in die Irre, sondern immer geradeaus, bis er noch am gleichen Tag, da er in Graharz aufgebrochen war, über ein unwirtliches Hochgebirge ins Königreich Brobarz gelangte. Es ging schon auf den Abend zu, als er an einem reißenden Fluß hielt, der mit lautem Brausen von Fels zu Fels sprang. Er folgte seinem Lauf und kam zur Stadt Pelrapeire. König Tampenteire hatte sie seiner Tochter vererbt. Deren Untertanen waren zu dieser Zeit in großer Bedrängnis. Das Wasser des Flusses schoß dahin wie ein Pfeil, der, sauber geschnitzt und gefiedert, von der Sehne der gespannten Armbrust fortgeschnellt wird. Eine Holzbrücke, deren Belag überall mit Reisiggeflecht ausgebessert war, führte auf der Höhe der Stadt über den Fluß. Gleich hinter der Brücke ergoß sich der Fluß ins Meer. Pelrapeire war also gut gesichert. Seht: Wie Kinder, wenn man es ihnen erlaubt, auf einer Schaukel hin und her schwingen, so schwankte die Brücke, auch ohne Seil, hin und her. Diese Ausgelassenheit war allerdings kein Jugendübermut.

Jenseits der Brücke standen mit festgeschnallten Helmen mindestens sechzig Ritter. Sie alle schrien: »Halt! Zurück!« Drohend schwangen sie die Schwerter, wenn sie sich vor Schwäche auch kaum auf den Beinen halten konnten. Wie er

Pelrapeire: Hauptstadt von Brobarz.

wand er sô küneclîchen reit
20   gein der brücke ûf dem velde breit.
      dô si disen jungen man
      sus mit schalle riefen an,
      swie vil er daz ors mit sporen versneit,
      durch vorhte ez doch die brücken meit.
25   den rehtiu zageheit ie vlôch,
      der erbeizte nider unde zôch
      sîn ors ûf der brücken swanc.
      eins zagen muot waer alze cranc,
      solt er gein sölhem strîte varn.
      dar zuo muos er ein dinc bewarn:
182   wande er vorhte des orses val.
      dô lasch ouch anderhalb der schal:
      die ritter truogen wider în
      helme, schilde, ir swerte schîn,
5   und sluzzen zuo ir porten:
      groezer her si vorhten.
          sus zôch hin über Parzivâl,
      und kom geriten an ein wal,
      dâ maneger sînen tôt erkôs,
10   der durch ritters prîs den lîp verlôs
      vor der porte gein dem palas,
      der hôch und wol gehêret was.
      einen rinc er an der porte vant:
      den ruorte er vaste mit der hant.
15   sîns rüefens nam dâ niemen war,
      wan ein juncvrouwe wol gevar.
      ûz einem venster sach diu magt
      den helt halden unverzagt.
          Diu schoene zühte rîche
20   sprach ›sît ir vîentlîche
      her komen, hêrre, deist ân nôt.
      ân iuch man uns vil hazzens bôt
      von dem lande und ûf dem mer,
      zornec ellenthaftez her.‹

so königlich über die Ebene auf die Brücke zuritt, hielten sie ihn nämlich für Clamide, dessen Erscheinen sie gewohnt waren. Als sie ihn mit solchem Geschrei empfingen, wollte sein Pferd, sosehr er es auch anspornte, die altersschwache Brücke nicht betreten. Parzival jedoch, der keine Furcht kannte, saß ab und zog sein Pferd auf die schwankenden Bohlen. Ein Feigling hätte kaum den Mut, solch ungleichem Kampf entgegenzugehen. Er mußte ein wachsames Auge auf den drohenden Gegner haben und außerdem darauf achten, daß sein Pferd nicht strauchelte. Da wurde es unversehens still auf der anderen Seite. Die Ritter verschwanden samt Helmen, Schilden und blitzenden Schwertern in der Stadt und verrammelten das Tor hinter sich, denn sie fürchteten, ihm folge ein großes Heer.

Parzival schritt über die Brücke, ritt auf das Tor zu und gelangte unterhalb des hochaufragenden prächtigen Palastes auf ein Schlachtfeld, wo so mancher im Kampf um ritterlichen Ruhm den Tod gefunden hatte. Am Tor entdeckte er einen eisernen Ring, mit dem er kräftig anklopfte. Niemand achtete jedoch auf sein lautes Einlaßbegehren, außer einer schönen Jungfrau, die von einem Fenster auf den unten wartenden tapferen Helden herniederblickte. Die sittsame Schöne rief: »Mein Herr, solltet Ihr als Feind gekommen sein, dann brauchen wir Euch nicht. Auch ohne Euch werden wir von Land und See her hart genug bedrängt durch ein erbittertes, angriffslustiges Heer.«

25 dô sprach er ›vrouwe, hie habt ein man
    der iu dienet, ob ich kan.
    iuwer gruoz sol sîn mîn solt:
    ich bin iu dienstlîchen holt.‹
    dô gienc diu magt mit sinne
    vür die küneginne,

183 und half im daz er kom dar în,
     daz in sît wante hôhen pîn.
        sus wart er în verlâzen.
     iewederthalp der strâzen

5   stuont von bovel ein grôziu schar.
    die werlîche kômen dar,
    slingaere und patelierre,
    der was ein langiu virre,
    und arger schützen harte vil.

10 er kôs ouch an dem selben zil
    vil küener sarjande,
    der besten von dem lande,
    mit langen starken lanzen
    schärpfen unde ganzen.

15 als ich daz maere vernomen hân,
    dâ stuont ouch manec koufman
    mit hâschen und mit gabilôt,
    als in ir meisterschaft gebôt.
        die truogen alle slachen balc.

20 der küneginne marschalc
    Muose in durch si leiten
    ûf den hof mit arbeiten.
    der was gein wer berâten.
    türn ob den kemenâten,

25 wîchûs, perfrit, ärkêr,
    der stuont dâ sicherlîchen mêr
    denn er dâ vor gesaehe ie.
    dô kômen allenthalben hie
    ritter die in enpfiengen.
    die riten unde giengen:

Er rief zurück: »Edle Frau, hier steht ein Mann, der Euch
nach Kräften helfen will. Mein Lohn sei Euer Gruß. Ich
stehe Euch zu Diensten!«
Das Mädchen war so klug, zur Königin zu eilen und ihm
Einlaß zu verschaffen; damit sollte ihre große Not ein Ende
finden. Als Parzival in die Stadt kam, sah er links und rechts
der Straße eine große Menschenmenge. Zur Wehr gerüstet,
hatten sich in langer Reihe Schleuderer und Fußkämpfer
aufgestellt, dazu zahlreiche Speerwerfer. Ferner sah er viele
tapfere Fußknechte, die besten des Landes; sie trugen lange,
starke Spieße, scharf und unbeschädigt. Auf Befehl ihrer
Anführer hatten sich auch viele Kaufleute versammelt, mit
Beilen und Wurfspießen bewaffnet. Alle waren allerdings
erbärmlich mager und schwach. Der Marschall der Königin
hatte alle Mühe, Parzival durch die Menge auf den Burghof
zu führen, der zur Verteidigung hergerichtet war. Nirgends
hatte er so viele Türme über den Kemenaten, so viele
befestigte Gebäude, Fluchttürme und Verteidigungserker
gesehen wie hier. Von allen Seiten strömten zu Pferd und zu
Fuß Ritter herbei, um ihn willkommen zu heißen. Die

Schleuderer: nach ihrer Bewaffnung, einer Steinschleuder, genannt.

184 ouch was diu jaemerlîche schar
elliu nâch aschen var,
oder alse valwer leim.
mîn hêrre der grâf von Wertheim
5 waer ungern soldier dâ gewesen:
er möhte ir soldes niht genesen.
    der zadel vuogte in hungers nôt.
sine heten kaese, vleisch noch brôt,
si liezen zenstüren sîn,
10 und smalzten ouch deheinen wîn
mit ir munde, sô si trunken.
die wambe in nider sunken:
ir hüffe hôch unde mager,
gerumpfen als ein Ungers zager
15 was in diu hût zuo den riben:
der hunger het in daz vleisch vertriben.
den muosen si durch zadel doln.
in trouf vil wênic in die koln.
des twanc si ein werder man,
20 der stolze künec von Brandigân:
si arnden Clâmidês bete.
sich vergôz dâ selten mit dem mete
der zuber oder diu kanne:
ein Trühendingaer pfanne
25 mit crapfen selten dâ erschrei:
in was der selbe dôn enzwei.
    wolte ich nu daz wîzen in,
sô hete ich harte cranken sin.
wan dâ ich dicke bin erbeizet
und dâ man mich hêrre heizet,
185 dâ heime in mîn selbes hûs,
dâ wirt gevröut vil selten mûs.
wan diu müese ir spîse steln:
die dörfte niemen vor mir heln:
5 ichne vinde ir offenlîche niht.
alze dicke daz geschiht

aschgrauen oder leimgelben Gesichter der Menschen waren
jämmerlich anzusehen. Mein Dienstherr, der Graf von
Wertheim, wäre da sicher nicht Soldritter geworden, denn
von solchem Sold hätte er nicht leben können. Den Bewoh-
nern war die Nahrung ausgegangen, so daß sie Hunger
litten. Es gab weder Käse noch Fleisch oder Brot. Sie
brauchten nicht in den Zähnen zu stochern, und beim
Trinken hinterließen ihre Lippen keine Fettspuren. Ihre
Bäuche waren eingefallen, die Hüften stachen knochig her-
vor, und über den Rippen war die Haut zusammenge-
schrumpft wie ungarisches Pferdeleder. Die Not des Hun-
gers hatte sie vom Fleisch fallen lassen. Bei ihnen tropfte
kein Bratenfett in die glühenden Kohlen.
Das verdankten sie einem edlen Helden, dem stolzen König
von Brandigan; sie mußten dafür büßen, daß Clamides
Werbung abgewiesen worden war. Fiel bei ihnen ein
Faß oder eine Kanne um, so floß kein Met mehr heraus.
Man hörte keine Trühendinger Krapfen im Fett prasseln;
solche Töne hatten ihre Ohren schon lange nicht mehr
erfreut. Ich müßte von Sinnen sein, sie deshalb zu schelten,
denn dort, wo ich oft vom Pferd steige und wo ich Hausherr
bin – also bei mir daheim, in meiner eigenen Behausung –,
hat die Maus keine Freude zu erwarten, wenn sie ihre
Nahrung zusammenstehlen will. Vor mir braucht man
schon gar nichts zu verstecken, ich finde ohnehin nichts.

Mein Dienstherr ... Wertheim: Der Grundbesitz der Grafen von Wertheim lag
in der Maingegend. Weitere Ausführungen zum Dienstverhältnis Wolframs s.
Nachw., Bd. 2, S. 678.
Trühendinger Krapfen: Gemeint ist hier wohl der Ort Wassertrüdingen, drei
Meilen südlich vom fränkischen Eschenbach, dessen Krapfen noch im 19. Jh.
erwähnt werden.

mir Wolfram von Eschenbach,
daz ich dulte alsolh gemach.
   mîner clage ist vil vernomen:
10 nu sol diz maere wider komen,
wie Pelrapeir stuont jâmers vol.
dâ gap diu diet von vröuden zol.
die helde triuwen rîche
lebten kumberlîche.
15 ir wâriu manheit daz gebôt.
nu solde erbarmen iuch ir nôt:
ir lîp ist nu benennet pfant,
sine loese drûz diu hôhste hant.
   nu hoert mêr von den armen:
20 die solten iuch erbarmen.
Si enpfiengen schämlîche
ir gast ellens rîche.
der dûhte si anders wol sô wert,
daz er niht dörfte hân gegert
25 ir herberge als ez in stuont:
ir grôziu nôt was im unkunt.
   man leit ein teppech ûf daz gras,
da vermûret und geleitet was
durch den schaten ein linde.
do entwâpent in daz gesinde.
186 er was in ungelîche var,
dô er den râm von im sô gar
getwuoc mit einem brunnen:
dô het er der sunnen
5 vercrenket nâch ir liehten glast.
des dûhte er si ein werder gast.
man bôt im einen mantel sân,
gelîch alsô der roc getân,
der ê des an dem helde lac:
10 des zobel gap wilden niuwen smac.
   si sprâchen ›welt ir schouwen
die küngîn, unser vrouwen?‹

Oft genug muß ich, Wolfram von Eschenbach, solches erdulden.

Doch genug geklagt! Es geht weiter mit unserer Erzählung. Freudlos lebten die Menschen von Pelrapeire in furchtbarem Elend. Die treuen Helden darbten, doch ihre ungebrochene Tapferkeit ließ sie ausharren. Diese Not sollte euer Mitleid wecken! Rettet sie nicht der Allmächtige, so sind ihre Tage gezählt. Hört mehr von den erbarmenswürdigen, armen Menschen. Sie hießen den kraftstrotzenden Recken in peinlicher Verlegenheit willkommen. Doch hielten sie ihn für vornehm genug, daß er bei dieser Lage weniger auf ihre Gastfreundschaft rechnete. Er ahnte wirklich nichts von ihrer großen Not. Man legte einen Teppich auf den Rasen, und zwar unter eine Linde, die ummauert war, so daß die Zweige in die Breite wuchsen und Schatten spendeten. Dort befreite ihn das Hausgesinde von seiner Rüstung. Als er am Brunnen die Rostspuren abgewaschen hatte, stach seine Gesichtsfarbe deutlich von der ihren ab. Fast schien es, der helle Glanz der Sonne würde verdunkelt, und so hielt man ihn natürlich für einen vornehmen Fremdling. Man reichte ihm einen Mantel, der aufs Haar dem Rock glich, den er in Graharz getragen hatte. Der Zobelbesatz roch noch nach frisch erlegtem Wild. Dann fragte man: »Wollt Ihr der Königin, unserer Herrscherin, Euern Besuch abstatten?«

dô jach der helt staete
daz er daz gerne taete.
15 si giengen gein dem palas,
dâ hôch hin ûf gegrêdet was.
ein minneclîch antlützes schîn,
dar zuo der ougen süeze sîn,
von der küneginne gienc
20 ein liehter glast, ê si in enpfienc.
    Von Katelangen Kyôt
unt der werde Manpfilyôt
(herzogen beide wâren die),
ir bruoder kint si brâhten hie,
25 des landes küneginne.
durch die gotes minne
heten si ûf gegeben ir swert.
dâ giengen die vürsten wert
grâ unde wol gevar,
mit grôzer zuht si brâhten dar
187 die vrouwen mitten an die stegen.
dâ kuste si den werden degen:
die munde wâren bêde rôt.
diu künegîn ir hant im bôt:
5 Parzivâln si vuorte wider
aldâ si sâzen beidiu nider.
vrouwen unde ritterschaft
heten alle swache craft,
die dâ stuonden und sâzen:
10 si heten vröude lâzen,
daz gesinde und diu wirtîn.
Condwîr âmûrs ir schîn
doch schiet von disen strîten:
Jeschûten, Enîten,
15 und Cunnewâren de Lâlant,
und swâ man lobes die besten vant,
dâ man vrouwen schoene gewuoc,
ir glastes schîn vast under sluoc,

Der Held erwiderte, er wolle es gern tun, und so gingen sie
zu einem Palast, zu dem eine hohe Treppe hinaufführte.
Parzival erblickte oben ein strahlendschönes Antlitz, dessen
Liebreiz seine Augen entzückte. Noch ehe sie ihn willkom-
men hieß, erschien ihm die Königin schon wie eine strah-
lende Sonne. Die Herzöge Kyot von Katalonien und Man-
philyot führten die Königin des Landes, ihre Nichte, herbei.
Sie hatten dem Schwert aus Liebe zu Gott entsagt. Die
edlen, stattlichen grauhaarigen Fürsten geleiteten die Herr-
scherin höflich bis zur Mitte der Treppe. Dort empfing sie
den edlen Helden mit einem Willkommenskuß, wobei sich
zwei leuchtendrote Lippenpaare trafen. Darauf reichte sie
Parzival die Hand und führte ihn in den Palast, wo man sich
niederließ. Die Frauen und Ritter, die da saßen oder stan-
den, waren alle von Kräften gekommen; die Burgherrin und
ihr Gefolge kannten keine Freude mehr. Dennoch hätte die
glänzende Schönheit von Condwiramurs im Wettstreit alle
andern übertrumpft, ob Jeschute, Enite, Cunneware von
Lalant und wie die berühmtesten Schönheiten alle heißen
mögen. Sie alle und die beiden Isolden dazu übertraf der
Glanz ihrer Schönheit bei weitem; Condwiramurs hätte bei

die beiden Isolden: Anspielung auf die Sage von Tristan und Isolde. Die erste
Isolde (Gattin von König Marke) ist Tristans Geliebte, die zweite seine Frau,
die er nach der erzwungenen Trennung von der Geliebten heimführt.

und bêder Isalden.
20   jâ muose prîses walden
Condwîr âmûrs:
diu truoc den rehten bêâ curs.
Der name ist tiuschen ›Schoener lîp‹.
ez wâren wol nütziu wîp,
25   diu disiu zwei gebâren,
diu dâ bî ein ander wâren.
dô schuof wîp unde man
niht mêr wan daz si sâhen an
diu zwei bî ein ander.
guote vriunt dâ vand er.
188   der gast gedâhte, ich sage iu wie.
›Lîâze ist dort, Lîâze ist hie.
mir wil got sorge mâzen:
nu sihe ich Lîâzen,
5   des werden Gurnemanzes kint.‹
Lîâzen schoene was ein wint
gein der meide diu hie saz,
an der got wunsches niht vergaz
(diu was des landes vrouwe),
10   als von dem süezen touwe
diu rôse ûz ir bälgelîn
blecket niuwen werden schîn,
der beidiu wîz ist unde rôt.
daz vuogte ir gaste grôze nôt.
15   sîn manlîch zuht was im sô ganz,
sît in der werde Gurnamanz
von sîner tumpheit geschiet
unde im vrâgen widerriet,
ez enwaere bescheidenlîche:
20   bî der küneginne rîche
saz sîn munt gar âne wort,
nâhe aldâ, niht verre dort.
maneger kan noch rede sparn,
der mêr gein vrouwen ist gevarn.

einem Vergleich den Siegespreis davongetragen, besaß sie
doch den idealen Beaucorps, zu deutsch »schönen Körper«.
Gesegnete Frauen hatten diese beiden, die dort beieinander-
saßen, geboren. Frauen und Männer schauten wie gebannt
auf das Paar. Parzival hatte also zu wohlmeinenden Freun-
den gefunden.
Ich will euch sagen, was für Gedanken ihm durch den Kopf
gingen: »Sieh an, Liaze ist dort und auch hier! Gott will
meiner Trübsal ein Ende machen. Vor meinen Augen sitzt
Liaze, die Tochter des edlen Gurnemanz!« Dabei war Liazes
Schönheit nichts gegen den Liebreiz der Jungfrau und Lan-
desherrin vor ihm. Gott hatte es ihr an nichts fehlen lassen:
sie war wie eine von süßem Tau genetzte Rose, die ihre
Blütenpracht in frischem Glanz erstrahlen läßt, weiß und rot
zugleich, und sie brachte ihren Gast in arge Herzensbe-
drängnis. Nun hatte ihm der edle Gurnemanz unter den
ritterlichen Lehren eingeschärft, keine unnützen Fragen zu
stellen. Parzival war fest entschlossen, die empfangenen
Lehren streng zu befolgen, und so saß er denn an der Seite
der herrlichen Königin, ohne ein Wort über die Lippen zu
bringen. Nun ja, zuweilen fehlen die Worte selbst einem
Mann, der schon häufiger in Damengesellschaft war.

25   Diu küneginne gedâhte sân
    ›ich waen, mich smaehet dirre man
    durch daz mîn lîp vertwâlet ist.
    nein, er tuotz durch einen list:
    er ist gast, ich bin wirtîn:
    diu êrste rede waere mîn.

189 dar nâch er güetlîch an mich sach,
    sît uns ze sitzen hie geschach:
    er hât sich zuht gein mir enbart.
    mîn rede ist alze vil gespart:

5   hie sol niht mêr geswigen sîn.‹
    ze ir gaste sprach diu künegîn
    ›hêrre, ein wirtîn reden muoz.
    ein kus erwarp mir iuwern gruoz,
    ouch but ir dienst dâ her în:

10   sus sagte ein juncvrouwe mîn.
    des hânt uns geste niht gewent:
    des hât mîn herze sich gesent.
    hêrre, ich vrâge iuch maere,
    wannen iuwer reise waere.‹

15   ›vrouwe, ich reit bî disem tage
    von einem man, den ich in clage
    liez, mit triuwen âne schranz.
    der vürste heizet Gurnamanz,
    von Grâharz ist er genant.

20   dannen reit ich hiute in ditze lant.‹
    alsus sprach diu werde magt.
    ›het ez anders iemen mir gesagt,
    der volge wurde im niht verjehen,
    deiz eines tages waere geschehen:

25   wan swelh mîn bote ie baldest reit,
    die reise er zwêne tage vermeit.
    Sîn swester was diu muoter mîn,
    iuwers wirtes. sîner tohter schîn
    sich ouch vor jâmer crenken mac.
    wir haben manegen sûren tac

Die Königin aber dachte bei sich: »Ich glaube, ich gefalle ihm nicht, da ich so mager geworden bin. Doch nein, vielleicht schweigt er bewußt aus einem andern Grund: Er ist ja mein Gast, und mir als Gastgeberin kommt es zu, die Unterhaltung zu eröffnen. Seit wir Platz genommen haben, hat er mich mit freundlichen Blicken betrachtet. Er wollte sicher nur seine gute Erziehung beweisen. Ich habe also schon viel zu lange geschwiegen und will nun das Wort nehmen.« Sie wandte sich an ihren Gast: »Mein Herr, als Gastgeberin muß ich wohl zuerst das Wort an Euch richten. Ihr habt meinen Willkommenskuß erwidert und, wie mir eine Jungfrau berichtet hat, Eure Dienste angeboten. Solche Gäste hatten wir noch nie, doch mein Herz hat sich danach gesehnt. Herr, ich möchte Euch fragen, woher Ihr kommt.«

»Gebieterin, ich ritt heute von einem Manne fort, der in tiefer Trauer zurückblieb. Der Fürst, den ich verließ, ist unverbrüchlich treu und heißt Gurnemanz von Graharz. Von ihm ritt ich an einem Tage bis hierher.

Da sprach die edle Jungfrau: »Hätte das ein anderer gesagt, so würde ich's nicht glauben, daß er an einem einzigen Tag einen Weg zurückgelegt hat, den meine schnellsten Boten nicht einmal in zwei Tagen bewältigen. Ich kenne Euern Gastgeber; denn seine Schwester war meine Mutter. Die Schönheit seiner Tochter ist sicher von Trauer dahinge-

190 mit nazzen ougen verclaget,
     ich und Lîâze diu maget.
     sît ir iuwerem wirte holt,
     sô nemt ez hînte als wirz gedolt
  5 hie lange hân, wîp unde man:
     ein teil ir dienet im dar an.
     ich wil iu unsern kumber clagen:
     wir müezen strengen zadel tragen.‹
       dô sprach ir veter Kyôt
 10 ›vrouwe, ich sende iu zwelf brôt,
     schultern unde hammen drî:
     dâ ligent ähte kaese bî,
     unt zwei buzzel mit wîn.
     iuch sol ouch der bruoder mîn
 15 hînte stiuren: des ist nôt.‹
     dô sprach Manpfiljôt
     ›vrouwe, ich sende iu als vil.‹
     dô saz diu magt an vröuden zil:
     ir grôzer danc wart niht vermiten.
 20 si nâmen urloup unde riten
     dâ bî ze ir weidehûsen.
     zer wilden albe clûsen
     die alten sâzen sunder wer:
     si heten ouch vride von dem her.
 25   ir bote wider kom gedrabt:
     des wart diu cranke diet gelabt.
     dô was der burgaere nar
     gedigen an dise spîse gar:
     Ir was vor hunger maneger tôt
     ê daz in dar koeme daz brôt.
191 teilen ez hiez diu künegîn,
     dar zuo die kaese, daz vleisch, den wîn,
     dirre creftelôsen diet:
     Parzivâl ir gast daz riet.
  5 des bleip in zwein vil kûme ein snite:
     sie teilten si âne bâgens site.

welkt, haben wir doch mit tränenfeuchten Augen und Klagen so manchen leidvollen Tag gemeinsam verbracht. Wenn Ihr Euerm ehemaligen Gastgeber gewogen seid, so nehmt an diesem Abend vorlieb mit dem, womit wir alle hier uns schon lang bescheiden müssen. Ihr werdet damit auch ihm einen Dienst erweisen. Nun aber laßt mich von unserer Not berichten; denn wir müssen schreckliche Entbehrungen erdulden.«

Da sprach ihr Oheim Kyot: »Herrin, ich schicke Euch zwölf Brote, drei Schulterstücke, drei Schinken, acht Käselaibe und zwei Fäßchen Wein; auch mein Bruder wird etwas beisteuern, da es wirklich not tut.«

Und Manphilyot erklärte: »Herrin, ich schicke Euch das gleiche.«

Das war die Jungfrau herzlich froh und dankte ihnen sehr. Die beiden nahmen Abschied und ritten zu ihren Jagdhütten in der Nähe. Die beiden Alten hausten nämlich unbewaffnet in einer wilden Gebirgsschlucht und wurden dort vom feindlichen Heer nicht behelligt. Bald erschien ein Bote mit der versprochenen Nahrung, so daß die vom Hunger entkräfteten Menschen gespeist werden konnten. Zu dieser Zeit hatten die Burgleute gar nichts mehr zu essen; vor dieser Speisung waren schon viele Hungers gestorben. Auf den Rat ihres Gastes Parzival ließ die Königin Brot, Käse, Fleisch und Wein an die kraftlosen Menschen verteilen, so daß für sie und Parzival eine einzige Brotscheibe blieb; die sie einträchtig miteinander teilten. Die rasch verzehrte Mahlzeit

       diu wirtschaft was ouch verzert,
       dâ mite maneges tôt erwert,
       den der hunger leben liez.
10   dem gaste man dô betten hiez
       sanfte, des ich waenen wil.
       waeren die burgaer vederspil,
       sine waeren übercrüpfet niht,
       des noch ir tischgerihte giht.
15   si truogen alle hungers mâl,
       wan der junge Parzivâl.
       der nam slâfes urloup.
       ob sîne kerzen waeren schoup?
       nein, si wâren bezzer gar.
20   dô gienc der junge wol gevar
       an ein bette rîche
       gehêrt künéclîche,
       niht nâch armüete kür:
       ein teppich was geleit dervür.
25   er bat die ritter wider gên,
       diene liez er dâ niht langer stên.
       kint im entschuohten, sân er slief;
       unz im der wâre jâmer rief,
       und liehter ougen herzen regen:
       die wacten schiere den werden degen.
192   Daz kom als ich iu sagen wil.
       ez brach niht wîplîchiu zil:
       mit staete kiusche truoc diu magt,
       von der ein teil hie wirt gesagt.
5   die twanc urliuges nôt
       und lieber helfaere tôt
       ir herze an sölhez crachen,
       daz ir ougen muosen wachen.
       dô gienc diu küneginne,
10   niht nâch sölher minne
       diu sölhen namen reizet,
       der meide wîp heizet,

rettete nun vielen das Leben, die kurz vor dem Hungertode standen. Ich will also wohl glauben, daß man dem Gast ein weiches Lager bereitete. Die Kost war schmal gewesen, und als Beizvögel hätten die Burgleute bei dieser Mahlzeit den Kropf nicht voll bekommen; außer dem jugendfrischen Parzival, der sich nun zum Schlafen zurückzog, trugen alle die Zeichen schwerer Entbehrungen.

Ob man ihm mit Strohfackeln voranleuchtete? O nein, er erhielt weit bessere Beleuchtung. Unser schöner Jüngling begab sich zu einer prächtigen, königlich geschmückten Bettstatt, die wahrlich nicht von Armut zeugte. Vor diesem Lager war ein Teppich ausgebreitet. Parzival duldete die begleitenden Ritter nicht lange bei sich, sondern bat sie, sich zu entfernen. Als ihm die Pagen die Schuhe ausgezogen hatten, schlief er sofort ein, bis ein Tränenstrom ihn weckte, den tiefer Herzenskummer aus strahlenden Augen fließen ließ. Ich will euch erzählen, wie es dazu kam. Um jedem Mißverständnis vorzubeugen: Hier wurde die weibliche Würde nicht verletzt; denn die jungfräuliche Königin, von der jetzt die Rede sein soll, war sittsam und keusch. Die Not des Krieges und der Tod so vieler lieb gewordener Helfer hatten ihr Herz so stark bewegt, daß sie nicht schlafen konnte. Der Königin war es also nicht um jene Liebe zu tun, die aus Jungfrauen Frauen macht; sie suchte Beistand und

si suochte helfe unt vriundes rât.
an ir was werlîchiu wât,
15 ein hemde wîz sîdîn:
waz möhte kampflîcher sîn,
dan gein dem man sus komende ein wîp?
ouch swanc diu vrouwe umbe ir lîp
von samît einen mantel lanc.
20 si gienc als si der kumber twanc.
juncvrouwen, kameraere,
swaz der dâ bî ir waere,
die lie si slâfen über al.
dô sleich si lîse ân allen schal
25 in eine kemenâten.
daz schuofen die ez dâ tâten,
daz Parzivâl al eine lac.
von kerzen lieht alsam der tac
was vor sîner slâfstat.
gein sînem bette gieng ir pfat:
193 ûf den teppech kniete si vür in.
si heten beidiu cranken sin,
Er unt diu küneginne,
an bî ligender minne.
5 hie wart alsus geworben:
an vröuden verdorben
was diu magt: des twanc si schem:
ob er si hin an iht nem?
leider des enkan er niht.
10 âne kunst ez doch geschiht,
mit eime alsô bewanden vride,
daz si diu süenebaeren lide
niht ze ein ander brâhten.
wênc si des gedâhten.
15 der magede jâmer was sô grôz,
vil zäher von ir ougen vlôz
ûf den jungen Parzivâl.
der erhôrte ir weinens sölhen schal,

den Rat eines guten Freundes. Zudem war sie trefflich gewappnet, und zwar mit einem weißseidenen Nachtgewand! Welche Frau, die sich so zum Manne begibt, ist wohl besser zum Kampf gerüstet? Auch hatte die edle Frau einen langen Samtmantel übergeworfen. Vom Kummer getrieben, ging sie ihren Weg; ihre Jungfrauen, die Kämmerer und alle andern ließ sie ungestört schlafen. Leise und geräuschlos glitt sie in die Kemenate, wo Parzival allein ruhte. Der Platz vor der Bettstatt war von Kerzen taghell erleuchtet. Condwiramurs schritt geradewegs auf das Bett zu und kniete auf dem Teppich davor nieder.

Beide, er und die Königin, wußten nicht das mindeste von der Liebe der körperlichen Vereinigung. Dazu kam es nicht, denn die Jungfrau war viel zu schamhaft, als daß sie an solche Freuden gedacht hätte. Ob er sie in sein Bett zog? Aber nein, auch er versteht nichts von solchen Dingen, und als er sie dann zu sich nahm, geschah es in größter Herzenseinfalt, in einer Art Waffenstillstand, ohne daß die versöhnungstiftenden Glieder zueinander fanden. Beide dachten nicht einmal daran.

Die Jungfrau war so tieftraurig, daß aus ihren Augen viele Tränen auf den jungen Parzival niederflossen. Er hörte ihr

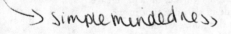

→ simple mindedness

daz er si wachende an gesach.
20 leit und liep im dran geschach.
ûf rihte sich der junge man,
zer küneginne sprach er sân
›vrouwe, bin ich iuwer spot?
ihr soldet knien alsus vür got.
25 geruochet sitzen zuo mir her‹
(daz was sîn bete und sîn ger):
›oder leit iuch hie aldâ ich lac.
lât mich belîben swâ ich mac.‹
si sprach ›welt ir iuch êren,
sölhe mâze gein mir kêren
194 daz ir mit mir ringet niht,
mîn ligen aldâ bî iu geschiht.‹
des wart ein vride von im getân:
si smouc sich an daz bette sân.
5   Ez was dennoch sô spaete
daz ninder huon dâ kraete.
hanboume stuonden blôz:
der zadel hüener abe in schôz.
diu vrouwe jâmers rîche
10 vrâgte in zühteclîche,
ob er hoeren wolte ir clage.
si sprach ›ich vürhte, ob ichz iu sage,
ez wende iu slâf: daz tuot iu wê.
mir hât der künec Clâmidê
15 und Kingrûn sîn scheneschlant
verwüestet bürge unde lant
unz an Pelrapeire.
mîn vater Tampenteire
liez mich armen weisen
20 in vorhteclîchen vreisen.
mâge, vürsten unde man,
rîche und arme, undertân
was mir grôz ellenthaftez her:
die sint erstorben an der wer

Schluchzen, und als er sie erwachend vor sich sah, war er
erfreut und bestürzt zugleich. Der Jüngling richtete sich auf
und sprach zur Königin: »Herrin, wollt Ihr mich verspot-
ten? Nur vor Gott solltet Ihr auf den Knien liegen! Setzt
Euch doch auf mein Bett oder legt Euch an meiner Statt
nieder und laßt mich woanders ein Ruhelager suchen.«
Sie aber sprach: »Wenn Ihr mir gelobt, nicht ehrlos zu
handeln und begehrlich mit mir zu ringen, dann lege ich
mich an Eurer Seite nieder.«
Er versprach es, und sogleich schlüpfte sie zu ihm ins Bett.
Nun war es noch so tief in der Nacht, daß kein Hahn krähte.
Auch waren die Hühnerbalken leer; die Hungersnot hatte
alle Hühner heruntergeholt. Die leidgeprüfte Herrscherin
fragte höflich, ob er ihre Klage hören wolle. Sie sagte: »Ich
fürchte, meine Erzählung wird Euch den Schlaf rauben, und
das wäre nicht gut. König Clamide und sein Seneschall
Kingrun haben alle meine Burgen und das Land verheert –
bis auf Pelrapeire. Mein Vater Tampenteire ließ mich arme
Waise in schrecklicher Bedrängnis zurück! Ich hatte ein
großes, wehrhaftes Heer von Verwandten, Fürsten,
Gefolgsleuten, von Reichen und Armen; nun aber ist in den

25 halp oder daz mêrre teil.
    wes möhte ich armiu wesen geil?
    nu ist ez mir komen an daz zil,
    daz ich mich selben toeten wil,
    ê daz ich magetuom unde lîp
    gebe und Clâmidês wîp

195 werde; wan sîn hant mir sluoc
    Schenteflûrn, des herze truoc
    manegen ritterlîchen prîs.
    er mannes schoene ein blüende rîs,
 5 er kunde valscheit mâzen,
    der bruoder Lîâzen.‹
        Dô Lîâze wart genant,
    nâch ir vil kumbers was gemant
    der dienst gebende Parzivâl.
10 sîn hôher muot kom in ein tal:
    daz riet Lîâzen minne.
    er sprach zer küneginne
    ›vrouwe, hilft iuch iemens trôst?‹
    ›jâ, hêrre, ob ich wurde erlôst
15 von Kingrûne scheneschlant.
    ze rehter tjost hât mir sîn hant
    gevellet manegen ritter nider.
    der kumt morgen dâ her wider,
    und waenet daz der hêrre sîn
20 süle ligen an dem arme mîn.
    ir sâht wol mînen palas,
    der ninder sô gehoehet was,
    ichne viele ê nider in den graben,
    ê Clâmidê solde haben
25 mit gewalt mîn magetuom.
    sus wolte ich wenden sînen ruom.‹
        dô sprach er ›vrouwe, ist Kingrûn
    Franzoys oder Bertûn,
    oder von swelhem lande er vert,
    mit mîner hant ir sît gewert

Verteidigungskämpfen mehr als die Hälfte gefallen. Wie könnte ich noch fröhlich sein! Es ist jetzt so weit, daß ich mir lieber das Leben nehmen will, als daß ich meine Jungfräulichkeit und mich selbst hingebe und Clamides Frau werde. Er erschlug mir den ritterlichen und tugendhaften Schenteflurs. Der Bruder Liazes war eine Blüte männlicher Schönheit und frei von allem Falsch.«

Als der Name Liaze fiel, fühlte unser dienstwilliger Parzival erneut Sehnsuchtsschmerz; seine Zuneigung ließ ihn wieder in trübe Gedanken verfallen. Er sprach zur Königin: »Herrin, kann Euch denn niemand helfen?«

«O doch, Herr, wenn nur der Seneschall Kingrun nicht wäre. Schon viele meiner Ritter hat er im ritterlichen Zweikampf gefällt. Morgen wird er wieder erscheinen und denken, meine Arme müßten sich endlich für seinen Herrscher öffnen. Ihr habt meinen Palast gesehen, und ehe ich dulde, daß Clamide mit Gewalt von mir Besitz ergreift, stürze ich mich lieber von der höchsten Spitze in den Burggraben. Damit bleibt ihm sein letzter Triumph versagt.«

Parzival beteuerte: »Gebieterin, ob Kingrun nun Franzose, Bretone oder sonstwoher ist, Ihr könnt sicher sein, meine Faust wird Euch nach Kräften schützen!«

196 als ez mîn lîp volbringen mac.‹
diu naht het ende und kom der tac.
diu vrouwe stuont ûf unde neic,
ir grôzen danc si niht versweic.
5 dô sleich si wider lîse.
nieman was dâ sô wîse,
der wurde ir gêns dâ gewar,
wan Parzivâl der lieht gevar.
   Der slief niht langer dô dernâch.
10 der sunnen was gein hoehe gâch:
ir glesten durch die wolken dranc.
dô hôrte er maneger glocken clanc:
kirchen, münster suocht diu diet
die Clâmidê von vröuden schiet.
15 ûf rihte sich der junge man.
der küneginne kappelân
sanc gote und sîner vrouwen.
ir gast si muose schouwen,
unz daz der benediz geschach.
20 nâch sînem harnasch er sprach:
dâ wart er wol gewâpent în.
er tete ouch ritters ellen schîn
mit rehter manlîcher wer.
dô kom Clâmidês her
25 mit manger baniere.
Kingrûn kom schiere
vor den andern verre
ûf eim ors von Iserterre,
als ich daz maere hân vernomen.
dô was ouch vür die porten komen
197 fil li roy Gahmuret.
der het der burgaere gebet.
   diz was sîn êrste swertes strît.
er nam den poinder wol sô wît,
5 daz von sîner tjoste hurt
bêden orsen wart engurt.

Inzwischen war die Nacht vergangen, und der Tag brach an.
Die edle Frau erhob sich, verneigte sich und dankte ihm von
ganzem Herzen. Dann glitt sie leise in ihr Gemach zurück,
und niemand außer Parzival wachte und bemerkte es. Er
selbst konnte nicht mehr schlafen; auch stieg die Sonne rasch
empor und ließ ihren Glanz durch die Wolken strahlen.
Parzival hörte viele Glocken läuten: Die Stadtbevölkerung,
die Clamide in solches Elend gestürzt hatte, strömte in das
Münster und in die Kirchen der Stadt.
Da erhob sich der Jüngling. Der Hofkaplan der Königin
sang Gott und seiner Herrscherin die Messe, und der Gast
erfreute sich am Anblick der Königin, bis das Benediktus
erklang. Nun verlangte er nach seiner Rüstung und ließ sich
wappnen. Als er seine Manneswehr trug, sah man so recht,
welch kraftstrotzender Ritter er war. Da rückte auch schon
mit vielen Fahnen Clamides Heer heran. Wie die Erzählung
berichtet, ritt Kingrun auf einem Roß aus Iserterre an der
Spitze des Heeres. Vor dem Stadttor erwartete ihn bereits
der Sohn König Gachmurets, begleitet von den Gebeten der
Stadtbewohner. Und dies war sein erster ernsthafter Zwei-
kampf.
Parzival nahm solch weiten Anlauf, daß beim wuchtigen
Zusammenprall die Sattelriemen rissen und die Rosse auf die

darmgürtel brâsten umbe daz:
ietweder ors ûf hähsen saz.
die ê des ûf in sâzen,
10 ir swert si niht vergâzen:
In den scheiden si die vunden.
Kingrûn truoc wunden
durch den arm und in die brust.
disiu tjost in lêrte vlust
15 an sölhem prîse, des er pflac
unz an sîn hôchvartswindens tac.
sölh ellen was ûf in gezalt:
sehs ritter solte er hân gevalt,
die gein im koemen ûf ein velt.
20 Parzivâl im brâhte gelt
mit sîner ellenthaften hant,
daz Kingrûn scheneschlant
wânde vremder maere,
wie ein pfeteraere
25 mit würfen an in seigte.
ander strît in neigte:
ein swert im durch den helm erclanc.
Parzivâl in nider swanc:
er sazte im an die brust ein knie.
er bôt daz wart geboten nie
198 deheinem man, sîn sicherheit.
ir enwolde niht der mit im streit:
er bat in fianze
bringen Gurnamanze.
5   ›nein, hêr, du maht mir gerner tuon
den tôt. ich sluog im sînen sun,
Schenteflûr nam ich sîn leben.
got hât dir êren vil gegeben:
swâ man saget daz von dir
10 diu craft erzeiget ist an mir,
daz du mich hâst betwungen,
sô ist dir wol gelungen.‹

Hinterhand geworfen wurden. Die Streiter sprangen aus den Sätteln und rissen die Schwerter aus den Scheiden. Kingrun trug Wunden an Arm und Brust davon und verlor in diesem Kampf allen Heldenruhm, in dem er sich bis zu diesem Tag, dem Ende seines hoffärtigen Stolzes, gesonnt hatte. Man erzählte von ihm, er sei stark genug, auf dem Schlachtfeld sechs angreifende Ritter zugleich zu besiegen. Nun aber zahlte es ihm Parzival mit starker Faust derart heim, daß der bestürzte Seneschall Kingrun dachte, ihn bombardiere unablässig eine Steinschleudermaschine. Es war aber Parzivals Schwert, das seinen Helm so erdröhnen ließ. Parzival schmetterte ihn zu Boden und setzte ihm ein Knie auf die Brust. Da bot Kingrun, was er noch nie getan hatte, sein Unterwerfungsgelöbnis. Parzival nahm es jedoch nicht an, sondern forderte ihn auf, dieses Gelöbnis vor Gurnemanz zu tun.

»Nein, Herr, dann töte mich lieber sofort, denn ich erschlug seinen Sohn Schenteflurs. Was willst du mehr: Gott hat dich mit Ehren überhäuft, denn wo immer man von deinem Sieg über mich erzählen wird, magst du dich deines Ruhmes freuen.«

Dô sprach der junge Parzivâl
›ich wil dir lâzen ander wal.
15 nu sicher der künegîn,
der dîn hêrre hôhen pîn
hât gevrumt mit zorne.‹
›sô wurde ich der verlorne.
mit swerten waer mîn lîp verzert
20 clein, sô daz in sunnen vert.
wand ich hân herzeleit getân
dort inne manegem küenen man.‹
›sô vüer von disem plâne
inz lant ze Bertâne
25 dîn ritterlîche sicherheit
einer magt, diu durch mich leit
des si niht lîden solde,
der vuoge erkennen wolde.
und sage ir, swaz halt mir geschehe,
daz si mich nimmer vrô gesehe,
199 ê daz ich si gereche
aldâ ich schilt durchsteche.
sage Artûse und dem wîbe sîn,
in beiden, von mir dienest mîn,
5 dar zuo der massenîe gar,
und daz ich nimmer kume dar,
ê daz ich lasters mich entsage,
daz ich geselleclîchen trage
mit ir diu mir lachen bôt.
10 des kom ir lîp in grôze nôt.
sag ir, ich sî ir dienstman,
dienstlîcher dienste undertân.‹
der rede ein volge dâ geschach:
die helde man sich scheiden sach.
15 Hin wider kom gegangen,
dâ sîn ors was gevangen,
der burgaere kampfes trôst.
si wurden sît von im erlôst:

Da sprach Parzival: »Dann biete ich dir eine andere Möglichkeit. Leiste das Gelöbnis der Königin, der dein Herrscher in seinem Zorn schweres Leid zugefügt hat!«

»Da wäre ich verloren! Ich würde mit Schwertern so zerstückelt, daß von mir nur Sonnenstäubchen übrigblieben; denn ich habe vielen tapferen Männern dort in der Stadt Kummer bereitet.«

»So zieh von hier in die Bretagne und leiste dein ritterliches Unterwerfungsgelöbnis einer Jungfrau, die um meinetwillen Schmerzen dulden mußte, die sie von Rechts wegen nicht erleiden durfte. Sage ihr, daß ich, was immer mir geschieht, nicht eher unbeschwert froh sein kann, bis ich für sie einen Schild mit der Lanze durchbohrt und sie dadurch gerächt habe. Sage Artus, seiner Gemahlin und seinem ganzen Gefolge, daß ich ihm zu Diensten bin. Sage ihnen ferner, ich käme nicht eher zu ihnen, bis ich die Schmach gesühnt habe, die ich und jene Jungfrau tragen müssen; sie hat mich angelacht und ist dadurch in große Not geraten. Versichere ihr, ich sei ihr ergebener Diener und zu jedem Dienst bereit.«

Diesmal nahm Kingrun den Vorschlag an, und die beiden Helden schieden voneinander. Parzival, die Kampfeszuversicht der Einwohner, kehrte in die Stadt zurück, wo man ihn mit seinem inzwischen eingefangenen Pferd erwartete. Und wirklich sollten die Bewohner der Stadt durch ihn befreit

zwîvels pflac daz ûzer her,
20 daz Kingrûn an sîner wer
was enschumpfieret.
nu wart gecondwieret
Parzivâl zer künegîn.
diu tete im umbevâhens schîn,
25 si dructe in vaste an ir lîp,
si sprach ›ichn wirde niemer wîp
ûf erde deheines man,
wan den ich umbevangen hân.‹
si half daz er entwâpent wart:
ir dienst was vil ungespart.

200   nâch sîner grôzen arbeit
was crankiu wirtschaft bereit.
die burgaere sus gevuoren,
daz si im alle hulde swuoren,
5 und jâhen er müese ir hêrre sîn.
dô sprach ouch diu künegîn,
er solte sîn ir âmîs,
sît daz er sô hôhen prîs
bezalte an Kingrûne.
10 zwêne segele brûne
die kôs man von der wer hin abe:
die sluoc grôz wint vast in die habe.
die kiele wârn geladen sô
dês die burgaer wurden vrô:
15 sine truogen niht wan spîse.
daz vuogte got der wîse.

Hin von den zinnen vielen
und gâhten zuo den kielen
daz hungerc her durch den roup.
20 si möhten vliegen sô diu loup,
die magern und die sîhten,
von vleische die lîhten:
in was erschoben niht der balc.
der küneginne marschalc

werden, denn als das Belagerungsheer Kingrun im Kampfe
unterliegen sah, verbreitete sich Unsicherheit. Parzival
wurde nun zur Königin geführt, die ihn in die Arme schloß,
fest an sich drückte und rief: »Nie werde ich eines anderen
Mannes Frau als dessen, den ich in den Armen halte!«, und
sie half ihm eifrig beim Ablegen der Rüstung. Nach der
großen Anstrengung konnte man ihn zwar nur kärglich
bewirten, doch die Einwohner drängten heran, huldigten
ihm und baten, er möge ihr Herrscher werden. Auch die
Königin bat ihn, ihr geliebter Gatte zu werden, da er im
Kampf mit Kingrun so großen Ruhm errungen hatte.
Da sichtete man von der Brustwehr zwei braune Segel, die
ein kräftiger Wind in den Hafen der Stadt trieb. Die Schiffe
führten eine Ladung, die alle Stadtbewohner hell begeistern
sollte: sie bestand – welch gütige Fügung des allwissenden
Gottes! – ausschließlich aus Nahrung. Die hungernde
Menge stürzte von den Zinnen zu den Schiffen, um sie zu
plündern. Die abgemagerten, dürren, vom Fleische gefalle-
nen Männer, deren Bäuche zusammengeschrumpft waren,
hätten bei ihrem Körpergewicht fliegen können wie das
Laub im Winde. Der Marschall der Königin schützte jedoch

25   tet den schiffen sölhen vride,
    daz er gebôt bî der wide
    daz si ir deheiner ruorte.
    die koufliute er vuorte
    vür sînen hêrren in die stat.
    Parzivâl in gelten bat
201   ir habe zwispilte.
    [die] koufliute des bevilte:
    sus was vergolten in ir kouf.
    den burgaern in die kolen trouf.
5   ich waer dâ nu wol soldier:
    wan dâ trinket niemen bier,
    si hânt wîns und spîse vil.
    dô warp als ich iu sagen wil
    Parzivâl der reine.
10   von êrst die spîse cleine
    teilte er mit sîn selbes hant.
    er sazt die werden die er dâ vant.
    er wolde niht ir laeren magen
    übercrüpfe lâzen tragen:
15   er gab in rehter mâze teil.
    si wurden sînes râtes geil.
    hin ze naht schuof er in mêr,
    der unlôse niht ze hêr.
    Bî ligens wart gevrâget dâ.
20   er unt diu küngîn sprâchen jâ.
    er lac mit sölhen vuogen,
    des nu niht wil genuogen
    mangiu wîp, der in sô tuot.
    daz si durch arbeitlîchen muot
25   ir zuht sus parrierent
    und sich dergegen zierent!
    vor gesten sint si an kiuschen siten:
    ir herzen wille hât versniten
    swaz mac an den gebaerden sîn.
    ir vriunt si heinlîchen pîn

die Schiffe, indem er jedem den Tod durch den Strang
androhte, der etwas anrühren sollte. Dann führte er die
Kaufleute, die mit den Schiffen gekommen waren, in die
Stadt vor seinen neuen Herrscher. Parzival befahl, für die
Waren den doppelten Preis zu zahlen. Obwohl dies selbst
den Kaufleuten zu großzügig schien, blieb es dabei. Nun
tropfte bei den Städtern wieder Bratenfett in die glühenden
Kohlen; jetzt möchte selbst ich dort Soldritter sein, denn
niemand trinkt etwa Bier, sondern jeder ist mit Wein und
Nahrung reichlich versehen.

Nun laßt euch berichten, was Parzival in dieser Lage tat. Mit
eigener Hand teilte er die Nahrung zunächst in kleine Por-
tionen und bewirtete die Edlen seiner Umgebung, denn er
wollte ihre leeren Mägen nicht überladen. Daß er ihnen die
Speisen so abgewogen zuteilte, bekam ihnen vortrefflich.
Erst gegen Abend erlaubte ihnen der wohlmeinende, leut-
selige Parzival eine zweite Mahlzeit.

Nun fragte man ihn und die Königin, ob sie ihr Beilager
halten wollten, und beide sagten ja. Er lag aber so sittsam
neben ihr, daß heutzutage viele Frauen mit solch einem
Manne unzufrieden wären. Ach, daß sie heute nur daran
denken, sich aufreizend zu schmücken, und damit alle gute
Erziehung verleugnen. Vor Fremden spielen sie die Keu-
sche, doch ihr eigentliches Verlangen straft dies heuchleri-
sche Gehabe Lügen. Mit aufreizendem Wesen quälen sie den

202   vüegent mit ir zarte.
       des mâze ie sich bewarte,
       der getriuwe staete man
       wol vriundinne schônen kan.
  5   er denket, als ez lîhte ist wâr,
       ›ich hân gedienet mîniu jâr
       nâch lône diesem wîbe,
       diu hât mîme lîbe
       erboten trôst: nu lige ich hie.
 10   des hete mich genüeget ie,
       ob ich mit mîner blôzen hant
       müese rüeren ir gewant.
       ob ich nu gîtes gerte,
       untriuwe es vür mich werte.
 15   solte ich si arbeiten,
       unser beider laster breiten?
       vor slâfe süeziu maere
       sint vrouwen site gebaere.‹
       sus lac der Wâleise:
 20   cranc was sîn vreise.
          Den man den rôten ritter hiez,
       die künegîn er maget liez.
       si wânde iedoch, si waer sîn wîp:
       durch sînen minneclîchen lîp
 25   des morgens si ir houbet bant.
       dô gap im bürge unde lant
       disiu magetbaeriu brût:
       wand er was ir herzen trût.
          si wâren mit ein ander sô,
       daz si durch liebe wâren vrô,
203   zwên tage unt die dritten naht.
       von im dicke wart gedâht
       umbevâhens, daz sîn muoter riet:
       Gurnemanz im ouch underschiet,
  5   man und wîp waern al ein.
       si vlâhten arm unde bein.

Liebenden. Ein treuer, ehrenfester Mann, der Maß zu halten weiß, ist rücksichtsvoll zu seiner Geliebten. Er denkt – und das ist recht so –: »Ich habe dieser Frau Jahr um Jahr in Hoffnung auf Liebeslohn gedient. Nun hat sich mein Sehnen erfüllt; ich liege neben ihr. Dabei wäre ich zufrieden gewesen, mit der Hand ihr Gewand berühren zu dürfen. Verlangte ich jetzt gierig mehr, so handelte ich unrecht und falsch. Warum soll ich sie in Gewissenskonflikte und uns beide in Schande stürzen? Mit edlen Frauen sollte man vor dem Schlafengehen lediglich zärtlich plaudern!«

So lag also unser Jüngling aus Valois, den man den Roten Ritter nannte, still und zufrieden neben ihr. Er ließ die Königin unberührt. Sie aber glaubte, schon jetzt seine Frau geworden zu sein. Also setzte sich die jungfräuliche Gattin am Morgen aus Liebe zu ihm die Haube der Ehefrau auf und überließ ihrem Herzallerliebsten das ganze Reich mit allen Burgen und Städten.

Zwei Tage und drei Nächte lebten sie zusammen und waren glücklich in ihrer Liebe. Er aber dachte immer öfter daran, daß seine Mutter ihm geraten hatte, die Frau fest in die Arme zu schließen, und auch Gurnemanz hatte ihn gelehrt, daß Mann und Frau untrennbar eins wären. Sie schlangen also

ob ichz iu sagen müeze,
er vant daz nâhe süeze:
der alte und der niuwe site
10   wonte aldâ in beiden mite.
     in was wol und niht ze wê.
nu hoeret ouch wie Clâmidê
in crefteclîcher hervart
mit maeren ungetroestet wart.
15   sus begund im ein knappe sagen,
des ors zen sîten was durchslagen
›vor Pelrapeire ûf dem plân
ist werdiu ritterschaft getân,
scharpf genuoc, von ritters hant.
20   betwungen ist der scheneschlant,
des hers meister Kingrûn
vert gein Artûse dem Bertûn.
Die soldier ligent noch vor der stat,
do er dannen schiet, als er si bat.
25   ir und iuwer bêdiu her
vindet Pelrapeir mit wer.
dort inne ist ein ritter wert,
der anders niht wan strîtes gert.
iuwer soldier jehent besunder,
daz von der tavelrunder
204 diu küneginne habe besant
Ithêrn von Kukûmerlant:
des wâpen kom zer tjoste vür
und wart getragen nâch prîses kür.‹
5   der künec sprach zem knappen sân
›Condwîr âmûrs wil mich hân,
und ich ir lîp unt ir lant.
Kingrûn mîn scheneschlant
mir mit wârheit enbôt,
10   si gaeben die stat durch hungers nôt,
unt daz diu küneginne
mir büte ir werden minne.‹

Arme und Beine ineinander, und wenn ich es schon sagen soll: er fand das nahe Süße, und beide übten den alten, stets neuen Brauch. Dabei war ihnen wohl und nicht wehe zumute.

Vernehmt nun folgendes: Clamide, der sich Pelrapeire mit einem gewaltigen Heer näherte, wurde von üblen Nachrichten beunruhigt. Ein Knappe, dessen Pferd an beiden Flanken von Sporenstichen blutete, meldete: »Auf dem Schlachtfeld vor Pelrapeire wurde ritterlich und hart gekämpft! Der Seneschall und Heerführer Kingrun wurde von einem Ritter besiegt und ist auf dem Weg zu dem Bretonen Artus. Seinem letzten Befehl gehorsam, liegen die Truppen untätig vor der Stadt. Ihr und Eure beiden Heere finden Pelrapeire zur Verteidigung gerüstet. In der Stadt weilt nämlich ein edler, kampfesdurstiger Ritter. Eure Söldner reden davon, die Königin habe aus der Tafelrunde um König Artus Ither von Kukumerland gerufen, denn beim Zweikampf wurde sein siegreiches Wappen ins Feld geführt.«

Der König fuhr den Knappen an: »Condwiramurs wird mein! Sie und ihr Land! Mein Seneschall Kingrun hat mir versichert, die Belagerten müßten die Stadt aus Hunger übergeben und die Königin würde mir ihre Liebe schenken.«

      der knappe erwarp dâ niht wan haz.
      der künec mit her reit vürbaz.
15   im kom ein ritter widervarn,
      der ouch daz ors niht kunde sparn:
      der sagt diu selben maere.
      Clâmidê wart swaere
      vröude und ritterlîcher sin:
20   ez dûhte in grôz ungewin.
      des küneges man ein vürste sprach
      ›Kingrûnen niemen sach
      strîten vür unser manheit:
      niwan vür sich einen er dâ streit.
25   Nu lât in sîn ze tôde erslagen:
      sulen durch daz zwei her verzagen,
      diz, und jenez vor der stat?‹
      sînen hêrrn er trûren lâzen bat:
      ›wir sulenz noch baz versuochen.
      wellent si wer geruochen,
205 wir geben in noch strîtes vil
      und bringenz ûz ir vröuden zil.
      man und mâge sult ir manen,
      und suocht die stat mit zwein vanen.
5   wir mugen an der lîten
      wol ze orse zuo ze in rîten:
      die porten suochen wir ze vuoz.
      deiswâr wir tuon in schimpfes buoz.‹
      den rât gab Galogandres,
10   der herzoge von Gippones:
      der brâht die burgaere in nôt,
      er holte ouch an ir letze den tôt.
      als tet der grâve Nârant,
      ein vürste ûz Ukerlant,
15   und manec wert armman,
      den man tôten truoc her dan.
      nu hoert ein ander maere,
      wie die burgaere

Der Knappe wurde also zum Dank für seine Botschaft zornig abgefertigt, und der König ritt mit seinem Heer unbeirrt weiter. Da kam ihm ein Ritter auf abgetriebenem Pferd entgegen und berichtete das gleiche. Nun wurde Clamides Frohsinn und ritterliche Siegesgewißheit doch gedämpft; die Botschaft traf ihn hart. Da sprach ein Fürst aus dem Gefolge des Königs: »Kingrun hat nur für sich, nicht für uns alle gekämpft! Selbst wenn man ihn erschlagen hätte, dürften doch nicht gleich beide Heere – dieses und die Belagerer vor der Stadt – den Mut sinken lassen.« Er bat seinen Herrscher, nicht zu verzagen. »Wir werden das Blatt schon wenden! Setzen sie sich wirklich zur Wehr, dann werden wir so oft stürmen, bis sie den Mut verlieren. Feuert Gefolgsleute und Blutsverwandte an und stürmt mit beiden Heeren die Stadt! Wir reiten an den Berghang heran und greifen dann die Tore zu Fuß an. Ihnen soll die Lust schon vergehen!«

Dies riet Galogandres, Herzog von Cippones. Und wirklich brachte er die Städter in Bedrängnis, doch er fand schließlich vor den Verteidigungswerken den Tod. Ebenso erging es dem Grafen von Narant, einem Fürsten aus Uckerland und vielen wackeren Soldrittern, die man tot hinwegtragen mußte. Hört, wie sich die Belagerten verteidigten: An den

ir letze tâten goume.
20 si nâmen lange boume
und stiezen starke stecken drîn
(daz gab den suochaeren pîn),
mit seilen si die hiengen:
die ronen in redern giengen.
25 daz was geprüevet allez ê
si suochte sturmes Clâmidê,
Nâch Kingrûnes schumpfentiur.
ouch kom in heidensch wilde viur
mit der spîse in daz lant.
daz ûzer antwerc wart verbrant:
206 ir ebenhoehe unde ir mangen,
swaz ûf redern kom gegangen,
igel, katzen in den graben,
die kunde daz viur hin dan wol schaben.
5   Kingrûn scheneschlant
was komen ze Bertâne in daz lant
und vant den künec Artûs
in Brizljân zem weidehûs:
daz was geheizen Karminâl.
10 dô warp er als in Parzivâl
gevangen hete dar gesant.
vroun Cunnewâren de Lâlant
brâhte er sîne sicherheit.
diu juncvrouwe was gemeit,
15 daz mit triuwen clagte ir nôt
den man dâ hiez den ritter rôt.
über al diz maere wart vernomen.
dô was ouch vür den künec komen
der betwungene werde man.
20 im unt der messenîe sân
sagte er waz in was enboten.
Keie erschrac und begunde roten:
dô sprach er ›bistûz Kingrûn?
âvoy wie mangen Bertûn

Mauern ließen sie mit Seilwinden lange Baumstämme hinab, die mit starken Holzspießen gespickt waren, so daß die Angreifer in große Not gerieten. Das hatte man geübt, ehe Clamide Kingruns Niederlage mit einem Sturmangriff vergalt. Auch hatten die Versorgungsschiffe griechisches Feuer mitgebracht, so daß die Verteidiger die Belagerungsmaschinen verbrennen konnten. Fahrbare Mauertürme, Wurfmaschinen, Sturmböcke und Mauerbrecher – alles wurde vom Feuer vernichtet.

Inzwischen war der Seneschall Kingrun in die Bretagne gelangt und fand König Artus in Briziljan im Jagdschloß Karminal. Er berichtete, warum Parzival ihn als Gefangenen hergesandt hatte, und tat sein Unterwerfungsgelöbnis vor Frau Cunneware von Lalant. Die Jungfrau war freudig überrascht, daß der Rote Ritter an ihrem Schmerz Anteil nahm. Die Neuigkeit war bald überall bekannt, und der besiegte Edelmann wurde schließlich vor den König geführt. Ihm und seinem Gefolgte sagte er, was ihm aufgetragen worden war. Da erschrak Keye, wurde puterrot und stieß hervor: »Du bist also Kingrun! Ha, viele Bretonen hast du

---

griechisches Feuer: brennbare, dickflüssige Mischung aus gebranntem Kalk, Schwefel, Pech, Harz, Erdöl und vielleicht Salpeter, die, von den Byzantinern als brennender Strahl auf die feindlichen Schiffe gespritzt, im Seekrieg gegen Araber und slawische Völkerschaften erfolgreich angewendet wurde.

25 hât enschumpfieret dîn hant,
    du Clâmidês scheneschlant!
    wirt mir dîn meister nimmer holt,
    dîns amtes du doch geniezen solt:
    Der kezzel ist uns undertân,
    mir hie unt dir ze Brandigân.

207 hilf mir durch dîne werdekeit
    Cunnewâren hulde umb crâpfen breit.‹
        er bôt ir anders wandels niht.
    die rede lât sîn, hoert waz geschiht
5   dâ wir diz maere liezen ê.
    vür Pelrapeir kom Clâmidê.
    dane wart grôz stürmen niht vermiten:
    die inren mit den ûzern striten.
    si heten trôst unde craft,
10 man vant die helde werhaft:
    dâ von behabten si daz wal.
    ir landes hêrre Parzivâl
    streit den sînen verre vor:
    dâ stuonden offen gar diu tor.
15 mit slegen er die arme erswanc,
    sîn swert durch herte helme erclanc.
    swaz er dâ ritter nider sluoc,
    die vunden arbeit genuoc:
    die kunde man si lêren
20 zer halsperge gêren:
    die burgaer tâten râche schîn,
    si erstâchen si ze den slitzen în.
    Parzivâl in werte daz.
    do si drumbe erhôrten sînen haz,
25 zweinzec si ir lebende geviengen
    ê si vom strîte giengen.
        Parzivâl wart wol gewar
    daz Clâmidê mit sîner schar
    ritterschaft ze den porten meit,
    unt daz er anderhalben streit.

bezwungen, Seneschall Clamides! Ist dein Bezwinger auch unversöhnlich, dein Hofamt soll dir doch hier zugute kommen! Wir haben die Küche unter uns, ich hier und du in Brandigan. Hilf mir also, Frau Cunneware mit großen Krapfen zu versöhnen!« An andere Sühne dachte er nicht.

Genug davon. Kehren wir nach dieser Unterbrechung zurück nach Pelrapeire. Clamide war inzwischen vor der Stadt eingetroffen, und ein furchtbarer Sturmangriff begann. Die Belagerten setzten sich mutig zur Wehr. Von Siegesgewißheit und neuem Kampfgeist beseelt, kämpften die Helden so verbissen, daß der Angriff abgeschlagen wurde. Sie öffneten sogar die Tore und unternahmen einen Ausfall, und ihr Herrscher Parzival stürzte sich an ihrer Spitze in den Kampf. Seine Arme teilten wuchtige Schläge aus, hell klang sein Schwert, wenn es auf hartgeschmiedete Helme herabsauste, und alle Ritter, die er niederschmetterte, gerieten in Todesnot. Die Städter übten nämlich Rache, indem sie die Gefallenen durch die Schlitze der Panzerhemden erstachen, bis Parzival diese Kampfesweise untersagte. Als sie merkten, daß sie ihn damit erzürnten, nahmen sie noch vor Abbruch des Kampfes zwanzig Ritter lebendig gefangen.

Parzival entdeckte nun, daß Clamide mit seiner Ritterschar dem Kampfgetümmel vor den Toren auswich und auf der

208 Der junge muotes herte
     kêrte anz ungeverte:
     hin umbe begunde er gâhen,
     des küneges vanen nâhen.
 5   seht, dô wart Clâmidês solt
     alrêrst mit schaden dâ geholt.
     die burgaer strîten kunden,
     sô daz in gar verswunden
     die herten schilde von der hant.
10   Parzivâles schilt verswant
     von slegen und von schüzzen.
     swie wênc sis genüzzen,
     die suochaer die daz sâhen,
     des prîses si im alle jâhen.
15   Galogandres den vanen
     truoc: der kunde daz her wol manen:
     der lag an des küneges sîten tôt.
     Clâmidê kom selbe in nôt:
     im und den sînen wart dâ wê.
20   den sturm verbôt dô Clâmidê.
     die burgaer manheite wîs
     behielten vrum unt den prîs.
       Parzivâl der werde degen
     hiez der gevangen schône pflegen
25   unz an den dritten morgen.
     daz ûzer her pflac sorgen.
     der junge stolze wirt gemeit
     nam der gevangen sicherheit:
     er sprach ›als ichz iu enbiute,
     komt wider, guoten liute.‹
209 ir harnasch er behalden bat:
     inz her si kêrten vür die stat.
       Swie si waern von trünken rôt,
     die ûzeren sprâchen ›hungers nôt
 5   habt ir gedolt, ir armen.‹
     ›lat iuch uns niht erbarmen‹

andern Stadtseite kämpfte. Der tollkühne Jüngling galoppierte durch unwegsames Gelände, umging das Heer und fiel dem König in den Rücken. Seht, jetzt war die Zeit gekommen, da sich Clamides Sold schlecht auszahlte. Die Städter kämpften nämlich so hartnäckig, daß die starken Schilde in ihren Händen von den Schwertschlägen regelrecht zerstückelt wurden. Auch Parzivals Schild wurde von Wurfgeschossen und Schwerthieben kurz und klein geschlagen; selbst seine Feinde konnten ihm ihre Bewunderung nicht versagen, obwohl sein Kampfesmut sie teuer zu stehen kam. Galogandres, der die Fahne trug und das Heer immer wieder anfeuerte, sank an des Königs Seite tödlich getroffen zu Boden. Als nun Clamide selbst in Gefahr geriet, wurden er und die Seinen von Furcht ergriffen. Clamide brach den Angriff ab, und die tapferen Städter trugen Sieg und Ruhm davon.

Drei Tage lang ließ Parzival, der edle Held, die Gefangenen aufs beste bewirten. Im Heer der Belagerer breitete sich indessen Mutlosigkeit aus. Nach drei Tagen ließ der stattliche, tüchtige junge Landesherr die Gefangenen das Unterwerfungsgelöbnis tun und sagte: »Ihr wackeren Männer! Versprecht mir, auf meinen Befehl wieder hier zu erscheinen!« Er ließ ihnen die Rüstungen, und so kehrten sie zum Belagerungsheer zurück. Obwohl ihre geröteten Gesichter reichlichen Weingenuß verrieten, sprachen die Gefährten bedauernd: »Ihr Armen habt sicher Hunger leiden müssen!«

sprach diu gevangene ritterschaft.
›dort inne ist spîse alsölhiu craft,
wolt ir hie ligen noch ein jâr,
10   si behielten iuch mit in vür wâr.
diu küngin hât den schoensten man
der schildes ambet ie gewan.
er mac wol sîn von hôher art:
aller ritter êre ist ze im bewart.‹
15   dô diz erhôrte Clâmidê,
alrêrst tet im sîn arbeit wê.
boten sande er wider în,
und enbôt, swer bî der künegîn
dâ gelegen waere,
20   ›ist er kampfes baere
sô daz si in dâ vür hât erkant
daz er ir lîp unde ir lant
mir mit kampfe türre wern,
sô sî ein vride von bêden hern.‹
25   Parzivâl des wart al vrô,
daz im diu botschaft alsô
gein sîn eines kampfe was gesagt.
dô sprach der junge unverzagt
›dâ vür sî mîn triuwe pfant,
des inren hers dehein hant
210   kumt durch mîne nôt ze wer.‹
zwischen dem graben und dem ûzern her
wart gestaetet dirre vride.
dô wâpenden sich die kampfes smide.
5   Dô saz der künec von Brandigân
ûf ein gewâpent kastelân.
daz was geheizen Guverjorz.
von sîme neven Grîgorz,
dem künec von Ipotente,
10   mit rîcher prîsente
was ez komen Clâmidê
norden über den Ukersê.

Jene Ritter, die gefangengenommen worden waren, antworteten jedoch: »Ihr braucht uns nicht zu bedauern! In der Stadt gibt es so viel zu essen, daß die Bewohner sich und euch ein ganzes Jahr beköstigen könnten, wenn ihr so lange bleiben wolltet. Auch hat die Königin den herrlichsten Gemahl, der je zum Ritter geschlagen wurde. Er muß von vornehmster Geburt sein, ist er doch ein wahrer Schirmherr ritterlicher Ehre.«

Als Clamide das hörte, verdrossen ihn die vergeblichen Mühen. Er sandte daher Boten in die Stadt und ließ folgendes erklären: Wer der Königin beigelegen hat, »soll sich zum Zweikampf stellen, wenn er ihn wagt und von der Königin dazu bestimmt ist, sie und ihr Land gegen mich zu verteidigen. Unter dieser Bedingung soll Waffenstillstand sein zwischen beiden Heeren.«

Als er durch solche Botschaft zum Kampf herausgefordert wurde, war Parzival von Herzen froh. Der furchtlose Jüngling erwiderte: »Ich verbürge mich mit meiner Ehre, daß mir aus unserm Heer niemand helfen wird, wenn ich in Bedrängnis geraten sollte.« Also wurde zwischen den beiden Heeren Waffenstillstand geschlossen, und die beiden Kampfschmiede Parzival und Clamide wappneten sich. Der König von Brandigan schwang sich auf einen gepanzerten Kastilianer mit Namen Guverjorz. Clamides Vetter Grigorz, König von Ipotente, hatte es ihm mit anderen kostbaren Geschenken aus dem Norden über den Uckersee

      ez brâhte cuns Nârant,
      und dar zuo tûsent sarjant
15   mit harnasche, al sunder schilt.
      den was ir solt alsus gezilt,
      volleclîchen zwei jâr,
      ob diu âventiure sagt al wâr.
      Grîgorz im sande ritter cluoc,
20   vünf hundert (ieslîcher truoc
      helm ûf houbt gebunden),
      die wol mit strîte kunden.
      dô hete Clâmidês her
      ûf dem lande und in dem mer
25   Pelrapeire alsô belegen,
      die burgaer muosen kumbers pflegen.
        ûz kom geriten Parzivâl
      an daz urteillîche wal,
      dâ got erzeigen solde
      ob er im lâzen wolde
211 des künec Tampenteires barn.
      stolzlîche er kom gevarn,
      niwan als daz ors den walap
      vor der rabbîne gap.
5   daz was gewâpent wol vür nôt:
      von samît ein decke rôt
      Lac ûf der îserînen.
      an im selben liez er schînen
      rôt schilt, rôt kursît.
10   Clâmidê erhuop den strît.
      kurz ein unbesniten sper
      brâht er durch tjoste vellen her,
      dâ mit er nam den poinder lanc.
      Guverjorz mit hurte spranc.
15   wol dâ getjostieret wart
      von den zwein jungen âne bart
      sunder fâlieren.
      von liuten noch von tieren

gesandt. Gebracht hatte die Geschenke der Graf von Narant
in Begleitung von eintausend gewappneten Fußknechten,
denen nur die Schilde fehlten. Wenn man der Erzählung
trauen darf, hatten sie den Sold zwei Jahre im voraus erhal-
ten. Außerdem hatte Grigorz seinem Vetter fünfhundert
erprobte, helmbewehrte und kampfestüchtige Ritter
geschickt, die Clamides Heer dabei unterstützten, Pelrapeire
von Land und Meer her einzuschließen, so daß es den
Stadtbewohnern übel genug ergangen war.

Parzival ritt auf den Kampfplatz, wo das entscheidende
Treffen stattfinden und Gott offenbaren sollte, ob ihm die
Tochter König Tampenteires bestimmt war oder nicht.
Hoch aufgerichtet sprengte er im Galopp heran, ohne sein
Roß schon zur Karriere zu spornen. Man hatte es für diesen
Kampf gut gepanzert. Über dem Kettenpanzer lag eine
rotsamtene Decke. Parzival trug einen leuchtendroten Schild
und einen Waffenrock von gleicher Farbe. Der Kampf
wurde von Clamide eröffnet, der mit einer kurzen, unge-
glätteten Lanze bewaffnet war, mit der er seinen Gegner
niederwerfen wollte. Er nahm weiten Anlauf, sein Roß
Guverjorz brauste heran, und nun begann zwischen den
beiden bartlosen Jünglingen ein Zweikampf nach allen
Regeln der Kunst. Nie haben Menschen und Tiere härter
gekämpft! Die Pferde dampften vor Anstrengung; die Ritter

      wart nie gestriten herter kampf.
20   ieweder ors von müede dampf.
         sus heten si gevohten,
      daz diu ors niht mêre enmohten:
      dô sturzten si dar under,
      ensamt, niht besunder.
25   ir ieweder des geruochte,
      das er daz viur im helme suochte.
      sine mohten vîrens niht gepflegen,
      in was ze werke aldâ gegeben.
      dô zerstuben in die schilde,
      als der mit schimpfe spilde
212   und vedern würfe in den wint.
      dennoch was Gahmuretes kint
      ninder müede an keinem lide.
      dô wânde Clâmidê, der vride
5   waere gebrochen ûz der stat:
      sînen kampfgenôz er bat
      daz er sich selben êrte
      und mangen würfe werte.
      Ez giengen ûf in slege grôz:
10   die wârn wol mangen steins genôz.
      sus antwurt im des landes wirt
      ›ich waen dich mangen wurf verbirt:
      wan dâ vür ist mîn triuwe pfant.
      hetest et vride von mîner hant,
15   dir enbraeche mangen swenkel
      brust houbet noch den schenkel.‹
         Clâmidê dranc müede zuo:
      diu was im dennoch gar ze vruo.
      sic gewunnen, sic verlorn,
20   wart sunder dâ mit strîte erkorn.
      doch wart der künec Clâmidê
      an schumpfentiur beschouwet ê.
      mit eime niderzucke
      von Parzivâles drucke

kämpften bis zur völligen Erschöpfung der Tiere, die end-
lich beide unter ihren Reitern zusammenbrachen. Nun ließ
jeder feurige Funken vom Helm seines Gegners sprühen.
Pausen gab es nicht, keiner ließ den andern zur Ruhe
kommen. Die Schilde wurden so schnell in Stücke gefetzt,
als würden Federn spielerisch in die Luft geworfen. Den-
noch fühlte sich Gachmurets Sohn völlig frisch, während
Clamide glaubte, die Städter hätten den Waffenstillstand
gebrochen. Er forderte seinen Gegner auf, an seine Ehre zu
denken und Schleuderwürfe zu verbieten. Die Schwerthiebe
Parzivals prasselten nämlich so gewaltig und rasch auf ihn
nieder, daß sie an Schleudersteine erinnerten. Der Landes-
herr antwortete: »Auf Ehre, dich treffen keine Schleuder-
würfe! Ließe ich meine Hand sinken, würde dir keine
›Schleuder‹ mehr auf Brust, Haupt und Schenkel trom-
meln.«
Clamide ermüdete rascher als sonst, doch wogte der Kampf
lange unentschieden hin und her, bis König Clamide
schließlich unterlag: ein mächtiger Schwerthieb Parzivals
mähte ihn nieder, so daß ihm das Blut aus Ohren und Nase

25   bluot waete ûz ôren und ûz der nasen:
daz machte rôt den grüenen wasen.
er enblôzte im daz houbet schier
von helme und von herssenier.
gein slage saz der betwungen lîp.
der sigehafte sprach ›mîn wîp

213 mac nu belîben vor dir vrî.
nu lerne waz sterben sî.‹
   ›neinâ, werder degen balt.
dîn êre wirt sus drîzecvalt
5   vaste an mir erzeiget,
sît du mich hâst geneiget.
wâ möht dir hôher prîs geschehen?
Condwîr âmûrs mac wol jehen
daz ich der unsaelige bin
10 unt dîn gelücke hât gewin.
Dîn lant ist erloeset,
als der sîn schif eroeset:
ez ist vil deste lîhter.
mîn gewalt ist sîhter,
15 reht manlîchiu wünne
ist worden an mir dünne.
durch waz soltstu mich sterben?
ich muoz doch laster erben
ûf alle mîne nâchkumen.
20 du hâst den prîs und den vrumen.
tuostu mir mêr, deist ân nôt.
ich trage den lebendigen tôt,
sît ich von ir gescheiden bin,
diu mir herze unde sin
25 ie mit ir gewalt beslôz,
unt ich des nie gein ir genôz.
des muoz ich unsaelic man
ir lîp ir lant dir ledec lân.‹
   dô dâhte der den sic hât
sân an Gurnemanzes rât,

schoß und den grünen Rasen rötete. Parzival riß ihm Helm und Kettenhaube herunter, und der Besiegte, der betäubt am Boden saß, erwartete wehrlos den Todesstreich. Der Sieger rief: »Nie wieder wirst du meine Frau bedrängen! Lerne jetzt, was Sterben heißt!«

»Halt ein, edler, kühner Held! Du hast mich bezwungen, und damit ist deine Ehre schon dreißigmal größer als vorher. Wie willst du deinen Ruhm noch mehren? Mit Recht kann Condwiramurs mich den unglücklichen Verlierer und dich den glücklichen Sieger nennen. Du hast dein Land befreit! Wie ein geleertes Schiff nach oben steigt, so hat meine Macht an Gewicht verloren. Verblaßt ist mein Heldenglück! Was nützt es dir, mich zu erschlagen? Die erlittene Schmach wird sich noch bis auf den letzten meiner Nachkommen forterben! Du hast Sieg und Ruhm errungen! Töten mußt du mich nicht, denn ich bin schon jetzt ein lebender Toter: verloren habe ich die Frau, die Herz und Sinne mir in Bande schlug und mich doch nie erhörte! Sie und ihr Land muß ich Unglücklicher dir lassen!«

Da dachte der Sieger daran, daß Gurnemanz ihn gelehrt

214 daz ellenthafter manheit
erbärme solte sîn bereit.
sus volget er dem râte nâch:
hin ze Clâmidê er sprach
5 ›ichne wil dich niht erlâzen,
ir vater, Lîâzen,
dune bringest im dîn sicherheit.‹
›nein, hêr, dem hân ich herzeleit
getân, ich sluog im sînen sun:
10 dune solt alsô mit mir niht tuon.
durch Condwîr âmûrs
vaht ouch mit mir Schenteflûrs:
Ouch waere ich tôt von sîner hant,
wan daz mir half mîn scheneschlant.
15 in sande inz lant ze Brôbarz
Gurnemanz de Grâharz
mit werdeclîcher heres craft.
dâ tâten guote ritterschaft
niun hundert ritter die wol striten
20 (gewâpent ors die alle riten)
und vünfzehen hundert sarjant
(gewâpent ich si in strîte vant:
den gebrast niht wan der schilte).
sîns heres mich bevilte:
25 ir kom ouch kûme der sâme wider.
mêr helde verlôs ich sider.
nu darbe ich vröude und êre.
wes gerstu von mir mêre?‹
›ich wil senften dînen vreisen.
var gein den Berteneisen
215 (dâ vert ouch vor dir Kingrûn)
gein Artûse dem Bertûn.
dem soltu mînen dienest sagen:
bit in daz er mir helfe clagen
5 laster daz ich vuorte dan.
ein juncvrouwe mich lachte an:

hatte, kraftvoll-kühne Männlichkeit mit Erbarmen zu paaren. Er folgte der Lehre und sprach zu Clamide: »Du mußt aber dein Unterwerfungsgelöbnis vor Liazes Vater tun!«

»Nur dies nicht, Herr! Ich erschlug seinen Sohn und fügte ihm dadurch bitteres Herzeleid zu. Verlange nur dies nicht von mir! Ich kämpfte mit Schenteflurs um Condwiramurs, und er hätte mich getötet, wäre mir nicht mein Seneschall zu Hilfe geeilt. Gurnemanz von Graharz sandte seinen Sohn mit einem großen Heer nach Brobarz: neunhundert kampferprobte Ritter auf Panzerrossen und eintausendfünfhundert gewappnete Fußknechte, denen nur die Schilde fehlten. Sie kämpften gut und machten mir arg zu schaffen, doch fast alle sind im Kampf gefallen. Später hat mich dieser Krieg allerdings noch größere Menschenopfer gekostet, so daß ich Glück und Ehre verloren habe. Was verlangst du also noch?«

»Ich will dich nicht länger ängstigen. Reite zu dem Bretonen Artus; auch Kingrun ist zu ihm geritten. Sage ihm, ich stehe ihm zu Diensten, doch er möge die Schmach beklagen, die mir beim Abschied widerfuhr und mein Begleiter war. Mich

daz man die durch mich zeblou,
sô sêre mich nie dinc gerou.
der selben sage, ez sî mir leit,
10   und bringe ir dîne sicherheit
sô daz du leistes ir gebot:
oder nim alhie den tôt.‹
    ›sol daz geteilte gelten,
sone wil ichz niht beschelten:‹
15   Sus sprach der künec von Brandigân:
›ich wil die vart von hinnen hân.‹
mit gelübde dô dannen schiet
den ê sîn hôchvart verriet.
Parzivâl der wîgant
20   gienc da er sîn ors al müede vant.
sîn vuoz dernâch nie gegreif,
er spranc drûf âne stegreif,
daz alumbe begunden zirben
sîn verhouwene schildes schirben.
25   des wârn die burgaere gemeit:
daz ûzer her sach herzeleit.
brât und lide im tâten wê:
man leite den künec Clâmidê
dâ sîne helfaer wâren.
die tôten mit den bâren
216   vrümte er an ir reste.
dô rûmden daz lant die geste.
Clâmidê der werde
reit gein Löver ûf die erde.
5   ensamt, niht besunder,
die von der tavelrunder
wârn ze Dîanazdrûn
bî Artûse dem Bertûn.
ob ich iu niht gelogen hân,
10   von Dîanazdrûn der plân
muose zeltstangen wonen
mêr danne in Spehteshart sî ronen:

hat eine Jungfrau angelacht, und daß man sie meinetwegen schlug, hat mich tiefer als alles andere getroffen. Vor dieser Jungfrau sollst du dein Unterwerfungsgelöbnis tun. Sage ihr, das Geschehene täte mir weh, und erfülle ihr jeden Wunsch. Tust du das nicht, stirbst du auf der Stelle.«

Da erwiderte der König von Brandigan: »Wenn ich zwischen diesen Möglichkeiten wählen muß, entscheide ich mich für die letztere und reite hin.«

Mit diesem Gelöbnis nahm der Abschied, den sein Hochmut zu Fall gebracht hatte. Der heldenhafte Parzival schritt zu seinem erschöpften Roß. Mit einem Satz, ohne den Steigbügel zu benutzen, sprang er in den Sattel, so daß die Reste seines zerhauenen Schildes nur so herumwirbelten.

Die Städter waren überglücklich, doch im Belagerungsheer, wo man die Niederlage Clamides beobachtet hatte, war man sehr niedergeschlagen. König Clamide, dessen Muskeln und Glieder schmerzten, wurde von den Seinen ins Heerlager geführt. Er ließ die Toten auf Tragbahren einsammeln und bestatten. Sein Heer zog davon, der edle Clamide aber ritt nach Löver.

Die Ritter der Tafelrunde hatten sich in Dianasdrun bei dem Bretonen Artus versammelt. Ich versichere euch, die Ebene von Dianasdrun trug mehr Zeltstangen, als der Spessart

---

Löver: ein Gebiet des Artus.

mit sölher messnîe lac
durch hôchgezît den pfinxtac
15 Artûs mit maneger vrouwen.
ouch mohte man dâ schouwen
Mange baniere unde schilt,
den sunderwâpen was gezilt,
manegen wol gehêrten rinc.
20 ez diuhten nu vil grôziu dinc:
wer möht diu reiselachen
solhem wîbe her gemachen?
ouch wânde dô ein vrouwe sân,
si solt den prîs verloren hân,
25 hete si dâ niht ir âmîs.
ich entaete es niht deheinen wîs
(ez was dô manec tumber lîp),
ich braehte ungerne nu mîn wîp
in alsô grôz gemenge:
ich vorhte unkunt gedrenge.
217 etslîcher hin ze ir spraeche,
daz in ir minne staeche
und im die vröude blante:
ob si die nôt erwante,
5 daz diente er vor unde nâch.
mir waere ê mit ir dannen gâch.
  ich hân geredet umb mîn dinc:
nu hoert wie Artûses rinc
sunder was erkenneclîch.
10 vor ûz mit maneger schoie rîch
diu messnîe vor im az,
manc werder man gein valsche laz,
und manec juncvrouwe stolz,
daz niht wan tjoste was ir bolz:
15 ir vriunt si gein dem vîende schôz:
lêrt in strît dâ kumber grôz,
sus stuont lîht ir gemüete
daz siz galt mit güete.

Bäume hat. Mit großem Gefolge und vielen Edelfrauen feierte Artus das Pfingstfest. Zahlreiche Banner und Schilde mit den verschiedensten Wappenzeichen und viele prunkvolle Zelte konnte man sehen. Heutzutage ist so etwas kaum vorstellbar, denn wer könnte einer solchen Frauenschar auch nur die Reisekleider stellen! Und jede der anwesenden Damen hätte es als Herabsetzung empfunden, wäre nicht ihr Anbeter an ihrer Seite gewesen. Es gab dort allerdings auch viele Grünschnäbel, und ich hätte mich gehütet, diesem Gewühl mein Eheweib anzuvertrauen! Ich wäre unruhig geworden, wenn so viele unbekannte Gesichter sie umdrängt hätten. Der eine oder andere hätte ihr womöglich erklärt, er liebe sie heiß und die Liebespein verdunkle sein Lebensglück; stets wolle er ihr dienen, wenn sie ihn nur von dieser Qual erlöse! Ich hätte mich gewiß vorher mit ihr aus dem Staube gemacht.

Nun habe ich schon wieder von mir gesprochen! Hört also, woran man das Zelt des Artus erkennen konnte: vor dem Zelt saß sein ganzes Gefolge vergnügt bei der Tafel. Da gab es viele edle, ehrenfeste Ritter und ebenso viele reizende Jungfrauen, die nur ans Lanzenstechen dachten und ihre Anbeter wie Armbrustbolzen gegen die Feinde schossen. Erging es ihnen übel im Kampfe, dann vergalten sie die erlittenen Schmerzen vielleicht mit Freundlichkeit.

    Clâmidê der jungelinc
20 reit mitten in den rinc.
   verdecket ors, gewâpent lîp,
   sach an im Artûses wîp,
   sîn helm, sîn schilt verhouwen:
   daz sâhen gar die vrouwen.
25 sus was er ze hove komen.
   ir habet ê wol vernomen
   daz er des wart betwungen.
   er erbeizte. vil gedrungen
   wart sîn lîp, ê er sitzen vant
   vroun Cunnewâren de Lâlant.

218 dô sprach er ›vrouwe, sît ir daz,
   der ich sol dienen âne haz?
   ein teil mich es twinget nôt.
   sîn dienst iu enbôt der ritter rôt.
5 der wil vil ganze pflihte hân
   swaz iu ze laster ist getân,
   ouch bitet erz Artûse clagen.
   ich waene ir sît durch in geslagen.
   vrouwe, ich bringe iu sicherheit.
10 sus gebôt der mit mir streit:
   nu leist ichz gerne, swenne ir welt.
   mîn lîp gein tôde was verselt.‹
     vrou Cunnewâre de Lâlant
   greif an die gîserten hant,
15 aldâ vrou Ginovêr saz,
   diu âne den künec mit ir az.
   Keie ouch vor dem tische stuont,
   aldâ im wart diz maere kunt.
   der widersaz im ein teil:
20 des wart vrou Cunnewâre geil.
     Dô sprach er ›vrouwe, dirre man,
   swaz der hât gein iu getân,
   des ist er vaste underzogen.
   doch waene ich des, er ist ûf gelogen.

Der Jüngling Clamide ritt geradewegs in den Zeltring des
Artus. Die Gemahlin des Königs und die andern Frauen
blickten erstaunt auf das gepanzerte Roß und den gewapp-
neten Reiter, dessen Helm und Schild arg mitgenommen
waren. Ihr habt ja bereits gehört, wie er gezwungen wurde,
in diesem Aufzug am Artushof zu erscheinen. Nachdem er
vom Roß gestiegen war, drängte er sich durch die Schar der
Neugierigen zu Frau Cunneware von Lalant und sprach:
»Seid Ihr es, edle Frau, der ich zu Diensten sein soll? Ich tue
es allerdings nicht ganz freiwillig. Der Rote Ritter läßt Euch
sagen, daß er Euch zu Diensten steht und die Euch wider-
fahrene Schmach zu seiner eignen Sache macht. Außerdem
hat er mich gebeten, in dieser Angelegenheit vor Artus Klage
zu führen. Wenn ich nicht irre, seid Ihr seinetwegen gezüch-
tigt worden. Edle Frau, ich will Euch mein Unterwerfungs-
gelöbnis leisten, wie es mein ritterlicher Gegner befahl. Seid
Ihr einverstanden, so leiste ich es gern, war ich doch schon
dem Tode verfallen.«
Da ergriff Frau Cunneware von Lalant seine gepanzerte
Hand. Frau Ginover, die in Abwesenheit des Königs tafelte,
saß ganz in der Nähe. Aber auch Keye stand am Tisch und
hörte die Neuigkeit. Nun fuhr ihm denn doch der Schreck in
die Glieder, worüber sich Frau Cunneware unverhohlen
freute. Er aber sprach zu ihr: »Edle Frau, dieser Ritter ist zu
seinem Tun gezwungen worden, doch man hat ihn offenbar

25   ich tetz durch hoflîchen site
      und wolte iuch hân gebezzert mite:
      dar umbe hân ich iuwern haz.
      iedoch wil ich iu râten daz,
      heizt entwâpen disen gevangen:
      in mac hie stêns erlangen.‹

219   im bat diu juncvrouwe fier
      ab nemen helm unt daz hersnier.
      dô manz von im stroufte unde bant,
      Clâmidê wart schiere erkant.
5   Kingrûn sach dicke
      an in kuntlîche blicke.
      dô wurden an den stunden
      sîn hende alsô gewunden,
      daz si begunden crachen
10   als die dürren spachen.
         den tisch stiez von im zehant
      Clâmidês scheneschlant.
      sînen hêrren vrâgte er maere:
      den vant er vröuden laere.
15   der sprach ›ich bin ze schaden geborn.
      ich hân sô wirdic her verlorn,
      daz muoter nie gebôt ir brust
      dem der erkante hôher vlust.
      mich enriuwet niht mîns heres tôt
20   dâ gegen: minne mangels nôt
      lestet ûf mich sölhen last,
      mir ist vröude gestîn, hôchmuot gast.
      Condwîr âmûrs vrumt mich grâ.
      Pilâtus von Poncîâ,
25   und der arme Jûdas,
      der bî eime kusse was
      an der triuwenlôsen vart
      dâ Jêsus verrâten wart,
      swie daz ir schepfaer raeche,
      die nôt ich niht verspraeche,

falsch unterrichtet. Ich handelte, wie es bei Hofe Brauch ist, und wollte Euch nur besseres Benehmen lehren. Ihr aber grollt mir. Folgt meinem Rat und laßt den Gefangenen von seiner Rüstung befreien. Er hat schon lange genug stehen müssen.«

Da bat die liebliche Jungfrau, ihm Helm und Kettenhaube abzunehmen. Nachdem man die Bänder gelöst und die Rüstungsteile entfernt hatte, erkannte man Clamide. Auch Kingrun erkannte ihn auf den ersten Blick; vor Verzweiflung rang er die Hände, daß sie knackten wie dürre Holzscheite. Aufspringend stieß er den Tisch zurück und fragte seinen Herrn, was geschehen sei. Niedergeschlagen antwortete Clamide: »Seit meiner Geburt verfolgt mich das Unheil! Ich verlor ein so glänzendes Heer, daß kein Mensch, den eine Mutter je an ihrer Brust gestillt hat, größeren Verlust hinnehmen mußte. Doch mehr als der Verlust meines Heeres schmerzt mich, daß ich auf meine Liebe verzichten muß. Der erzwungene Verzicht lastet so schwer auf mir, daß Glück und Frohsinn dahin sind. Condwiramurs ließ meine Schläfen grau werden. Welche Strafe Gottes den Pilatus von Poncia oder den elenden Judas, der mit seinem Kuß am schändlichen Verrat Jesu beteiligt war, getroffen hat, ich wollte alle Qualen auf mich nehmen, wäre nur die Herrsche-

220   daz Brôbarzaere vrouwen lîp
      mit ir hulden waer mîn wîp,
      sô daz ich si umbevienge,
      swie ez mir dar nâch ergienge.
  5   ir minne ist leider verre
      dem künec von Iserterre.
      mîn lant unt daz volc ze Brandigân
      müezens immer jâmer hân.
      mîns vetern sun Mâbonagrîn
 10   leit ouch dâ ze langen pîn.
      nu bin ich, künec Artûs,
      her geriten in dîn hûs,
      betwungen von ritters hant.
      du weist wol daz in mîn lant
 15   dir manec laster ist getân:
      des vergiz nu, werder man.
      die wîle ich hie gevangen sî,
      lâz mich sölhes hazzes vrî.
      mich sol vrou Cunnewâre
 20   ouch scheiden von dem vâre,
      diu mîne sicherheit enpfienc,
      dô ich gevangen vür si gienc.‹
      Artûses vil getriuwer munt
      verkôs die schulde sâ zestunt.

 25   Dô vriesch wîb unde man
      daz der künec von Brandigân
      was geriten ûf den rînc.
      nu dar nâher dringâ drinc!
      schiere wart daz maere breit.
      mit zühten iesch gesellekeit
221   Clâmidê der vröuden âne:
      ›ir sult mich Gâwâne
      bevelhen, vrouwe, bin ichs wert.
      sô weiz ich wol daz ers ouch gert.
  5   leist er dar an iuwer gebot,
      er êrt iuch unt den ritter rôt.‹

rin von Brobarz mein liebend Weib, könnte ich sie in meine
Arme schließen! Was danach käme, wäre mir gleich! Doch
leider verschmäht sie den König von Iserterre! Mein Land,
mein Volk zu Brandigan werden dies nie verwinden, so wie
in Brandigan auch mein Vetter Mabonagrin lange genug
schwere Mühsal auf sich nehmen mußte. König Artus, von
eines Ritters Hand besiegt, habe ich zu dir reiten müssen.
Du weißt sehr wohl, daß dir in meinem Reiche viel Arges
widerfahren ist. Vergiß dies, edler Mann! Übe während
meiner Gefangenschaft nicht zornig Vergeltung. Frau Cun-
neware, der ich mich als Gefangener unterworfen habe,
nehme mich in ihre Hut!« Der großmütige Artus aber
verzieh ihm ohne weiteres.
Als die Frauen und Männer des Lagers erfahren hatten, der
König von Brandigan sei eingetroffen, herrschte ein großes
Gedränge von Neugierigen, da sich die Nachricht wie ein
Lauffeuer verbreitet hatte. Der betrübte Clamide bat höf-
lich, sich den anderen Rittern anschließen zu dürfen: »Wenn
Ihr mich für würdig haltet, edle Frau, so stellt mich Gawan
vor! Ich bin sicher, er wird es Euch nicht abschlagen. Erfüllt
er Euern Wunsch, so ehrt er Euch und den Roten Ritter.«

Mabonagrin ... Mühsal: Die Aussage bezieht sich wohl auf die Kämpfe, die
Mabonagrin bei der Verteidigung von *Schoydelacurt* (s. Anm. zu S. 305)
auszufechten hatte.

Artûs bat sîner swester sun
gesellekeit dem künege tuon:
daz waere iedoch ergangen.
10 dô wart wol enpfangen
von der werden massenîe
der betwungene valsches vrîe.
  ze Clâmidê sprach Kingrûn
›ôwê daz ie kein Bertûn
15 dich betwungen sach ze hûs!
noch rîcher denne Artûs
waer du helfe und urborn,
und hetes dîne jugent bevorn.
sol Artûs dâ von prîs nu tragen,
20 daz Kai durch zorn hât geslagen
ein edele vürstinne,
diu mit herzen sinne
ir mit lachen hât erwelt
der âne liegen ist gezelt
25 mit wârheit vür den hôhsten prîs?
die Berteneise ir lobes rîs
Waenent nu hôch gestôzen hân:
âne ir arbeit istz getân,
daz tôt her wider wart gesant
der künec von Kukûmerlant,
222 unt daz mîn hêrre im siges jach
den man gein im in kampfe sach.
der selbe hât betwungen mich
gar âne haelingen slich.
5 man sach dâ viur ûz helmen waen
unt swert in henden umbe draen.‹
  dô sprâchen si alle gelîche,
beide arme und rîche,
daz Keie hete missetân.
10 hie sule wir diz maere lân,
und komen es wider an die vart.
daz wüeste lant erbûwen wart,

Darauf bat Artus selbst seinen Neffen, König Clamide in die
Gemeinschaft seiner Freunde aufzunehmen, was ohnehin
geschehen wäre. Freundschaftlich empfing die Runde der
Edlen den zwar besiegten, doch aufrechten Ritter. Kingrun
aber raunte Clamide zu: »Zum Teufel, wenn dich doch nie
ein Bretone hier als Besiegten gesehen hätte! Du bist mächti-
ger und reicher als Artus, und dazu hast du ihm die Jugend
voraus! Soll dieser Artus nur deshalb zu Ruhm und Ehre
kommen, weil Keye im Zorn eine edle Fürstin verprügelt
hat? Sie folgte der Stimme ihres Herzens und ehrte durch ihr
Lachen den, der fraglos höchsten Ruhm errungen hat! Die
Bretonen sind jetzt des Glaubens, ihr Ruhmesbaum sei
gewaltig in die Höhe geschossen! Dabei haben sie keinen
Finger gerührt, als Ither, der König von Kukumerland, tot
in die Stadt gebracht wurde oder als Ihr vor Pelrapeire
Euerm Gegner unterlagt. Auch mich hat er in ehrlichem
Kampf bezwungen. Ja, dort sah man Funken von den
Helmen sprühen und Schwerter durch die Luft wirbeln!«
Bei Hofe aber waren sich alle darin einig, daß Keye übel
gehandelt habe.
Nun laßt uns hier abbrechen und wieder zu unserm anderen
Schauplatz zurückkehren. Das verwüstete Land, in dem

dâ crône truoc Parzivâl:
man sach dâ vröude unde schal.
15   sîn sweher Tampenteire
liez im ûf Pelrapeire
lieht gesteine und rôtez golt:
daz teilte er sô daz man im holt
was durch sîne milte.
20   vil banier, niuwe schilte,
des wart sîn lant gezieret,
und vil geturnieret
von im und von den sînen.
er liez dick ellen schînen
25   an der marc sîns landes ort,
der junge degen unervorht.
sîn tât was gein den gesten
geprüevet vür die besten.
       Nu hoert ouch von der künegîn.
wie möht der immer baz gesîn?
223   diu junge süeze werde
het den wunsch ûf der erde.
ir minne stuont mit sölher craft,
gar âne wankes anehaft.
5   si hete ir man dâ vür erkant,
iewederz an dem andern vant,
er was ir liep, als was si im.
swenn ich daz maere an mich nu nim,
daz si sich müezen scheiden,
10   dâ wehset schade in beiden.
ouch riuwet mich daz werde wîp.
ir liute, ir lant, dar zuo ir lîp
schiet sîn hant von grôzer nôt;
dâ gein si im ir minne bôt.
15   eins morgens er mit zühten sprach
(manc ritter ez hôrte unde sach)
›ob ir gebietet, vrouwe,
mit urloube ich schouwe

Parzival jetzt die Krone trug, wurde wieder aufgebaut, und
bald herrschte von neuem Frohsinn und festliche Gesellig-
keit. Der verstorbene Schwiegervater Tampenteire hatte
Parzival in Pelrapeire glänzende Edelsteine und rotes Gold
in Fülle hinterlassen. Das verteilte er unter die Bedürftigen,
und man liebte ihn ob seiner Freigebigkeit. Bald tauchten zu
seines Reiches Ruhm auch wieder viele Banner und neue
Schilde auf, denn er wie die Seinen veranstalteten zahlreiche
Turniere. Oft ließ der furchtlose junge Held an den Grenzen
seines Reiches fremde Eindringlinge seine Heldenstärke füh-
len, und man rühmte seine Kampfestaten als die gewaltig-
sten, die je vollbracht wurden.

Hört nun von der Königin! Hätte es ihr je besser gehen
können? Die liebliche, edle junge Frau sah alle ihre Wünsche
auf Erden erfüllt. Ihre Liebe war stark und unerschütterlich,
und von ihrem Manne wußte sie, daß er sie ebenso liebte wie
sie ihn. Wenn ich nun davon erzähle, daß sie voneinander
scheiden mußten, so wäre hinzuzufügen, daß ihnen der
Abschied viel Leid bringen sollte. Vor allem die edle Frau
bedaure ich! Nachdem Parzival ihr Volk, ihr Land und sie
selbst aus großer Not erlöst hatte, hatte sie ihm ihre Liebe
geschenkt. Eines Morgens nun sprach er vor Aug und Ohr
vieler Ritter: »Edle Frau, wenn Ihr erlaubt, möchte ich

wie ez umbe mîne muoter stê.
20   ob der wol oder wê
sî, daz ist mir harte unkunt.
dar wil ich ze einer kurzen stunt,
und ouch durch âventiure zil.
mag ich iu gedienen vil,
25   daz giltet iuwer minne wert.‹
sus het er urloubes gegert.
er was ir liep, so daz maere giht:
sine wolde im versagen niht.
von allen sînen mannen
schiet er al eine dannen.

fortziehen und erkunden, wie es um meine Mutter ste[...]
weiß nicht, ob es ihr gut geht oder schlecht, und möchte ihr
daher einen kurzen Besuch abstatten, vielleicht auch unter-
wegs, wenn es sich so fügt, das eine oder andre Abenteuer
bestehen. Diene ich Euch mit ritterlichen Taten, so lohnt es
mir später mit Eurer Liebe.«
Er bat also um Urlaub, und da sie ihn – wie es in der
Erzählung heißt – liebte, wollte sie seine Bitte nicht abschla-
gen. Parzival ließ all sein Gefolge zurück und zog allein von
dannen.

V.

224 Swer ruochet hoeren war nu kumt
den âventiur hât ûz gevrumt,
der mac grôziu wunder
merken al besunder.

5 lât rîten Gahmuretes kint.
swâ nu getriuwe liute sint,
die wünschen im heiles: wan ez muoz sîn
daz er nu lîdet hôhen pîn,
etswenne ouch vröude und êre.

10 ein dinc in müete sêre,
daz er von ir gescheiden was,
daz munt von wîbe nie gelas
noch sus gesagte maere,
diu schoener und bezzer waere.

15 gedanke nâch der künegin
begunden crenken im den sin:
den müese er gar verloren hân,
waerz niht ein herzehafter man.
    mit gewalt den zoum daz ros

20 truog über ronen und durch daz mos:
wande ez wîste niemens hant.
uns tuot diu âventiure bekant
daz er bî dem tage reit,
ein vogel hete es arbeit,

25 solt erz allez hân ervlogen.
mich enhab diu âventiure betrogen,
sîn reise unnâch was sô grôz
des tages do er Ithêren schôz,
unt sît dô er von Grâharz
kom in daz lant ze Brôbarz.

Fünftes Buch

Wer hören möchte, wohin Parzival in seinem Drang nach
Abenteuern gelangte, der wird bald erstaunliche Dinge
erfahren. Laßt nur Gachmurets Sohn dahinreiten! Überall,
wo es wohlmeinende Menschen gibt, möge man ihm Glück
auf den Weg wünschen, denn ihm ist bestimmt, schwere
Not zu leiden, doch später wird er auch Glück und Ehre
gewinnen. Jetzt aber lag es ihm schwer auf der Seele, daß er
von seiner Frau Abschied nehmen mußte, die liebreizender
und herrlicher war als alle Frauen, von denen man je las oder
hörte. Der Gedanke an Condwiramurs bedrückte ihn so
sehr, daß er allen Lebensmut verloren hätte, wäre er nicht
solch beherzter Ritter gewesen. Er überließ seinem Roß die
Zügel, und das trabte nun, mit locker hängendem Zaum,
ohne Leitung des Reiters über Baumstrünke und Moosflech-
ten hinter ihm her. In der Erzählung wird berichtet, er habe
an einem einzigen Tage eine solche Strecke Weges zurückge-
legt, wie sie auch ein Vogel nur mit größter Anstrengung
bewältigt hätte. Wenn dieser Bericht stimmt, so ritt er weiter
noch als damals, da er Ither durchbohrt hatte oder als er von
Graharz in das Land Brobarz gekommen war.

225   Welt ir nu hoeren wie ez im gestê?
        er kom des âbents an einen sê.
        dâ heten geankert weideman:
        den was daz wazzer undertân.
  5   dô si in rîten sâhen,
        si wârn dem stade sô nâhen
        daz si wol hôrten swaz er sprach.
        einen er im schiffe sach:
        der hete an im alsolh gewant,
 10   ob im dienden elliu lant,
        daz ez niht bezzer möhte sîn.
        gefurriert sîn huot was pfâwîn.
        den selben vischaere
        begunde er vrâgen maere,
 15   daz er im riete durch got
        und durch sîner zühte gebot,
        wa er herberge möhte hân.
        sus antwurte im der trûric man.
        er sprach ›hêr, mir ist niht bekant
 20   daz weder wazzer oder lant
        inre drîzec mîlen erbûwen sî.
        wan eins hûs lît hie bî:
        mit triuwen ich iu râte dar:
        war möht ir tâlanc anderswar?
 25   dort an des velses ende
        dâ kêrt zer zeswen hende.
        so ir ûf hin komet an den graben,
        ich waen dâ müezt ir stille haben.
        bit die brücke iu nider lâzen
        und offen iu die strâzen.‹
226   Er tete als im der vischer riet,
        mit urloube er dannen schiet.
        er sprach ›komt ir rehte dar,
        ich nime iuwer hînt selbe war:
  5   sô danket als man iuwer pflege.
        hüet iuch: dâ gênt unkunde wege:

Wollt ihr hören, was er erlebte? Am Abend gelangte er an einen See, wo Fischer mit ihrem Boot vor Anker lagen; ihnen gehörte dieser See. Sie waren dem Ufer nahe genug, um alles zu hören, was der heranreitende Parzival ihnen zurief. Er entdeckte im Boot einen Mann, der so prächtige Kleider trug, wie sie ein Herrscher über alle Reiche dieser Erde nicht prächtiger besitzen könnte. Sein warm gefütterter Hut war mit Pfauenfedern geschmückt. An diesen Fischer wandte sich Parzival und bat, ihm um Gottes willen und als wohlerzogener Mensch zu sagen, wo eine Herberge zu finden sei. Der Mann, von tiefem Gram gezeichnet, erwiderte: »Herr, meines Wissens sind Land und Gewässer im Umkreis von dreißig Meilen völlig menschenleer, abgesehen von einer Burg hier in der Nähe, zu der ich Euch guten Gewissens weisen kann. Wohin sonst wolltet Ihr zu dieser Tageszeit? Wendet Euch am Fuße jenes Felsens nach rechts. Wenn Ihr an den Burggraben gelangt, werdet Ihr Euch wahrscheinlich etwas gedulden müssen. Bittet, daß man die Zugbrücke herunterlasse und Euch Einlaß gewähre.«
Parzival befolgte den Rat des Fischers und machte sich nach einem Abschiedsgruß auf den Weg. Der Fischer rief ihm noch zu: »Wenn Ihr richtig hinkommt, werde ich heute abend selbst für Euer Wohl sorgen. Bemeßt Euern Dank danach, wie man Euch aufnimmt. Seht Euch aber vor: Es

ir muget an der lîten
wol misserîten,
deiswâr des ich iu doch niht gan.‹

10 Parzivâl der huop sich dan,
er begunde wackerlîchen draben
den rehten pfat unz an den graben.
dâ was diu brücke ûf gezogen,
diu burc an veste niht betrogen.

15 si stuont reht als si waere gedraet.
ez envlüge oder hete der wint gewaet,
mit sturme ir niht geschadet was.
vil türne, manec palas
dâ stuont mit wunderlîcher wer.

20 ob si suochten elliu her,
sine gaeben vür die selben nôt
ze drîzec jâren niht ein brôt.
    ein knappe des geruochte
und vrâgte in waz er suochte

25 oder wann sîn reise waere.
er sprach ›der vischaere
hât mich von im her gesant.
ich hân genigen sîner hant
niwan durch der herberge wân.
er bat die brücken nider lân,

227 und hiez mich zuo ze iu rîten în.‹
    ›hêrre, ir sult willekomen sîn.
sît es der vischaere verjach,
man biut iu êre unt gemach

5 durch in der iuch sande wider‹,
sprach der knappe und lie die brücke nider.
    In die burc der küene reit,
ûf einen hof wît unde breit.
durch schimpf er niht zetretet was

10 (dâ stuont al kurz grüene gras:
dâ was bûhurdiern vermiten),
mit baniern selten überriten,

gibt dort auch Irrwege, und am Felshang könnt Ihr leicht in die Irre reiten. Ich möchte es Euch nicht wünschen.«

Parzival brach auf und trabte unverdrossen auf dem richtigen Weg bis an den Burggraben. Die Brücke war hochgezogen, und die vortrefflich befestigte Burg stand da wie hingemeißelt. Sturmangriffe brauchte sie nicht zu fürchten, es sei denn, die Angreifer hätten Flügel gehabt oder wären vom Wind hineingetragen worden. Viele Türme und Paläste, alle ausgezeichnet bewehrt, standen darin. Wären auch alle Heere der Welt herangezogen, die Verteidiger hätten zu ihrer Rettung nicht einmal ein Brot opfern müssen, und wenn die Belagerung dreißig Jahre gedauert hätte.

Ein Knappe bemerkte den Ankömmling und fragte, was er wünsche und woher er käme. Parzival antwortete: »Mich hat der Fischer hergesandt. Im Vertrauen darauf, hier Unterkunft zu finden, habe ich mich dankbar vor ihm verneigt. Er hieß mich herreiten und läßt bitten, die Zugbrücke niederzulassen.«

»Herr, dann seid willkommen! Da es der Fischer befiehlt, wird man Euch um seinetwillen achtungsvoll und fürsorglich aufnehmen.«

So sprach der Knappe und ließ die Zugbrücke hinab. Der tapfere Parzival ritt in die Burg hinein und auf einen weiträumigen Hof, der keine Spuren von Kampfspielen zeigte, war der Rasen doch überall kurz und grün. Hier gab es offenbar keine Turnierkämpfe; über diesen Hof – wie über

alsô der anger ze Abenberc.
selten vroelîchiu werc

15 was dâ gevrümt ze langer stunt:
in was wol herzen jâmer kunt.
  wênc er des gein in engalt.
in enpfiengen ritter jung unt alt.
vil cleiner junchêrrelîn

20 sprungen gein dem zoume sîn:
ieslîchez vür daz ander greif.
si habten sînen stegreif:
sus muose er von dem orse stên.
in bâten ritter vürbaz gên:

25 die vuorten in an sîn gemach.
harte schiere daz geschach,
daz er mit zuht entwâpent wart.
dô si den jungen âne bart
gesâhen alsus minneclîch,
si jâhen, er waere saelden rîch.

228   Ein wazzer iesch der junge man,
er twuoc den râm von im sân
undern ougen unt an handen.
alte und junge wânden

5 daz von im ander tag erschine.
sus saz der minneclîche wine.
gar vor allem tadel vrî
mit pfelle von Arâbî
man truoc im einen mantel dar:

10 den legt an sich der wol gevar
mit offener snüere.
ez was im ein lobes gevüere.
  dô sprach der kameraere cluoc
›Repanse de schoye in truoc,

15 mîn vrouwe diu künegîn:
ab ir sol er iu gelihen sîn:
wan iu ist niht cleider noch gesniten.
jâ mohte ich si es mit êren biten:

die Wiese von Abenberg – wurden nie die Banner turnieren-
der Scharen getragen. Wenngleich man also unterhaltsame
Kampfspiele seit langem nicht mehr kannte und die Burgin-
sassen tiefes Herzeleid trugen, ließ man Parzival nichts
merken. Zu seiner Begrüßung hatten sich alle Ritter einge-
funden, und einige jugendliche Pagen haschten eifrig nach
seinem Zaum, denn jeder wollte der erste sein. Sie hielten
ihm die Steigbügel, so daß er vom Pferd steigen mußte.
Dann baten ihn die Ritter ins Haus und führten ihn in sein
Gastzimmer. Im Handumdrehen wurde er von der Rüstung
befreit, und als der bartlose Jüngling in der Anmut seiner
Jugend vor ihnen stand, gab es keinen, der ihn nicht für
einen Günstling des Glückes hielt.

Der Jüngling bat um Waschwasser und spülte die Rostflek-
ken von Gesicht und Händen. Als sich der schmucke Gast
zu ihnen gesetzt hatte, schien es allen, er strahle so hell wie
ein neuer Tag. Man brachte einen Mantel aus kostbarer
arabischer Seide, den der schöne Jüngling lose über die
Schultern warf. Man bewunderte ihn unverhohlen, und der
Kämmerer sprach zuvorkommend: »Diesen Mantel trug
meine Herrscherin, Königin Repanse de Schoye, und sie
stellt ihn Euch zur Verfügung, solange man für Euch noch
keine Kleider angefertigt hat. Ich konnte sie guten Gewis-

Abenberg: die Burg Klein-Amberg zwischen Spalt und Schwabach, etwa zwei
Meilen östlich von Eschenbach.
Repanse de Schoye: Schwester des Gralskönigs Anfortas.

wande ir sît ein werder man,
20 ob ichz geprüevet rehte hân.‹
›got lône iu, hêrre, daz irs jeht.
ob ir mich ze rehte speht,
sô hât mîn lîp gelücke erholt:
diu gotes craft gît sölhen solt.‹
25 man schancte im unde pflac sîn sô,
die trûregen wâren mit im vrô.
man bôt im wirde und êre:
wan dâ was râtes mêre
denn er ze Pelrapeire vant,
die dô von kumber schiet sîn hant.
229 Sîn harnasch was von im getragen:
daz begunde er sider clagen,
dâ er sich schimpfes niht versan.
ze hove ein redespaeher man
5 bat komen ze vrävellîche
den gast ellens rîche
zem wirte, als ob im waere zorn.
des hete er nâch den lîp verlorn
von dem jungen Parzivâl.
10 dô er sîn swert wol gemâl
ninder bî im ligen vant,
zer viuste twang er sus die hant
daz daz bluot ûz den nagelen schôz
und im den ermel gar begôz.
15 ›nein, hêrre‹, sprach diu ritterschaft,
›ez ist ein man der schimpfes craft
hât, swie trûrec wir anders sîn:
tuot iuwer zuht gein im schîn.
ir sult ez niht anders hân vernomen,
20 wan daz der vischer sî komen.
dar gêt: ir sît im werder gast:
und schütet abe iu zornes last.‹
si giengen ûf ein palas.
hundert crône dâ gehangen was,

sens darum bitten, denn Ihr seid, wenn ich mich nicht täusche, ein vornehmer Edelmann.«

»Gott lohne Euch die freundlichen Worte, Herr. Trifft Euer Urteil zu, so kann ich mich glücklich schätzen, daß Gott mich so ausgezeichnet hat.«

Man reichte ihm eine Erfrischung und sorgte für sein Wohl. Die gramerfüllten Ritter waren an seiner Seite fröhlich und guter Dinge. Man behandelte ihn achtungsvoll und tischte reichlich auf, gab es doch in der Burg mehr Vorräte, als sie Parzival zur Zeit der Belagerung in Pelrapeire vorgefunden hatte. Seine Rüstung hatte man fortgetragen, was ihn nach einer Weile sehr verdroß, denn er nahm einen Scherz für bare Münze: Der zungenfertige Hofnarr forderte nämlich in seinem Übermut den kraftstrotzenden Gast barsch auf, sogleich vor dem Hausherrn zu erscheinen, als habe Parzival dessen Zorn erregt. Für diesen Spaß hätte ihn der Jüngling fast umgebracht. Da sein herrlich ziseliertes Schwert nicht zur Hand war, ballte er die Faust in solchem Zorn, daß unter den Nägeln das Blut hervorspritzte und den Ärmel netzte.

»Beruhigt Euch, Herr«, begütigten ihn die Ritter, »jener Mann hat das Recht, hier seine Scherze zu treiben, wie traurig wir andern auch sind. Verzeiht es ihm! Er wollte Euch nur sagen, daß der Fischer gekommen ist. Laßt Euern Zorn verrauchen und geht zu ihm, denn Ihr seid sein hochwillkommener Gast.«

Sie traten in einen Palast, wo über den Versammelten hun-

25   vil kerzen drûf gestôzen,
      ob den hûsgenôzen,
      cleine kerzen umbe an der want.
      hundert bette er ligen vant
      (daz schuofen die es dâ pflâgen):
      hundert kulter drûffe lâgen.

230   Ie vier gesellen sundersiz,
      da enzwischen was ein underviz.
      dervür ein teppech sinewel,
      fil li roy Frimutel

5   mohte wol geleisten daz.
      eins dinges man dâ niht vergaz:
      sine hete niht betûret,
      mit marmel was gemûret
      drî vierecke viurrame:

10   dar ûffe was des viures name,
      holz hiez lign alôê.
      sô grôziu viur sît noch ê
      sach niemen hie ze Wildenberc:
      jenz wâren kostenlîchiu werc.

15   der wirt sich selben setzen bat
      gein der mitteln viurstat
      ûf ein spanbette.
      ez was worden wette
      zwischen im und der vröude:

20   er lebte niht wan töude.
         in den palas kom gegangen
      der dâ wart wol enpfangen,
      Parzivâl der lieht gevar,
      von im der in sante dar.

25   er liez in dâ niht langer stên:
      in bat der wirt nâher gên
      und sitzen, ›zuo mir dâ her an.
      sazt ich iuch verre dort hin dan,
      daz waere iu alze gastlîch.‹
      sus sprach der wirt jâmers rîch.

dert Kronleuchter mit vielen Kerzen hingen, während ringsum an den Wänden kleinere Kerzenhalter befestigt waren. Im Saal sah er hundert Ruhelager, von den Bediensteten sorgfältig gerichtet und mit Steppdecken gepolstert. Je vier Gefährten fanden Platz auf einem Lager. Zwischen den Polstersitzen war freier Raum, vor ihnen lagen runde Teppiche. Der Sohn König Frimutels konnte sich das eben leisten! Und noch etwas gab es dort, was den Bewohnern nicht zu kostbar war: im Saal standen drei viereckige Marmorkamine, auf deren Rosten Aloeholz brannte. Solch gewaltige Feuerbrände, noch dazu von so kostbarem Holz genährt, hat man selbst hier zu Wildenberg nie gesehen.

In der Nähe des mittleren Kamins hatte sich der Burgherr auf einem Ruhelager niedergelassen. Allen Frohsinns bar, war sein Leben ein ständiges Dahinsiechen. Als der strahlendschöne Parzival den Palast betrat, wurde er von seinem Gastgeber freundlich empfangen. Er ließ ihn nicht lange warten, sondern bat ihn, näher zu treten und sich zu setzen. »Kommt an meine Seite! Ihr steht mir zu nahe, als daß ich Euch einen Platz weiter hinten zuweisen dürfte«, so sprach der schmerzgequälte Burgherr. Die großen Feuer ließ er

---

Wildenberg: Name mehrerer Burgen in Franken. Sehr wahrscheinlich ist die im Odenwald gelegene Burg Wildenberg bei Amorbach gemeint, die sich im Besitz der Edelherren von Durne befand.

231   Der wirt het durch siechheit
grôziu viur und an im warmiu cleit.
wît und lanc zobelîn,
sus muos ûze und inne sîn
5 der pelliz und der mantel drobe.
der swechest balc waer wol ze lobe:
der was doch swarz unde grâ:
des selben was ein hûbe dâ
ûf sîme houbte zwivalt.
10 von zobele den man tiure galt.
sinwel arâbesch ein borte
oben drûf gehôrte,
mitten dran ein knöpfelîn,
ein durchliuhtic rubîn.
15   dâ saz manec ritter cluoc,
dâ man jâmer vür si truoc.
ein knappe spranc zer tür dar în.
der truog eine glaevîn
(der site was ze trûren guot):
20 an der snîden huop sich bluot
und lief den schaft unz ûf die hant,
deiz in dem ermel wider want.
dâ wart geweinet unt geschrît
ûf dem palase wît:
25 daz volc von drîzec landen
möhtz den ougen niht enblanden.
er truoc si in sînen henden
alumb zen vier wenden,
unz aber wider zuo der tür.
der knappe spranc hin ûz dervür.
232   Gestillet was des volkes nôt,
als in der jâmer ê gebôt,
des si diu glaevîn hete ermant,
die der knappe brâhte in sîner hant.
5   wil iuch nu niht erlangen,
sô wirt hie zuo gevangen

wegen seiner Krankheit brennen, und er trug auch warme
Kleidung: sein Pelzrock und der Mantel darüber waren
außen und innen mit großen, langen Zobelfellen besetzt.
Noch das geringste der schwarzgrauen Felle war wertvoll
genug. Den gleichen kostbaren Zobel zeigte die Pelzmütze
auf seinem Haupt. Rings um die Mütze lief eine goldge-
wirkte arabische Borte, und in ihrer Mitte glänzte ein
Rubin.

Viele stattliche Ritter saßen in der Runde, denen man in
einer zu Herzen gehenden Szene etwas Trauriges zeigte. Zur
Tür herein kam ein Knappe gelaufen, in der Hand trug er
eine Lanze, aus deren Spitze Blut quoll und den Schaft
hinabrann bis zu Ärmel und Hand. Da begann im weiten
Palast ein solches Weinen und Klagen, daß nicht einmal
dreißig Völker so viele Tränen vergießen könnten! Der
Knappe trug die Lanze rings durch den Palast und eilte
durch die gleiche Tür wieder hinaus. Als sie den Knappen
und die Lanze in seiner Hand, die sie offenbar an ein
schreckliches Unheil gemahnte, nicht mehr sahen, ver-
stummte das Wehklagen der Ritter.

Wenn ihr wollt, erzähle ich jetzt davon, mit welch höfi-

daz ich iuch bringe an die vart,
wie dâ mit zuht gedienet wart.
 ze ende an dem palas
10 ein stählîn tür entslozzen was:
dâ giengen ûz zwei werdiû kint.
nu hoert wie diu geprüevet sint.
daz si wol gaeben minnen solt,
swer ez dâ mit dienste hete erholt.
15 daz wâren juncvrouwen clâr.
zwei schapel über blôziu hâr
blüemîn was ir gebende.
iewederiu ûf der hende
truoc von golde ein kerzstal.
20 ir hâr was reit lanc unde val.
si truogen brinnendigiu lieht.
hie sule wir vergezzen niht
umbe der juncvrouwen gewant,
dâ man si kumende inne vant.
25 diu graevîn von Tenabroc,
brûn scharlachen was ir roc:
des selben truoc ouch ir gespil.
si wâren gefischieret vil
mit zwein gürteln an der crenke,
ob der hüffe an dem gelenke.
233 Nâch den kom ein herzogîn
und ir gespil. zwei stöllelîn
si truogen von helfenbein.
ir munt nâch viures roete schein.
5 die nigen alle viere:
zwuo satzten schiere
vür den wirt die stollen.
dâ wart gedient mit vollen.
die stuonden ensamt an eine schar
10 und wâren alle wol gevar.
 den vieren was gelîch ir wât.
seht wâ sich niht versûmet hât

schem Anstand dort bedient wurde. An der Stirnseite des
Palastes tat sich eine stählerne Tür auf, und zwei liebliche
Mädchen betraten den Saal. Es waren zwei schöne Jung-
frauen, die jedem Manne, der sich durch Ritterdienst aus-
zeichnete, den Liebeslohn hätten gewähren können. Blu-
menkränze zierten ihr Haar. Jede hielt einen goldenen
Leuchter mit brennenden Kerzen in der Hand, und lang
fielen ihre blonden Locken herab. Die Gewänder, in denen
sie den Saal betraten, sollen nicht vergessen sein: das Kleid
der Gräfin von Tenabroc und das ihrer Gefährtin war in
Rotbraun gehalten und über den Hüften von Gürteln eng
gerafft.
Den beiden Mädchen folgte eine Herzogin mit ihrer Gefähr-
tin. Sie trugen zwei zierliche Elfenbeinstützen. Als sich alle
vier Damen verneigten, erglühten ihre Lippen wie rote
Flammen. Mit vollendeter Anmut stellte nun das zweite
Paar die Elfenbeinstützen vor den Burgherrn. Dann traten
die vier, alle von gleichem Liebreiz und in gleicher Weise
gekleidet, beiseite.

Gräfin von Tenabroc: Später nennt Wolfram ihren Namen: Clarischanze.

ander vrouwen vierstunt zwuo.
die wâren dâ geschaffet zuo.
15 viere truogen kerzen grôz:
die andern viere niht verdrôz,
sine trüegen einen tiuren stein,
dâ tages diu sunne lieht durch schein.
dâ vür was sîn name erkant:
20 ez was ein grânât jâchant,
beide lanc unde breit.
durch die lîhte in dünne sneit
swer in ze eime tische maz;
dâ obe der wirt durch rîchheit az.
25 si giengen harte rehte
vür den wirt al ehte,
gein nîgen si ir houbet wegten.
viere die taveln legten
ûf helfenbein wîz als ein snê,
stollen die dâ kômen ê.

234 Mit zuht si kunden wider gên,
zuo den êrsten vieren stên.
   an disen aht vrouwen was
röcke grüener denne ein gras,
5 von Azagouc samît,
gesniten wol lanc unde wît.
dâ mitten si zesamne twane
gürteln tiur smal unde lanc.
dise ahte juncvrouwen cluoc,
10 ieslîchiu ob ir hâre truoc
ein cleine blüemîn schapel.
der grâve Iwân von Nônel
unde Jernîs von Rîl,
jâ was über manege mîl
15 ze dienste ir tohter dar genomen:
man sach die zwuo vürstîn komen
in harte wünneclîcher wât.
zwei mezzer snîdende als ein grât

Doch seht, acht andere, zu diesem Dienst berufene Edeldamen ließen nicht auf sich warten. Vier von ihnen trugen große Kerzen, die andern vier eine kostbare Steinplatte, die bei Tage das Sonnenlicht hindurchließ: es war ein ungeheuer großer Granathyazinth! Als man ihn zu einer Tischplatte verarbeitete, hatte man ihn ganz dünn geschliffen, damit er nicht zu gewichtig sei. Dieser kostbare Tisch gab eine Vorstellung vom Reichtum des Burgherrn!

Genau nach der Vorschrift traten alle vor ihn hin und verneigten sich. Vier legten die Platte auf die bereitstehenden Stützen aus schneeweißem Elfenbein. Dann traten die acht Damen mit höfischem Anstand beiseite und gesellten sich zu den ersten vier. Die acht Damen der zweiten Gruppe trugen grasgrüne Kleider, bei denen man mit dem Stoff, Samt aus Azagouc, nicht gegeizt hatte. Um die Hüfte wurden sie von kostbaren schmalen, langen Gürteln eng gerafft. Zierliche Blumenkränze schmückten die Locken der acht Jungfrauen.

Auch die Töchter der Grafen Iwan von Nonel und Jernis von Ril waren hier – meilenweit entfernt von ihrer Heimat – zum Hofdienst ausersehen. Die beiden Fürstinnen erschienen in prachtvollen Gewändern, und sie trugen jeweils auf

brâhten si durch wunder
20 ûf zwein twehelen al besunder.
daz was silber herte wîz:
dar an lag ein spaeher vlîz:
im was solh scherpfen niht vermiten,
ez hete stahel wol versniten.
25 vor dem silber kômen vrouwen wert,
der dar ze dienste was gegert:
die truogen lieht dem silber bî,
vier kint vor missewende vrî.
sus giengen si alle sehse zuo:
nu hoert waz ieslîchiu tuo.

235   Si nigen. ir zwuo dô truogen dar
ûf die taveln wol gevar
daz silber, unde leiten ez nider.
dô giengen si mit zühten wider
5   zuo den êrsten zwelven sân.
ob ichz geprüevet rehte hân,
hie sulen ahzehen vrouwen stên.
âvoy nu siht man sehse gên
in waete die man tiure galt:
10 daz was halbez plîalt,
daz ander pfell von Ninnivê.
dise unt die êrsten sehse ê
truogen zwelf röcke geteilt,
gein tiurer kost geveilt.
15   nâch den kom diu künegîn.
ir antlütze gap den schîn,
si wânden alle ez wolde tagen.
man sach die maget an ir tragen
pfellel von Arâbî.
20 ûf einem grüenen achmardî
truoc si den wunsch von pardîs,
bêde wurzeln unde rîs.
daz was ein dinc, daz hiez der Grâl,
erden wunsches überwal.

einem Mundtuch zwei haarscharfe wunderbare Messer her-
bei. Diese Messer waren aus gehärtetem blitzendem Silber,
sehr kunstreich gearbeitet und so sorgfältig geschärft, daß
man Stahl damit schneiden konnte. Vor ihnen schritten vier
gleichfalls zum Hofdienst berufene Edeldamen. Es waren
junge, makellos reine Jungfrauen, und sie begleiteten das
blitzende Silber mit brennenden Kerzen. Feierlich schritten
die sechs heran. Hört jetzt, was sie taten. Nachdem sie sich
verneigt hatten, trugen zwei von ihnen das Silber zur farben-
prächtigen Tafel und legten es darauf nieder. Dann traten die
sechs Jungfrauen zu den erstgenannten zwölf, so daß – wenn
ich recht gezählt habe – nun achtzehn Edeldamen beisam-
menstanden. Seht, da erschienen bereits wieder sechs
Damen in kostbaren Gewändern aus golddurchwirkter Seide
und aus Seidenstoff von Ninive. Wie die letzten sechs Edel-
damen trugen sie Kleider aus verschiedenfarbigen Stoffen,
die sehr teuer sind. Jetzt endlich erschien die Königin. Ihr
Antlitz strahlte so hell, daß alle meinten, der neue Tag sei
angebrochen. Ihr Gewand war aus arabischer Seide, und auf
grünem Seidentuch trug sie den Inbegriff paradiesischer
Vollkommenheit, Anfang und Ende allen menschlichen
Strebens! Dieser Gegenstand wurde »Gral« genannt und
übertraf alle Vorstellungen irdischer Glückseligkeit. Die

25 Repanse de schoy si hiez,
    die sich der grâl tragen liez.
    der grâl was von sölher art:
    wol muose ir kiusche sîn bewart,
    diu sîn ze rehte solde pflegen:
    diu muose valsches sich bewegen.

236   Vor dem grâle kômen lieht:
    diu wârn von armer koste niht;
    sehs glas lanc lûter wolgetân,
    dar inne balsem der wol bran.

5   dô si kômen von der tür
    ze rehter mâze alsus her vür,
    mit zühten neic diu künegîn
    und al diu juncvröuwelîn
    die dâ truogen balsemvaz.

10 diu küngîn valscheite laz
    sazte vür den wirt den grâl.
    daz maere giht daz Parzivâl
    dick an si sach unt dâhte,
    diu den grâl dâ brâhte:

15 er hete ouch ir mantel an.
    mit zuht die sibene giengen dan
    zuo den ahzehen êrsten.
    dô liezen si die hêrsten
    zwischen sich; man sagte mir,

20 zwelve iewederthalben ir.
    diu maget mit der crône
    stuont dâ harte schône.
        swaz ritter dô gesezzen was
    über al den palas,

25 den wâren kameraere
    mit guldîn becken swaere
    ie viern geschaffet einer dar,
    und ein junchêrre wol gevar
    der eine wîze tweheln truoc.
    man sach dâ rîcheit genuoc.

Edelfrau, die allein den Gral herbeitragen durfte, hieß
Repanse de Schoye. Mit dem Gral hatte es nämlich folgende
Bewandtnis: Wer ihn hütete, mußte unberührt und makellos
sein. Vor dem Gral trug man kostbare Leuchter herein: es
waren sechs große, durchsichtig klare Glasgefäße, in denen
Balsam brannte. Nachdem sie in feierlichem Zug den Saal
betreten hatten, verneigten sich die Königin und die Jung-
frauen, die jene Balsamgefäße trugen. Die makellose Köni-
gin stellte den Gral vor den Burgherrn. In der Erzählung
heißt es, Parzival habe die Trägerin des Grals eingehend
betrachtet, mußte er doch daran denken, daß er ihren Man-
tel trug. Gemessen schritten die sieben zu den anderen
achtzehn Damen. Man nahm die vornehmste in die Mitte, so
daß ihr zur Seite je zwölf Edeldamen standen und die
gekrönte Jungfrau so recht im Glanz ihrer Schönheit
strahlte.

Zu den Rittern, die sich im Palast niedergelassen hatten,
traten nun die Kämmerer mit massiven goldenen Becken. Je
einer bediente vier Ritter, dazu ein wohlgestalteter Page, der
ihnen ein weißes Handtuch reichte. Da gab es wirklich
großen Reichtum zu bewundern, denn nun wurden hundert

237 Der taveln muosen hundert sîn,
     die man dâ truoc zer tür dar în.
     man sazte ieslîche schiere
     vür werder ritter viere:
5   tischlachen var nâch wîze
     wurden drûf geleit mit vlîze.
      der wirt dô selbe wazzer nam:
     der was an hôhem muote lam.
     mit im twuoc sich Parzivâl.
10 ein sîdîn tweheln wol gemâl
     die bôt eins grâven sun dernâch:
     dem was ze knien vür si gâch:
      swâ dô der taveln keiniu stuont,
     dâ tet man vier knappen kunt
15 daz si ir dienens niht vergaezen
     den die drobe saezen.
     zwêne knieten unde sniten:
     die andern zwêne niht vermiten,
     sine trüegen trinken und ezzen dar,
20 und nâmen ir mit dienste war.
      hoert mêr von rîchheite sagen.
     vier karrâschen muosen tragen
     manec tiure goltvaz
     ieslîchem ritter der dâ saz.
25 man zôch si ze den vier wenden.
     vier ritter mit ir henden
     man si ûf die taveln setzen sach.
     ieslîchem gieng ein schrîber nâch,
     der sich dar zuo arbeite
     und si wider ûf bereite,
238 Sô dâ gedienet waere.
     nu hoert ein ander maere.
      hundert knappen man gebôt:
     die nâmen in wîze tweheln brôt
5   mit zühten vor dem grâle.
     die giengen al zemâle

Tischtafeln hereingetragen und je eine vor vier edlen Rittern aufgestellt. Alle Tafeln wurden sorgfältig mit blütenweißen Tüchern gedeckt. Der schmerzgebeugte Burgherr und Parzival wuschen sich in einem Becken die Hände. Niederknieend reichte ihnen ein Grafensohn ein buntfarbenes Seidenhandtuch. Wo keine Tafel aufgestellt war, wurden die Ritter von je vier Knappen aufmerksam bedient. Zwei knieten nieder und schnitten die Speisen vor, während zwei andere Getränke und Speisen herbeitrugen. Hört mehr noch über den großen Aufwand, der dort getrieben wurde. Vier Wagen waren dazu bestimmt, jeden Ritter bei Tische mit kostbarem goldenem Tafelgeschirr zu versorgen. Man zog die Wagen an den Wänden entlang, und vier Ritter stellten die Gefäße auf die Tische. Jedem Wagen folgte ein Aufseher, der die Gefäße nach Gebrauch wieder in Verwahrung zu nehmen hatte. Und hört noch weiter: Hundert Knappen mußten vor dem Gral ehrfurchtsvoll das Brot aufheben und

und teilten vür die taveln sich.
man sagte mir, diz sage ouch ich
ûf iuwer ieslîches eit,
10 daz vor dem grâle waere bereit
(sol ich des iemen triegen,
sô müezt ir mit mir liegen)
swâ nâch jener bôt die hant,
daz er al bereite vant
15 spîse warm, spîse kalt,
spîse niuwe unt dar zuo alt,
daz zam unt daz wilde.
esn wurde nie kein bilde,
beginnet maneger sprechen.
20 der wil sich übel rechen:
wan der grâl was der saelden vruht,
der werlde süeze ein sölh genuht,
er wac vil nâch gelîche
als man saget von himelrîche.
25   in cleiniu goltvaz man nam,
als ieslîcher spîse zam,
salssen, pfeffer, agraz.
dâ het der kiusche und der vrâz
alle gelîche genuoc.
mit grôzer zuht manz vür si truoc.
239 Môraz, wîn, sinôpel rôt,
swâ nâch den napf ieslîcher bôt,
swaz er trinkens kunde nennen,
daz mohte er drinne erkennen
5 allez von des grâles craft.
diu werde geselleschaft
hete wirtschaft von dem grâl.
wol gemarcte Parzivâl
die rîcheit unt daz wunder grôz:
10 durch zuht in vrâgens doch verdrôz.
er dâhte ›mir riet Gurnamanz
mit grôzen triuwen âne schranz,

auf weißes Linnen legen, um sich danach zu den Speisetafeln zu begeben. Man hat mir versichert – und ich wiederhole es bei eurem Eid, so daß ihr mit mir lügt, wenn ich die Unwahrheit sage –, daß vor dem Gral alles bereitstand, wonach man nur verlangte. Man fand dort warme und kalte Speisen, bekannte und unbekannte Gerichte, Fleisch von Haustieren und Wildbret. Vielleicht wird der eine oder andere einwenden, das sei unmöglich. Er tut aber unrecht daran; der Gral war wirklich ein Hort des Glücks, ein Füllhorn irdischer Köstlichkeiten, so daß man ihn fast mit der Herrlichkeit des Himmelreichs vergleichen könnte. In zierlichen Goldschalen empfing man Würzzutaten für die einzelnen Speisen: Brühsoßen, Pfeffer, Obsttunken. Dem Mäßigen und dem Vielfraß wurde hier genug getan und jeder aufmerksam bedient. Wonach man den Kelch auch ausstreckte, welchen Trank man nannte – ob Maulbeerwein, Traubenwein oder roten Sinopel: dank der Wunderkraft des Grals wurde der Becher nach Wunsch gefüllt. Die ganze vornehme Gesellschaft war also beim Gral zu Gast.

Parzival bemerkte wohl alle Pracht und das ganze wunderbare Geschehen, doch seine höfische Erziehung ließ ihn auf jede Frage verzichten. Er dachte nämlich bei sich: »Gurnemanz hat mir wohlwollend und unzweideutig eingeschärft,

---

Sinopel: schwerer, mit Sirup gesüßter Wein.

ich solte vil gevrâgen niht.
waz ob mîn wesen hie geschiht
15   die mâze als dort bî im?
âne vrâge ich vernim
wie ez dirre massenîe stêt.‹
in dem gedanke nâher gêt
ein knappe, der truog ein swert:
20   des balc was tûsent marke wert,
sîn gehilze was ein rubîn,
ouch möhte wol diu clinge sîn
grôzer wunder urhap.
der wirt ez sîme gaste gap.
25   der sprach ›hêrre, ich brâhtz in nôt
in maneger stat, ê daz mich got
an dem lîbe hât geletzet.
nu sît dermit ergetzet,
ob man iuwer hie niht wol enpflege.
ir mugetz wol vüeren alle wege:
240   Swenne ir geprüevet sînen art,
ir sît gein strîte dermite bewart.‹
ôwê daz er niht vrâgte dô!
des bin ich vür in noch unvrô.
5   wan do erz enpfienc in sîne hant,
dô was er vrâgens mit ermant.
ouch riuwet mich sîn süezer wirt,
den ungenâde niht verbirt,
des im von vrâgen nu waere rât.
10   genuoc man dâ gegeben hât:
die es pflâgen, die griffenz an,
si truogen daz gerüste wider dan.
vier karrâschen man dô luot.
ieslîch vrouwe ir dienest tuot,
15   ê die jungsten, nu die êrsten.
dô schuofen si aber die hêrsten
wider zuo dem grâle.
dem wirte und Parzivâle

keine unnützen Fragen zu stellen. Soll ich durch ungeschick-
tes Benehmen wieder Mißfallen erregen wie bei ihm? Auch
ohne Fragen werde ich schon erfahren, was es mit dieser
Rittergesellschaft auf sich hat.«

Während er so vor sich hinsann, näherte sich ein Knappe mit
einem Schwert. Allein die Scheide war tausend Mark wert,
und der Schwertgriff war aus einem Rubin geschnitten.
Diese Klinge mochte wohl gewaltige Taten vollbringen! Der
Burgherr überreichte das Schwert seinem Gast und sprach:
»Herr, ich habe es oft in den Kampf getragen, bis Gott mich
mit einer schweren Wunde heimsuchte. Nehmt es als Ent-
schädigung, wenn die Bewirtung nicht Euren Erwartungen
entsprach. Führt es stets bei Euch; wenn Ihr es erproben
müßt, wird es Euch im Kampf ein verläßlicher Beschützer
sein.«

Wehe über ihn, daß er auch jetzt nicht fragte! Das betrübt
mich noch heute – um seinetwillen! Als man nämlich das
Schwert in seine Hände legte, wollte man ihn zum Fragen
ermuntern. Auch fühle ich Mitleid mit seinem freundlichen
Gastgeber, der an einer unheilbaren Wunde dahinsiecht und
durch eine einzige Frage hätte erlöst werden können!

Das Mahl war beendet. Die Bediensteten griffen zu und
trugen das Eßgeschirr wieder hinaus. Man belud die vier
Wagen, und die Edelfrauen verrichteten ihre Aufgabe in
umgekehrter Reihenfolge. Zunächst begleiteten sie die Vor-

Mark: s. Anm. zu S. 25

mit zühten neic diu künegîn
20 und al diu juncvröuwelîn.
si brâhten wider în zer tür
daz si mit zuht ê truogen vür.
    Parzivâl in blicte nâch.
an eime spanbette er sach
25 in einer kemenâten,
ê si nâch in zuo getâten,
den aller schoensten alten man
des er künde ie gewan.
ich mag ez wol sprechen âne guft,
er was noch grâwer dan der tuft.

241   Wer der selbe waere,
des vreischet her nâch maere.
dar zuo der wirt, sîn burc, sîn lant,
diu werdent iu von mir genant,
5   her nâch sô des wirdet zît,
bescheidenlîchen, âne strît
unde ân allez vür zogen.
ich sage die senewen âne bogen.
    diu senewe ist ein bîspel.
10 nu dunket iuch der boge snel:
doch ist sneller daz diu senewe jaget.
ob ich iu rehte hân gesaget,
diu senewe gelîchet maeren sleht:
diu dunkent ouch die liute reht.
15 swer iu saget von der krümbe,
der wil iuch leiten ümbe.
swer den bogen gespannen siht,
der senewen er der slehte giht,
man welle si zer biuge erdenen
20 sô si den schuz muoz menen.
swer aber dem sîn maere schiuzet,
des in durch nôt verdriuzet:
wan daz hât dâ ninder stat,
und vil gerûmeclîchen pfat,

nehmste vor den Gral. Gemessen verneigten sich die Königin und die Jungfrauen vor dem Burgherrn und vor Parzival und brachten wieder hinaus, was sie herbeigetragen hatten. Parzival blickte ihnen nach, und ehe sie die Tür schlossen, erblickte er im anschließenden Gemach auf einem Ruhelager einen Greis, wie er ihn ehrfurchtgebietender nie zuvor gesehen hatte. Ich versichere ohne Übertreibung, sein Haar war schlohweißer als der Nebel. Wer dieser Greis war, danach mögt ihr später fragen. Auch über die Person des Burgherrn, über seine Burg und sein Land werde ich zur rechten Zeit ausführlich und bereitwillig Auskunft geben. Mein Erzählen gleicht eben der Sehne und nicht dem gekrümmten Bogen. Das ist natürlich nur ein Gleichnis: Manchem scheint schon der Bogen rasch, doch rascher noch ist der von der Sehne abgeschnellte Pfeil. Wenn ich mich richtig ausgedrückt habe, wäre also die Sehne mit einer geradlinig fortschreitenden Erzählung zu vergleichen, was auch den Zuhörern eher behagt. Wer aber auf umständliche Weise erzählt, die sich mit der Krümmung des Bogens vergleichen läßt, der will euch nur zu Umwegen verleiten. Wenn ihr den ungespannten Bogen betrachtet, wird die Sehne wie eine gerade Linie sein, es sei denn, der Bogen wird gespannt, um den Pfeil davonzuschnellen. Erzählt jemand umständlich und mit vielen Abschweifungen, so langweilt er seine Zuhörer. Seine Erzählung bleibt nicht haften, sondern nimmt den bequem-

25 ze einem ôren în, ze dem andern vür.
    mîn arbeit ich gar verlür,
    ob den mîn maere drunge:
    ich sagte oder sunge,
    daz ez noch baz vernaeme ein boc
    oder ein ulmiger stoc.

242   Ich wil iu doch baz bediuten
    von disen jâmerbaeren liuten.
    dar kom geriten Parzivâl,
    man sach dâ selten vröuden schal,
 5 ez waere bûhurt oder tanz:
    ir clagendiu staete was sô ganz,
    sine kêrten sich an schimpfen niht.
    swâ man noch minner volkes siht,
    den tuot etswenne vröude wol:
10 dort wârn die winkel alle vol,
    und ouch ze hove dâ man si sach.
    der wirt ze sîme gaste sprach
    ›ich waen man iu gebettet hât.
    sît ir müede, so ist mîn rât
15 daz ir gêt, leit iuch slâfen.‹
    nu solt ich schrîen wâfen
    umbe ir scheiden daz si tuont:
    ez wirt grôz schade in beiden kunt.
    von dem spanbette trat
20 ûf den teppech an eine stat
    Parzivâl der wol geslaht:
    der wirt bôt im guote naht.
    diu ritterschaft dô gar ûf spranc.
    ein teil ir im dar nâher dranc:
25 dô vuorten si den jungen man
    in eine kemenâten sân.
    diu was alsô gehêret
    mit einem bette gêret,
    daz mich mîn armuot immer müet,
    sît diu erde alsölhe rîchheit blüet.

sten Weg – zum einen Ohr hinein, zum anderen heraus! Wollte ich meine Zuhörer solcherart belästigen, wäre alle Mühe vergebens! Dann könnte ich meine Dichtung gleich einem Holzbock oder einem Baumstrunk vortragen.

Nun will ich euch doch mehr über jene gramgebeugten Menschen erzählen. In der Burg, in die Parzival geritten war, vernahm man nie den fröhlichen Lärm von Turnier oder Tanz. Man war dort so in Trauer versunken, daß jeder Scherz unterblieb. Obwohl es an nichts mangelte, kam keine Fröhlichkeit auf, wenngleich etwas Frohsinn selbst den Ärmsten wohl tut.

Der Burgherr wandte sich an seinen Gast: »Ich glaube, Euer Lager ist gerichtet. Wenn Ihr müde seid, möchte ich Euch raten, zur Ruhe zu gehen.«

Bei diesem Abschied müßte ich eigentlich in laute Wehklagen ausbrechen, denn dieses Scheiden wird beiden großes Elend bringen. Der hochgeborene Parzival erhob sich vom Ruhelager und trat auf den Teppich davor, und der Burgherr wünschte ihm eine gute Nacht. Zugleich sprangen alle Ritter auf; einige näherten sich Parzival, um den Jüngling in sein Schlafgemach zu geleiten. Dieses Gemach war so prächtig und mit einem so prunkvollen Bett ausgestattet, daß ich vor solchem Reichtum meine Armut nur um so bitterer emp-

243 Dem bette armuot was tiur.
  als er glohte in eime viur,
  lac drûffe ein pfellel lieht gemâl.
  die ritter bat dô Parzivâl
5 wider varen an ir gemach,
  do er dâ niht mêr bette sach.
  mit urloube si vuoren dan.
  hie hebt sich ander dienst an.
   vil kerzen unt diu varwe sîn
10 die gâben ze gegenstrîte schîn:
  waz möhte liehter sîn der tac?
  vor sînem bette ein anderz lac,
  dar ûfe ein kulter, da er dâ saz.
  junchêrren snel und niht ze laz
15 maneger im dar nâher spranc:
  si enschuohten bein, diu wâren blanc.
  ouch zôch im mêr gewandes abe
  manec wol geborner knabe.
  vlaetec wârn diu selben kindelîn.
20 dar nâch gienc dô zer tür dar în
  vier clâre juncvrouwen:
  die solten dennoch schouwen
  wie man des heldes pflaege
  und ob er sanfte laege.
25 als mir diu âventiure gewuoc,
  vor ieslîcher ein knappe truoc
  eine kerzen diu wol bran.
  Parzivâl der snelle man
  spranc underz declachen.
  si sagten ›ir sult wachen
244 Durch uns noch eine wîle.‹
  ein spil mit der île
  het er unz an den ort gespilt.
  daz man gein liehter varwe zilt,
5 daz begunde ir ougen süezen,
  ê si enpfiengen sîn grüezen.

finde. Solch einem Bett war Armut fern! Eine leuchtend-
bunte, wie Feuer flammende Seidendecke war darüberge-
breitet. Als Parzival im Raum nur ein Bett erblickte, bat er
die Ritter, sich ebenfalls zur Ruhe zu begeben, und sie
gingen mit einem Abschiedsgruß.

Jetzt wurde Parzival in anderer Weise umsorgt: Während die
vielen Kerzen mit dem Glanz seiner Schönheit wetteiferten,
so daß selbst der Tag nicht heller erstrahlen könnte, setzte
sich Parzival auf eine Polsterbank vor seinem Bett, die mit
einer Steppdecke bedeckt war. Da sprangen diensteifrig
flinke Pagen herbei und zogen ihm die Schuhe von den
weißen Füßen. Andere hochgeborene und liebreizende Kna-
ben nahmen ihm die übrige Kleidung ab. Jetzt traten vier
schöne Jungfrauen durch die Tür, um nachzusehen, wie man
den Helden bediente und ob er weich genug läge. Wie es in
der Erzählung heißt, schritt vor einer jeden ein Knappe mit
brennender Kerze. Der gewandte Parzival sprang mit einem
Satz unter das Deckbett, doch sie sagten: »Bleibt um unsert-
willen noch ein Weilchen wach!« Zwar hatte Parzival die
Decke in aller Eile bis zum Hals heraufgezogen, doch der
Anblick seines entblößten blanken Körpers hatte bereits ihre
Augen entzückt, bevor er sie noch, jetzt bedeckt, begrüßen

ouch vuogten in gedanke nôt,
daz im sîn munt was sô rôt
unt daz vor jugende niemen dran
10 kôs gein einer halben gran.
    dise vier juncvrouwen cluoc,
hoert waz ieslîchiu truoc.
môraz, wîn unt lûtertranc
truogen drî ûf henden blanc:
15 diu vierde juncvrouwe wîs
truoc obez der art von pardîs
ûf einer tweheln blanc gevar.
diu selbe kniete ouch vür in dar.
er bat die vrouwen sitzen.
20 si sprach ›lât mich bî witzen.
sô waert ir dienstes ungewert,
als mîn her vür iuch ist gegert.‹
süezer rede er gein in niht vergaz:
der hêrre tranc, ein teil er az.
25 mit urloube si giengen wider:
Parzivâl sich leite nider.
ouch sazten junchêrrelîn
ûf den teppech die kerzen sîn,
dô si in slâfen sâhen:
si begunden dannen gâhen.
245   Parzivâl niht eine lac:
geselleclîche unz an den tac
was bî im strengiu arbeit.
ir boten künftigiu leit
5 sanden im in slâfe dar,
sô daz der junge wol gevar
sîner muoter troum gar widerwac,
des si nâch Gahmurete pflac.
sus wart gesteppet im sîn troum
10 mit swertslegen umbe den soum,
dervor mit maneger tjoste rîch.
von rabbîne hurteclîch

konnte. Auch bezauberte sie insgeheim sein brennendroter
Mund, den dank seiner Jugend auch kein Härlein umgab.
Hört nun, was die vier hübschen Jungfrauen brachten. Drei
trugen auf weißen Händen Maulbeerwein, Traubenwein
und gewürzten Rotwein; die vierte Jungfrau bot auf weißem
Linnen paradiesisch schönes Obst dar. Als sie vor ihm
niederkniete, bat er sie, sich doch zu ihm zu setzen. Sie aber
antwortete: »Verwirrt mich nicht, ich kann Euch sonst nicht
so bedienen, wie mein Herr es wünscht.« Parzival aß und
trank ein wenig und plauderte dabei freundlich mit den
Jungfrauen. Dann verabschiedeten sie sich und gingen
davon. Parzival legte sich nieder, und als die Pagen sahen,
daß er eingeschlafen war, stellten sie die für ihn bestimmten
Kerzen auf den Teppich und verschwanden leise.

Parzival blieb auf seinem Lager nicht allein; bis zum frühen
Morgen bedrängten ihn böse Träume. Sein Schlaf wurde
gestört von den Vorboten künftigen Leides; der Jüngling
durchlebte einen ähnlich angstvollen Traum wie seine Mut-
ter, als sie sich vor Sehnsucht nach Gachmuret verzehrte.
Der Teppich seines Traums war von Schwerthieben arabes-
kenhaft gesäumt und zeigte in der Mitte die Bilder vieler
ritterlicher Zweikämpfe. Mehr als einmal mußte er im

er leit in slâfe etslîche nôt.
möhte er drîzecstunt sîn tôt,
15 daz hete er wachende ê gedolt:
sus teilte im ungemach den solt.
    von disen strengen sachen
muos er durch nôt erwachen.
im switzten âdern unde bein.
20 der tag ouch durch diu venster schein.
dô sprach er ›we wâ sint diu kint,
daz si hie vor mir niht sint?
wer sol mir bieten mîn gewant?‹
sus warte ir der wîgant,
25 unz er anderstunt entslief.
nieman dâ redete noch enrief:
si wâren gar verborgen.
umbe den mitten morgen
do erwachte aber der junge man:
ûf rihte sich der küene sân.

246   Uf dem teppech sach der degen wert
ligen sîn harnasch und zwei swert:
daz eine der wirt im geben hiez,
daz ander was von Gaheviez.
5   dô sprach er ze im selben sân
›ouwê durch waz ist diz getân?
deiswâr ich sol mich wâpen drîn.
ich leit in slâfe alsölhen pîn,
daz mir wachende arbeit
10 noch hiute waetlîch ist bereit.
hât dirre wirt urliuges nôt,
sô leiste ich gerne sîn gebot
und ir gebot mit triuwen,
diu disen mantel niuwen
15 mir lêch durch ir güete.
wan stüende ir gemüete
daz si dienst wolde nemen!
des kunde mich durch si gezemen,

Traum die Prüfung des ritterlichen Angriffs bestehen: die Traumbilder gaben ihm keine Ruhe, so daß er lieber wachend dreißigmal den Tod erlitten hätte. Als diese schrecklichen Traumerlebnisse ihn schließlich schweißüberströmt auffahren ließen, da schien bereits der Tag durch die Fenster. Parzival sprach zu sich: »Wo bleiben die Pagen? Warum sind sie mir nicht beim Ankleiden behilflich?« Nachdem unser Held eine Weile vergebens gewartet hatte, schlief er zum zweitenmal ein. Niemand weckte ihn, alle hielten sich verborgen. So erwachte der Jüngling erst am späten Vormittag. Als der unerschrockene, edle Held sich aufrichtete, erblickte er auf dem Teppich seine Rüstung und zwei Schwerter. Das eine hatte ihm der Burgherr geschenkt, das andere hatte Ither von Gaheviez getragen. Nun grübelte er: »Was bedeutet das? Ich soll offenbar die Rüstung anlegen! Im Schlafe habe ich so viele Ängste leiden müssen, daß mir heute noch Kampfesnot bevorstehen dürfte. Befindet sich der Burgherr in Kriegsgefahren, so gehorche ich gern und leiste ihm Hilfe. Treu will ich auch der Dame beistehen, die mir gütig diesen neuen Mantel überlassen hat. Stünde ihr doch der Sinn nach meinem Dienst! Ich würde ihr ohne

und doch niht durch ir minne:
20　wan mîn wîp diu küneginne
ist an ir lîbe alse clâr,
oder vürbaz, daz ist wâr.‹
　er tete als er tuon sol:
von vuoz ûf wâpent er sich wol
25　durch strîtes antwurte,
zwei swert er umbe gurte.
zer tür ûz gienc der werde degen:
dâ was sîn ors an die stegen
geheftet, schilt unde sper
lent derbî: daz was sîn ger.
247　　E Parzivâl der wîgant
sich des orses underwant,
mangez er der gadem erlief,
sô daz er nâch den liuten rief.
5　nieman er hôrte noch ensach:
ungevüege leit im dran geschach.
daz hete im zorn gereizet.
er lief da er was erbeizet
des âbents, dô er komen was.
10　dâ was erde unde gras
mit tretenne gerüeret
unt daz tou gar zervüeret.
　al schrînde lief der junge man
wider ze sîme orse sân.
15　mit bâgenden worten
saz er drûf. die porten
vand er wît offen stên,
derdurch ûz grôze slâ gên:
niht langer er dô habte,
20　vast ûf die brücke er drabte.
ein verborgen knappe daz seil
zôch, daz der slagebrücken teil
het daz ors vil nâch gevellet nider.
Parzivâl der sach sich wider:

Eigennutz und nicht etwa um den Lohn ihrer Liebe dienen! Meine königliche Gemahlin ist schließlich mindestens ebensoschön wie sie, eher noch schöner.«

Er tat, was zu tun war, und wappnete sich von Kopf bis Fuß. Am Ende gürtete er beide Schwerter um und begab sich zur Tür. An der Treppe fand er sein Roß angebunden, daneben lehnten, ihm hochwillkommen, Schild und Lanze. Ehe unser Held Parzival das Pferd bestieg, durcheilte er viele Gemächer und rief nach den Burgbewohnern. Als er niemanden hörte oder sah, war er sehr bekümmert; am Ende geriet er in Zorn und stürmte auf den Hof, wo er am Abend seiner Ankunft vom Pferd gestiegen war. Dort waren Erde und Gras zerstampft und die Tautropfen von den Grashalmen gestreift. Laut rufend lief der Jüngling zu seinem Pferd und schwang sich schließlich mit Scheltworten in den Sattel. Das Burgtor fand er weit geöffnet, und hindurch führte eine breite Spur von Pferdehufen. Nun zögerte er nicht länger und ritt in schnellem Trab auf die Zugbrücke. Da zog ein verborgener Knappe am Seil, so daß das hochschnellende Brückenende das Pferd fast zu Fall gebracht hätte. Parzival

25 dô wolte er hân gevrâget baz.
    ›ir sult varen der sunnen haz‹,
    sprach der knappe. ›ir sît ein gans.
    möht ir gerüeret hân den vlans,
    und het den wirt gevrâget!
    vil prîses iuch hât betrâget.‹

248   Nâch den maeren schrei der gast:
    gegenrede im gar gebrast.
    swie vil er nâch geriefe,
    reht als er gênde sliefe
5   warp der knappe und sluoc die porten zuo.
    dô was sîn scheiden dan ze vruo
    an der vlustbaeren zît
    dem der nu zins von vröuden gît:
    diu ist an im verborgen.
10 umbe den wurf der sorgen
    wart getoppelt, do er den grâl vant,
    mit sînen ougen, âne hant
    und âne würfels ecke.
    ob in nu kumber wecke,
15 des was er dâ vor niht gewent:
    ern hete sich niht vil gesent.
        Parzivâl der huop sich nâch
    vast ûf die slâ die er dâ sach.
    er dâht ›die vor mir rîten,
20 ich waen die hiute strîten
    manlîch umb mîns wirtes dinc.
    ruochten si es, sô waere ir rinc
    mit mir niht vercrenket.
    dane wurde niht gewenket,
25 ich hulfe in an der selben nôt,
    daz ich gediende mîn brôt,
    und ouch diz wünneclîche swert,
    daz mir gab ir hêrre wert.
    ungedient ich daz trage.
    si waenent lîhte, ich sî ein zage.‹

wandte sich um. Nun hätte er sich gern danach erkundigt, was es mit dieser Burg auf sich hatte. Der Knappe aber rief ihm zu: »Ihr seid nicht einmal wert, daß Euch die Sonne bescheint! Zieht ab, Ihr beschränkter Dummkopf! Hättet Ihr doch Euern Schnabel aufgetan und den Burgherrn gefragt! Ruhm und Ehre habt Ihr verspielt!«

Als Parzival mit lauter Stimme Aufklärung forderte, erhielt er keine Antwort. Sosehr er auch rief, der Knappe tat, als schliefe er im Gehen, und schlug die Burgpforte kurzerhand zu. Er ging zu früh für den, der jetzt schweren Zeiten entgegenreitet, den Glück und Frohsinn verlassen sollten. Sie sind dahin für ihn! Als Parzival zum Gral kam, wurde um sein Lebensglück gewürfelt, und dies nur mit seinen Augen, ohne daß seine Hand einen Würfel berührt hätte. Wenn ihn jetzt Kummer heimsucht und verstört, so war ihm das bisher fremd gewesen; viel Leid hatte er bis zu diesem Zeitpunkt nicht erfahren.

Parzival folgte der deutlich sichtbaren Spur und dachte dabei: »Die Reiter vor mir werden wohl heute noch mannhaft für die Sache meines Gastgebers kämpfen müssen. Sind sie einverstanden, so tue ich mit und werde ihrer Runde nicht von Nachteil sein. Bei mir gibt's kein Zurückweichen! Ich werde ihnen im Kampf zur Seite stehen, um mir die gastliche Aufnahme und das herrliche Schwert zu verdienen, das mir ihr vornehmer Herrscher geschenkt hat. Noch trage ich es unverdient, und sie halten mich vielleicht für einen Feigling.«

249 Der valscheite widersaz
     kêrt ûf der huofslege craz.
     sîn scheiden dan daz riuwet mich.
     alrêrst nu âventiurt ez sich.
5   do begunde crenken sich ir spor:
     sich schieden die dâ riten vor.
     ir slâ wart smal, diu ê was breit:
     er verlôs si gar: daz was im leit.
     maer vriesch dô der junge man,
10   dâ von er herzenôt gewan.
       do erhôrte der degen ellens rîch
     einer vrouwen stimme jaemerlîch.
     ez was dennoch von touwe naz.
     vor im ûf einer linden saz
15   ein magt, der vuogte ir triuwe nôt.
     ein gebalsemt ritter tôt
     lent ir zwischen den armen.
     swen ez niht wolte erbarmen,
     der si sô sitzen saehe,
20   untriuwen ich im jaehe.
       sîn ors dô gein ir wante
     der wênic si bekante:
     si was doch sîner muomen kint.
     al irdisch triuwe was ein wint,
25   wan die man an ir lîbe sach.
     Parzivâl si gruozte unde sprach
     ›vrouwe, mir ist vil leit
     iuwer senelîchiu arebeit.
     bedurft ir mînes dienstes iht,
     in iuwerem dienste man mich siht.‹
250   Si dancte im ûz jâmers siten
     und vrâgte in wanne er koeme geriten.
     si sprach ›ez [ist] widerzaeme
     daz iemen an sich naeme
5   sîne reise in dise waste.
     unkundem gaste

Der treue Parzival folgte der Spur der Hufe. Schade, daß er so davonritt! Jetzt erst fängt <u>Parzivals Abenteuer wirklich</u> an.

Die Spur wurde bald schwächer. Offenbar hatten sich die Voranreitenden getrennt, denn die breite Fährte wurde immer schmaler und verschwand zu Parzivals Verdruß schließlich ganz und gar. Nun widerfuhr dem Jüngling ein Erlebnis, das ihn sehr betrüben sollte: unser kühner Held hörte nämlich das laute Wehklagen einer Frau. Durch taufeuchtes Gras reitend, sah er vor sich auf einem Lindenstamm eine Jungfrau sitzen, der ihre Treue Schmerz gebracht hatte, denn sie hielt einen toten einbalsamierten Ritter in den Armen. Wen dies Bild nicht rührt, ist sicher keiner Treue fähig! Parzival ritt zu ihr hin. Obwohl sie seine leibliche Base war, erkannte er sie nicht, sie, die treu war wie niemand sonst. Er grüßte und sprach: »Edle Frau, Euer Kummer tut mir von Herzen leid. Wenn ich Euch irgend helfen kann, so verfügt über mich.«

Schmerzbewegt dankte sie ihm und fragte, woher er käme: »Wie geht es zu, daß es jemand in diese Einöde verschlug? Einem unkundigen Fremdling mag Übles zustoßen. Ich

mac hie wol grôzer schade geschehen.
ich hânz gehôrt und gesehen
daz hie vil liute ir lîp verlurn,
10 die werlîche den tôt erkurn.
kêrt hinnen, ob ir welt genesen.
saget ê, wâ sît ir hînt gewesen?‹
›dar ist ein mîle oder mêr,
daz ich gesach nie burc sô hêr
15 mit aller slahte rîchheit.
in kurzer wîle ich dannen reit.‹
    si sprach ›swer iu getrûwet iht,
den sult ir gerne triegen niht.
ir traget doch einen gastes schilt.
20 iuch möht des waldes hân bevilt,
von erbûwenem lande her geriten.
inre drîzec mîlen wart nie versniten
ze keinem bûwe holz noch stein:
wan ein burc diu stêt al ein.
25 diu ist erden wunsches rîche.
swer die suochet vlîzeclîche,
leider der envint ir niht.
vil liute manz doch werben siht.
ez muoz unwizzende geschehen,
swer immer sol die burc gesehen.
251 Ich waen, hêr, diu ist iu niht bekant.
Munsalvaesche ist si genant.
der bürge wirtes royâm,
Terre de Salvaesche ist sîn nam.
5 ez brâhte der alte Tyturel
an sînen sun. rois Frimutel,
sus hiez der werde wîgant:
manegen prîs erwarp sîn hant.
der lac von einer tjoste tôt,
10 als im diu minne dar gebôt.
der selbe liez vier werdiu kint.
bî rîcheit driu in jâmer sint:

habe davon gehört und mit eigenen Augen gesehen, daß hier viele Männer im Kampf den Tod gefunden haben. Reitet fort, wenn Euch Euer Leben lieb ist! Doch vorher sagt mir, wo Ihr diese Nacht verbracht habt.«

»Etwa eine Meile entfernt steht eine Burg, wie ich sie stolzer und großartiger nie erblickt habe. Erst vor kurzem bin ich dort fortgeritten.«

Sie aber sagte vorwurfsvoll: »Wer Euch Vertrauen schenkt, den sollt Ihr nicht belügen. Euer Schild verrät, daß Ihr hier fremd seid. Seid Ihr aber aus bewohnten Landstrichen hergeritten, so könnt Ihr Euch in diesem undurchdringlichen Wald kaum zurechtgefunden haben. Nun ist dreißig Meilen im Umkreis nie ein Gebäude aus Holz oder Stein errichtet worden außer einer einzigen Burg. Sie ist allerdings das Herrlichste, was es auf Erden gibt. Doch nie hat jemand sie gefunden, der sie mit Vorbedacht suchte, obgleich viele sich darum gemüht haben. Nur der erblickt die Burg, der dazu berufen ist, ohne es zu wissen. Herr, ich kann nicht glauben, daß Ihr sie kennt. Ihr Name ist Munsalwäsche, und das Königreich des Burgherrn heißt Salwäsche. Der greise Titurel vererbte es auf seinen Sohn, König Frimutel. Dieser edle Held trug in vielen ritterlichen Kämpfen den Ruhmeskranz davon, bis er im Dienst um die Liebe einer Dame den Tod fand. Er hinterließ vier edle Kinder, von denen drei bei allem

---

Munsalwäsche: frz. *mont sauvage*, lat. *mons silvaticus* (nicht: Mons Salvationis), also ›Wild(en)berg‹. Auffallend ist die Ähnlichkeit des Namens mit dem Burgnamen ›Wildenberg‹ (s. Anm. zu S. 393).
Salwäsche: ›Wildland‹.

der vierde hât armuot,
durch got vür sünde er daz tuot.
15 der selbe heizet Trevrizent.
Anfortas sîn bruoder lent:
der mac gerîten noch gegên
noch geligen noch gestên.
der ist ûf Munsalvaesche wirt:
20 ungenâde in niht verbirt.‹
    si sprach ›hêr, waert ir komen dar
zuo der jaemerlîchen schar,
sô waere dem wirte worden rât
vil kumbers den er lange hât.‹
25 der Wâleis ze der meide sprach
›groezlîch wunder ich dâ sach,
unt manege vrouwen wol getân.‹
bî der stimme erkante si den man.
    Dô sprach si ›du bist Parzivâl.
nu sage et, saehe du den grâl
252 unt den wirt vröuden laere?
lâ hoeren liebiu maere.
ob wendec ist sîn vreise,
wol dich der saelden reise!
5 wan swaz die lüfte hânt beslagen,
dar ob muostu hoehe tragen:
dir dienet zam unde wilt,
ze rîcheit ist dir wunsch gezilt.‹
    Parzivâl der wîgant
10 sprach ›wâ von habt ir mich erkant?‹
si sprach ›dâ bin ichz diu magt
diu dir ê kumber hât geclagt,
und diu dir sagte dînen namen.
dune darft dich niht der sippe schamen,
15 daz dîn muoter ist mîn muome.
wîplîcher kiusche ein bluome
ist si, geliutert âne tou.
got lôn dir daz dich dô sô rou

Reichtum in Trauer leben. Das vierte Kind, ein Sohn, hat als Sündenbuße ein Leben in Armut erwählt; er heißt Trevrizent. Sein Bruder Anfortas verbringt sein Leben im Lehnstuhl; er kann weder reiten noch gehen, weder liegen noch stehen. Er ist zwar Burgherr zu Munsalwäsche, doch Gottes Zorn hat ihn schlimm getroffen. Herr, wärt Ihr wirklich zu der gramgebeugten Burggesellschaft gelangt, so hätte der Burgherr von seinem langen Leiden erlöst werden können.«

Parzival aber erklärte der Jungfrau: »Ich habe dort höchst wunderbare Dinge erlebt und viele wunderschöne Edelfrauen bestaunt!«

Da erkannte sie ihn endlich an der Stimme und rief: »Du bist Parzival! Sag schnell, hast du den Gral und den unglückseligen Burgherrn gesehen? Laß mich die frohe Botschaft vernehmen! Heil dir zu deiner glückbringenden Fahrt, wenn er endlich von furchtbaren Qualen erlöst ist! Du wirst nun über alle Geschöpfe dieser Erde erhoben! Alle Kreatur ist dir untertan! Unermeßlicher Reichtum und höchste Machtvollkommenheit sind dein!«

Unser Held Parzival aber fragte: »Woran habt Ihr mich denn erkannt?«

Sie erwiderte: »Ich bin die Jungfrau, die dir schon einmal ihr Leid geklagt und dir deinen Namen genannt hat! Du brauchst dich unserer Verwandtschaft nicht zu schämen. Deine Mutter ist meine Tante. Sie ist eine Blüte weiblicher Keuschheit, auch ohne Tau von lauterster Reinheit. Gott lohne es dir! Du hast wirklich Erbarmen gezeigt mit meinem

mîn vriunt, der mir zer tjost lac tôt.
20 ich hân in alhie. nu prüeve nôt
die mir got hât an im gegeben,
daz er niht langer solde leben.
er pflac manlîcher güete
sîn sterben mich dô müete:
25 ouch hân ich sît von tage ze tage
vürbaz erkennet niuwe clage.‹
    ›ôwê war kom dîn rôter munt?
bistuz Sigûne, diu mir kunt
tet wer ich was, ân allen vâr?
dîn reideleht lanc brûnez hâr,
253 Des ist dîn houbet blôz getân,
zem fôrest in Brizljân
sach ich dich dô vil minneclîch,
swie du waerest jâmers rîch.
5 du hâst verlorn varwe unde craft.
dîner herten geselleschaft
verdrüzze mich, solt ich die haben:
wir sulen disen tôten man begraben.‹
dô natzten diu ougen ir die wât.
10 ouch was vroun Lûneten rât
ninder dâ bî ir gewesen.
diu riet ir vrouwen ›lat genesen
disen man, der den iuweren sluoc:
er mag ergetzen iuch genuoc.‹
15 Sigûne gerte ergetzens niht,
als wîp die man bî wanke siht,
manege, der ich wil gedagen.
hoert mêr Sigûnen triuwe sagen.
    diu sprach ›sol mich iht gevröun,
20 daz tuot ein dinc, ob in sîn töun
laezet, den vil trûrigen man.
schiede du helflîche dan,
sô ist dîn lîp wol prîses wert.
du vüerst ouch umbe dich sîn swert:

Geliebten, der mir in ritterlichem Zweikampf getötet wurde. Hier halte ich ihn in den Armen! Kannst du den Schmerz ermessen, den mir Gott mit seinem Tod auferlegt hat? Er war ein mannhafter Ritter, und sein Tod hat mich schwer getroffen. Nun erneuere ich Tag für Tag meine Totenklage.«

»Ach, wo blieb das Rot deiner Lippen! Bist du in der Tat Sigune, die mir sagte, wer ich wirklich sei? Dein Haupt ist kahl; verschwunden sind deine langen braunen Locken! Im Wald von Briziljan warst du noch voller Liebreiz, obwohl du großen Kummer tragen mußtest. Doch jetzt sind Schönheit und Lebenskraft dahin! Mich würde schaudern in so furchtbarer Gesellschaft. Laß uns diesen Toten begraben!«

Da netzten Tränen ihr Gewand. Sigune hätte Frau Lunetes Rat sicher nicht befolgt; die riet nämlich ihrer Herrin »Laßt den Mann, der Euern Gatten erschlagen hat, am Leben, dann kann er Euch für den Toten entschädigen!« Sigune dachte nicht an solche Entschädigung, obwohl es viele wankelmütige Frauen tun, über die ich mich hier nicht weiter auslassen will! Hört mehr über Sigunes Treue! Sie sprach zu Parzival: »Könnte mich je noch etwas erfreuen, so wäre es die Nachricht, daß der schmerzbeladene Anfortas von seinem Dahinsiechen erlöst ist. Hast du ihn vor deinem Abschied erlöst, gebührt dir höchster Ruhm! Du trägst da

---

Lunete: Gestalt aus dem Ritterepos »Iwein«, das Hartmann von Aue nach französischer Vorlage gestaltete. Den erwähnten Rat gibt sie ihrer Herrin Laudine, die dann in der Tat Iwein ehelicht, obwohl er ihren Gatten erschlagen hat (1796 ff.).

25   bekennestu des swertes segen,
      du maht ân angest strîtes pflegen.
      Sîn ecke ligent im rehte:
      von edelem geslehte
      worhte ez Trebuchetes hant.
      ein brunne stêt bî Karnant,

254   dar nâch der künec heizet Lac.
       daz swert gestêt ganz einen slac,
       am andern ez zevellet gar:
       wilt du ez dan wider bringen dar,

5   ez wirt ganz von des wazzers trân.
       du muost des urspringes hân,
       underm velse, ê in beschine der tac.
       der selbe brunne heizet Lac.
       sint diu stücke niht verrêrt,

10   der si reht ze ein ander kêrt,
       sô si der brunne machet naz,
       ganz unde sterker baz
       wirt im valz und ecke sîn
       und vliesent niht diu mâl ir schîn.

15   daz swert bedarf wol segens wort:
       ich vürht diu habestu lâzen dort:
       hât si aber dîn munt gelernet,
       sô wehset unde kernet
       immer saelden craft bî dir:

20   lieber neve, geloube mir,
       sô muoz gar dienen dîner hant
       swaz dîn lîp dâ wunders vant:
       ouch mahtu tragen schône
       immer saelden crône

25   hôhe ob den werden:
       den wunsch ûf der erden
       hâstu volleclîche:
       niemen ist sô rîche,
       der gein dir koste mege hân,
       hâstu vrâge ir reht getân.‹

sein Schwert an der Seite. Kennst du seine geheime Wunder-
kraft, dann kannst du dich furchtlos in jeden Streit wagen.
Seine Schneiden sind eine vorzügliche Arbeit. Trebuchet aus
edlem Geschlecht hat es gemacht. Bei Karnant fließt ein
Brunnen, nach dem der König dieses Landes, Lac, genannt
ist. Beim ersten entscheidenden Schlag bleibt das Schwert
unversehrt, doch beim zweiten zerspringt es. Bringst du es
dann zu diesem Brunnen, so fügt es sein Wasserstrahl wieder
zusammen. Du mußt aber noch vor Tagesanbruch zum
Quell Lac gehen, wo er aus der Felswand springt. Ist kein
Stück verloren und setzt man die Teile genau an die Bruch-
stellen zusammen, so wird das Schwert im Brunnenwasser
wieder ganz, Fugen und Schneiden werden sogar noch
härter als vorher, auch die Gravierung verliert nichts von
ihrer Schönheit. Man muß allerdings den richtigen Segens-
spruch wissen, und ich fürchte, du hast ihn in der Burg nicht
erfahren. Hast du ihn aber doch erlernt, so verläßt dich nie
das Glück. Glaube mir, lieber Vetter: All das Wunderbare,
was du dort erblickt hast, gehört dann dir! Hoch über alle
andren Edlen erhoben, trägst du die Krone des Heils! Alles,
was der Mensch erstrebt, erhältst du im Überfluß. Hast du
die entscheidende Frage getan, so gibt es keinen Menschen
auf Erden, der sich an Macht und Reichtum mit dir messen
kann.«

255   Er sprach ›ich hân gevrâget niht.‹
       ›ôwê daz iuch mîn ouge siht‹,
       sprach diu jâmerbaeriu magt,
       ›sît ir vrâgens sît verzagt!
5   ir sâhet doch sölh wunder grôz:
       daz iuch vrâgens dô verdrôz,
       aldâ ir wârt dem grâle bî!
       manege vrouwen valsches vrî,
       die werden Garschiloyen
10   und Repans de schoyen,
       und snîdende silber und bluotec sper.
       ôwê waz wolt ir zuo mir her?
       gunêrter lîp, vervluochet man!
       ir truogt den eiterwolves zan,
15   dâ diu galle in der triuwe
       an iu becleip sô niuwe.
       iuch solt iuwer wirt erbarmet hân,
       an dem got wunder hât getân,
       und het gevrâget sîner nôt.
20   ir lebt, und sît an saelden tôt.‹
           dô sprach er ›liebiu niftel mîn,
       tuo bezzeren willen gein mir schîn.
       ich wandel, hân ich iht getân.‹
       ›ir sult wandels sîn erlân‹,
25   sprach diu maget. ›mir ist wol bekant,
       ze Munsalvaesche an iu verswant
       êre und ritterlîcher prîs.
       iren vindet nu deheinen wîs
       deheine geinrede an mir.‹
       Parzivâl sus schiet von ir.

256   Daz er vrâgens was sô laz,
       do er bî dem trûregen wirte saz,
       daz rou dô groezlîche
       den helt ellens rîche.
5   durch clage und durch den tac sô heiz
       begunde netzen in der sweiz.

Er aber sagte: »Ich habe nicht gefragt!«

»Weh, daß Ihr mir je unter die Augen kamt!« rief die
schmerzgebeugte Jungfrau. »Ihr habt versäumt zu fragen!
Warum habt Ihr es nicht getan? Als Ihr beim Grale wart,
habt Ihr doch so viel Wunderbares gesehen! Ihr saht viele
lautere Edelfrauen, unter ihnen die edle Garschiloye und
Repanse de Schoye; Ihr saht die beiden scharfen Silbermes-
ser und die blutige Lanze! Weh, was wollt Ihr überhaupt bei
mir? Ehrloser und verfluchter Mensch! Ihr seid gefährlich
wie der Zahn eines tollwütigen Wolfs. Schon in jungen
Jahren hat die bittere Galle der Falschheit die Treue in Euch
überwuchert! Ihr hättet Euch Eures Gastgebers, den Gott so
furchtbar gestraft hat, erbarmen und nach der Ursache
seiner Qualen fragen müssen! Zwar lebt Ihr, doch Euer
Lebensglück ist tot!«

Er bat bestürzt: »Liebe Base, sei nicht so hart zu mir! Habe
ich Unrecht getan, so will ich gern dafür büßen.«

Die Jungfrau aber sprach verächtlich: »Die Buße sei Euch
geschenkt! Ich weiß genau, daß Ihr in Munsalwäsche Ehre
und Ritterruhm verspielt habt! Von nun an hört Ihr von mir
kein einziges Wort mehr.« So mußte Parzival die Jungfrau
schließlich verlassen.

Es fiel unserem starken Helden schwer aufs Herz, daß er
keine Frage gestellt hatte, als er an der Seite des gramgebeug-
ten Burgherrn saß. Seine Selbstanklage und die Hitze des
fortschreitenden Tages trieben ihm den Schweiß aus den

durch den luft von im er bant
den helm und vuorte in in der hant.
er entstricte die vinteilen sîn:
10   durch îsers râm was lieht sîn schîn.
     er kom ûf eine niuwe slâ.
wande ez gienc vor im aldâ
ein ors daz was wol beslagen,
und ein barvuoz pfäret daz muose tragen
15   eine vrouwen die er sach.
nâch der ze rîten im geschach.
ir pfärt gein kumber was verselt:
man hete im wol durch hût gezelt
elliu sîniu rippe gar.
20   als ein harm ez was gevar.
ein bästîn halfter lac dar an.
unz ûf den huof swanc im diu man.
sîn ougen tief, die gruoben wît.
ouch was der vrouwen runzît
25   vertwâlet unde vertrecket,
durch hunger dicke erwecket.
ez was dürre als ein zunder.
sîn gên daz was wunder:
wande ez reit ein vrouwe wert
diu selten kunrierte pfert.
257   Dâ lac ûf ein gereite,
smal ân alle breite,
geschelle und bogen verrêret,
grôz zadel dran gemêret.
5   der vrouwen trûrec, niht ze geil,
ir surzengel was ein seil:
dem was si doch ze wol geborn.
ouch heten die este und etslich dorn
ir hemde zervüeret:
10   swa ez mit zerren was gerüeret,
dâ sach er vil der stricke:
dar unde liehte blicke,

Poren. Um frische Luft zu schöpfen, band er den Helm los
und trug ihn in der Hand. Auch die Fintale löste er, und
seine Schönheit überstrahlte alle Rostflecken. Da stieß er auf
eine neue Spur. Offenbar gingen vor ihm ein beschlagenes
und ein unbeschlagenes Pferd; das letztere trug eine Dame,
die ihm schon einmal begegnet war. Es fügte sich, daß er in
die gleiche Richtung ritt. Das Pferd der Dame war schlecht
genährt, so daß man unter der Haut die Rippen zählen
konnte. Es war ein Schimmel, und sein Halfter war aus
Bastschnur. Die Mähne fiel bis zu den Hufen hinab, und die
Augen lagen tief in den großen Augenhöhlen. Die Mähre der
Dame machte einen kraftlosen, abgetriebenen Eindruck. Sie
fand vor Hunger kaum noch Schlaf und war dürr wie
Zunder. Es war fast ein Wunder, daß sie überhaupt noch
laufen konnte, zumal sie eine Edelfrau trug, die von Pferde-
pflege nichts verstand. Der Sattel war unbequem und
schmal, der Sattelbogen zerbrochen; von den Zierglöckchen
waren viele abgerissen. Als Sattelgurt mußte die arme Edel-
frau mit einem groben Strick vorliebnehmen, was ihrem
vornehmen Geschlecht nicht angemessen war. Ihr Hemd
hatten Äste und Dornen zerrissen; es bestand eigentlich nur
noch aus Fetzen, unter denen allerdings ihre weiße Haut

Fintale: Halsschutz aus Panzerringen.

     ir hût noch wîzer denne ein swan.
     sine vuorte niht wan knoden an:
15   swâ die wârn des velles dach,
     in blanker varwe er daz sach:
     daz ander leit von sunnen nôt.
     swie ez ie kom, ir munt was rôt:
     der muose alsölhe varwe tragen,
20   man hete viur wol drûz geslagen.
     swâ man si wolt an rîten,
     daz was zer blôzen sîten:
     [nante si iemen vilân,
     der hete ir unreht getân:]
25   wan si hete wênc an ir.
     durch iuwer zuht geloubet mir,
     si truoc ungedienten haz:
     wîplîcher güete si nie vergaz.
     ich saget iu vil armuot:
30   war zuo? diz ist als guot.
     doch naeme ich sölhen blôzen lîp
     vür etslîch wol gecleidet wîp.

258   Dô Parzivâl gruoz gein ir sprach,
     an in si erkenneclîchen sach.
     er was der schoenste über elliu lant;
     dâ von si in schiere hete erkant.
5   si sagete ›ich hân iuch ê gesehen.
     dâ von ist leide mir geschehen:
     doch müeze iu vröude unt êre
     got immer geben mêre
     denn ir umb mich gedienet hât.
10   des ist nu ermer mîn wât
     denn ir si jungest sâhet.
     waert ir niht genâhet
     mir an der selben zît,
     sô hete ich êre âne strît.‹
15   dô sprach er ›vrouwe, merket baz,
     gein wem ir kêret iuwern haz.

heller hervorglänzte als das Gefieder eines Schwans. Eigentlich trug sie nur zusammengeknotete Lumpen. Wo sie die Haut geschützt hatten, leuchtete sie in hellem Weiß, während die unbedeckten Stellen von den Strahlen der Sonne schmerzhaft gerötet waren. Trotz allem waren ihre Lippen frisch und rot, von solch praller Röte, daß man Feuer daraus hätte schlagen können. Von welcher Seite man sie angreifen möchte, man hätte sie stets ungeschützt gefunden. Es wäre ungerecht gewesen, sie für ein »Viel an« zu halten, denn sie trug wahrhaftig nicht viel am Leibe. Bei eurer Ehre, ihr könnt mir glauben, sie wurde ohne Schuld von Haß verfolgt, denn nie hatte sie weibliche Güte vermissen lassen. Nun werdet ihr fragen, warum ich hier so ausführlich über Armut erzähle. Ganz einfach, weil es eigentlich um Reichtum geht, denn ich zöge eine solche Frau auch nackt mancher prächtig herausgeputzten vor.

Als Parzival ihr einen Gruß zurief, erkannte sie ihn sogleich, war er doch der schönste Jüngling auf der ganzen Welt. Sie sagte: »Ich habe Euch schon einmal gesehen; das hat mir allerdings großes Leid gebracht. Gott schenke Euch mehr Glück und Ansehen, als Ihr es eigentlich um mich verdient habt! Nur Ihr seid schuld daran, daß meine Kleidung nun viel armseliger ist als bei unserer letzten Begegnung. Wärt Ihr damals nicht zu mir gekommen, so könnte jetzt niemand meine Ehre anzweifeln.«

Parzival erwiderte erstaunt: »Edle Frau, überlegt doch, gegen wen sich Euer Zorn richtet! Seit ich den Schild des

---

»Viel an«: Wortspiel mit *vilan* ›Bauer‹ oder ›viel anhaben‹.

jane wart von mîme lîbe
iu noch deheinem wîbe
laster nie gemêret
20   (sô hete ich mich gunêret)
sît ich den schilt von êrst gewan
und ritters vuore mich versan.
mir ist ander iuwer kumber leit.‹
al weinde diu vrouwe reit,
25   daz si begôz ir brüstelîn,
als si gedraet solden sîn.
diu stuonden blanc hôch sinewel:
jane wart nie draehsel sô snel
der si gedraet hete baz.
swie minneclîch diu vrouwe saz,
259   si muose in doch erbarmen.
mit henden und mit armen
begunde si sich decken
vor Parzivâl dem recken.
5   Dô sprach er ›vrouwe, nemt durch got
ûf rehten dienst sunder spot
an iuwern lîp mîn cursît.‹
›hêrre, waer daz âne strît
daz al mîn vröude laege dran,
10   so getörst ichz doch niht grîfen an.
welt ir uns toetens machen vrî,
sô rîtet daz ich iu verre sî.
doch clagte ich wênec mînen tôt,
wan daz ich vürhte ir komt es in nôt.‹
15   ›vrouwe, wer naem uns daz leben?
daz hât uns gotes craft gegeben:
ob des gerte ein ganzez her,
man saehe mich vür uns ze wer.‹
si sprach ›es gert ein werder degen:
20   der hât sich strîtes sô bewegen,
iuwer sehse koemen es in arbeit.
mir ist iuwer rîten bî mir leit.

Ritters trage und etwas von ritterlichem Benehmen weiß,
habe ich weder Euch noch einer andern Frau je Schmach
zugefügt. Ich hätte ja sonst meine Ehre verloren! Im übrigen
fühle ich Mitleid mit Euerm Kummer.«

Da weinte die edle Dame im Weiterreiten so heftig, daß die
Tränen über ihre Brüste flossen, die blendendweiß und
zierlich gerundet emporragten, als seien sie kunstreich
gedrechselt. Doch auch der geschickteste Drechsler hätte sie
nicht so herrlich formen können wie die Natur. Trotz ihres
Liebreizes tat die Dame unserem Helden doch in tiefster
Seele leid. Sie war indes bemüht, ihre Blöße mit Händen und
Armen vor Parzivals Blicken zu verbergen. Da sprach er:
»Edle Frau, nehmt doch um Gottes willen und als Zeichen
meiner aufrichtigen Hilfsbereitschaft meinen Umhang und
legt ihn um!«

»Ach Herr, auch wenn mein ganzes Glück davon abhinge,
wagte ich es nicht, ihn anzurühren. Wollt Ihr uns beide vor
dem Tode bewahren, so reitet nur fort, so weit Ihr könnt.
Ich selbst wäre zwar nicht traurig über den Tod, doch ich
fürchte, daß Ihr Euch in Gefahr bringt.«

»Edle Frau, wer sollte uns nach dem Leben trachten? Gottes
Allmacht hat es uns gegeben, und wenn ein ganzes Heer
anrückte, es uns zu nehmen, so wäre ich doch zu unserer
Verteidigung bereit.«

Sie antwortete: »Ein edler Held ist's, der danach trachtet. Er
ist so kampfbegierig, daß sogar sechs Ritter Euresgleichen in
Bedrängnis gerieten. Mir ist schon bange, daß Ihr neben mir

ich was etswenne sîn wîp:
nune möhte mîn vertwâlet lîp

25   des heldes dierne niht gesîn:
sus tuot er gein mir zürnen schîn.‹
dô sprach er zuo der vrouwen sân
›wer ist hie mit iuwerem man?
wan vlühe ich nu durch iuwern rât,
daz diuhte iuch lîhte ein missetât.

260   swenne ich vliehen lerne,
sô stirbe ich als gerne.‹
        Dô sprach diu blôze herzogîn
›er hât hie niemen denne mîn.

5   der trôst ist cranc gein strîtes sige.‹
niht wan knoden und der rige
was an der vrouwen hemde ganz.
wîplîcher kiusche lobes cranz
truoc si mit armüete:

10   si pflac der wâren güete
sô daz der valsch an ir verswant.
die finteiln er vür sich bant,
gein strîte er wolde vüeren
den helm er mit den snüeren

15   eben ze sehen ructe.
innen des daz ors sich bucte,
gein dem pfärde ez schrîen niht vermeit.
der vor Parzivâl dâ reit
und vor der blôzen vrouwen,

20   der erhôrte ez und wolde schouwen
wer bî sîme wîbe rite.
daz ors warf er mit zornes site
vaste ûz dem stîge.
gein strîteclîchem wîge

25   hielt der herzoge Orilus
gereit ze einer tjost alsus,
mit rehter manlîcher ger,
von Gaheviez mit eime sper:

reitet. Ich war einst seine Ehefrau, doch jetzt, so elend, bin ich nicht einmal wert, seine Magd zu sein. Das ist das Werk seines Zorns, mit dem er mich verfolgt.«

Von neuem wandte sich Parzival zur Edelfrau: »Wie groß ist das Gefolge Eures Gatten? Hielte ich mich wirklich an Euern Rat und ergriffe die Flucht, so fändet Ihr mein Verhalten am Ende selber schändlich! Lieber sterben als fliehen!«

Die Herzogin in ihrer Blöße aber erwiderte: »Nur ich bin bei ihm! Doch solltet Ihr bei einem einzigen Gegner auf siegreichen Ausgang des Kampfes hoffen, so täuscht Ihr Euch gründlich!«

Das Hemd der Edelfrau bestand zwar nur noch aus Fetzen und aus der Halskrause, doch bei aller äußeren Armseligkeit trug sie den Ruhmeskranz weiblicher Lauterkeit. Sie war voll echter fraulicher Güte und frei von allem Falsch.

Parzival band die Fintale wieder um, denn er wollte den Kampf bestehen. Er setzte den Helm auf, band ihn fest und rückte ihn so zurecht, daß er ein gutes Blickfeld hatte. Da warf sein Hengst den Kopf empor und wieherte Jeschutes Mähre zu. Der Ritter, der Parzival und der entblößten Edelfrau voranritt, hörte es und wollte wissen, wer an der Seite seiner Gattin ritt. Zornig riß er sein Roß herum, daß es aus dem Weg geworfen wurde, und schon war Herzog Orilus kampfbereit. Voll männlicher Kampfbegier legte er eine Lanze aus Gaheviez ein, die mit seinen Wappenfarben

daz was gevärwet genuoc,
reht als er sîniu wâpen truoc.

261   Sînen helm worhte Trebuchet.
sîn schilt was ze Dôlet
in Kailetes lande
geworht dem wîgande:
5   rant und buckel heten craft.
ze Alexandrîe in heidenschaft
was geworht ein pfellel guot,
des der vürste hôch gemuot
truoc cursît und wâpenroc.
10   sîn decke was ze Tenabroc
geworht ûz ringen herte:
sîn stolzheit in lêrte,
der îserînen decke dach
was ein pfellel, des man jach
15   daz der tiure waere.
rîche und doch niht swaere
sîne hosen, halsperc, hersnier:
und in îserîniu schillier
was gewâpent dirre küene man,
20   geworht ze Bêâlzenân
in der houbetstat ze Anschouwe.
disiu blôziu vrouwe
vuorte im ungelîchiu cleit,
diu dâ sô trûric nâch im reit:
25   dane hete si es niht bezzer state.
ze Sessûn was geslagen sîn plate;
sîn ors von Brumbâne
de Salvâsche ah muntâne:
mit einer tjost rois Lähelîn
bejaget ez dâ, der bruoder sîn.

262   Parzivâl was ouch bereit:
sîn ors mit walap er reit
gein Orilus de Lalander.
ûf des schilde vand er

descaption of p's armour

bemalt war. Seinen Helm hatte Trebuchet gearbeitet. Der Schild war für den Helden in Toledo, im Lande Kaylets, hergestellt worden. Schildrand und Schildbuckel waren besonders fest. Die kostbare Seide für Umhang und Waffenrock des stolzen Fürsten stammte aus Alexandrien, aus dem Heidenland. Die Panzerdecke des Pferdes war in Tenabroc aus festen Stahlringen gewirkt worden. Über diesen Panzer hatte er hoffärtig noch eine Seidendecke geworfen, der man ihre Kostbarkeit ansah. Wertvoll und leichtgewichtig war seine Rüstung: Beinschienen, Kettenhemd und Kettenhaube. Ferner trug der tapfere Ritter eiserne Knieschützer, die in Bealzenan, der Hauptstadt von Anjou, geschmiedet waren. Was die entblößte, traurig hinter ihm reitende Edelfrau auf dem Leibe trug, war mit dieser Ausrüstung freilich nicht zu vergleichen. Sein Plattenharnisch war in Soissons gehämmert worden. Sein Roß stammte vom See Brumbane bei Munsalwäsche, wo es sein Bruder, König Lähelin, im Kampf erbeutet hatte.

Doch auch Parzival war kampfbereit. In gestrecktem Galopp sprengte er Orilus von Lalant entgegen, auf dessen Schild er einen lebensgetreu abgebildeten Drachen erblickte.

Toledo: Die Klingen von Toledo waren berühmt, vielleicht auch die Schilde.

5   einen trachen als er lebte.
    ein ander trache strebte
    ûf sîme helme gebunden;
    an den selben stunden
    manec guldîn trache cleine
10   (mit mangem edelen steine
    muosen die gehêret sîn:
    ir ougen wâren rubîn)
    ûf der decke und an dem cursît.
    dâ wart genomen der poynder wît
15   von den zwein helden unverzagt.
    newederhalp wart widersagt:
    si wârn doch ledec ir triuwe.
    trunzûne starc al niuwe
    von in waeten gein den lüften.
20   ich wolde mich des güften,
    het ich ein sölhe tjost gesehen
    als mir diz maere hât verjehen.
      dâ wart von rabbîne geriten,
    ein sölh tjoste niht vermiten:
25   vroun Jeschûten muot verjach,
    schoener tjost si nie gesach.
    diu hielt dâ, want ir hende.
    si vröuden ellende
    gunde enwederm helde schaden.
    diu ors in sweize muosen baden.
263 Prîses si bêde gerten.
    die blicke von den swerten,
    und viur daz von helmen spranc,
    und manec ellenthafter swanc,
5   die begunden verre glesten.
    wan dâ wâren strîtes die besten
    mit hurte an ein ander kumen,
    ez gê ze schaden oder ze vrumen
    den küenen helden maeren.
10   swie willec diu ors in waeren,

orilus' helmet description

Auch auf dem Helm des Orilus war ein hoch aufgerichteter
Drache befestigt. Viele kleine goldene Drachen, mit zahlrei-
chen Edelsteinen verziert, schmückten außerdem Pferde-
decke und Umhang, und ihre Augen waren aus Rubinen.
Die beiden furchtlosen Helden gönnten sich nicht einmal
Zeit zu einer Kampfansage, denn dazu bestand keinerlei
Veranlassung. Sie nahmen einen weiten Anlauf, so daß beim
Zusammenstoß große weiße Lanzensplitter durch die Luft
wirbelten. Ich wäre glücklich, könnte ich solch einen
Zusammenprall, wie er in meiner Erzählung geschildert
wird, einmal mit eignen Augen sehen. Als die beiden mit
voller Wucht zusammenprallten, mußte sich Frau Jeschute
eingestehen, noch nie zuvor einen so mitreißenden Lanzen-
kampf erlebt zu haben. Abseits auf ihrem Pferde haltend,
rang die vom Glück verlassene Frau angstvoll die Hände,
wünschte sie doch keinem der beiden Helden ein Leid.
Bald waren beide Pferde in Schweiß gebadet, denn jeder
Ritter wollte unbedingt den Siegesruhm erringen. Weithin
leuchteten die blitzenden Schwerter, die von den Helmen
sprühenden Funken und die in wuchtigen Schwüngen krei-
senden Klingen. Hier waren zwei der hervorragendsten
Kämpfer in harter Kraftprobe aneinandergeraten, mochte sie
nun den kühnen und berühmten Helden Sieg oder Nieder-
lage bringen. Obwohl die beiden Rosse willig parierten,

victory or defeat

    dâ sî bêde ûf sâzen,
    der sporn si niht vergâzen,
    noch ir swerte lieht gemâl.
    prîs gedient hie Parzivâl,
15 daz er sich alsus weren kan
    wol hundert trachen und eines man.
      ein trache wart versêret,
    sîne wunden gemêret,
    der ûf Oriluses helme lac,
20 sô durchliuhtec daz der tac
    volleclîche durch in schein,
    wart drab geslagen manc edel stein.
    daz ergienc ze orse und niht ze vuoz.
    vroun Jeschûten wart der gruoz
25 mit swertes schimpfe aldâ bejagt,
    mit heldes handen unverzagt.
    mit hurt si dicke ein ander schuben,
    daz die ringe von den knien zestuben,
    swie si waeren îserîn.
    ruocht irs, si tâten strîtes schîn.
264   Ich wil iu sagen des einen zorn.
    daz sîn wîp wol geborn
    dâ vor was genôtzogt:
    er was iedoch ir rehter vogt,
5   sô daz si schermes warte an in.
    er wânde, ir wîplîcher sin
    waer gein im verkêret,
    unt daz si gunêret
    hete ir kiusche unde ir prîs
10 mit einem andern âmîs.
    des lasters nam er pflihte.
    ouch ergienc sîn gerihte
    über si, daz groezer nôt
    wîp nie gedolte âne tôt,
15 unde ân alle ir schulde.
    er möhte ir sîne hulde

trieben die Kämpfer sie auch noch mit den Sporen an und ließen die blitzenden Schwerter sausen. Parzival gebührt alles Lob, daß er sich gegen einen Ritter und etwa hundert Drachen wacker verteidigte. In diesem Kampf trug der Drache auf dem Helm des Orilus manche Wunde davon; viele Edelsteine, durchsichtig und leuchtend wie das Tageslicht, wurden heruntergeschlagen. Der Schwertkampf wurde nicht etwa zu Fuß, sondern zu Pferde ausgetragen. Im Wirbel des Schwertes, von der Hand eines furchtlosen Helden geführt, wurde Frau Jeschute die Neigung ihres Gatten wiedergewonnen. Immer wieder rasselten die beiden Kämpfer so wuchtig zusammen, daß die stählernen Panzerringe an den Knien zersprangen. Beide zeigten, was rechtes Kämpfen heißt!

Ich will euch erklären, warum der eine Kämpfer so zornig war: Man hatte seiner edlen Gattin Gewalt angetan, und da er ihr rechtmäßiger Schutzherr war, durfte sie von ihm Schutz erwarten. Er glaubte, sie sei ihm untreu geworden und habe in den Armen eines Geliebten Keuschheit und guten Ruf vergessen; das aber empfand er als persönliche Beschimpfung. Daher hatte er sie mit einer Strenge bestraft, daß, abgesehen vom Tod, nie eine schuldlose Frau grausamer gepeinigt worden ist. Orilus war eben überzeugt, dem

       versagen, swenne er wolde:
       nieman daz wenden solde,
       ob [der] man des wîbes hât gewalt.
20   Parzivâl der degen balt
       Oriluses hulde gerte
       vroun Jeschûten mit dem swerte.
       des hôrt ich ie güetlîche biten:
       ez kom dâ gar von smeiches siten.
25   mich dunket si hân bêde reht.
       der beidiu crump unde sleht
       geschuof, künne er scheiden,
       sô wende er daz an beiden,
       deiz âne sterben dâ ergê.
       si tuont doch sus ein ander wê.
265   Da ergienc diu scharpfe herte.
       iewederre vaste werte
       sînen prîs vor dem ander.
       duc Orilus de Lalander
5   streit nâch sîme gelêrten site.
       ich waene ie man sô vil gestrite.
       er hete kunst unde craft:
       des wart er dicke sigehaft
       an maneger stat, swie ez dâ ergienc.
10   durch den trôst zuo ze im er vienc
       den jungen starken Parzivâl.
       der begreif ouch in dô sunder twâl
       unt zucte in ûz dem satel sîn:
       als ein garbe häberîn
15   vaste er in under die arme swanc:
       mit im er von dem orse spranc,
       und dructe in über einen ronen.
       dâ muose schumpfentiure wonen
       der sölher nôt niht was gewent.
20   ›du garnest daz sich hât versent
       disiu vrouwe von dîm zorne.
       nu bistu der verlorne,

Manne sei Gewalt über die Frau gegeben und er dürfe sie
also nach Gutdünken lieblos behandeln, ohne daß sich
jemand einzumischen hätte. Der kühne Held Parzival aber
warb bei ihm mit dem Schwert um Huld für Frau Jeschute.
Solch Anliegen trägt man nach meiner Erfahrung im allge-
meinen freundlicher vor, doch hier wurden keine Schmei-
chelworte laut. Ich denke, in diesem Streit haben beide
recht, allerdings jeder auf seine Art. Wenn Gott, der zwi-
schen Recht und Unrecht zu unterscheiden weiß, hier
schlichten will, so möge er beide am Leben lassen; denn
Schmerzen bereiten sie einander genug.
Es tobte also ein erbitterter Kampf, denn jeder wollte seinen
Kampfesruhm behaupten. Herzog Orilus von Lalant
kämpfte nach allen Regeln der Kunst, und ich meine, an
Kampferfahrung kam ihm niemand gleich. Oft schon war er
in solchen Kämpfen Sieger geblieben, denn seine Fechtkunst
und seine Kraft waren groß. Im Vertrauen auf seine körper-
liche Überlegenheit packte er plötzlich den jungen, starken
Parzival und wollte ihn aus dem Sattel heben. Doch Parzival
war schneller und riß ihn aus dem Sattel. Wie eine Hafer-
garbe schwenkte er ihn kräftig hin und her, sprang mit ihm
aus dem Sattel und preßte ihn quer über einen Baumstamm.
Orilus, der noch nie in solche Bedrängnis geraten war,
mußte also wider Erwarten eine Niederlage hinnehmen.
»Nun sollst du mir büßen, daß sich die Edelfrau über deine
blinde Wut so gehärmt hat! Entweder du behandelst sie gut
und liebevoll, oder du stirbst!«

      dune lâzest si dîn hulde hân.‹
      ›daz enwirt sô gâhes niht getân‹,
25   sprach der herzoge Orilus:
      ›ich bin noch niht betwungen sus.‹
         Parzivâl der werde degen
      druct in an sich, daz bluotes regen
      spranc durch die barbiere.
      dâ wart der vürste schiere
266   betwungen swes man an in warp.
      er tete als der ungerne starp.
      Er sprach ze Parzivâle sân
      ›ôwê küene starker man,
5   wa gediente ich ie dise nôt
      daz ich vor dir sol ligen tôt?‹
         ›jâ lâze ich dich vil gerne leben‹,
      sprach Parzivâl, ›ob du wilt geben
      dirre vrouwen dîne hulde.‹
10   ›ich entuons niht: ir schulde
      ist gein mir ze groezlîch.
      si was werdekeite rîch:
      die hât si gar vercrenket
      und mich in nôt gesenket.
15   ich leiste anders swes du gerst,
      ob du mich des lebens werst.
      daz hete ich etswenn von gote:
      nu ist dîn hant des worden bote
      daz ichs danke dîme prîse.‹
20   sus sprach der vürste wîse.
      ›mîn leben kouf ich schône.
      in zwein landen crône
      treit gewaldeclîche
      mîn bruoder, der ist rîche:
25   der nim dir swederz du wellest
      daz du mich tôt niht vellest.
      ich bin im liep, er loeset mich
      als ich gedinge wider dich.

»So rasch wird nichts daraus!« erwiderte Herzog Orilus.
»Noch bin ich nicht besiegt!«

Da drückte der edle Held Parzival seinen Brustkorb so
kraftvoll zusammen, daß ein wahrer Blutregen durch das
Visier spritzte. Damit zwang er den Fürsten zum Nachge-
ben, denn sterben wollte er schließlich nicht. Orilus sprach
hastig zu Parzival: »Ach, kühner, starker Mann! Womit
habe ich den Tod von deiner Hand verdient?«

Parzival erwiderte: »Ich lasse dich gern am Leben, aber du
mußt dieser Frau wieder deine Neigung schenken!«

»Das kann ich nicht! Sie hat mich zu schwer beleidigt! Einst
genoß sie hohes Ansehen, doch dann hat sie ihren guten Ruf
mit Füßen getreten und mich in Verzweiflung gestürzt.
Alles andere will ich um den Preis meines Lebens tun! Gott
hat mir das Leben gegeben; nun hältst du es in deiner Hand,
und ich kann nur auf deinen Edelmut vertrauen. Ich will
mein Leben«, fuhr der Fürst fort, »auch teuer erkaufen!
Mein Bruder ist Herrscher über zwei Königreiche. Tötest du
mich nicht, soll eines dir gehören. Er liebt mich so sehr, daß
er mein Versprechen auf jeden Fall einlösen wird. Ferner

Dar zuo nim ich mîn herzentuom
von dir. dîn prîslîcher ruom
267 hât werdekeit an mir bezalt.
nu erlâz mich, küener degen balt,
suone gein disem wîbe,
und gebiut mîme lîbe
5 anders swaz dîn êre sîn.
gein der gunêrten herzogîn
mag ich suone gepflegen niht,
swaz halt anders mir geschiht.‹
        Parzivâl der hôch gemuot
10 sprach ›liute, lant, noch varnde guot,
der deheinez mac gehelfen dir,
dune tuost des sicherheit gein mir,
daz du gein Bertâne varst,
unt die reise niht langer sparst,
15 ze einer magt, die blou durch mich
ein man, gein dem ist mîn gerich
âne ir bete niht verkorn.
du solt der meide wol geborn
sichern und mîn dienest sagen:
20 oder wirt alhie erslagen.
sage Artûse und dem wîbe sîn,
in beiden, von mir dienest mîn,
daz si mîn dienst sus letzen,
[und] die magt ir slege ergetzen.
25 dar zuo wil ich schouwen
in dînen hulden dise vrouwen
mit suone âne vâre:
oder du muost ein bâre
tôt hinnen rîten,
wiltu michs widerstrîten.
268 Merc diu wort, unt wis der werke ein wer:
des gib mir sicherheit alher.‹
dô sprach der herzoge Orilus
zem künege Parzivâl alsus

will ich mein eigenes Herzogtum aus deiner Hand als Lehen nehmen. So hast du durch diesen Sieg deinen Heldenruhm gewaltig erhöht! Erlasse mir aber, kühner, tapferer Held, die Versöhnung mit dieser Frau. Fordere von mir anderes, was deine Ehre mehrt! Was mir auch geschieht: Mit dieser ehrvergessenen Herzogin versöhne ich mich nicht!«

Da sprach der edelmütige Parzival: »Kein Mensch, kein Reich und kein Besitz retten dir das Leben, wenn du nicht versprichst, in die Bretagne zu reiten und eine Jungfrau aufzusuchen, die meinetwegen von einem Manne gezüchtigt wurde. Tritt sie nicht selber für ihn ein, so trifft ihn meine Rache! Du sollst vor der vornehmen Jungfrau Unterwerfung geloben und ihr versichern, daß ich ihr zu Diensten bin. Tust du das nicht, wirst du erschlagen! Sage auch Artus und seiner Gemahlin, ich sei ihnen gern zu Diensten; zum Lohne möchten sie die Jungfrau für die erlittene Züchtigung entschädigen. Schließlich bestehe ich darauf, daß du dich hier mit dieser Edelfrau aufrichtig und ohne jeden Hintergedanken versöhnst! Widersetzt du dich, dann verläßt du diesen Platz tot auf einer Bahre. Bedenke das und handle danach! Und nun gelobe mir, was ich von dir verlangt habe!«

Herzog Orilus sprach nun zum König Parzival: »Wenn

5 ›mac niemen dâ vür niht gegeben,
sô leiste ichz: wande ich wil noch leben.‹
  durch die vorhte von ir man
vrou Jeschûte diu wol getân
strîtscheidens gar verzagte:

10 ir vîendes nôt si clagte.
Parzivâl in ûf verliez
do er vroun Jeschûten suone gehiez.
der betwungene vürste sprach
›vrouwe, sît diz durch iuch geschach,

15 in strît diu schumpfentiure mîn,
wol her, ir sult geküsset sîn.
ich hân vil prîses durch iuch verlorn:
waz denne? ez ist doch verkorn.‹
diu vrouwe mit ir blôzem vel

20 was zem sprunge harte snel
von dem pfärde ûf den wasen.
swie daz bluot von der nasen
den munt im hete gemachet rôt,
si kuste in dô er kus gebôt.

25   dâ wart niht langer dô gebiten,
si bêde und ouch diu vrouwe riten
vür ein clôsen in eins velses want.
eine kefsen Parzivâl dâ vant:
ein gemâlet sper derbî dâ lent.
der einsidel hiez Trevrizent.

269   Parzivâl dô mit triuwen vuor:
er nam daz heiltuom, drûf er swuor.
sus stabte er selbe sînen eit.
er sprach ›hân ich werdekeit:

5 ich habe si oder enhabe ir niht,
swer mich bî dem schilde siht,
der prüevet mich gein ritterschaft.
des namen ordenlîchiu craft,
als uns des schildes ambet sagt,

10 hât dicke hôhen prîs bejagt:

nichts dich von deinem Vorsatz abbringen kann, dann gehorche ich, denn ich will leben!«

Die liebreizende Frau Jeschute hatte aus Furcht vor ihrem Gatten die beiden Kämpfer nicht zu trennen gewagt, doch sie beklagte die Not ihres Feindes. Als Orilus gelobt hatte, sich mit Frau Jeschute zu versöhnen, ließ Parzival seinen Gegner aufstehen. Der besiegte Fürst sprach: »Edle Frau, da ich nun einmal in diesem Kampf um Euretwillen eine Niederlage hinnehmen mußte, kommt in meine Arme, denn zum Zeichen der Versöhnung will ich Euch küssen. Zwar wurde mein Ritterruhm Euretwegen arg geschmälert, doch was hilft's! Es sei vergeben und vergessen!«

Rasch sprang die Edelfrau in ihrer Blöße vom Pferd auf den Rasen, und obwohl seine Lippen vom Blut gerötet waren küßte sie ihn, wie er es gewünscht hatte.

Unverweilt ritten nun die beiden Helden und die Edelfrau zu einer Einsiedlerklause in einer Felswand. In dieser Klause fand Parzival einen Reliquienschrein und daneben eine Lanze mit buntbemaltem Schaft. Der Einsiedler, dem diese Klause gehörte, hieß Trevrizent. Nun erwies sich Parzival als Mann von Ehre. Aus freiem Willen legte er seine Hand auf die Reliquie und tat folgenden Schwur: »Ich schwöre jetzt bei meiner Ritterehre. Ob ich sie besitze oder nicht, das sollen meine ritterlichen Kampfestaten bezeugen! Rittertum, du hast deinen Namen in der Vergangenheit mit Ruhm

ez ist ouch noch ein hôher name.
mîn lîp gein werltlîcher schame
immer sî gewenket
und al mîn prîs vercrenket.
15   dirre worte sî mit werken pfant
mîn gelücke vor der hoehsten hant:
ich hânz dâ vür, die treit got.
nu müeze ich vlüsteclîchen spot
ze bêden lîben immer hân
20   von sîner craft, ob missetân
disiu vrouwe habe, dô diz geschach
daz ich ir vürspan von ir brach.
ouch vuorte ich mêr goldes dan.
ich was ein tôre und niht ein man,
25   gewahsen niht bî witzen.
vil weinens, dâ bî switzen
mit jâmer dolte vil ir lîp.
si ist benamen ein unschuldic wîp.
dâne scheide ich ûz niht mêre:
des sî pfant mîn saelde und êre.
270   Ruocht irs, si sol unschuldec sîn.
seht, gebt ir wider ir vingerlîn.
ir vürspan wart sô vertân
daz es mîn tôrheit danc sol hân.‹
5   die gâbe enpfienc der degen guot.
dô streich er von dem munde daz bluot
und kuste sînes herzen trût.
ouch wart verdact ir blôziu hût.
Orilus der vürste erkant
10   stiez daz vingerlîn wider an ir hant,
und gab ir an sîn cursît:
daz was von rîchem pfelle, wît,
mit heldes hant zerhouwen.
ich hân doch selten vrouwen
15   wâpenroc an gesehen tragen,
die waeren in strîte alsus zerslagen:

umkränzt und stehst auch heute noch in vollem Glanz!
Schwöre ich falsch, so will ich auf Erden ewiger Schande
verfallen und all mein Ansehen verlieren! Für die Wahrheit
meiner Worte lege ich als Pfand mein Lebensglück in die
Hand des Allerhöchsten! Kraft seiner Allmacht soll er mich
im Diesseits und im Jenseits mit Schmach und Unheil stra-
fen, wenn diese Edelfrau gefehlt hat, als ich ihr die Spange
abriß und einen Goldring nahm! Als ich das tat, war ich kein
Ritter, sondern ein Narr, in dumpfer Unwissenheit aufge-
wachsen. Sie weinte damals aus lauter Verzweiflung heiße
Tränen! Ich versichere Euch, sie ist völlig schuldlos! Dafür
setze ich mein Glück und meine Ehre zum Pfande! Ihr
könnt von ihrer Unschuld überzeugt sein! Hier, nehmt den
Ring und gebt ihn ihr zurück! Bei meiner eignen Torheit
kann ich mich dafür bedanken, daß die Spange verschleudert
wurde.«

Orilus nahm die Gabe entgegen, wischte sich das Blut von
den Lippen, küßte seine Herzallerliebste und bedeckte ihre
Blöße. Er steckte ihr den Ring wieder an den Finger und
legte seinen Umhang über ihre Schultern. Dieser Umhang
war aus kostbarer, weit herabfallender Seide, jetzt allerdings
zerfetzt von den Schwertstreichen eines Helden. Nie trug
eine Edelfrau einen Waffenrock, der im Kampf so zerschlitzt

von ir crîe wart ouch nie turnei
gesamliert noch sper enzwei
gestochen, swâ daz solde sîn.
20   der guote knappe und Lämbekîn
die tjost zesamne trüegen baz.
sus wart diu vrouwe trûrens laz.
    dô sprach der vürste Orilus
aber ze Parzivâle alsus.
25   ›helt, dîn unbetwungen eit
gît mir grôz liep und crankez leit.
ich hân schumpfentiure gedolt,
diu mir vröude hât erholt.
jâ mac mit êren nu mîn lîp
ergetzen diz werde wîp
271   Daz ich si hulde mîn verstiez.
dô ich die süezen eine liez
waz mohte si, swaz ir geschach?
dô si aber von dîner schoene sprach,
5   ich wând dâ waere ein vriuntschaft bî.
nu lôn dir got, si ist valsches vrî,
ich hân unvuoge an ir getân.
vür daz fôrest in Brizljân
reit ich dô in jûven poys.‹
10   Parzivâl diz sper von Troys
nam und vuorte ez mit im dan.
des vergaz der wilde Taurîân,
Dodines bruoder, dâ.
nu sprechet wie oder wâ
15   die helde des nahtes megen sîn.
helm unde ir schilde heten pîn:
die sach man gar verhouwen.
Parzivâl zer vrouwen
nam urloup unt ze ir âmîs.
20   dô ladete in der vürste wîs
mit im an sîne viurstat:
daz half in niht, swie vil ers bat.

worden wäre. Dabei hatte sie an keinem Turnier teilgenommen, auch keine Lanze im Kampf zerbrochen. Ein tüchtiger Knappe und Lämbekin hätten einen Zweikampf eher zustande gebracht. So wurde Jeschute von ihrem Kummer erlöst.

Fürst Orilus sprach zu Parzival: »Held, dein freiwilliger Eid macht mich froh und vertreibt all mein Leid. Ich habe zwar eine Niederlage erlitten, doch sie hat mir Glück gebracht. Nun kann ich diese edle Frau für die lieblose und harte Behandlung entschädigen, ohne um meine Ehre fürchten zu müssen. Ich hatte die reizende Frau verstoßen, ohne daß sie sich schuldig gemacht hatte. Als sie allerdings deine Schönheit erwähnte, kam mir der Verdacht, eine Liebschaft sei im Spiele. Gott lohne dir, daß du ihre Unschuld bezeugt hast! Ich habe mich gröblich an ihr vergangen, als ich damals in das Jungholz vor dem Wald von Briziljan geritten war.«

Als er weiterzog, nahm Parzival aus der Einsiedlerklause die Lanze aus Troyes mit, die der ungestüme Taurian, Bruder des Dodines, dort vergessen hatte. Was meint ihr wohl, wie und wo die beiden Helden die Nacht verbrachten? Ihren Helmen und ihren Schilden war es übel genug ergangen; sie waren ganz und gar zerbeult und zerhauen. Obwohl der einsichtige Fürst ihn in sein Lager einlud, nahm Parzival Abschied von ihm und von Jeschute, und alle Bitten des

---

Ein tüchtiger ... Lämbekin: Der Sinn dieser Anspielung ist nicht zu entschlüsseln.

aldâ schieden die helde sich,
diu âventiure wert maere mich.
25   dô Orilus der vürste erkant
kom dâ er sîn poulûn vant
und sîner messenîe ein teil,
daz volc was al gelîche geil
daz suone was worden schîn
gein der saeldebernden herzogîn.

272   Daz wart niht langer dô gespart,
Orilus entwâpent wart,
bluot und râm von im er twuoc.
er nam die herzoginne cluoc
5   und vuorte si an die suonstat
und hiez bereiten in zwei bat.
dô lac vrou Jeschûte
al weinde bî ir trûte,
vor liebe, unt doch vor leide niht,
10   als guotem wîbe noch geschiht.
ouch ist genuogen liuten kunt,
weindiu ougen hânt süezen munt.
dâ von ich mêr noch sprechen wil.
grôz liebe ist vröude und jâmers zil.
15   swer von der liebe ir maere
treit ûf den seigaere,
ob erz immer wolde wegen,
ez enkan niht anderre schanze pflegen.
da ergienc ein suone, des waene ich.
20   dô vuorn si sunder baden sich.
zwelf clâre juncvrouwen
man mohte bî ir schouwen:
die pflâgen ir, sît si gewan
zorn âne ir schult von liebem man.
25   si hete ie des nahtes deckecleit,
swie blôz si bî dem tage reit.
die batten dô mit vröuden sie.
ruochet ir nu hoeren (wie

Orilus halfen nichts. So schieden die beiden Helden voneinander.

Die Erzählung berichtet uns dies: Als der berühmte Fürst Orilus an seinem Zeltplatz anlangte, wo ein Teil seines Gefolges auf ihn wartete, waren alle herzlich froh, die glückstrahlende Herzogin mit ihrem Gatten versöhnt zu sehen. Rasch befreite man Orilus von seiner Rüstung, und er reinigte sich von Blut und Rost. Danach nahm er die schöne Herzogin bei der Hand und führte sie an den Ort endgültiger Versöhnung, wo er zwei Bäder bereiten ließ. Weinend lag Frau Jeschute in den Armen ihres Geliebten, doch sie weinte als rechte Frau vor Glück und nicht vor Leid. Es ist ja bekannt: Zu tränenfeuchtem Aug' gesellt sich süßer Mund! Laßt mich bei diesem Thema noch verweilen: Große Liebe ist Quelle von Glück und Leid! Wer alle Liebesgeschichten kennte, käme sicher zu keinem andern Schluß. Jeschute und Orilus versöhnten sich rückhaltlos. Zunächst begaben sie sich gesondert ins Bad. Um Frau Jeschute bemühten sich zwölf schöne Jungfrauen. Sie hatten ihr auch, als sie schuldlos den Zorn des geliebten Gatten dulden mußte, hilfreich beigestanden, so daß sie allnächtlich ihre Bettdecke vorfand, nachdem sie tagsüber fast nackt mit ihrem Gatten reiten mußte. Voll Freude badeten sie ihre Herrin.

Orilus des innen wart)
âventiure von Artûses vart?

273   Sus begunde im ein ritter sagen.
›ich sach ûf einen plân geslagen
tûsent poulûn oder mêr,
Artûs der rîche künec hêr,
5   der Berteneise hêrre,
lît uns hie niht verre
mit wünneclîcher vrouwen schar.
ungevertes ist ein mîle dar.
da ist ouch von rittern groezlîch schal.
10   bî dem Plimizoel ze tal
ligent si an iewederm stade.‹
dô gâhte vaste ûz dem bade
der herzoge Orilus.
Jeschûte und er gewurben sus.
15   diu senfte süeze wol getân
gieng ouch ûz ir bade sân
an sîn bette: dâ wart trûrens rât.
ir lide gedienden bezzer wât
dan si dâ vor truoc lange.
20   mit nâhem umbevange
behielt ir minne vröuden prîs,
der vürstîn und des vürsten wîs.
juncvrouwen cleiten ir vrouwen sân.
sîn harnasch truoc man dar dem man.
25   Jeschûten wât man muose loben.
vogele gevangen ûf dem cloben
si mit vröuden âzen,
dâ si an ir bette sâzen.
vrou Jeschûte etslîchen kus
enpfienc: den gab ir Orilus.

274   Dô zôch man der vrouwen wert
starc wôl gênde ein schoene pfert,
gesatelt unt gezoumet wol.
man huop si drûf, diu rîten sol

Vielleicht wollt ihr hören, wie Orilus davon erfuhr, daß
Artus seine Residenz verlassen hatte. Ein Ritter berichtete
ihm: »Ich sah auf freiem Feld viele Zelte, wohl tausend oder
mehr! Unweit von uns lagert Artus, der mächtige, edle
König, Herrscher der Bretonen, mit einer großen Zahl
liebreizender Edelfrauen. Es ist zwar nur eine Meile weit,
doch dazwischen liegt unwegsames Gelände. Man hört das
laute, fröhliche Lärmen der Ritter. Sie lagern talabwärts an
beiden Ufern des Plimizöl.«

Herzog Orilus sprang eilends aus dem Badezuber, und
Jeschute folgte ihm. Die zärtliche, liebreizende Schöne ver-
ließ ihr Bad und ging zu seinem Lager, wo alles Trauern ein
Ende fand. Sie wurde nun von einem stattlicheren Gewand
bedeckt, als sie es lange Zeit tragen mußte. Fürstin und Fürst
fanden in inniger Umarmung höchste Liebeserfüllung. Dann
kleideten die Jungfrauen ihre Herrin an; dem Fürsten
brachte man seine Rüstung. Jeschute trug ein prächtiges
Kleid. Auf ihrer Lagerstatt sitzend, aßen sie mit gutem
Appetit gebratene Vögel, die man mit Fallen gefangen hatte.
Beim Essen gab Orilus seiner Frau Jeschute manchen zärt-
lichen Kuß.

Nach dem Mahl brachte man der Edelfrau ein kräftiges,
gleichmäßig ausschreitendes und stattliches Roß, tadellos
gesattelt und gezäumt. Man hob sie in den Sattel, denn sie

5 dannen mit ir küenem man.
 sîn ors wart gewâpent sân,
 rehte als erz gein strîte reit.
 sîn swert, dâ mit er des tages streit,
 man vorn an den satel hienc.
10 von vuoz ûf gewâpent gienc
 Orilus zem orse sîn:
 er spranc drûf vor der herzogîn.
 Jeschûte und er vuoren dan.
 sîne mässenîe sân
15 gein Lalant bat er alle kêren.
 wan ein ritter solte in lêren
 gein Artûse rîten:
 er bat daz volc des bîten.

  si kômen Artûs sô nâhen,
20 daz si sîniu poulûn sâhen
 vil nâhe ein mîle daz wazzer nider.
 der vürste sant den ritter wider,
 der in gewîset hete dar:
 vrou Jeschûte diu wol gevar
25 was sîn gesinde, unt niemen mêr.
 der unlôse Artûs niht ze hêr
 was gegangen, dô er des âbents gaz,
 ûf einen plân. umb in dâ saz
 Diu werde massenîe.
 Orilus der valsches vrîe
275 kom an den selben rinc geriten.
 sîn helm, sîn schilt was sô versniten
 daz niemen dran kôs keiniu mâl:
 die slege vrumte Parzivâl.
5 vom orse stuont der küene man:
 vrou Jeschûte enpfieng ez sân.
 vil junchêrrn dar nâher spranc:
 umb in und si was grôz gedranc.
 si jâhen ›wir suln der orse pflegen.‹
10 Orilus der werde degen

sollte ihren tapferen Gatten begleiten. Sein eigenes Pferd
wurde gewappnet, als ginge es in den Kampf. Das Schwert,
mit dem er an diesem Tag gekämpft hatte, wurde vorn an
den Sattel gehängt. Von Kopf bis Fuß gewappnet, schritt
Orilus zu seinem Pferd, und unter den Blicken der Herzogin
sprang er mit einem Satz in den Sattel. Er gebot seinem
Gefolge, nach Lalant zurückzukehren, und machte sich
dann mit Jeschute auf den Weg. Ein einziger Ritter, auf
dessen Rückkehr seine Gefolgsleute vor ihrem Abzug war-
ten sollten, begleitete ihn, um ihm den Weg zu weisen.

Bald kamen sie nahe an das Lager von Artus und sahen, daß
sich seine Zelte eine Meile weit flußabwärts am Wasserlauf
hinzogen. Nun schickte der Fürst den Ritter, der ihn herge-
führt hatte, zurück; seine einzige Begleitung war die schöne
Frau Jeschute. Der ehrenfeste, leutselige Artus saß gerade
inmitten seiner vornehmen Hofgesellschaft im Freien und
nahm das Abendessen ein. Da nahte sich der treue Orilus.
Helm und Schild waren von Parzivals Schlägen so zerhauen,
daß man keine Verzierung mehr erkannte.

Der tapfere Ritter schwang sich vom Pferd, und Frau
Jeschute faßte es beim Zügel. Hilfsbereit sprangen zahlrei-
che Junker hinzu, so daß um die beiden großes Gedränge
herrschte, und alle riefen: »Wir werden die Pferde schon
versorgen!« Nachdem der edle Held den zerhauenen Schild

leit schildes schirben ûf daz gras.
nâch ir, durch die er komen was,
begunde er vrâgen al zehant.
vroun Cunnewâren de Lalant
15 zeigte man im, wâ diu saz.
ir site man gein prîse maz.
   gewâpent er sô nâhe gienc.
der künec, diu küngîn, in enpfienc:
er dancte in, bôt fîanze sân
20 sîner swester wol getân.
bî den trachen ûf dem cursît
erkande si in wol, wan ein strît:
si sprach ›du bist der bruoder mîn,
Orilus, oder Lähelîn.
25 ich nime iuwer deweders sicherheit.
ir wârt mir bêde ie bereit
ze dienste als ich iuch gebat:
mir waere ûf den triuwen mat,
solte ich gein iu criegen,
[und] mîn selber zuht betriegen.‹
276   Der vürste kniete vor der magt.
er sprach ›du hâst al wâr gesagt:
ich binz dîn bruoder Orilus.
der rôte ritter twanc mich sus
5 daz ich dir sicherheit muoz geben:
dâ mit erkoufte ich dô mîn leben.
die enpfâch: sô wirt hie gar getân
als ich gein im gelobet hân.‹
do enpfienc si triuwe in wîze hant
10 von im der truoc den serpant,
und liez in ledec. dô daz geschach,
dô stuont er ûf unde sprach
   ›ich sol und muoz durch triuwe clagen.
ôwê wer hât dich geslagen?
15 dîne slege tuont mir nimmer wol:
wirt es zît daz ich die rechen sol,

auf den Rasen gelegt hatte, fragte er nach der Jungfrau, um derentwillen er gekommen war. Man wies ihm den Weg zu der vielgerühmten Frau Cunneware von Lalant. In voller Rüstung trat er näher, und König wie Königin begrüßten ihn. Er dankte und tat dann vor seiner schönen Schwester sein Unterwerfungsgelöbnis. An den Drachenbildern seines Umhangs erkannte sie, daß einer ihrer Brüder vor ihr stand, doch wußte sie nicht, welcher. So sagte sie: »Du bist einer meiner beiden Brüder, entweder Orilus oder Lähelin. Weder vom einen noch vom andern nehme ich das Unterwerfungsgelöbnis an, denn ihr wart stets hilfsbereit, sobald ich darum bat. Ich handelte treulos und unehrenhaft, stellte ich mich auf die Seite eurer Feinde!«

Der Fürst kniete vor der Jungfrau nieder und sprach: »Du hast recht. Ich bin dein Bruder Orilus. Der Rote Ritter zwang mich dazu, dir Unterwerfung zu geloben, denn nur so konnte ich mein Leben retten. Empfange also mein Unterwerfungsgelöbnis, damit alles genauso geschieht, wie ich ihm versprochen habe.«

Da nahm sie mit ihrer weißen Hand vom Träger des Drachenwappens das Treuegelöbnis entgegen, doch sprach sie ihn gleich darauf von allen Verpflichtungen frei. Nachdem dies geschehen war, erhob er sich und sagte: »Meine Treue läßt mich Anklage erheben! Wer hat dich geschlagen? Die Schläge, die du empfangen hast, werden mich immer brennen. Ist die Zeit der Rache gekommen, dann wird jeder

ich ginre den, swerz ruochet sehen,
daz mir grôz leit ist dran geschehen.
ouch hilft mirz clagen der küenste man
20 den muoter ie zer werlt gewan:
der nennet sich der ritter rôt.
hêr künec, vrou küngîn, er enbôt
iu beiden samt dienest sîn,
dar zuo benamen der swester mîn.
25 er bitet sîn dienst iuch letzen,
[und] dise magt ir slege ergetzen.
ouch hete ichs dô genozzen
gein dem helde unverdrozzen,
wesse er wie si mich bestêt
und mir ir leit ze herzen gêt.‹

277   Keie erwarp dô niuwen haz,
von rittern, vrouwen, swer dâ saz
am stade bî dem Plimizoel.
Gâwân und Jofreit fîz Idoel,
5 unt des nôt ir habt gehoeret ê,
der gevangene künec Clâmidê,
und anders manec werder man
(ir namen ich wol genennen kan,
wan daz ichz niht wil lengen),
10 die begunden sich dô mengen.
ir dienst mit zühten wart gedolt.
vrou Jeschûte wart geholt
ûf ir pfärde, aldâ si saz.
der künec Artûs niht vergaz,
15 und ouch diu künegîn sîn wîp,
si enpfiengen Jeschûten lîp.
   von vrouwen dâ manc kus geschach.
Artûs ze Jeschûten sprach
›iuwern vaters, den künec von Karnant,
20 Lacken, hân ich des erkant,
daz ich iuwern kumber clagte
sît man mir in zem êrsten sagte.

begreifen, daß man mir großes Leid zugefügt hat. Mit mir
klagt der kühnste Mann, den je eine Mutter geboren hat. Er
nennt sich der Rote Ritter. Herr König und Frau Königin,
er versichert, daß er euch, vor allem aber meiner Schwester,
stets zu Diensten ist; zum Lohne dafür möchtet ihr die
Jungfrau für die erlittene Züchtigung entschädigen. Sicher
wäre es mir bei dem unverzagten Helden zugute gekommen,
hätte er gewußt, daß Cunneware und ich Geschwister sind
und mir daher ihr Leid besonders zu Herzen geht.«

Erneut traf Keye der Zorn aller Ritter und Edelfrauen, die
am Ufer des Plimizöl lagerten. Gawan, Jofreit – Idöls Sohn
–, der gefangene König Clamide, von dessen Not ihr ja
gehört habt, und viele andere Edelleute, deren Namen ich
der Kürze wegen ungenannt lasse, drängten heran, und ihre
angebotenen Dienste wurden höflich angenommen. Nun
wurde Frau Jeschute auf ihrem Pferd herangeführt; König
Artus und seine königliche Gattin hießen sie herzlich will-
kommen, und die Damen wechselten Begrüßungsküsse.
Dann sprach Artus zu Jeschute: »Euern Vater, König Lac
von Karnant, schätze ich sehr. Daher habe ich Euer schwe-
res Los, von dem ich hörte, von Anfang an beklagt. Ihr seid

ouch sît ir selbe sô wol getân,
es solt iuch vriunt erlâzen hân.
25 wan iuwer minneclîcher blic
behielt den prîs ze Kanedic:
durch iuwer schoene maere
bleip iu der sparwaere,
Iuwer hant er dannen reit.
swie mir von Oriluse leit
278 geschaehe, ichn gunde iu trûrens niht,
noch engetuon swa ez geschiht.
mir ist liep daz ir die hulde hât,
unt daz ir vrouwenlîche wât
5 tragt nâch iuwer grôzen nôt.‹
si sprach ›hêr, daz vergelte iu got:
dar an ir hoehet iuwern prîs.‹
Jeschûten unt ir âmîs
vrou Cunnewâre de Lalant
10 dannen vuorte sâ zehant.
    einhalp an des küneges rinc
über eins brunnen ursprinc
stuont ir poulûn ûf dem plân,
als oben ein trache in sînen clân
15 het des ganzen apfels halben teil.
den trachen zugen vier wintseil,
reht als er lebendec dâ vlüge
unt daz poulûn gein den lüften züge.
dâ bî erkande ez Orilus:
20 wan sîniu wâpen wâren sus.
er wart entwâpent drunde.
sîn süeziu swester kunde
im bieten êre unt gemach.
über al diu messenîe sprach,
25 des rôten ritters ellen
naem den prîs ze eime gesellen.
    Des jâhen si âne rûnen.
Kei bat Kingrûnen

so reizend anzusehen, daß Euch Euer Gemahl dies alles hätte ersparen sollen. Euer strahlender Liebreiz errang Euch ja zu Kanedic den Preis im Schönheitswettbewerb; Ihr erhieltet den Sperber und führtet ihn auf Eurer Hand davon. Soviel Leid mir Orilus auch zugefügt hat, so bestürzte mich doch Euer Kummer und würde mich stets bestürzen. Ich freue mich daher, daß Ihr die Zuneigung Eures Gatten zurückgewonnen habt und nach schwerer Prüfung wieder so gekleidet seid, wie es einer Edelfrau zukommt.«

Sie antwortete: »Edler Herr, Gott vergelte es Euch! Ihr fügt Euerm Ansehen neuen Glanz hinzu.«

Frau Cunneware von Lalant führte Frau Jeschute und ihren Gatten mit sich fort. Neben dem Zeltring von König Artus stand auf dem Rasen ihr Zelt, über einem sprudelnden Quell errichtet. Der runde Zeltknopf an der Spitze war halb von den Klauen eines Drachens umklammert. Unter diesem Drachen vereinigten sich die vier Spannseile, so daß es schien, als sei er lebendig und zöge das Zelt im Flug hoch in die Lüfte. Daran erkannte Orilus das Zelt seiner Schwester, war es doch ihr Familienwappen. Im Zelt befreite man ihn von seiner Rüstung, und seine reizende Schwester bot ihm achtungsvoll alle Bequemlichkeit. Im ganzen Lager aber sprach man laut und unverhohlen davon, wie der Rote Ritter nun Kraft und Heldenruhm vereine.

Orilus dienen an sîner stat.
er kunde ez wol, den ers dâ bat:
279   wande er hetes vil getân
vor Clâmidê ze Brandigân.
Kei durch daz sîn dienst liez:
unsaelde in der vürsten swester hiez
5   ze sêre âlûnen mit eime stabe:
durch zuht entweich er dienstes abe.
ouch was diu schulde niht verkorn
von der meide wol geborn.
doch schuof er spîse dar genuoc:
10   Kingrûn er vür Orilusen truoc.
     Cunnewâre diu lobes wîse
sneit ir bruoder sîne spîse
mit ir blanken linden hant.
vrou Jeschûte von Karnant
15   mit wîplîchen zühten az.
Artûs der künec niht vergaz,
ern koem dâ diu zwei sâzen
und vriuntlîchen âzen.
dô sprach er ›gezt ir übele hie,
20   ez enwart iedoch mîn wille nie.
irn gesâzt nie über wirtes brôt,
derz iu mit bezzerem willen bôt
sô gar ân wankes vâre.
mîn vrou Cunnewâre,
25   ir sult iuwers bruoder hie wol pflegen.
guote naht geb iu der gotes segen.‹
Artûs vuor slâfen dô.
Orilus wart gebettet sô
daz sîn vrou Jeschûte pflac
geselleclîche unz an den tac.

Keye bat Kingrun, den Tafeldienst bei Orilus zu überneh-
men. Das war für Kingrun nicht ungewohnt, hatte er doch
Clamide in Brandigan oft genug diesen Dienst geleistet. Daß
Keye sich dem Tafeldienst entzog, hatte seinen Grund: sein
Unstern hatte ihm geraten, der Schwester des Fürsten die
Haut mit einem Stab zu gerben. Also nahm er Rücksicht auf
die Gefühle von Orilus, und Frau Cunneware hatte ihm ja
auch noch nicht verziehen. Zwar brachte er persönlich
Speisen in Hülle und Fülle herbei, doch Kingrun mußte sie
zu Orilus hineintragen. Die lobenswerte Cunneware schnitt
dem Bruder die Speisen mit ihren zarten weißen Händen
zurecht, und auch Frau Jeschute von Karnant aß mit weibli-
chem Anstand. König Artus versäumte es nicht, die beiden
zu besuchen, die im trauten Beisammensein ihre Mahlzeit
einnahmen, und sagte: »Solltet ihr hier schlecht bedient
werden, so ist es nicht meine Schuld. Jedenfalls werdet ihr
an keinem Ort gastfreundlicher und lieber bewirtet! Frau
Cunneware, versorgt Euren Bruder nach besten Kräften!
Gott gebe euch eine gute Nacht!«
Damit begab sich Artus zur Ruhe. Orilus wurde ein Ruhela-
ger bereitet, auf dem Frau Jeschute bis zum Morgen in Liebe
bei ihm liegen konnte.

VI.

280 Welt ir nu hoeren wie Artûs
    von Karidoel ûz sîme hûs
    und ouch von sîme lande schiet,
    als im diu messenîe riet?
5 sus reit er mit den werden
    sîns landes und anderre erden,
    diz maere giht, den ahten tac
    sô daz er suochens pflac
    den der sich der ritter rôt
10 nante und im solh êre bôt
    daz er in schiet von kumber grôz,
    dô er den künec Ithêren schôz
    und Clâmidên und Kingrûn
    ouch sande gein den Bertûn
15 in sînen hof besunder.
    über die tavelrunder
    wolte er in durch gesellekeit
    laden. durch daz er nâch im reit,
      alsô bescheidenlîche:
20 beide arme und rîche,
    die schildes ambet ane want,
    lobten Artûses hant,
    swâ si saehen ritterschaft,
    daz si durch ir gelübde craft
25 deheine tjost entaeten,
    ez enwaere ob si in baeten
    daz er si lieze strîten.
    er jach ›wir müezen rîten
    in manec lant, daz ritters tât
    uns wol ze gegenstrîte hât:

Sechstes Buch

Wollt ihr nun hören, warum Artus dem Rat seiner Edlen folgte und seine Burg Karidöl wie auch sein Land verließ? Nach dem Bericht der Erzählung war er, von Edlen aus seinem Reich und anderen Reichen begleitet, bereits acht Tage geritten, um den Mann zu suchen, der sich der Rote Ritter nannte und ihn mit Ehren überhäufte. Als dieser Unbekannte König Ither durchbohrte und sowohl Clamide als auch Kingrun zu den Bretonen an Artus' Hof sandte, hatte er König Artus von großen Sorgen befreit. Artus wollte ihn daher auffordern, sich den Rittern der Tafelrunde anzuschließen. Deshalb suchte er den Roten Ritter. Vor dem Ausritt hatte er jedoch eine kluge Vorsichtsmaßnahme getroffen: Alle ritterlichen Begleiter mußten das Gelöbnis tun, ohne seine Erlaubnis keinen Zweikampf zu beginnen. Er sprach zu ihnen: »Wir werden viele Länder durchreiten, in denen zahlreiche Ritter uns durchaus die Stirn bieten

---

Karidöl: der französischen Form des alten Namens der Stadt Carlisle in der nordenglischen Grafschaft Cumberland nachgebildet.

281   Uf gerihtiu sper wir müezen sehen.
       welt ir dan vür ein ander schehen,
       als vreche rüden, den meisters hant
       abe stroufet ir bant,
5   dar zuo hân ich niht willen:
       ich sol den schal gestillen.
       ich hilfe iu swa es niht rât mac sîn:
       des wartet an daz ellen mîn.‹
          dise gelübde habt ir wol vernomen.
10   welt ir nu hoeren war sî komen
       Parzivâl der Wâleis?
       von snêwe was ein niuwe leis
       des nahtes vaste ûf in gesnît.
       ez enwas iedoch niht snêwes zît,
15   ist ez als ichz vernomen hân.
       Artûs der meienbaere man,
       swaz man ie von dem gesprach,
       ze einen pfinxten daz geschach,
       oder in des meien bluomenzît.
20   waz man im süezes luftes gît!
       diz maere ist hie vast undersniten,
       ez parriert sich mit snêwes siten.
          sîne valkenaer von Karidoel
       riten des des âbnts zem Plimizoel
25   durch beizen, dâ si schaden kuren.
       ir besten valken si verluren:
       der gâhte von in balde
       und stuont die naht ze walde.
       von übercrüpfe daz geschach
       daz im was von dem luoder gâch.

282   Die naht bî Parzivâle er stuont,
       da in bêden was der walt unkunt
       und dâ si bêde sêre vrôs.
       dô Parzivâl den tac erkôs,
5   im was versnît sîns pfades ban:
       vil ungevertes reit er dan

können. Vielleicht werden wir zum Kampf erhobene Lanzen sehen. Ich möchte nicht, daß ihr dann um die Wette loshetzt wie eine Meute wilder Jagdhunde, die der Jägermeister von der Leine gelassen hat. Läßt es sich nicht vermeiden, könnt ihr auf mich rechnen und auf meine Kampfentschlossenheit vertrauen.«

Nachdem ihr von diesem Versprechen erfahren habt, wollt ihr vielleicht hören, wo Parzival hingeraten ist: Nach dem Bericht der Erzählung war mitten im Frühling in der Nacht frischer Schnee gefallen und hatte Parzival über und über bedeckt. Was man sonst von Artus, dem Maienritter, erzählt, hat sich nämlich immer zu Pfingsten oder in der Maienblüte abgespielt. Stets läßt man ihn liebliche Maienlüfte atmen. In dieser Erzählung geht es also ein wenig bunt durcheinander, denn Maienzeit und Schneefall werden zusammen genannt.

Artus' Falkner aus Karidöl ritten gegen Abend zum Plimizöl auf die Beizjagd. Dabei erlitten sie argen Verlust, ging doch ihr bester Jagdfalke verloren. Er strich rasch fort und blieb die Nacht über im Wald. Er hatte sich so vollgekröpft, daß er selbst die Lockspeise verschmähte. Die Nacht über stand er in der Nähe von Parzival. Beiden war der Wald unbekannt, und beide froren sehr. Als Parzival den Tag grauen sah, war der Weg unter einer Schneedecke verschwunden. So ritt er durch weglose Wildnis, über Baumstämme und

Falkner: Diener bei der Falkenjagd.

über ronen und [über] manegen stein.
der tac ie lanc hôher schein.
ouch begunde liuhten sich der walt,
10 wan daz ein rone was gevalt
ûf einem plân, zuo dem er sleich
(Artûs valke al mite streich),
dâ wol tûsent gense lâgen.
dâ wart ein michel gâgen.
15 mit hurte vloug er under sie,
der valke, und sluog ir eine hie,
daz si im harte kûme enbrast
under des gevallen ronen ast.
an ir hôhem vluge wart ir wê.
10 ûz ir wunden ûf den snê
vielen drî bluotes zäher rôt,
die Parzivâle vuogten nôt.
    von sînen triuwen daz geschach.
do er die bluotes zäher sach
25 ûf dem snê (der was al wîz),
dô dâhte er ›wer hât sînen vlîz
gewant an dise varwe clâr?
Cundwîer âmûrs, sich mac vür wâr
disiu varwe dir gelîchen.
mich wil got saelden rîchen,
283 sît ich dir hie gelîchez vant.
gêret sî diu gotes hant
und al diu crêature sîn.
Cundwîr âmûrs, hie lît dîn schîn.
5 sît der snê dem bluote wîze bôt,
und ez den snê sus machet rôt,
Cundwîr âmûrs,
dem glîchet sich dîn bêâ curs:
des enbistu niht erlâzen.‹
10 des heldes ougen mâzen,
als ez dort was ergangen,
zwên zaher an ir wangen,

Steine. Langsam wurde es heller, auch der Wald lichtete sich. Auf einer Lichtung lag ein gefällter Stamm, auf den er langsam zuritt. Ohne daß er es merkte, war ihm auf seinem Weg der Falke des Artus gefolgt. Auf der Lichtung hatten sich an die tausend Wildgänse niedergelassen; die Luft war erfüllt von ihrem Geschnatter. Da stieß der Falke herab und schlug seine Fänge in eine Wildgans, die sich losriß und sich mit knapper Not unter dem Astwerk des gefallenen Baumes barg, ohne allerdings wieder hochfliegen zu können. Aus ihrer Wunde waren drei Blutstropfen in den Schnee gefallen, die Parzival in Bedrängnis bringen sollten. Und der Grund dafür war seine hingebende Liebe: Als er nämlich die Blutstropfen auf dem weißen Schnee erblickte, dachte er bei sich: »Wer schuf diesen blendenden Farbenkontrast? Er erinnert an dich, Condwiramurs. Gott will mein Glück, denn er läßt mich hier finden, was dir gleicht. Seine Hand und seine ganze Schöpfung seien gepriesen! Vor mir liegt dein Abbild, Condwiramurs. So, wie sich der weiße Schnee vom roten Blut abhebt und das Blut den Schnee rötet, ist dein bezauberndes Antlitz, Condwiramurs.« Da die Tropfen in einem Dreieck gefallen waren, nahm er zwei für ihre Wangen und

den dritten an ir kinne.
er pflac der wâren minne
15 gein ir gar âne wenken.
sus begunde er sich verdenken,
unz daz er unversunnen hielt:
diu starke minne sîn dâ wielt,
sölhe nôt vuogt im sîn wîp.
20 dirre varwe truoc gelîchen lîp
von Pelrapeire diu künegin:
diu zucte im wizzenlîchen sin.
sus hielt er als er sliefe.
wer dâ zuo ze im liefe?
25 Cunnewâren garzûn was gesant:
der solde gegen Lalant.
der sach an den stunden
einen helm mit maneger wunden
und einen schilt gar verhouwen
in dienste des knappen vrouwen.
284 Dâ hielt gezimiert ein degen,
als er tjostierns wolde pflegen
gevart, mit ûf gerihtem sper.
der garzûn huop sich wider her.
5 het in der knappe erkant enzît,
er waer von im vil unbeschrît,
deiz sîner vrouwen ritter waere.
als gein einem aehtaere
schupfter daz volc hin ûz an in:
10 er wolte im werben ungewin.
sîne curtôsîe er dran verlôs.
lât sîn: sîn vrouwe was ouch lôs.
    sölh was des knappen crîe
›fîâ fîâ fîe,
15 fî ir vertânen!
zelent si Gâwânen
und ander dise ritterschaft
gein werdeclîcher prîses craft,

den dritten für ihr Kinn. Es zeigte sich also, daß er seine
treue Liebe unwandelbar bewahrt hatte. Parzival versank in
Gedanken, bis er alles um sich her vergaß, so sehr schlug ihn
seine große Liebe in ihren Bann. Es war seine Gattin, die ihn
in Bedrängnis brachte; die Farben glichen dem Antlitz der
Königin von Pelrapeire, die nun all seine Gedanken gefan-
gennahm. Parzival verharrte regungslos, als schliefe er.
Doch wer lief da plötzlich herbei? Es war ein Knappe von
Cunneware, den sie mit einer Botschaft nach Lalant
geschickt hatte. Der erblickte unversehens einen schartigen
Helm und einen völlig zerhackten Schild, ohne zu wissen,
daß dies alles im Dienste seiner Herrin geschehen war. Vor
ihm hielt ein von Kopf bis Fuß gerüsteter Held mit hocher-
hobener Lanze, als wolle er zum Kampfe herausfordern.
Rasch lief der Knappe zurück. Hätte er rechtzeitig gemerkt,
daß es der Ritter seiner eignen Herrin war, hätte er sein
lautes Warngeschrei sicher bleibenlassen. So aber schrie er
die ganze Lagerbesatzung heraus, als habe er einen Geächte-
ten entdeckt. Er wollte Parzival Schaden zufügen, doch in
Wirklichkeit schadete er nur sich selbst, geriet er doch durch
dieses Tun in den Ruf, ein ungehobelter Tropf zu sein. Doch
lassen wir es gut sein damit, seine Herrin war ja auch ein
kleiner Schalk. Laut schrie der Knappe: »Pfui, pfui und
nochmals pfui über euch, ihr elenden Kerle! Wer wird noch
an den Ritterruhm Gawans, der andern Artusritter und des

und Artûs den Bertûn?‹
20   alsus rief der garzûn.
›tavelrunder ist geschant:
iu ist durch die snüere allhie gerant.‹
    dâ wart von rittern groezlîch schal:
si begunden vrâgen über al,
25   ob ritterschaft dâ waere getân.
dô vrieschen si daz einec man
dâ hielt ze einer tjost bereit.
genuogen was gelübde leit,
die Artûs von in enpfienc.
sô balde, daz er niht engienc,
285   Beide lief unde spranc
Segramors, der ie nâch strîte ranc.
swâ der vehten wânde vinden,
dâ muose man in binden,
5   oder er wolt dermite sîn.
ninder ist sô breit der Rîn,
saehe er strîten am andern stade,
dâ wurde wênec nâch dem bade
getast, ez waer warm oder kalt,
10   er viel sus dran, der degen balt.
    snellîche kom der jungelinc
ze hove an Artûses rinc.
der werde künec vaste slief.
Segramors im durch die snüere lief,
15   zer poulûns tür drang er în,
ein declachen zobelîn
zucte er ab in diu lâgen
und süezes slâfes pflâgen,
sô daz si muosen wachen
20   und sîner unvuoge lachen.
dô sprach er zuo der niftel sîn
›Gynovêr, vrouwe künegîn,
unser sippe ist des bekant,
man weiz wol über manec lant

Bretonen Artus glauben? Beschimpft ist die Tafelrunde! Man ist ins Lager eingebrochen!« So also schrie der Knappe.

Sogleich erhob sich unter den Rittern lauter Lärm. Man fragte allenthalben, ob es Kämpfe gesetzt habe, und als sich herausstellte, daß draußen ein zum Lanzenkampf bereiter Ritter wartete, war vielen das Versprechen leid, das sie Artus gegeben hatten. Der kampfbegierige Segramors hatte es so eilig, daß er in weiten Sätzen losrannte. Wo nämlich ein Kampf in Aussicht stand, mußte man ihn festbinden, sonst war er unfehlbar dabei. Sähe er am andern Rheinufer ein Kampfgetümmel, dann mochte der Fluß schmal oder breit, das Wasser warm oder kalt sein: er würde sich blindlings hineinstürzen. In großer Hast gelangte der Jüngling an den Zeltring des Artus. Obwohl der edle König noch in tiefem Schlafe lag, sprang Segramors über die Zeltschnüre und drang durch den Eingang ins Zelt ein. Dem König und der Königin, die in süßem Schlummer beieinanderlagen, riß er einfach die Zobelpelzdecke vom Leibe, so daß sie aufschreckten und über seine Unverfrorenheit lachen mußten. Er aber bat seine Tante: »Ginover, Frau Königin, jeder weiß, daß wir verwandt sind und ich auf deine Gunst

25 daz ich genâden warte an dich.
nu hilf mir, vrouwe, unde sprich
gein Artûse dînem man,
daz ich von im müeze hân
(ein âventiure ist hie bî)
daz ich zer tjost der êrste sî.‹

286   Artûs ze Segramorse sprach
›dîn sicherheit mir des verjach,
du soltest nâch mînem willen varn
unt dîn unbescheidenheit bewarn.

5 wirt hie ein tjost von dir getân,
dar nâch wil manc ander man
daz ich in lâze rîten
und ouch nâch prîse strîten:
dâ mite crenket sich mîn wer.

10 wir nâhen Anfortases her,
daz von Munsalvaesche vert
unt daz fôrest mit strîte wert:
sît wir niht wizzen wâ diu stêt,
ze arbeit ez uns lîhte ergêt.‹

15   Gynovêr bat Artûsen sô
dês Segramors wart al vrô.
dô si im die âventiure erwarp,
wan daz er niht vor liebe starp,
daz ander was dâ gar geschehen.

20 ungerne hete er dô verjehen
sîns kumenden prîses pflihte
ieman an der geschihte.
    der junge stolze âne bart,
sîn ors und er gewâpent wart.

25 ûz vuor Segramors roys,
kalopierende ulter jûven poys.
sîn ors über hôhe stûden spranc.
manc guldîn schelle dran erclanc,
ûf der decke und an dem man.
man möhte in wol geworfen hân

rechnen darf. Steh mir nun bei, Herrscherin, und sage deinem Gatten Artus: In der Nähe gibt's ein Abenteuer! Er soll mir erlauben, als erster den Zweikampf zu bestehen!«

Artus sprach vorwurfsvoll: »Du hast mir fest versprochen, dich meinem Willen zu fügen und deinen Unverstand zu zügeln. Wenn ich dir einen Zweikampf gestatte, so werden auch andere Ritter fordern, sie losreiten und um Kampfesruhm streiten zu lassen. Das schwächt aber meine Verteidigungsstärke. Wir nähern uns jetzt dem Heer des Anfortas, das von Munsalwäsche ausreitet und den Grenzwald verteidigt. Da wir die Lage der Burg nicht kennen, können wir leicht in große Schwierigkeiten geraten.«

Ginover bat aber Artus so inständig, daß Segramors hoch erfreut war. Als sie ihm gar die Erlaubnis erwirkte, das Abenteuer zu bestehen, war er so unbändig froh, daß er vor lauter Freude fast gestorben wäre. Um keinen Preis der Welt hätte er einem anderen den erhofften Kampfesruhm gegönnt! Bald waren der stolze bartlose Jüngling und sein Streitroß gewappnet, und König Segramors ritt davon. Im Galopp ging's durch den Jungwald, das Roß setzte in weiten Sprüngen über das hohe Unterholz, so daß die vielen goldenen Glöckchen an der Rüstung des Ritters und an der Satteldecke hell erklangen. Auch wenn man ihn wie einen Falken hinter einem Fasan ins Dorngebüsch geschickt hätte,

287 zem fasân inz dornach.
swem sîn ze suochen waere gâch,
der vünde in bî den schellen:
die kunden lûte hellen.

5   Sus vuor der unbescheiden helt
zuo dem der minne was verselt.
weder er in sluoc dô noch enstach,
ê er widersagen hin ze im sprach.
unversunnen hielt dâ Parzivâl.

10 daz vuogten im diu bluotes mâl
und ouch diu strenge minne,
diu mir dicke nimt sinne
unt mir daz herze unsanfte regt.
ach nôt ein wîp an mich legt:

15 wil si mich alsus twingen
unt selten hilfe bringen,
ich sol si es underziehen
und von ir trôste vliehen.

nu hoeret ouch von jenen beiden,
20 umb ir komen und umbe ir scheiden.

Segramors sprach alsô
›ir gebâret, hêrre, als ir sît vrô
daz hie ein künec mit volke ligt.
swie unhôhe iuch daz wigt,

25 ir müezt im drumbe wandel geben,
oder ich verliuse mîn leben.
ir sît ûf strît ze nâhe geriten.
doch wil ich iuch durch zuht biten,
ergebet iuch in mîne gewalt,
oder ir sît schier von mir bezalt,

288 daz iuwer vallen rüert den snê.
sô taet irz baz mit êren ê.‹

Parzivâl durch drô niht sprach:
vrou Minne im anders kumbers jach.

5 durch tjoste bringen warf sîn ors
von im der küene Segramors.

so wäre er der laut klingenden Glöckchen wegen leicht
aufzuspüren gewesen. So sprengte der heißblütige Held zu
dem Manne, den Liebe in ihren Bann geschlagen hatte.
Wenigstens drang er nicht gleich mit Schwerthieben oder
Lanzenstichen auf ihn ein, ohne vorher den Kampf anzu-
sagen.

Parzival verharrte immer noch geistesabwesend auf dersel-
ben Stelle. Ihn bannten die Blutstropfen und die übermäch-
tige Liebe, die auch mich oft genug jede Vernunft vergessen
läßt und mein Herz mit Leid erfüllt. Ach, einer Frau ver-
danke ich diese Liebesqual! Doch bringt sie mich in Not,
ohne mich hoffen zu lassen, dann ist sie selber schuld daran,
wenn ich mich von ihr wende. Hört nun weiter, wie es
Parzival und seinem Gegner erging.

Segramors rief: »Herr, Ihr tut geradeso, als freute es Euch
noch, daß vor Euch ein König mit seinem Gefolge lagert.
Schert es Euch auch jetzt nicht, so wird sich das bald ändern,
oder ich verliere mein Leben. In Eurer Streitsucht habt Ihr
Euch zu nahe herangewagt! Ich mache Euch ein großmüti-
ges Angebot: Ergebt Euch freiwillig! Tut Ihr das nicht, so
wird Euch Euer Lohn: in hohem Bogen fliegt Ihr in den
Schnee! Also ergebt Euch lieber in ehrenvolle Haft!«

Trotz der Drohung blieb Parzival stumm, denn Frau Liebe
hatte ihm Kummer genug aufgebürdet. Da warf der tapfere
Segramors sein Roß herum und setzte zum Angriff an. In

umbe wande ouch sich daz kastelân,
dâ Parzivâl der wol getân
unversunnen ûffe saz,
10   sô daz er daz bluot übermaz.
sîn sehen wart drab gekêret:
des wart sîn prîs gemêret.
do er der zaher niht mêr sach,
vrou Witze im aber sinnes jach.
15   hie kom Segramors roys.
Parzivâl daz sper von Troys,
daz veste unt daz zaehe,
von värwen daz waehe,
als erz vor der clûsen vant,
20   daz begunde er senken mit der hant.
ein tjost enpfieng er durch den schilt:
sîn tjost hin wider wart gezilt,
daz Segramors der werde degen
sattel rûmens muose pflegen,
25   und daz daz sper doch ganz bestuont,
dâ von im wart gevelle kunt.
Parzivâl reit âne vrâgen
dâ die bluotes zäher lâgen.
do er die mit den ougen vant,
vrou Minne stricte in an ir bant.
289   weder ern sprach dô sus noch sô:
wan er schiet von den witzen dô.
Segramors kastelân
huop sich gein sînem barne sân.
5   er muose ûf durch ruowen stên,
ob er inder wolde gên.
sich legent genuoc durch ruowen nider:
daz habt ir dicke vreischet sider.
waz ruowe kôs er in dem snê?
10   mir taete ein ligen drinne wê.
der schadehafte erwarp ie spot:
saelden pflihtaer dem half got.

diesem Augenblick drehte sich Parzivals Kastilianer mit seinem gedankenverlorenen stattlichen Reiter in Kampfstellung. Dadurch verlor Parzival die Blutstropfen aus den Augen, denn seine Blicke wurden zwangsläufig abgekehrt. Das brachte ihm neuen Ruhm, denn als er die Tropfen nicht mehr sah, ließ ihn Frau Vernunft wieder zu vollem Bewußtsein kommen. Da preschte auch schon König Segramors heran. Parzival senkte die Lanze von Troyes, die er vor der Einsiedlerklause gefunden hatte; die war fest, elastisch und bunt bemalt. Zwar durchbrach ein Lanzenstoß seinen Schild, doch sein Abwehrstoß war so gut gezielt, daß der edle Recke Segramors aus dem Sattel flog, ohne seine Lanze zerbrochen zu haben. So lernte er, was Fallen heißt. Parzival aber ritt wortlos zu den Blutstropfen zurück. Sobald er sie vor Augen hatte, verstrickte ihn Frau Liebe erneut in ihre Bande. Stumm versank er wieder in völlige Geistesabwesenheit.

Der Kastilianer des Segramors trabte zurück zur Futterkrippe. Sein Reiter mußte sich erheben, wenn er zu seinem Ruhelager wollte. Ja, wollte er denn überhaupt aufstehen? Er lag ja schon, und wie ihr wißt, legt man sich nieder, wenn man ausruhen will. Nun ja, welch Ausruhen war das aber auch im Schnee? Läge ich so da, gefiele mir das sicher nicht. So ist's: Wer den Schaden hat, muß für den Spott nicht sorgen, und wem das Glück lacht, dem gratuliert man.

daz her lac wol sô nâhen
daz si Parzivâlen sâhen
15 haben als im was geschehen.
der minne er muose ir siges jehen,
diu Salmônen ouch betwanc.
dâ nâch was dô niht ze lanc,
ê Segramors dort zuo ze in gienc.
20 swer in hazte oder wol enpfienc,
den was er al gelîche holt:
sus teilte er bâgens grôzen solt.

er sprach ›ir habt des vreischet vil,
ritterschaft ist topelspil.
25 unt daz ein man von tjoste viel.
ez sinket halt ein mers kiel.
lât mich nimmer niht gestrîten,
daz er mîn getorste bîten,
ob er bekande mînen schilt.
des hât mich gar an im bevilt,
290 der noch dort ûze tjoste gert.
sîn lîp ist ouch wol prîses wert.‹

Keye der küene man
brâht daz maere vür den künec sân,
5 Segramors waere gestochen abe,
unt dort ûze hielt ein strenger knabe,
der gerte tjoste rehte als ê.
er sprach ›hêr, mir tuot immer wê,
sol ers genozzen scheiden hin.
10 ob ich iu sô wirdec bin,
lât mich versuochen wes er ger,
sît er mit ûf gerihtem sper
dort habt vor iuwerm wîbe.
nimmer ich belîbe
15 in iuwerem dienste mêre:
tavelrunder hât unêre,
ob manz im niht bezîte wert.
ûf unsern prîs sîn ellen zert.

Das Heer des Artus war so nahe, daß man alles beobachtet hatte und Parzival wieder an der gleichen Stelle verharren sah. Er mußte sich der Liebe, die sogar Salomon bezwungen hatte, bedingungslos unterwerfen. Es dauerte nicht lange, da kehrte Segramors zu den anderen Rittern zurück. Ob man ihm mit freundlichem oder unfreundlichem Gesicht begegnete, er überschüttete alle mit Scheltworten. So rief er: »Ihr habt es oft genug selbst erlebt, der Ritterkampf ist ein Würfelspiel, und im Zweikampf muß immer einer zu Boden. Auch ein großes seetüchtiges Schiff sinkt schließlich einmal. Ich bin überzeugt, er wäre geflohen, wenn er das Wappen auf meinem Schild erkannt hätte. Daß er es nicht tat, ist mir leider schlecht bekommen; nun wartet er weiterhin herausfordernd vor dem Lager. Sei's drum, er hat sich nicht übel gehalten.«

Der tapfere Keye brachte dem König die Nachricht, Segramors sei vom Pferd gestochen worden und draußen vor dem Lager hielte ein kräftiger Bursche und fordere immer noch zum Zweikampf heraus. »Herr, ich würde es mir nie verzeihen, wenn er ohne Denkzettel davonkäme. Scheine ich Euch würdig genug, so laßt es mich ihm heimzahlen, daß er so unverschämt mit erhobener Lanze wartet, obwohl Eure Gemahlin zugegen ist. Lehnt Ihr es ab, dann verlasse ich Euch; die Tafelrunde ist beschimpft, wenn man ihn nicht zur rechten Zeit besseres Benehmen lehrt. Auf Kosten uns-

---

Salomon: Der Hinweis darauf, daß der weise Salomon, König von Israel um 965 – um 925, sich der Macht der Liebe beugen mußte, diente häufig als Beweis dafür, daß selbst der Erfahrenste der Gewalt der Liebe unterliegt. Salomon galt als der Verfasser der Liebeslieder des Hohenliedes.

        nu gebt mir strîtes urloup.
20 waer wir alle blint oder toup,
    ir solt ez im weren: des waere zît.‹
    Artûs erloubte Keien strît.

        gewâpent wart der scheneschalt.
    dô wolde er swenden den walt
25 mit tjost ûf disen kumenden gast.
    der truoc der minne grôzen last:
    daz vuogte im snê unde bluot.
    ez ist sünde, swer im mêr nu tuot.
    ouch hât es diu minne cranken prîs:
    diu stiez ûf in ir crefte rîs.

291   Vrou Minne, wie tuot ir sô,
    daz ir den trûrigen machet vrô
    mit kurze wernder vröude?
    ir tuot in schiere töude.
5   wie stêt iu daz, Vrou Minne,
    daz ir manlîche sinne
    und herzehaften hôhen muot
    alsus enschumpfieren tuot?
    daz smaehe unt daz werde,
10 und swaz ûf der erde
    gein iu deheines strîtes pfligt,
    dem habt ir schiere an gesigt.
    wir müezen iuch bî creften lân
    mit rehter wârheit sunder wân.
15   Vrou Minne, ir habt ein êre,
    und wênc deheine mêre.
    vrou Liebe iu gît geselleschaft:
    anders waer vil dürkel iuwer craft.
        Vrou Minne, ir pflegt untriuwen
20 mit alten siten niuwen.
    ir zucket manegem wîbe ir prîs,
    unt rât in sippiu âmîs.
    und daz manec hêrre an sînem man
    von iwerre craft hât missetân,

rer Ehre spreizt er sich! Laßt mich kämpfen, denn es ist an der Zeit, ihn zur Rechenschaft zu ziehen, und wären wir alle blind oder taub.«

Da gab Artus dem Keye die Erlaubnis zum Kampf. Der Seneschall wurde gewappnet und prahlte dabei, im Zweikampf mit dem Fremdling wolle er einen ganzen Wald von Lanzen verstechen. Nun trug der Unbekannte schon die schwere Bürde der Liebe, mit der ihn Schnee und Blut beladen hatten, und wer ihm noch mehr Lasten aufbürden will, versündigt sich. Davon hätte die Liebe, die ihn ja längst unterworfen hat, auch wenig Ruhm.

Frau Liebe, warum laßt Ihr den Traurigen nur kurze Zeit das Glück genießen und danach unfehlbar ins Verderben rennen? Warum nur werft Ihr männliche Kraft und Lebenslust so jämmerlich in den Staub? Wer den Kampf mit Euch aufnimmt, wird besiegt, denn Eure Macht ist wirklich unerschütterlich. Euer Ansehen hängt aber einzig und allein davon ab, ob Frau Liebreiz Eure Begleiterin ist. Ohne sie wäret Ihr machtlos. Seit eh und je handelt Ihr verwerflich. So manche Frau habt Ihr um ihren guten Ruf gebracht, indem Ihr sie zur Blutschande verführtet. Ihr habt Eure Macht mißbraucht und bewirkt, daß sich der Dienstherr am

25 unt der vriunt an sîme gesellen
    (iuwer site kan sich hellen),
    unt der man an sîme hêrren.
    vrou Minne, iu solte werren
    daz ir den lîp der gir verwent,
    dar umbe sich diu sêle sent.

292 Vrou Minne, sît ir habt gewalt,
     daz ir die jugent sus machet alt,
     dar man doch zelt vil kurziu jâr,
     iuwer werc sint hâlscharlîcher vâr.

5   disiu rede enzaeme keinem man,
    wan der nie trôst von iu gewan.
    her ir mir geholfen baz,
    mîn lop waer gein iu niht sô laz.
    ir habt mir mangel vor gezilt
10 und mîner ougen ecke alsô verspilt
    daz ich iu niht getrûwen mac.
    mîn nôt iuch ie vil ringe wac.
    doch sît ir mir ze wol geborn,
    daz gein iu mîn cranker zorn
15 immer solde bringen wort.
    iuwer druc hât sô strengen ort,
    ir ladet ûf herze swaeren soum.
    hêr Heinrich von Veldeke sînen boum
    mit kunst gein iuwerm arde maz:
20 hete er uns dô bescheiden baz
    wie man iuch süle behalten!
    er hât her dan gespalten
    wie man iuch sol erwerben.
    von tumpheit muoz verderben
25 maneges tôren hôher vunt.
    was oder wirt mir daz noch kunt,
    daz wîze ich iu, vrou Minne.
    ir sît slôz ob dem sinne.
    ez enhilfet gein iu schilt noch swert,
    snell ors, hôch burc mit türnen wert:

Dienstmann, der Dienstmann am Dienstherrn, der Freund am Freunde verging. Auf diese Weise macht Ihr sehr unrühmlich von Euch reden. Ihr solltet Euch schämen, den Menschen zur Begierde zu verführen und dadurch seine Seele zu gefährden. Ihr seid heimtückisch, Frau Liebe, denn Ihr habt die Macht, die kurze Blütezeit der Jugend rasch verfliegen und den Menschen früh altern zu lassen.

Solche Worte darf nur ein Mann wagen, den Ihr nie getröstet habt. Hättet Ihr mir Euern Trost nicht versagt, so könntet Ihr mit meinem Lob rechnen. Ihr habt mich aber darben und im Würfelspiel der Liebe verlieren lassen; daher traue ich Euch nicht über den Weg. Meine Not hat Euch stets kaltgelassen. Nun steht Ihr so hoch über mir, daß mein ohnmächtiger Zorn nicht Klage wider Euch erheben kann. Tief bohrt Ihr den Leidensstachel in mein Herz, das Ihr mit Not überbürdet habt. Herr Heinrich von Veldeke hat Euer Wesen symbolisch im Bilde eines Baums beschrieben. Hätte er uns nur belehrt, wie man Euch festhalten kann! In seinem Bilde hat er zwar gezeigt, wie man Euch erringt, doch mancher unerfahrene Tor verscherzt sein Liebesglück. Sollte es mir ebenso ergehen, dann erhebe ich Klage gegen Euch. Doch Ihr seid der Inbegriff aller Weisheit. Gegen Euch helfen weder Schild noch Schwert, kein schnelles Roß und keine hohe Burg mit stolzen Türmen. Gegen Euch kann

Heinrich von Veldeke (1140/50–1200/10): Verfasser der »Eneide«, des mittelhochdeutschen Äneas-Epos, entstanden zwischen 1170 und 1190, einer »Servatius«-Legende und hervorragender Lyriker, galt als der Nestor der feudalhöfischen Klassik in Deutschland. Die Anspielung gilt offensichtlich einer verlorenen Dichtung, da das überlieferte Werk nichts Vergleichbares enthält.

293   ir sît gewaldec ob der wer.
      bêde ûf erde unt in dem mer
      waz entrinnet iuwerm criege,
      ez vlieze oder vliege?
  5   Vrou Minne, ir tâtet ouch gewalt,
      dô Parzivâl der degen balt
      durch iuch von sînen witzen schiet,
      als im sîn triuwe dô geriet.
      daz werde süeze clâre wîp
 10   sand iuch ze boten an sînen lîp,
      diu künegîn von Pelrapeire.
      Kardeiz fîz Tampenteire,
      ir bruoder, nâmt ir ouch sîn leben.
      sol man iu sölhe zinse geben,
 15   wol mich daz ich von iu niht hân,
      ir enwolt mir bezzer senfte lân.
      ich hân geredet unser aller wort:
      nu hoert ouch wie ez ergienge dort.
      Keie der ellens rîche
 20   kom gewâpent ritterlîche
      ûz, als er strîtes gerte:
      ouch waene in strîtes werte
      des künec Gahmuretes kint.
      swâ twingende vrouwen sint,
 25   die sulen im heiles wünschen nû:
      wande in brâhte ein wîp dar zuo
      daz minne witze von im spielt.
      Keie sîner tjost enthielt,
      unz er zem Wâleise sprach
      ›hêrre, sît iu sus geschach,
294   Daz ir den künec gelastert hât,
      welt ir mir volgen, so ist mîn rât
      unt dunct mich iuwer bestez heil,
      nemt iuch selben an ein brackenseil
  5   unt lât iuch vür in ziehen.
      ir enmegt mir niht enpfliehen,

man sich nicht wehren. Nichts auf der Erde oder im Meer, ob es schwimmt oder fliegt, kann im Kampf gegen Euch bestehen. Ihr zeigtet auch Eure Gewalt, als der kühne und treue Held Parzival die ganze Welt um sich vergaß. Die Königin von Pelrapeire, die edle, liebreizende, reine Frau, sandte Euch als Boten zu ihm. Und doch habt Ihr Condwiramurs' Bruder Kardeiz, Tampenteires Sohn, umgebracht! Wenn man Euch für das Glück so hohen Zins geben muß, dann bin ich heilfroh, daß ich kein Lehen von Euch habe. Ihr müßtet mir schon Angenehmeres verheißen. Ich habe für uns alle gesprochen. Nun hört, was weiter geschah.

Kraftgeschwellt, wohlgewappnet und streitbegierig ritt Keye in den Kampf, doch ich bin sicher, daß König Gachmurets Sohn nicht vor ihm zurückweichen wird. Alle Damen, die über Männerherzen gebieten, mögen Parzival Glück wünschen, denn eine Frau war schuld daran, daß die Liebe ihn stumm, taub und blind gemacht hatte. Bevor Keye den Kampf eröffnete, sprach er Parzival an: »Herr, Ihr habt den König beleidigt! Doch ich will Euch einen Rat geben: Legt Euch selbst ein Hundehalsband um, damit man Euch vor ihn führen kann. Es ist am besten so für Euch. Entkom-

---

Kardeiz: Nach ihm wird später einer von Parzivals Söhnen genannt. Von einem durch die Liebe bewirkten Tod ist sonst nirgends die Rede.

ich bringe iuch doch betwungen dar:
sô nimt man iuwer unsanfte war.‹
    den Wâleis twanc der minnen craft
10   swîgens. Keie sînen schaft
ûf zôch und vrumt im einen swanc
anz houbet, daz der helm erclanc.
dô sprach er ›du muost wachen.
âne lînlachen
15   wirt dir dîn slâfen hie benant:
ez zilt al anders hie mîn hant:
ûf den snê du wirst geleit.
der den sac von der müle treit,
wolt man in sô bliuwen,
20   in möhte lazheit riuwen.‹
    Vrou Minne, hie seht ir zuo:
ich waen manz iu ze laster tuo:
wan ein gebûr spraeche sân,
mîme hêrrn sî diz getân.
25   er clagt ouch, möhte er sprechen.
Vrou Minne, lât sich rechen
den werden Wâleise:
wan liez in iuwer vreise
unt iuwer strenge unsüezer last,
ich waen sich werte dirre gast.

295   Keie hurte vaste an in
unt drang im daz ors alumbe hin,
unz daz der Wâleis übersach
sîn süeze sûrez ungemach,
5   sînes wîbes glîchen schîn,
von Pelrapeir der künegîn:
ich meine den geparrierten snê.
dô kom aber Vrou Witze als ê,
diu im den sin her wider gap.
10   Keie daz ors liez in den walap:
der kom durch tjostieren her.
von rabîn sancten si diu sper.

men könnt Ihr mir nicht. Ich bringe Euch so oder so vor
ihn, und man wird Euch nicht gerade mit Samthandschuhen
begegnen.«

Die Macht der Liebe ließ Parzival stumm bleiben. Da hob
Keye den Lanzenschaft und schlug zu, daß der Helm
erdröhnte. Dabei rief er: »Wach endlich auf! Gleich wirst du
ohne Bettlaken zur Ruhe gebettet. Läßt mich meine sichere
Hand nicht im Stich, dann wirst du auf den Schnee niederge-
streckt. Selbst das Tier, das die Säcke aus der Mühle trägt,
würde munter, wenn man ihm derart das Fell gerbte.«

Jetzt gebt acht, Frau Liebe! Ich glaube, man beschimpft
Euch, denn nur ein Bauerntölpel könnte behaupten, daß
diese Beschimpfung meinem Helden gilt. Er würde sich
schon verteidigen, könnte er nur sprechen. Frau Liebe, nun
laßt den edlen Helden aus Valois endlich Vergeltung üben!
Wäre er von Eurer Drangsal und Eurer harten, bitteren Last
befreit, wüßte er sich wohl zu wehren.

Als Keye ihn heftig anstieß, drängte er Parzivals Roß so weit
zur Seite, daß der seine bitter-süße Pein nicht mehr vor
Augen hatte. Ich meine den geröteten Schnee, das Abbild
seiner Frau, der Königin von Pelrapeire. Wieder kehrte Frau
Vernunft zurück und ließ ihn zum Bewußtsein kommen.
Keye, der ja den Zweikampf suchte, galoppierte heran. In
voller Karriere reitend, senkten beide die Lanzen. Beim

Keie sîne tjoste brâhte,
als im der ougen mez gedâhte,
15   durch des Wâleis schilt ein venster wît.
im wart vergolten dirre strît.
Keie Artûses scheneschalt
ze gegentjoste wart gevalt
über den ronen dâ diu gans entran,
20   sô daz daz ors unt der man
liten beidiu samt nôt:
der man wart wunt, daz ors lac tôt.
zwischen satelbogen und eime stein
Keyn zeswer arm und winster bein
25   zebrach von disem gevelle:
surzengel, satel, geschelle
von dirre hurte gar zebrast.
sus galt zwei bliuwen der gast:
daz eine leit ein maget durch in,
mit dem andern muose er selbe sîn.

296   Parzivâl der valscheitswant,
sîn triuwe in lêrte daz er vant
snêwec bluotes zäher drî,
die in vor witzen machten vrî.
5   sîne gedanke umbe den grâl
unt der küngîn glîchiu mâl,
iewederz was ein strengiu nôt:
an im wac vür der minnen lôt.
trûren unde minne
10   brichet zaehe sinne.
sol diz âventiure sîn?
si möhten bêde heizen pîn.
küene liute solten Keien nôt
clagen: sîn manheit im gebôt
15   genendeclîche an manegen strît.
man saget in manegen landen wît
daz Keie Artûses scheneschalt
mit siten waere ein ribbalt:

Zusammenprall stieß Keye treffsicher ein großes Fenster in den Schild seines Gegners. Der blieb ihm aber nichts schuldig. Sein Gegenstoß schleuderte Keye, den Seneschall des Artus, samt seinem Roß über den Baumstamm, unter den sich die verwundete Wildgans geflüchtet hatte. Roß und Reiter kamen schwer zu Schaden: der Ritter wurde verletzt, sein Pferd getötet. Im Fallen gerieten Keyes rechter Arm und sein linkes Bein zwischen den Sattelbogen des stürzenden Pferdes und einen großen Stein, so daß beide Gliedmaßen gebrochen wurden. Der Zusammenprall war so wuchtig, daß Sattelgurt, Sattel und Schellenzeug beschädigt wurden. So vergalt der Fremdling zwei Züchtigungen auf einmal: die eine hatte Cunneware seinetwegen erlitten, die andere er selbst. Danach ließ sich der redliche Parzival von seiner Treue wieder dahin führen, wo er auf dem Schnee die Blutstropfen fand, die ihm das Bewußtsein geraubt hatten. Ihn drückten Gedanken an den Gral und die Erinnerung an Condwiramurs, doch die Last der Liebessehnsucht überwog. Liebestrauer beugt nun einmal den festesten Mannesmut. Hier ist also nicht von Glück die Rede, sondern von echtem Herzeleid!

Tapfere Männer sollten Keyes Mißgeschick beklagen. Seine Manneskühnheit hatte ihn entschlossen in viele Kämpfe ziehen lassen. Zwar ist die Meinung verbreitet, daß Keye, der Seneschall des Artus, ein grober Rüpel gewesen sei.

des sagent in mîniu maere blôz:
20 er was der werdekeit genôz.
swie cleine ich des die volge hân,
getriuwe und ellenthaft ein man
was Keie: des giht mîn munt.
ich tuon ouch mêre von im kunt.
25 Artûses hof was ein zil,
dar kom vremder liute vil,
die werden unt die smaehen,
mit siten die waehen.
Swelher partierens pflac,
der selbe Keien ringe wac:
297 an swem diu curtôsîe
unt diu werde cumpânîe
lac, den kunde er êren,
sîn dienst gein im kêren.
5   ich gihe von im der maere,
er was ein merkaere.
er tet vil rûhes willen schîn
ze scherme dem hêrren sîn:
partierre und valsche diet,
10 von den werden er die schiet:
er was ir vuore ein strenger hagel,
noch scherpfer dan der bîn ir zagel.
seht, die verkêrten Keien prîs:
der was manlîcher triuwen wîs:
15 vil hazzes er von in gewan.
von Düringen vürste Herman,
etslîch dîn ingesinde ich maz,
daz ›ûzgesinde‹ hieze baz.
dir waere ouch eines Keien nôt,
20 sît wâriu milte dir gebôt
sô manecvalten anehanc,
etswâ smaehlîch gedranc
unt etswâ werdez dringen.
des muoz hêr Walther singen

Meine Erzählung spricht ihn von diesem Vorwurf frei. In Wirklichkeit war er ein wackerer, würdiger Mann. Auch wenn mir nur wenige beipflichten, so behaupte ich steif und fest, daß Keye ein treuer und kühner Ritter war. Und ich will noch mehr über ihn sagen: Der Hof des Artus zog immerhin viele Fremde an, edle und unedle. Doch Keye ließ sich nicht täuschen, mochte ein Betrüger auch noch so geschickt sein. Wer Anstand zeigte und aus edlem Geschlecht stammte, der konnte auf seine Achtung und Hilfsbereitschaft rechnen. An seinem Wesen muß ich hervorheben, daß er ein kritischer Beobachter war. Um seinen Herrscher vor üblem Gesindel zu schützen, zeigte er sich recht bärbeißig. Er unterschied sehr genau zwischen wahren Edelleuten und Lügnern oder Betrügern. Für solche Bösewichte war er wie ein vernichtender Hagelschlag; er stach schmerzhafter zu als der Stachel der Biene. Also suchten sie sein Ansehen zu untergraben, und da er viel von echter Mannestreue hielt, zog er sich ihren maßlosen Haß zu. Fürst Hermann von Thüringen, viele aus deinem Ingesinde sollten lieber zum Ausgesinde zählen. Du brauchtest auch so einen Keye, denn deine Großzügigkeit hat eine recht gemischte Gesellschaft um dich versammelt; Edle und Unwürdige umdrängen dich gleichermaßen. Das hat Herrn Walther zu

---

Hermann von Thüringen (nach 1155–1217): Landgraf; als Mäzen zeitgenössischer Dichter bekannt (vgl. die Sage vom Sängerkrieg auf der Wartburg).
Walther ... veranlaßt: Anspielung auf ein Lied Walthers von der Vogelweide (um 1170 – um 1230), des berühmtesten mittelalterlichen deutschen Lyrikers.

25 ›guoten tac, boes unde guot.‹
   swâ man solhen sanc nu tuot,
   des sint die valschen gêret.
   Kei hets in niht gelêret,
   noch hêr Heinrich von Rîspach.
   hoert wunders mêr, waz dort geschach

298   Uf dem Plimizoeles plân.
   Keie wart geholt sân,
   in Artûses poulûn getragen.
   sîne vriunt begunden in dâ clagen,
5 vil vrouwen unde manec man.
   dô kom ouch mîn hêr Gâwân
   über in, dâ Keie lac.
   er sprach ›ôwê unsaelic tac,
   daz disiu tjost ie wart getân,
10 dâ von ich vriunt verloren hân.‹
   er clagte in senlîche.
   Keie der zornes rîche
   sprach ›hêrre, erbarmet iuch mîn lîp?
   sus solten clagen altiu wîp.
15 ir sît mîns hêrren swester sun:
   möht ich iu dienst nu getuon,
   als iuwer wille gerte
   do mich got der lide werte!
   sone hât mîn hant daz niht vermiten,
20 sine habe vil durch iuch gestriten:
   ich taete ouch noch, unt solt ez sîn.
   nune clagt nimêr, lât mir den pîn.
   iuwer oeheim, der künec hêr,
   gewinnet nimmer sölhen Keien mêr.
25 ir sît mir râche ze wol geborn:
   het aber ir ein vinger dort verlorn,
   dâ wâgte ich gegen mîn houbet.
   seht ob ir mirz geloubet.
      kêrt iuch niht an mîn hetzen.
   er kan unsanfte letzen,

seinem Lied »Guten Tag, Böse und Gute« veranlaßt. Singt
man aber solch Lied, so ist das ein Zeichen dafür, daß man
den Falschen zuviel Ehre antut. Wären Keye oder Herr
Heinrich von Rispach bei Euch gewesen, hätte der Sänger
keinen Anlaß zu seinem Lied gehabt.

Hört nun weiter von erstaunlichen Ereignissen, die sich auf
dem Feld am Plimizöl zutrugen. Zunächst brachte man
Keye ins Lager und trug ihn ins Zelt des Artus, wo seine
Freunde – etliche Damen und Ritter – sein Mißgeschick
beklagten. Auch Herr Gawan beugte sich über Keye und
sprach: »Ist das ein unheilvoller Tag! Warum wurde dieser
Zweikampf, der mir einen Freund entrissen hat, nur ausge-
tragen!« Sein Bedauern war aufrichtig, doch Keye rief zor-
nig: »Herr, bedauert Ihr mich etwa? Alte Weiber sollten
klagen! Ihr aber seid der Neffe meines Herrschers. Ich
wollte, ich könnte Euch nach Wunsch dienen. Solange ich
mit Gottes Hilfe heile Glieder hatte, habe ich Euch stets
ohne Zögern im Kampf beigestanden; wenn es sein müßte,
täte ich es auch jetzt noch. Laßt also Euer Klagen! Ich will
meine Schmerzen tragen. Euer Oheim, der edle König
Artus, wird nie wieder einen Keye finden, doch Ihr seid
gewiß zu vornehm, mich zu rächen. Hättet Ihr in diesem
Zweikampf auch nur einen Finger verloren, so hätte ich
sogar meinen Kopf gewagt, Euch zu rächen! Das könnt Ihr
mir glauben. Doch hört nicht weiter auf meine Sticheleien!

Heinrich von Rispach: vermutlich Hofmeister am bayrischen Hofe; denn
Reisbach liegt an der Vils in der Nähe von Landshut.

299   der noch dort ûze unvlühtec habt:
      weder ern schûftet noch endrabt.
      Ouch enist hie ninder vrouwen hâr
      weder sô mürwe noch sô clâr,
5   ez enwaere doch ein veste bant
      ze wern strîtes iuwer hant.
      swelh man tuot solhe diemuot schîn,
      der êret ouch die muoter sîn:
      vaterhalb solte er ellen hân.
10   kêrt muoterhalp, hêr Gâwân:
      sô wert ir swertes blicke bleich
      und manlîcher herte weich.‹
         sus was der wol gelobte man
      gerant zer blôzen sîten an
15   mit rede: er kunde ir gelten niht,
      als wol gezogenem man geschiht,
      dem scham versliuzet sînen munt,
      daz dem verschamten ist unkunt.
         Gâwân ze Keien sprach
20   ›swâ man sluog oder stach,
      swaz des gein mir ist geschehen,
      swer mîne varwe wolde spehen,
      diu waene ich ie erbliche
      von slage oder von stiche.
25   du zürnest mit mir âne nôt:
      ich bin der dir ie dienst bôt.‹
      ûz dem poulûn gienc hêr Gâwân,
      sîn ors hiez er bringen sân:
      sunder swert und âne sporn
      saz drûf der degen wol geborn.

300   Er kêrt ûz da er den Wâleis vant,
      des witze was der minnen pfant.
      er truoc drî tjoste durch den schilt,
      mit heldes handen dar gezilt:
5   ouch hete in Orilus versniten.
      sus kom Gâwân zuo ze im geriten,

Draußen wartet ein Mann, der nicht daran denkt, sich im Trab oder gar im Galopp davonzustehlen. Ließet Ihr Euch wirklich zum Kampf bewegen, könnte er Euch übel mitspielen. Das zarteste und feinste Frauenhaar ist stark genug, Euch vom Kampfe fernzuhalten. Ein Ritter, der so sanftmütig ist wie Ihr, macht seiner Mutter alle Ehre; der Vater sollte eigentlich Heldenkühnheit von ihm erwarten. Haltet Euch aber nur an Eure Mutter, Herr Gawan, dann werdet Ihr beim Aufblitzen der Schwerter erbleichen und statt männlicher Stärke klägliche Schwäche zeigen.«

So wurde der überall geachtete Ritter mit Worten an seiner verwundbarsten Stelle angegriffen, und als wohlerzogener Edelmann, dem Bescheidenheit den Mund verschließt, konnte er nicht einmal mit gleicher Münze heimzahlen. Ein Großmaul verhält sich natürlich anders.

Gawan sagte daher zu Keye: »Wer auf meine Gesichtsfarbe geachtet hat, kann bezeugen, daß mich im Kampf weder Schwerthiebe noch Lanzenstöße erbleichen ließen. Du zürnst mir ohne Grund, denn du konntest stets auf meine Hilfe rechnen.« Danach verließ Herr Gawan das Zelt und rief nach seinem Roß. Ohne Schwert und Sporen schwang er sich in den Sattel und ritt hinaus zu Parzival, den die Liebe erneut alles um sich her vergessen ließ. Sein Schild zeigte die Spuren der Lanzenstöße dreier Helden, und außerdem hatte ihn Orilus mit seinem Schwert zerhackt. Gawan spornte

sunder kalopieren
unt âne punieren:
er wolde güetlîche ersehen,
10   von wem der strît dâ waere geschehen.
         dô sprach er grüezenlîche dar
ze Parzivâl, ders cleine war
nam. daz muose et alsô sîn:
dâ tet Vrou Minne ir ellen schîn
15   an dem den Herzeloyde bar.
ungezaltiu sippe in gar
schiet von den witzen sîne,
unde ûf gerbete pîne
von vater und von muoter art.
20   der Wâleis wênec innen wart,
waz mîns hêrn Gâwânes munt
mit worten im dâ taete kunt.
         dô sprach des künec Lôtes sun
›hêrre, ir welt gewalt nu tuon,
25   sît ir mir grüezen widersagt.
ichne bin doch niht sô gar verzagt,
ichne bring ez an ander vrâge.
ir habet man und mâge
unt den künec selbe entêret,
unser laster hie gemêret.
301   Des erwirbe ich iu die hulde,
daz der künec laet die schulde,
welt ir nâch mîme râte leben,
geselleschaft mir vür in geben.‹
5   des künec Gahmuretes kint,
dröuwen und vlêhn was im ein wint.
der tavelrunder hôhster prîs
Gâwân was solher noete al wîs:
er het si unsanfte erkant,
10   do er mit dem mezzer durch die hant
stach: des twang in minnen craft
unt wert wîplîch geselleschaft.

sein Pferd nicht zum Galopp und zeigte keine Angriffsabsichten. Friedfertig wollte er in Erfahrung bringen, wer die beiden Zweikämpfe ausgetragen hatte. Als er aber Parzival einen freundlichen Gruß zurief, gab der Fremde keine Antwort. Das war nicht verwunderlich, denn zum dritten Mal hatte Frau Liebe Herzeloydes Sohn in ihren Bann gezogen. Das Erbe seiner Vorfahren und seiner Eltern, die Gabe ungewöhnlich starker Gefühle, ließ ihn alles vergessen, was um ihn vorging. So drangen die Worte Gawans gar nicht in sein Bewußtsein. Da sprach König Lots Sohn: »Herr, Ihr mißachtet meinen Gruß! Ihr wollt also den Kampf! Glaubt nur nicht, ich scheute es, Euch in andrer Weise zu begegnen! Ihr habt den König, seine Angehörigen, sein Gefolge beschimpft und entehrt. Dennoch will ich Euch beim König Gnade und Vergebung erwirken. Ihr müßt Euch allerdings meinem Rat anvertrauen und mich zu ihm begleiten.«
König Gachmurets Sohn blieb jedoch taub gegen alle Drohungen und Bitten. Nun waren Gawan, dem berühmtesten Ritter der Tafelrunde, solche Nöte nicht fremd. Er hatte sie am eignen Leibe schmerzlich erfahren und einmal sogar aus übermächtiger Liebe zu einer edlen Frau die eigne Hand mit einem Dolch durchbohrt. Als ihn der tapfere Lähelin in

Hand ... durchbohrt: Diese Episode ist in der mittelalterlichen Dichtung nicht überliefert.

in schiet von tôde ein künegîn,
dô der küene Lähelîn
15 mit einer tjoste rîche
in twanc sô vocclîche.
diu senfte süeze wol gevar
ze pfande sazte ir houbet dar,
roin Ingûse de Bahtarliez:
20 alsus diu getriuwe hiez.
dô dâhte mîn hêr Gâwân
›waz ob diu minne disen man
twinget als si mich dô twanc,
und sîn getriulîch gedanc
25 der minne muoz ir siges jehen?‹
er marcte des Wâleises sehen,
war stüenden im diu ougen sîn.
ein failen tuoches von Sûrîn,
gefurriert mit gelwem zindâl,
die swang er über diu bluotes mâl.

302   Dô diu faile wart der zaher dach,
sô daz ir Parzivâl niht sach,
im gap her wider witze sîn
von Pelrapeir diu künegîn:
5 diu behielt iedoch sîn herze dort.
nu ruochet hoeren sîniu wort.
er sprach ›ôwê vrouwe unde wîp,
wer hât benomen mit dînen lîp?
erwarp mit ritterschaft mîn hant
10 dîn werde minne, crôn und ein lant?
bin ichz der dich von Clâmidê
lôste? ich vant ach unde wê,
und siufzec manec herze vrebel
in dîner helfe. ougen nebel
15 hât dich bî liehter sunnen hie
mir benomen, jan weiz ich wie.‹
er sprach ›ôwê war kom mîn sper,
daz ich mit mir brâhte her?‹

hartem Zweikampf bezwungen hatte, rettete ihm eine Königin das Leben. Die zarte, liebreizende Schöne bot ihr eignes Haupt zum Pfande. Diese hingebend treue Frau war die Königin Inguse von Bachtarliez. Gawan dachte also bei sich: »Vielleicht hat die Liebe diesen Ritter ebenso in den Bann geschlagen wie mich; vielleicht hat sie ihn unterworfen und um seinen klaren Verstand gebracht.« Er folgte den Blicken Parzivals und warf einen gelbseiden gefütterten Umhang aus syrischem Tuch über die Blutmale.

Als der Umhang die Male bedeckte und Parzivals Blicken entzog, ließ ihn die Königin von Pelrapeire zwar wieder zu Besinnung kommen, doch sein Herz behielt sie. Hört seine Worte. Er rief: »Ach, Herrin und Gattin, wer hat dich mir entrissen? Habe ich nicht durch ritterlichen Einsatz deine köstliche Liebe, dazu Krone und Reich errungen? War nicht ich es, der dich von Clamide befreite? Nur Wehklagen hörte ich von denen, die dir beistehen sollten, und die Seufzer vieler unerschrockener Herzen. Ich weiß nicht, was geschehen ist, denn mitten am hellen Tag hat dich meinen Augen ein Nebelvorhang entzogen.« Und weiter klagte er: »Ach, wo ist meine Lanze, die ich mit mir brachte?«

Inguse von Bachtarliez: Gestalt und erwähntes Geschehen sind sonst nicht überliefert.

dô sprach mîn hêr Gâwân
20 ›hêrre, ez ist mit tjost vertân.‹
›gein wem?‹ sprach der degen wert.
›irn habt hie schilt noch daz swert:
waz möhte ich prîses an iu bejagen?
doch muoz ich iuwer spotten tragen:
25 ir biet mirz lîhte her nâch baz.
etswenne ich ouch vor tjost gesaz.
vinde ich nimmer an iu strît,
doch sint diu lant wol sô wît,
ich mac dâ prîs und arbeit holen,
beidiu vröude und angest dolen.‹

303   Mîn hêr Gâwân dô sprach
›swaz hie mit rede gein iu geschach,
diu ist lûter unde minneclîch,
und niht mit staeter trüebe rîch.
5 ich gere als ichz gedienen wil.
hie lît ein künec und ritter vil
und manec vrouwe wol gevar:
geselleschaft gib ich iu dar,
lât ir mich mit iu rîten.
10 da beware ich iuch vor strîten.‹
›iuwer genâde, hêrre: ir sprechet wol,
daz ich vil gerne dienen sol.
sît ir cumpânîe bietet mir,
nu wer ist iuwer hêrre oder ir?‹
15   ›ich heize hêrre einen man
von dem ich manec urbor hân.
ein teil ich der benenne hie.
er was gein mir des willen ie
daz er mirz ritterlîche bôt.
20 sîne swester het der künec Lôt,
diu mich zer werlde brâhte.
swes got an mir gedâhte,
daz biutet dienst sîner hant.
der künec Artûs ist er genant.

Da erwiderte Herr Gawan: »Herr, im Zweikampf ist sie
zersplittert!«

»Im Zweikampf gegen wen?« fragte der edle Held verwun-
dert. »Ihr selber tragt doch weder Schild noch Schwert.
Welchen Ruhm hätte mir ein Kampf mit Euch gebracht?
Doch spottet nur; vielleicht wird Euch der Spott noch
vergehen. In vielen Zweikämpfen bin ich Sieger geblieben,
und stellt Ihr Euch nicht zum Kampf, so kann ich Kampf
und Ruhm, Gefahr und Triumph in vielen Ländern er-
fahren.«

Herr Gawan antwortete versöhnlich: »Ich habe Euch in aller
Freundschaft die reine, unverfälschte Wahrheit gesagt und
erbitte von Euch, was Ihr nicht bereuen sollt. In der Nähe
lagert ein König mit vielen Rittern und schönen Damen.
Wenn Ihr erlaubt, leiste ich Euch Gesellschaft und geleite
Euch unter meinem Schutz zu ihm.«

»Ich danke Euch, Herr. Ihr sprecht so liebenswürdige
Worte, daß ich mich nach Kräften erkenntlich zeigen will.
Da Ihr mir Eure Freundschaft antragt, sagt mir bitte, wer
Euer Herrscher ist und wer Ihr selbst seid.«

»Mein Gebieter ist ein Mann, dem ich manches zu danken
habe. Einiges mögt Ihr hören: Er hat mich stets behandelt,
wie es ein Ritter erwarten darf. Seine Schwester, die Gemah-
lin König Lots, ist meine Mutter. Was Gott mir gegeben hat,
steht dem König zu Diensten. Er heißt Artus. Auch mein

25   mîn name ist ouch vil unverholn,
      an allen steten unverstoln:
      liute die mich erkennent,
      Gâwân mich die nennent.
      iu dient mîn lîp und der name,
      welt irz kêren mir von schame.‹

304   Dô sprach er ›bistuz Gâwân?
      wie cranken prîs ich des hân,
      ob du mirz wol erbiutes hie!
      ich hôrte von dir sprechen ie,
 5   du erbütes ez allen liuten wol.
      dîn dienst ich doch enpfâhen sol
      niwan ûf gegendienstes gelt.
      nu sage mir, wes sint diu gezelt,
      der dort ist manegez ûf geslagen?
10   lît Artûs dâ, sô muoz ich clagen
      daz ich in niht mit êren mîn
      mac gesehen, noch die künegîn.
      ich sol rechen ê ein bliuwen,
      dâ von ich sît mit riuwen
15   vuor, von solhen sachen.
      ein werdiu magt mir lachen
      bôt: die blou der scheneschalt
      durch mich, daz von ir reis der walt.‹
      ›unsanfte ist daz gerochen‹,
20   sprach Gâwân: ›im ist zebrochen
      der zeswe arm unt daz winster bein.
      rît her, schouwe ors und ouch den stein.
      hie ligent ouch trunzûne ûf dem snê
      dîns spers, nâch dem du vrâgtest ê.‹
25   dô Parzivâl die wârheit sach,
      dô vrâgte er vürbaz unde sprach
      ›diz lâze ich an dich, Gâwân,
      ob daz sî der selbe man
      der mir hât laster vor gezilt:
      sô rîtte ich mit dir swar du wilt.‹

eigener Name ist nicht unbekannt und sei Euch nicht verhehlt: Wer mich kennt, nennt mich Gawan. Ihr könnt über mich verfügen, wenn Ihr meine Bitte erfüllt und mich vor den König begleitet.«

Da rief Parzival: »Du bist's, Gawan? Dann ist's leider nicht mein Verdienst, wenn du mir hier freundlich begegnest; es heißt von dir, du seist zu allen Menschen so. Dennoch, ich setze Dienst gegen Dienst! Doch sage mir, wem gehören die vielen Zelte? Lagert Artus dort? Wenn's an dem ist, so kann ich zu meinem Bedauern weder ihm noch der Königin ehrenvoll unter die Augen treten; denn vorher muß ich Rache nehmen für eine Züchtigung, die ich bis heute nicht verwunden habe. Das kam so: Mich lachte eine edle Jungfrau an, und dafür wurde sie vom Seneschall so unbarmherzig geschlagen, daß sein Prügelstock in tausend Stücke sprang.«

»Das hast du hart genug gerächt«, meinte Gawan; »er hat sich den rechten Arm und das linke Bein gebrochen. Reite heran! Sieh das Pferd und den Steinblock da. Hier liegen auf dem Schnee auch die Splitter deiner Lanze, nach der du vorhin gefragt hast.«

Als Parzival Gawans Worte bestätigt fand, sagte er: »Gawan, ich verlasse mich darauf, daß es wirklich der Mann war, der mich beschimpft hat. Ist es so, dann reite ich mit dir, wohin du willst.«

305   ›Ichne wil gein dir niht liegens pflegen‹,
       sprach Gâwân. ›hie ist von tjost gelegen
       Segramors ein strîtes helt,
       des tât gein prîse ie was erwelt.
  5   du taete ez ê Keie wart gevalt:
       an in bêden hâstu prîs bezalt.‹
          si riten mit ein ander dan,
       der Wâleis unt Gâwân.
       vil volkes ze orse unt ze vuoz
 10   dort inne bôt in werden gruoz,
       Gâwâne und dem ritter rôt,
       wand in ir zuht daz gebôt.
       Gâwân kêrt da er sîn poulûn vant.
       vroun Cunnewâren de Lalant
 15   ir snüere unz an die sîne gienc:
       diu wart vrô, mit vröude enpfienc
       diu magt ir ritter, der si rach
       daz ir von Keien ê geschach.
       si nam ir bruoder an die hant,
 20   unt vroun Jeschûten von Karnant:
       sus sach si komen Parzivâl.
       der was gevar durch îsers mâl
       als touwege rôsen dar gevlogen.
       im was sîn harnasch ab gezogen.
 25   er spranc ûf, do er die vrouwen sach:
       nu hoert wie Cunnewâre sprach.
          ›Got alrêst, dar nâch mir,
       west willekomen, sît daz ir
       belibt bî manlîchen siten.
       ich hete lachen gar vermiten,
306   unz iuch mîn herze erkande,
       dô mich an vröuden pfande
       Keie, der mich dô sô sluoc.
       daz habt gerochen ir genuoc.
  5   ich kuste iuch, waere ich kusses wert.‹
       ›des hete ich hiute sân gegert‹,

»Warum sollte ich dich belügen«, antwortete Gawan. »Hier lag übrigens nach verlorenem Zweikampf schon der streitbare Held Segramors, der viele ruhmvolle Taten vollbrachte. Du hast ihn niedergeworfen, bevor du Keye zu Boden strecktest. In beiden Kämpfen hast du Siegesruhm errungen.«

Nun ritten Parzival und Gawan gemeinsam von dannen. Im Lager wurden sie von vielen Menschen, die zu Pferd und zu Fuß herbeigeeilt waren, achtungsvoll und höflich begrüßt. Gawan ritt zu seinem Zelt, das neben dem Cunnewares von Lalant lag. Cunneware zeigte sich froh bewegt und hieß voller Freude ihren Ritter willkommen, der sie an Keye gerächt hatte. Sie nahm ihren Bruder und Frau Jeschute von Karnant bei der Hand und begab sich mit ihnen zu Parzival. Parzival, dem man bereits die Rüstung abgenommen hatte, trug zwar noch Rostspuren, dennoch strahlte sein Antlitz wie eine taubenetzte Rose. Als er die Edelfrau erblickte, sprang er auf. Hört, was Cunneware sagte: »Seid Gott und mir herzlich willkommen, denn Ihr habt Euch stets tapfer gezeigt. Ich habe nicht gelacht, bis mein Herz erkannte, wer Ihr seid. Da schlug Keye mich zu meinem Leidwesen, doch Ihr habt mich gründlich gerächt. Wäre ich dessen wert, würde ich Euch gern mit einem Kuß begrüßen.«

sprach Parzivâl, ›getorste ich sô:
wand ich bin iuwers enpfâhens vrô.‹
    si kust in unde sazte in nider.
10 eine juncvrouwen si sande wider
und hiez ir bringen rîchiu cleit.
diu wârn gesniten al gereit
ûz pfelle von Ninivê:
si solde der künec Clâmidê,
15 ir gevangen, hân getragen.
diu magt si brâhte und begunde clagen,
der mantel waere âne snuor.
Cunnewâre sus gevuor,
von blanker sîte ein snüerelîn
20 si zucte und zôch ez im dar în.
mit urloube er sich dô twuoc,
den râm von im: der junge truoc
bî rôtem munde liehtez vel.
gecleidet wart der degen snel:
25 dô was er fier unde clâr.
swer in sach, der jach vür wâr,
er waere gebluomt vür alle man.
diz lop sîn varwe muose hân.
    Parzivâl stuont wol sîn wât.
einen grüenen smârât
307 spien si im vür sîn houbtloch.
Cunnewâre gap im mêr dennoch,
einen tiuren gürtel fier.
mit edelen steinen manec tier
5   muos ûzen ûf dem borten sîn:
diu rinke was ein rubîn.
wie was der junge âne bart
geschicket, do er gegürtet wart?
diz maere giht, wol genuoc.
10 daz volc im holdez herze truoc:
swer in sach, man oder wîp,
die heten wert sînen lîp.

»Nichts wäre mir lieber«, sprach Parzival, »wenn ich den Wunsch wagen darf! Euer Empfang macht mich glücklich.«

Sie küßte ihn und bat ihn, sich zu setzen. Dann schickte sie eine Jungfrau in ihr Zelt und ließ kostbare Kleider bringen, deren Seide aus Ninive stammte und die schon fertig waren, denn eigentlich hatte König Clamide, ihr Gefangener, sie tragen sollen. Die Jungfrau brachte sie herbei und entschuldigte sich, daß am Mantel noch keine Schnur eingezogen war. Da löste Cunneware eine Schnur von ihrer Hüfte und zog sie durch die Ösen des Mantels. Danach reinigte sich Parzival mit Erlaubnis der Anwesenden von den Rostspuren, und man bewunderte nun nicht allein seine roten Lippen, sondern auch sein makellos weißes Antlitz. Als man den tapferen Helden gekleidet hatte, wirkte er stattlich und schön. Wer ihn erblickte, beteuerte, er sei die herrlichste Blüte unter allen Männern, und seine Schönheit verdiente dieses Lob. Die Kleider standen ihm prächtig; im Halsausschnitt war als Spange ein grüner Smaragd befestigt. Zum Schluß reichte ihm Cunneware einen kostbaren, prächtigen Gürtel, mit vielen edelsteinbesetzten Tierbildern verziert; die Schnalle war ein Rubin. Wie der bartlose Jüngling aussah, nachdem er ihn umgelegt hatte? Nach dem Bericht der Erzählung ganz vortrefflich! Jedermann war von ihm entzückt. Wer immer ihn ansah, bewunderte ihn.

der künec messe het gehôrt:
man sach Artûsen komen dort
15 mit der tavelrunder diet,
der deheiner valscheit nie geriet.
die heten alle ê vernomen,
der rôte ritter waere komen
in Gâwânes poulûn.
20 dar kom Artûs der Bertûn.
    der zerblûwen Antanor
spranc dem künege allez vor,
unz er den Wâleis ersach.
den vrâgte er ›sît irz der mich rach,
25 und Cunnewâren de Lalant?
vil prîses, giht man, iuwerre hant
Keie hât verpfendet:
sîn dröun ist nu gelendet.
ich vürhte wênec sînen swanc:
der zeswe arm ist im ze cranc.‹
308   Dô truoc der junge Parzivâl
âne vlügel engels mâl
sus geblüet ûf der erden.
Artûs mit den werden
5 enpfieng in minneclîche,
guotes willen wâren rîche
alle die in gesâhen dâ.
ir herzen volge sprâchen jâ,
gein sîme lobe sprach niemen nein:
10 sô rehte minneclîche er schein.
    Artûs sprach zem Wâleis sân
›ir habt mir lieb und leit getân:
doch habt ir mir der êre
brâht unt gesendet mêre
15 denn ich ir ie von manne enpfienc.
da engein mîn dienst noch cleine gienc,
het ir prîses nimêr getân,
wan daz diu herzogîn sol hân,

Nachdem der edle König Artus die Messe gehört hatte,
erschienen er und die auserlesenen Mitglieder der Tafel-
runde, denn sie hatten gehört, der Rote Ritter sei in Gawans
Zelt. Also begab sich der Bretone Artus hin. Der von Keye
gezüchtigte Antanor lief dem König weit voraus, und als er
Parzival erblickte, fragte er: »Seid Ihr der Mann, der mich
und Cunneware von Lalant gerächt hat? Man rühmt Euch
sehr, und Keye hat ausgespielt. Vorbei ist's mit seinen
Drohungen! Vor seinen Schlägen habe ich keine Angst
mchr, denn sein rechter Arm ist kraftlos.«

Der junge Parzival sah aus wie ein Engel des Himmels; ihm
fehlten nur die Flügel. Artus und seine Edlen hießen ihn
herzlich willkommen, und alle Besucher bezeigten ihm ihre
Freundschaft. Er gewann alle Herzen, und alle rühmten ihn
ohne Vorbehalt, denn er war hinreißend schön. Artus
sprach zu ihm: »Ihr habt mir Freude und Schmerz bereitet,
doch wenn man beides abwägt, so habt Ihr mich weit mehr
als jeder andere geehrt, ohne daß ich mich erkenntlich zeigen
konnte. Selbst wenn Euer Ruhm sich nur darauf gründete,
daß Ihr die Herzogin Jeschute mit ihrem Gatten versöhnt

vrou Jeschûte, die hulde.
20 ouch waere iu Keien schulde
gewandelt ungerochen,
het ich iuch ê gesprochen.‹
Artûs saget im wes er bat,
war umbe er an die selben stat
25 und ouch mêr landes was geriten.
si begunden in dô alle biten
daz er gelobte sunder
den von der tavelrunder
sîn ritterlîch gesellekeit.
im was ir bete niht ze leit:
309 Ouch mohte ers sîn von schulden vrô.
Parzivâl si werte dô.
nu râtet, hoeret unde jeht,
ob tavelrunder mege ir reht
5 des tages behalden. wande ir pflac
Artûs, bî dem ein site lac:
dehein ritter vor im az
des tages swenn âventiure vergaz
daz si sînen hof vermeit.
10 im ist âventiure nu bereit:
daz lop muoz tavelrunder hân.
swie si waer ze Nantes lân,
man sprach ir reht ûf bluomen velt:
dane irte stûde noch gezelt.
15 der künec Artûs daz gebôt
ze êren dem ritter rôt:
sus nam sîn werdekeit dâ lôn.
ein pfelle von Acratôn,
ûz heidenschefte verre brâht,
20 wart ze eime zil aldâ gedâht.
niht breit, sinewel gesniten,
al nâch tavelrunder siten
(wand in ir zuht des verjach):
nâch gegenstuol dâ niemen sprach,

habt, hättet Ihr mich bereits verpflichtet. Ein Wort von
Euch hätte genügt, und Euch wäre für Keyes Tat auch ohne
persönliche Rache Genugtuung widerfahren.« Und Artus
vertraute ihm an, was er von ihm erhoffte und was ihn durch
viele Länder hergeführt hatte. Die Ritter baten nun ihrerseits
Parzival, sich der ritterlichen Gemeinschaft der Tafelrunde
anzuschließen. Parzival war zu Recht froh und stolz über
diese Bitte und erfüllte ihren Wunsch.

Urteilt selbst darüber, ob die Tafelrunde an diesem Tage
ihrer Satzung treu blieb. Es war nämlich Brauch bei Artus,
daß er und seine Ritter sich erst dann zu Tisch begaben,
wenn der Tag von einem wunderbaren Ereignis gekrönt
wurde. Das war zum Ruhm der Tafelrunde nun auch der
Fall. Die Rundtafel, die in Nantes geblieben war, wurde auf
einer blumenbestandenen, von Sträuchern und Zelten freien
Wiese nachgebildet. Dies gebot König Artus zu Ehren des
Roten Ritters, der so für seine ruhmreichen Taten den
gerechten Lohn erhielt. Als Rundtafel diente Acratoner
Seide aus fernem Heidenland, nicht eckig, sondern rund
geschnitten. Das war so üblich bei den Rittern der Tafel-
runde; ihre Regeln besagten nämlich, niemand dürfe einen
besonderen Ehrenplatz beanspruchen, und so waren alle

Acraton: sagenhafte orientalische Stadt, neben Babylon angeblich die größte.

25 diu gesitz wârn al gelîche hêr.
der künec Artûs gebôt in mêr
daz man werde ritter und werde vrouwen
an dem ringe müese schouwen.
die man dâ gein prîse maz,
magt wîb und man ze hove dô az.

310   Dô kom vrou Gynovêr dar
mit maneger vrouwen lieht gevar,
mit ir manc edel vürstîn:
die truogen minneclîchen schîn.
5 ouch was der rinc genomen sô wît
daz âne gedrenge und âne strît
manc vrouwe bî ir âmîs saz.
Artûs der valsches laz
brâht den Wâleis an der hant.
10 vrou Cunnewâre de Lalant
gieng im anderthalben bî:
diu was dô trûrens worden vrî.
Artûs an den Wâleis sach;
nu sult ir hoeren wie er sprach.
15 ›ich wil iuweren clâren lîp
lâzen küssen mîn [altez] wîp.
des endorft ir doch hie niemen biten,
sît ir von Pelrapeire geriten:
wan da ist des kusses hôhstez zil.
20 eins dinges ich iuch biten wil:
kome ich imer in iuwer hûs,
gelt disen kus‹, sprach Artûs.
›ich tuon swes ir mich bitet, dâ‹,
sprach der Wâleis, ›unde ouch anderswâ.‹
25 ein lützel gein im si dô gienc,
diu küngîn in mit kusse enpfienc.
›nu verkiuse ich hie mit triuwen‹,
sprach si, ›daz ir mich mit riuwen
liezt: die het ir mir gegeben,
dô ir rois Ithêr nâmt sîn leben.‹

Sitze gleich. Auch gebot König Artus, sowohl Ritter als auch Edelfrauen an die Tafel zu bitten, denn hier bei Hofe aßen alle, ob Jungfrau, Frau oder Mann, an einem Tisch, wenn sie nur berühmt und angesehen waren.

Frau Ginover erschien mit vielen wunderschönen Damen, darunter manch vornehme Fürstin; alle waren herrlich anzusehen! Der Kreis der Tafelrunde war so weit, daß jede Dame Platz an der Seite ihres Geliebten fand. Nun führte der treue Artus an seiner Hand Parzival herbei, an dessen anderer Seite die von allem Kummer erlöste Cunneware von Lalant ging. Artus sah Parzival an. Hört nun, was er zu ihm sagte: »Ich bin einverstanden, wenn meine Frau Euch in Eurer jugendlichen Anmut mit einem Kuß willkommen heißt. Zwar brauchtet Ihr hier niemanden um einen Kuß zu bitten, denn Ihr kommt aus Pelrapeire, und dort lebt eine Frau, die zu küssen höchstes Glück bedeutet. Ich bitte Euch daher um eines: Sollte ich jemals bei Euch in Pelrapeire sein, so vergeltet mir diesen Kuß in gleicher Weise!« So sprach Artus.

»Jede Bitte von Euch wird erfüllt«, sagte Parzival, »wo immer es auch sei.«

Die Königin trat auf ihn zu und gab ihm den Begrüßungskuß. »Damit verzeihe ich Euch«, sprach sie, »den tiefen Schmerz, den Ihr mir beim Abschied zugefügt habt, denn Ihr nahmt König Ither das Leben.« Bei dieser Versöhnung

311   Von der suone wurden naz
       der küngîn ougen umbe daz.
       wan Ithêrs tôt tet wîben wê.
       man sazte den künec Clâmidê
5   anz uover zuo dem Plimizoel:
       bî dem saz Jofreit fîz Idoel.
       zwischen Clâmidê und Gâwân
       der Wâleis sitzen muose hân.
       als mir diu âventiure maz,
10   an disem ringe niemen saz,
       der muoter brust ie gesouc,
       des werdekeit sô lützel trouc.
       wan craft mit jugende wol gevar
       der Wâleis mit im brâhte dar.
15   swer in ze rehte wolde spehen,
       sô hât sich manec vrouwe ersehen
       in trüeberm glase dan waer sîn munt.
       ich tuon iu von dem velle kunt
       an dem kinne und an den wangen:
20   sîn varwe ze einer zangen
       waer guot: si möhte staete haben,
       diu den zwîvel wol hin dan kan schaben.
       ich meine wîp die wenkent
       und ir vriuntschaft überdenkent.
25   sîn glast was wîbes staete ein bant:
       ir zwîvel gar gein im verswant.
       ir sehen in mit triuwe enpfienc:
       durch diu ougen in ir herze er gienc.
           Man und wîp im wâren holt.
       sus hete er werdekeit gedolt,
312   unz ûf daz siufzebaere zil.
       hie kom von der ich sprechen wil,
       ein magt gein triuwen wol gelobt,
       wan daz ir zuht was vertobt.
5   ir maere tet vil liuten leit.
       nu hoert wie diu juncvrouwe reit.

füllten sich die Augen der Königin mit Tränen, denn Ithers Tod hatte allen Frauen leid getan.

Man wies König Clamide am Ufer des Plimizöl seinen Platz an; ihm zur Seite saß Jofreit, Idöls Sohn. Zwischen Clamide und Gawan erhielt Parzival seinen Platz. In der Erzählung heißt es, daß ihn kein Mitglied der Tafelrunde an Vornehmheit übertraf. Mannesstärke und Jugendschönheit zeichneten ihn aus, und wer ihn betrachtete, mußte eingestehen, daß mancher Frauenspiegel trüber war als seine glänzenden Lippen. Sein Antlitz zeigte an Kinn und Wangen solchen Schmelz, daß man ihn einer Zange vergleichen kann, die Treue fest- und den Wankelmut fernhält. Es geht mir hier um jene Frauen, die in der Liebe unbeständig sind: Der Glanz seiner Schönheit band weibliche Treue und ließ jeden Wankelmut schwinden. Bei seinem Anblick war jede Frau gefesselt: sein Bild wurde von den Augen eingefangen und prägte sich tief im Herzen ein. Ob Mann, ob Frau, jeder fühlte sich zu ihm hingezogen, doch er konnte die ehrenvolle Bewunderung nicht lange genießen, denn es ereignete sich ein verhängnisvoller Zwischenfall.

Hier nahte schon, von der ich erzählen will. Es war eine Jungfrau von rühmenswerter Treue, doch im Zorn kannte sie keine Grenzen und sollte mit ihren Worten so manchen betrüben. Hört, in welchem Aufzug sie heranritt: Sie saß auf

ein mûl hôch als ein kastelân,
val, und dennoch sus getân,
nassnitec unt verbrant,
10 als ungerschiu marc erkant.
ir zoum und ir gereite
was geworht mit arbeite,
tiure unde rîche.
ir mûl gienc volleclîche.
15 si was niht vrouwenlîch gevar.
wê waz solte ir komen dar?
si kom iedoch: daz muose et sîn.
Artûses her si brâhte pîn.
    der meide ir kunst des verjach,
20 alle sprâche sî wol sprach,
latîn, heidensch, franzoys.
si was der witze curtoys,
dîaletike und jêometrî:
ir wâren ouch die liste bî
25 von astronomîe.
si hiez Cundrîe:
surzîere was ir zuoname;
in dem munde niht diu lame:
wand er geredet ir genuoc.
vil hôher vröude si nider sluoc.

313   Diu maget witze rîche
was gevar den unglîche
die man dâ heizet bêâ schent.
ein brûtlachen von Gent,
5 noch blâwer denn ein lâsûr,
het an geleit der vröuden schûr:
daz was ein kappe wol gesniten
al nâch der Franzoyser siten:
drunde an ir lîb was pfelle guot.
10 von Lunders ein pfaewîn huot,
gefurriert mit einem blîalt
(der huot was niuwe, diu snuor niht alt),

einem Maulesel, hochbeinig wie ein Kastilianer, dürr, schlitznasig, von Brandmalen verunstaltet, einem ungarischen Klepper gleich. Zaum und Reitzeug waren dagegen kunstvoll gearbeitet und kostbar, auch am Gang des Maultieres war nichts auszusetzen. Seine Reiterin aber war nicht gekleidet wie eine Frau von Stand. Ach, was hatte sie dort zu suchen! Doch sie war nun einmal da, daran ließ sich nichts ändern, und ihre Ankunft sollte dem Heer des Artus wenig Freude bringen. Die Jungfrau war so gelehrt, daß sie alle Sprachen – Latein, Arabisch, Französisch – fehlerlos beherrschte. Auch in Dialektik, Geometrie und Astronomie war sie bewandert. Sie hieß Cundry, und ihr Beiname war »die Zauberin«. Ihr Mund ging wie ein Wasserfall, ihr Redestrom erlahmte nie. Alle Lust und Freude machte sie zunichte.

Die hoch gelehrte Jungfrau war allerdings keine Schönheit. Diese Glückszerstörerin trug einen Kapuzenmantel nach französischer Art, aus Genter Seide gearbeitet, die noch blauer als ein Lasurstein schimmerte. Ihr Kleid war gleichfalls aus schwerer Seide. Ein neuer Pfauenhut aus London, mit golddurchwirkter Seide gefüttert, hing ihr an einem

---

Dialektik ... Astronomie: drei der sieben freien Künste der mittelalterlichen Schulbildung. Es fehlen Grammatik, Arithmetik, Rhetorik und Musik.

der hieng ir an dem rücke.
ir maere was ein brücke:
15   über vröude ez jâmer truoc.
si zucte in schimpfes dâ genuoc.
    über den huot ein zopf ir swanc
unz ûf den mûl: der was sô lanc,
swarz, herte und niht ze clâr,
20   lind als eins swînes rückehâr.
si was genaset als ein hunt:
zwên ebers zene ir vür den munt
giengen wol spannen lanc.
ietweder wintbrâ sich dranc
25   mit zöpfen vür die hârsnuor.
mîn zuht durch wârheit missevuor,
daz ich sus muoz von vrouwen sagen:
kein andriu darf ez von mir clagen.
    Cundrîe truoc ôren als ein ber,
niht nâch vriundes minne ger:
314   Rûch wâs ir antlütze erkant.
ein geisel vuorte si in der hant:
dem wârn die swenkel sîdîn
unt der stil ein rubbîn.
5   gevar als eines affen hût
truoc hende diz gaebe trût.
die nagele wâren niht ze lieht;
wan mir diu âventiure giht,
si stüenden als eins lewen clân.
10   nâch ir minne was selten tjost getân.
    sus kom geriten in den rinc
trûrens urhap, vröuden twinc.
si kêrte aldâ si den wirt vant.
vrou Cunnewâre de Lalant
15   az mit Artûse:
diu küngîn von Janfûse
mit vroun Ginovêren az.
Artûs der künec schône saz.

ebenso neuen Band auf dem Rücken. Was sie mitzuteilen
hatte, war wie eine Brücke, die den Jammer über die Freude
schreiten ließ; sie machte damit aller freundlichen Kurzweil
ein Ende. Ein Zopf hing über den Hut bis auf den Maultier-
rücken hinab: er war lang, schwarz, spröde, häßlich und so
geschmeidig wie Schweineborsten. Sie besaß eine Nase wie
ein Hund. Zwei Eberzähne ragten spannenlang aus ihrem
Munde. Die Wimpern waren zu Zöpfen geflochten und
ragten steif bis zum Haarband empor. Sollte ich mit dieser
Beschreibung einer Dame die Schicklichkeit verletzt haben,
so geschah es nur um der Wahrheit willen. Sonst kann mir
keine Frau einen Vorwurf machen. Cundry hatte Ohren wie
ein Bär, nicht geschaffen, das zärtliche Verlangen eines
Liebhabers zu erregen. Ihr ganzes Gesicht war abstoßend
häßlich. In der Hand hielt sie eine Peitsche mit einem
Rubinknauf und seidenen Peitschenschnüren. Dieser anmu-
tige Herzensschatz hatte Hände wie von Affenhaut; die
Fingernägel waren lang und schmutzig wie Löwenklauen.
Gewiß hat kein Ritter aus Liebe zu ihr den Zweikampf
gesucht!
Diese Quelle der Trauer, dieses Grab allen Frohsinns ritt in
den Kreis und wandte sich zum Platz des Gastgebers. Artus
aß zusammen mit Frau Cunneware von Lalant, Ginover mit
der Königin von Janfuse. Achtunggebietend saß der König

Cundrîe hielt vür den Bertenoys,
20 si sprach hin ze im en franzoys:
ob ichz iu tiuschen sagen sol,
mir tuont ir maere niht ze wol.
›fil li roy Utpandragûn,
dich selben und manegen Bertûn
25 hât dîn gewerp alhie geschant.
die besten über elliu lant
saezen hie mit werdekeit,
wan daz ein galle ir prîs versneit.
tavelrunder ist entnihtet:
der valsch hât dran gepflihtet.
315 Künc Artûs, du stüende ze lobe
hôhe dînen genôzen obe:
dîn stîgender prîs nu sinket,
din snelliu wirde hinket,
5 dîn hôhez lop sich neiget,
dîn prîs hât valsch erzeiget.
tavelrunder prîses craft
hât erlemt ein geselleschaft
die drüber gap hêr Parzivâl,
10 der ouch dort treit diu ritters mâl.
ir nennet in den ritter rôt
nâch dem der lac vor Nantes tôt:
unglîch ir zweier leben was;
wan munt von ritter nie gelas,
15 der pflaeg sô ganzer werdekeit.‹
von dem künge si vür den Wâleis reit.
si sprach ›ir tuot mir site buoz,
daz ich versage mînen gruoz
Artûse unt [der] messnîe sîn.
20 gunêrt sî iuwer liehter schîn
und iuwer manlîchen lide.
hete ich suone oder vride,
diu waern iu beidiu tiure.
ich dunke iuch ungehiure,

auf seinem Sitz, als Cundry ihr Reittier vor ihm zügelte und
ihn in französischer Sprache anredete, und wenn ich ihre
Worte jetzt ins Deutsche übersetze, so werden sie darum
nicht angenehmer: »Sohn König Utepandraguns! Was du
hier getan, hat dich und alle Bretonen mit Schande bedeckt.
Hier sind die berühmtesten Edelleute aus allen Ländern
versammelt, und sie säßen in Würde und Ehre beisammen,
wäre nicht ein Ehrloser unter ihnen. Das Ansehen der
Tafelrunde ist zunichte, denn Falschheit hat teil an ihr.
König Artus, du warst berühmter als alle Ritter deines
Gefolges, doch dein Ruhm sinkt, statt aufzusteigen, dein
Ansehen hinkt, statt rüstig voranzuschreiten, deine hohe
Würde beginnt sich zu neigen, deine Ehre ist nicht mehr
ohne Makel. Der Ruhm der Tafelrunde wurde zunichte,
als man Herrn Parzival aufnahm, der äußerlich wie ein Ritter
aussieht. Nach dem Mann, der vor Nantes gefallen ist, nennt
ihr ihn den Roten Ritter, doch beide sind nicht zu vergleichen;
keine Dichtung weiß von einem Ritter, dessen Ehre so
makellos gewesen wäre wie die des Toten.« Sie wandte sich
vom König ab, ritt zu Parzival und sprach: »Ihr seid schuld
daran, wenn ich Artus und seinem Gefolge keinen freundlichen
Gruß sagen kann. Schande über Eure glänzende Schönheit
und Eure männliche Stärke! Könnte ich bestimmen, wer
in Ruhe und Frieden leben soll, Euch würde ich es nie
gönnen. Ich erscheine Euch sicher widerwärtig, doch Ihr

25   und bin gehiurer doch dann ir.
    hêr Parzivâl, wan sagt ir mir
    unt bescheidet mich einer maere,
    dô der trûrige vischaere
    saz âne vröude und âne trôst,
    war umb ir in niht siufzens hât erlôst?

316   Er truog iu vür den jâmers last.
    ir vil ungetriuwer gast!
    sîn nôt iuch solte erbarmet hân.
    daz iu der munt noch werde wan,
5   ich mein der zungen drinne,
    als iu daz herze ist rehter sinne!
    gein der helle ir sît benant
    ze himele vor der hôhsten hant:
    als sît ir ûf der erden,
10   versinnent sich die werden.
    ir heiles ban, ir saelden vluoch,
    des ganzen prîses reht unruoch!
    ir sît manlîcher êren schiech,
    und an der werdekeit sô siech,
15   kein arzet mag iuch des ernern.
    ich wil ûf iuwerem houbte swern,
    gît mir iemen des den eit,
    daz groezer valsch nie wart bereit
    deheinem alsô schoenem man.
20   ir vederangel, ir nâtern zan!
    iu gap iedoch der wirt ein swert,
    des iuwer wirde wart nie wert:
    da erwarb iu swîgen sünden zil.
    ir sît der hellehirten spil.
25   gunêrter lîp, hêr Parzivâl!
    ir sâht ouch vür iuch tragen den grâl,
    und snîdende silber und bluotic sper.
    ir vröuden letze, ir trûrens wer!
      waer ze Munsalvaesche iu vrâgen mite,
    in heidenschaft ze Tabronite

seid weit abscheulicher als ich. Sagt mir, Herr Parzival,
warum Ihr den armen Fischer nicht von seinen schmerzli-
chen Seufzern erlöst habt, als er jammervoll und hilflos vor
Euch saß! Er führte Euch doch deutlich genug vor Augen,
wie schwer ihn die Bürde seiner Not drückte. Treuloser
Gast! Ihr hättet Euch doch seiner Qual erbarmen müssen!
Die Zunge sollt Ihr verlieren, wie Euer Herz jede rechte
Gesinnung verloren hat! Gott hat Euch schon verworfen
und für die Hölle bestimmt, und auch auf Erden wird man
Euch zur Hölle wünschen, wenn die Edelleute Euch erst
durchschaut haben. Ihr Gefährder des Heils, Fluch des
Glücks, Verächter wahren Ruhms! Eure Mannesehre
schwindet, und Euer Ansehen ist so hinfällig, daß kein Arzt
mehr helfen kann. Wenn mir jemand den Eid abnimmt, so
schwöre ich auf Euerm Haupte, daß sich bei keinem Manne
je so viel Schönheit und so viel Falschheit fanden wie bei
Euch. Ihr trügerischer, gefährlicher Lockköder, Ihr giftge-
füllter Natterzahn! Ihr wart es gar nicht wert, daß Euch der
Burgherr ein Schwert schenkte. Als Ihr es annahmt und
immer noch stumm bliebt, habt Ihr eine Todsünde auf Euch
geladen. Ein Spielzeug der Teufel seid Ihr, abscheulicher
Herr Parzival! Gleichgültig saht Ihr zu, wie man den Gral,
die silbernen Klingen und den blutigen Speer vor Euch trug!
Ihr laßt die Freude welken und den Jammer blühen! Hättet
Ihr in Munsalwäsche gefragt, so hättet Ihr mehr gewonnen

317 Diu stat hât erden wunsches solt:
hie hete iu vrâgen mêr erholt.
jenes landes künegîn
Feirefîz Anschevîn

5 mit herter ritterschefte erwarp,
an dem diu manheit niht verdarp,
die iuwer bêder vater truoc.
iuwer bruoder wunders pfligt genuoc:
ja ist beidiu swarz unde blanc

10 der küngîn sun von Zazamanc.
nu denke ich ave an Gahmureten,
des herze ie valsches was erjeten.
von Anschouwe iuwer vater hiez,
der iu ander erbe liez

15 denn als ir habt geworben.
an prîse ir sît verdorben.
het iuwer muoter ie missetân,
sô solte ichz dâ vür gerne hân,
ir möht sîn sun niht gesîn.

20 nein, si lêrte ir triuwe pîn:
geloubet von ir guoter maere,
unt daz iuwer vater waere
manlîcher triuwe wîse
unt wîtvengec hôher prîse.

25 er kunde wol mit schallen.
grôz herze und cleine gallen,
dar ob was sîn brust ein dach.
er was riuse und vengec vach:
sîn manlîchez ellen
kund den prîs wol gestellen.

318 Nu ist iuwer prîs ze valsche komen.
ôwê daz ie wart vernomen
von mir, daz Herzeloyden barn
an prîse hât sus missevarn!‹

5   Cundrîe was selbe sorgens pfant.
al weinde si die hende want,

als die unermeßlich reiche Stadt Tabronit im Heidenland.
Die Königin des Reiches, dessen Hauptstadt Tabronit ist, ist
von Feirefiz von Anjou in hartem Kampf errungen worden.
Er hat die edlen Manneseigenschaften, die Euern Vater
auszeichneten, nicht wie Ihr verderben lassen. Euer Bruder
Feirefiz, Sohn der Königin von Zazamanc, sieht merkwür-
dig aus, denn seine Haut ist schwarz und weiß gefleckt. Ich
habe eben des unerschütterlich treuen Gachmuret gedacht.
Euer Vater hieß nach seinem Heimatland ›von Anjou‹; er
müßte Euch eigentlich einen anderen Charakter vererbt
haben, als Ihr gezeigt habt. Euer Ruhm ist dahin! Hätte
Eure Mutter einen Fehltritt getan und wäret Ihr nicht Gach-
murets Sohn, so wäre Euer Verhalten begreiflich. Doch
davon kann keine Rede sein; ihr Leid war ja der Lohn ihrer
Treue. Glaubt also nur Gutes von ihr, und von Eurem Vater
könnt Ihr glauben, daß er immer rechte Mannestreue hielt
und hoch berühmt war. Gern überließ er sich unbeschwerter
Fröhlichkeit. Ein großes Herz schlug in seiner Brust, und
von galligem Wesen war wenig zu merken. Mit männlicher
Kraft und Kühnheit fing er den Ruhm, wie man mit Reuse
oder Stauwehr Fische fängt. Euer Ruhm aber hat sich ins
Gegenteil verkehrt. Hätte ich doch nie erfahren müssen, daß
Herzeloydes Sohn so weit vom Weg des Ruhmes abgeirrt
ist!«
Cundry war ein Bild des Jammers. Sie rang die Hände und

Tabronit: sagenhafte, als überaus reich und prächtig geschilderte Stadt; später
als Heimatstadt der heidnischen Königin Secundille erwähnt.

daz manec zaher den andern sluoc:
grôz jâmer si ûz ir ougen truoc.
die maget lêrte ir triuwe
10 wol clagen ir herzen riuwe.
wider vür den wirt si kêrte,
ir maere si dâ gemêrte.

si sprach ›ist hie kein ritter wert,
des ellen prîses hât gegert,
15 unt dar zuo hôher minne?
ich weiz vier küneginne
unt vier hundert juncvrouwen,
die man gerne möhte schouwen.
ze Schastel marveile die sint:
20 al âventiure ist ein wint,
wan die man dâ bezalen mac,
hôher minne wert bejac.
al hab ich der reise pîn,
ich wil doch hînte drûffe sîn.‹
25 diu maget trûrec, niht gemeit,
ân urloup von dem ringe reit.
al weinde si dicke wider sach:
nu hoert wie si ze jungest sprach.
›ay Munsalvaesche, jâmers zil!
wê daz dich niemen troesten wil!‹
319   Cundrîe la surziere,
diu unsüeze und doch diu fiere,
den Wâleis si beswaeret hât.
waz half in küenes herzen rât
5 unt wâriu zuht bî manheit?
und dennoch mêr im was bereit
scham ob allen sînen siten.
den rehten valsch het er vermiten:
wan scham gît prîs ze lône
10 und ist doch der sêle crône.
scham ist ob siten ein güebet uop.
Cunnewâre daz êrste weinen huop,

weinte, daß ihre Tränen unaufhörlich niederrannen und ihren großen Jammer erkennen ließen. Ihre Gesinnung ließ die Jungfrau ihr Herzeleid klagen. Dann wandte sie sich wieder an den Gastgeber und sprach nun von anderen Dingen: »Welcher wackere Ritter in der Runde will mit Heldenkraft nach Ruhm und edler Liebe streben? Ich weiß von vier Königinnen und vierhundert Jungfrauen, die des Anschauens wert sind. Sie befinden sich im Schastel marveile. Alle nur erdenklichen Abenteuer sind nichts gegen das, was man dort erleben kann! Wer die Abenteuer des Schastel marveile besteht, dient auf rechte Art um edle Liebe! Noch heute nacht werde ich dort sein, wenn auch die Reise beschwerlich ist.«

Tieftraurig und ohne Abschied ritt die Jungfrau davon. Bitterlich weinend schaute sie immer wieder zurück. Hört ihre letzten Worte: »Ach, Munsalwäsche, du Ort tiefster Not! Weh, nun wird dir niemand mehr Hilfe bringen!«

Die häßliche, stolze Zauberin Cundry hatte Parzival in große Bestürzung versetzt. Nichts half ihm der Rat seines tapferen Herzens, nichts seine ritterliche Erziehung und seine Mannhaftigkeit. Doch außer diesen Eigenschaften besaß er die Fähigkeit, sein Handeln selbstkritisch zu überprüfen, so daß er stets rechtzeitig auf den rechten Weg kam. Solche Haltung findet ihren Lohn in der Hochachtung der Menschen, sie ist die schönste Zierde der Seele und die höchste aller Tugenden. Als erste brach Cunneware in Trä-

Schastel marveile: gebildet nach afrz. *Chastel (de la) merveille* ›Wunderschloß‹, von dem später ausführlich die Rede ist.

daz Parzivâl den degen balt
Cundrîe surziere sus beschalt,
15 ein alsô wunderlîch geschaf.
herzen jâmer ougen saf
gab maneger werden vrouwen,
die man weinde muose schouwen.

Cundrîe was ir trûrens wer.
20 diu reit enwec: nu reit dort her
ein ritter, der truoc hôhen muot.
al sîn harnasch was sô guot
von den vuozen unz an des houbtes dach,
daz mans vür grôze koste jach.
25 sîn zimierde was rîche,
gewâpent ritterlîche
was daz ors und sîn selbes lîp.
nu vand er magt man unde wîp
trûrec an dem ringe hie:
dâ reit er zuo, nu hoeret wie.
320 Sîn muot stuont hôch, doch jâmers vol.
die bêde schanze ich nennen sol.
hôchvart riet sîn manheit,
jâmer lêrte in herzenleit.
5 er reit ûz zem ringe.
ob man in dâ iht dringe?
vil knappen spranc dar nâher sân,
do enpfiengen si den werden man.
sîn schilt unt er wârn unbekant.
10 den helm er niht von im bant:
der vröuden ellende
truoc daz swert in sîner hende,
bedecket mit der scheiden.
dô vrâgte er nâch in beiden,
15 ›wa ist Artûs unt Gâwân?‹
junchêrren zeigten im die sân.
sus gieng er durch den rinc wît.
tiure was sîn cursît,

nen aus, daß die Zauberin Cundry, dieses merkwürdige
Geschöpf, den kühnen Helden Parzival so beschimpft hatte.
Der Kummer darüber trieb auch den anderen Damen die
Tränen in die Augen, so daß am Ende alle weinten.

Cundry, die Ursache dieses Kummers, war kaum davonge-
ritten, als ein stolzer Ritter nahte. Er war von Kopf bis Fuß
in eine treffliche, überaus kostbare Rüstung gehüllt.
Ebensoreich wie er war auch sein Roß gewappnet. Als er
heranritt, fand er Jungfrauen, Männer und Frauen der Tafel-
runde in tiefer Trauer. Hört, was ihn herführte: sein Herz
war stolz und gramerfüllt. Ich muß hier beide gegensätzli-
chen Regungen erwähnen, denn seine Mannhaftigkeit nährte
den Stolz, sein Herzeleid den Gram. Ob man sich um ihn
bemühte, als er an den Ring heranritt? Natürlich! Viele
Knappen sprangen herbei, um den Edelmann in Empfang zu
nehmen, obwohl er ihnen ebenso unbekannt war wie das
Wappen auf seinem Schild. Der gramerfüllte Ritter band den
Helm nicht ab und behielt sein Schwert, das in der Scheide
steckte, in den Händen. So fragte er: »Wo finde ich Artus
und Gawan?« Als ihn die Junker hingewiesen hatten, schritt
er durch den weiten Ring. Sein kostbarer Waffenrock war

mit liehtem pfelle wol gevar.
20   vür den wirt des ringes schar
stuont er unde sprach alsus.
›got halt den künec Artûs,
dar zuo vrouwen unde man.
swaz ich der hie gesehen hân,
25   den biute ich dienstlîchen gruoz.
wan einem tuot mîn dienst buoz,
dem wirt mîn dienst nimmer schîn.
ich wil bî sîme hazze sîn:
swaz hazzes er geleisten mac,
mîn haz im biutet hazzes slac.
321   Ich sol doch nennen wer der sî.
ach ich arman unde ôwî,
daz er mîn herze ie sus versneit!
mîn jâmer ist von im ze breit.
5   daz ist hie hêr Gâwân,
der dicke prîs hât getân
und hôhe werdekeit bezalt.
unprîs sîn hete aldâ gewalt,
dô in sîn gir dar zuo vertruoc,
10   ime gruoze er mînen hêrren sluoc.
ein kus, den Jûdas teilte,
im solhen willen veilte.
ez tuot manc tûsent herzen wê
daz strenge mortlîche rê
15   an mîme hêrren ist getân.
lougent des hêr Gâwân,
des antwurte ûf kampfes slac
von hiute [über] den vierzegisten tac,
vor dem künec von Ascalûn
20   in der houbetstat ze Schanpfanzûn.
ich lade in kampflîche dar
gein mir ze komenne kampfes var.
kan sîn lîp des niht verzagen,
ern welle dâ schildes ambet tragen,

aus farbenprächtiger glänzender Seide. Vor dem Gastgeber der im weiten Rund sitzenden Hofgesellschaft hielt er an und sprach: »Gott erhalte König Artus, seine Edelfrauen und Ritter! Allen, die ich hier erblicke, entbiete ich Dienst und Gruß, doch einen nehme ich davon aus. Er darf auf meinen Dienst nicht rechnen! Zwischen uns kann nur Feindschaft herrschen, und wenn er mich aus vollem Herzen haßt, so zahle ich ihm mit gleicher Münze heim! Hört, wer es ist! Weh mir Armem, denn er hat mir grausam das Herz zerrissen und großen Schmerz zugefügt! Es ist Herr Gawan, der oft im Kampf gesiegt und großen Ruhm errungen hat. Doch er hat sich der Schande verschrieben, denn er ließ sich von seiner Ruhmgier verleiten, meinen Herrn bei einer freundschaftlichen Begegnung heimtückisch zu erschlagen. Der Verräterkuß des Judas muß ihn auf diesen Gedanken gebracht haben. Tausende von Herzen fühlen Schmerz über diesen entsetzlichen, heimtückischen Mord an meinem Herrn. Leugnet Herr Gawan die Tat, so soll er heute in vierzig Tagen in der Hauptstadt Schanpfanzun vor dem König von Ascalun die Wahrheit seiner Worte im Zweikampf beweisen. Hiermit fordere ich ihn heraus, mir in Schanpfanzun kampfgerüstet gegenüberzutreten. Bringt er den Mut zum Ritterkampf auf, so mahne ich ihn bei seiner

25 sô mane ich in dennoch mêre
   bî des helmes êre
   unt durch ritter ordenlîchez leben:
   dem sint zwuo rîche urbor gegeben,
   rehtiu scham und werdiu triuwe
   gebent prîs alt unde niuwe.

322 Hêr Gâwân sol sich niht verschemen,
    ob er geselleschaft wil nemen
    ob der tavelrunder,
    diu dort stêt besunder.
 5 der reht waere gebrochen sân,
    saeze drobe ein triuwenlôser man.
    ichne bin her niht durch schelten komen:
    geloubet, sît irz habt vernomen,
    ich vorder kampf vür schelten,
10 der niht wan tôt sol gelten,
    oder leben mit êren,
    swenz wil diu saelde lêren.‹
       der künec swîgt und was unvrô,
    doch antwurte er der rede alsô.
15 ›hêrre, er ist mîner swester sun:
    waer Gâwân tôt, ich wolde tuon
    den kampf, ê sîn gebeine
    laege triuwenlôs unreine.
    wil glücke, iu sol Gâwânes hant
20 mit kampfe tuon daz wol bekant
    daz sîn lîp mit triuwen vert
    und sich des valsches hât erwert.
    habe iu anders iemen leit
    getân, sô machet niht sô breit
25 sîn laster âne schulde:
    wan erwirbt er iuwer hulde
    sô daz sîn lîp unschuldec ist,
    ir habt in dirre kurzen vrist
    von im gesagt daz iuweren prîs
    crenket, sint die liute wîs.‹

Ritterehre und der Würde seines Standes, sich der Verantwortung nicht zu entziehen. Jeder Ritter besitzt zwei kostbare Güter: Ehrgefühl und Treue. Sie sind seit eh und je Grundlage ritterlichen Ruhms. Herr Gawan sollte sich hüten, diese Güter zu mißachten, wenn er weiterhin der Gemeinschaft der Tafelrunde angehören will; denn es ist gegen ihre Satzung, einen treulosen Mann zu dulden. Doch ich bin nicht hergekommen, lange Scheltreden zu führen. Ihr habt gehört und könnt mir glauben: Es geht mir nicht um harte Worte, sondern um Kampf, einen Kampf, der den Tod oder, wenn's das Glück will, ein Leben in Ehren bringt.«

Der König schwieg zunächst unmutig, entschloß sich dann aber zu folgender Antwort: »Herr, er ist der Sohn meiner Schwester. Wäre Gawan tot, würde ich lieber selbst den Kampf aufnehmen, ehe ich es duldete, daß man dem Toten Treulosigkeit nachsagt. Wenn ihn das Glück nicht verläßt, wird Euch Gawan im Kampf beweisen, daß er die Treue hochhält und die Falschheit verabscheut. Hat Euch ein anderer Leid zugefügt, so beschimpft nicht völlig grundlos Gawan! Beweist er seine Unschuld, dürft Ihr ihm Eure Gunst nicht verweigern, und wer gerecht urteilt, wird dann von Euerm Ansehen nicht viel halten, wenn Ihr vorher unbegründet soviel Ehrenrühriges über Gawan behauptet habt.«

323   Bêâcurs der stolze man,
des bruoder was hêr Gâwân:
der spranc ûf, sprach zehant
›hêrre, ich sol dâ wesen pfant,
5   swar Gâwâne ist der kampf gelegt.
sîn velschen mich unsanfte regt:
welt irs niht erlâzen in,
habt iuch an mich: sîn pfant ich bin,
ich sol vür in ze kampfe stên.
10   ez mac mit rede niht ergên
daz hôher prîs geneiget sî,
der Gâwân ist ledeclîche bî.‹
    er kêrte aldâ sîn bruoder saz,
vuozvallens er dâ niht vergaz,
15   den bat er sus, nu hoeret wie,
›gedenke, bruoder, daz du ie
mir hülfe grôzer werdekeit.
lâ mich vür dîn arbeit
ein kampflîchez gîsel wesen.
20   ob ich in kampfe sol genesen,
des hâstu immer êre.‹
er bat in vürbaz mêre
durch bruoderlîchen ritters prîs.
Gâwân sprach ›ich bin sô wîs
25   daz ich dich, bruoder, niht gewer
dîner bruoderlîchen ger.
ichne weiz war umbe ich strîten sol,
ouch entuot mir strîten niht sô wol:
ungerne wolte ich dir versagen,
wan daz ich müese daz laster tragen.‹
324   Bêâcurs al vaste bat.
der gast stuont an sîner stat:
er sprach ›mir biutet kampf ein man,
des ich deheine künde hân:
5   ichne han ouch niht ze sprechen dar.
starc, küene, wol gevar,

Da sprang der stolze Beacurs, Gawans Bruder, ungestüm auf und rief: »Herr, ich werde Gawans Sache dort vertreten, wo man ihn zum Kampfe fordert. Die falschen Anschuldigungen empören mich zutiefst. Wenn Ihre Eure Behauptungen nicht zurücknehmt, bekommt Ihr es mit mir zu tun! Ich bürge für ihn und werde an seiner Statt zum Kampf antreten. Das große Ansehen, das Gawan unbestreitbar genießt, kann nicht mit Worten einfach in Frage gestellt werden.« Er wandte sich seinem Bruder zu und fiel vor ihm auf die Knie. Hört, wie er in ihn drang: »Bruder, denke jetzt daran, daß du stets auch meinen Ruhm im Auge hattest. Laß mich diesen Kampf als dein Bürge auf mich nehmen, statt dich selbst dieser Mühe zu unterziehen. Gehe ich aus dem Kampf als Sieger hervor, so ist die Ehre dein.«

Er ließ nicht ab mit seinen Bitten, Gawan als sein Bruder solle ihm gestatten, Ritterruhm zu erringen, doch Gawan erwiderte: »Bruder, ich habe es mir reiflich überlegt und muß dir deine brüderliche Bitte abschlagen. Zwar weiß ich nicht, warum ich kämpfen soll, und ich finde auch kein sonderliches Gefallen an solchen Auseinandersetzungen. Ich ließe dich also gern gewähren, doch damit setzte ich meine Ehre aufs Spiel.«

Als Beacurs sich damit nicht zufriedengab, nahm der Fremdling, der inzwischen an seinem Platz verharrt hatte, das Wort: »Mich fordert ein Mann heraus, den ich nicht kenne und der mir nichts getan hat. Gewiß, er mag stark,

getriuwe unde rîche,
hât er diu volleclîche,
er mac borgen deste baz:
10   ichne trage gein im deheinen haz.
er was mîn hêrre und mîn mâc,
durch den ich hebe disen bâc.
unser väter gebruoder hiezen,
die nihts ein ander liezen.
15   dehein man gecroenet wart
nie, ichn hete im vollen art
mit kampfe rede ze bieten,
mich râche gein im nieten.
ich bin ein vürste ûz Ascalûn,
20   der lantgrâve von Schanpfanzûn,
und heize Kingrimursel.
ist hêr Gâwân lobes snel,
der mac sich anders niht entsagen,
ern müeze kampf dâ gein mir tragen.
25   ouch gibe ich im vride über al daz lant,
niwan von mîn eines hant:
mit triuwen ich vride geheize
ûzerhalp des kampfes creize.
got hüete al der ich lâze hie:
wan eins, er weiz wol selbe wie.‹
325   Sus schiet der wol gelobte man
von dem Plimizoeles plân.
dô Kingrimursel wart genant,
ohteiz dô wart er schiere erkant.
5   werden virrigen prîs
hete an im der vürste wîs:
si jâhen daz hêr Gâwân
des kampfes sorge müese hân
gein sîner wâren manheit,
10   des vürsten der dâ von in reit.
ouch wante manegen trûrens nôt,
daz man im dâ niht êren bôt.

tapfer, schön, treu und vornehm genug sein, um als Bürge
auftreten zu können. Ich bin ihm aber nicht feind. Wegen
meines Dienstherrn und Blutsverwandten habe ich Anklage
erhoben. Unsere Väter waren Brüder und ließen einander
nie im Stich. Es gibt kein gekröntes Haupt, dem ich nicht
ebenbürtig wäre und das ich nicht als Rächer im Kampfe zur
Verantwortung ziehen könnte. Ich bin Kingrimursel, Land-
graf von Schanpfanzun, Fürst zu Ascalun. Ist Gawan an
seiner Ehre gelegen, dann kann er seine Unschuld nur im
Zweikampf mit mir beweisen. Im ganzen Reiche Ascalun
soll ihm keine Gefahr drohen, außer von mir. Ich gebe ihm
mein Ehrenwort, daß er außerhalb des Kampffeldes nicht
angegriffen wird. Gott beschütze hier alle, von denen ich
jetzt Abschied nehme! Dies gilt nicht für Gawan, und er
kennt den Grund dafür gut genug.«
Damit nahm der weitberühmte Edelmann Abschied vom
Wiesenplan am Plimizöl. Als der Name Kingrimursel fiel,
kannten ihn alle, denn der ratkluge Fürst genoß hohes
Ansehen. Es hieß auch, Herr Gawan dürfe den Kampf gegen
den mannhaften Fürsten keineswegs leichtnehmen. Leider
hatten Bestürzung und Trauer aller Anwesenden einen
ehrenvollen Empfang des Fürsten verhindert. Ihr habt ja

dar wâren solhiu maere komen
als ir wol ê hât vernomen,
15 die lîhte erwanden einen gast
daz wirtes gruozes im gebrast.
    von Cundrîen man ouch innen wart
Parzivâls namen und sîner art,
daz in gebar ein künegîn,
20 unt wie die erwarp der Anschevîn.
maneger sprach ›vil wol ichz weiz
daz er si vor Kanvoleiz
gediende hurteclîche
mit manegem poynder rîche,
25 und daz sîn ellen unverzagt
erwarp die saeldebaeren magt.
Ampflîse diu gehêrte
ouch Gahmureten lêrte,
dâ von der helt wart curtoys.
nu sol ein ieslîch Bertenoys
326 sich vröun daz uns der helt ist komen,
dâ prîs mit wârheit ist vernomen
an im und ouch an Gahmurete.
reht werdekeit was sîn gewete.‹
5   Artûses her was an dem tage
komen vröude unde clage;
ein solh geparriertez leben
was den helden dâ gegeben.
si stuonden ûf über al:
10 dâ was trûren âne zal.
ouch giengen die werden sân
da der Wâleis und Gâwân
bî ein ander stuonden:
si trôsten si als si kunden.
15   Clâmidê den wol geborn
dûhte, er hete mêr verlorn
dan iemen der dâ möhte sîn,
unt daz ze scharpf waer sîn pîn.

gehört, man hatte solche Nachrichten erhalten, die einen
Hausherrn nicht mehr an die freundliche Begrüßung eines
Gastes denken lassen. Durch Cundry waren aber auch Par-
zivals Name und Herkunft bekannt geworden, seine
Abkunft von einer Königin und wie Gachmuret von Anjou
sie errungen hatte. So mancher meinte da: »Ich weiß noch
recht gut, vor Kanvoleis hat er im Lanzenkampf mit vielen
großartigen Angriffen um Herzeloyde geworben und die
wunderschöne Jungfrau durch seinen furchtlosen Helden-
mut errungen. Schließlich hatte die vornehme Ampflise für
seine ritterliche Erziehung Sorge getragen, so daß der Held
in jeder Weise höfisch gebildet war. Jeder Bretone kann sich
glücklich schätzen, daß Parzival zu uns gekommen ist, denn
er trägt wie sein Vater Gachmuret unverfälschten Helden-
ruhm und wahre Würde.«

So war dem Heer des Artus an diesem Tag Erfreuliches und
Betrübliches begegnet, die Helden hatten Freude erfahren
und Betrübnis hinnehmen müssen. In tiefer Niedergeschla-
genheit erhob man sich. Die Edelleute traten zu Parzival und
Gawan, die beieinanderstanden, und suchten sie nach Kräf-
ten zu trösten. Der vornehme Clamide allerdings sagte, er
habe mehr eingebüßt als jeder andere und müsse unsägliche

er sprach ze Parzivâle
20 ›waert ir bî dem grâle,
sô muoz ich sprechen âne spot,
in heidenschaft Tribalibot,
dar zuo daz gebirge in Kaukasas,
swaz munt von rîcheit ie gelas,
25 und des grâles werdekeit,
dine vergülten niht mîn herzeleit
daz ich vor Pelrapeire gewan.
ach ich arm unsaelic man!
mich schiet von vröuden iuwer hant.
hie ist vrou Cunewâre de Lalant:
327 ouch wil diu edele vürstîn
sô verre ze iuwerm gebote sîn
daz ir diu niemen dienen lât,
swie vil si dienstgeltes hât.
5 Si möhte iedoch erlangen
daz ich bin ir gevangen
alsus lange hie gewesen.
ob ich an vröuden sol genesen,
sô helft mir daz si êre sich
10 sô daz ir minne ergetze mich
ein teil des ich von iu verlôs,
dâ mich der vröuden zil verkôs.
ich hete ez behalten wol, wan ir:
nu helfet dirre meide mir.‹
15   ›daz tuon ich‹, sprach der Wâleis,
›ist si bete volge curteis.
ich ergetze iuch gern: wan si ist doch mîn,
durch die ir welt bî sorgen sîn.
ich mein diu treit den bêâ curs,
20 Cundwîren âmûrs.‹
von Janfûse diu heidenîn,
Artûs unt daz wîp sîn,
und Cunnewâre de Lalant,
und vrou Jeschûte von Karnant,

Not dulden. Er wandte sich daher an Parzival: »Ich erkläre Euch allen Ernstes: Selbst wenn Ihr beim Grale wäret, es könnte der Reichtum der ganzen Welt das Herzeleid nicht aufwiegen, das ich vor Pelrapeire auf mich nehmen mußte – sei es Tribalibot im Heidenland, das Goldgebirge des Kaukasus oder gar die Heiligkeit des Grals. Ach, ich Unglückseliger! Ihr habt mir alles Glück geraubt! Hier steht Frau Cunneware von Lalant, doch die edle Fürstin ist Euch sicher zu ergeben, als daß sie die Dienste eines andern annähme, obgleich sie dies wohl lohnen könnte. Vielleicht auch ist sie es schon müde, mich so lange als ihren Gefangenen zu betrachten. Soll ich jemals wieder fröhlich sein, so legt bei ihr ein gutes Wort ein! Sie möge mich ihr zu Ehren durch ihre Liebe ein wenig für alles entschädigen, was ich durch Eure Schuld verloren habe, als das ersehnte Glück an mir vorüberschritt. Ich hätte es festgehalten, wenn Ihr nicht gewesen wärt. Nun helft mir, diese Jungfrau zu gewinnen!«

»Das will ich gern tun!« sprach Parzival. »Ich denke doch, daß sie höflich genug ist, eine solche Bitte nicht zurückzuweisen. Ich will Euch für den erlittenen Verlust entschädigen, denn die schöne Condwiramurs, um derentwillen Ihr so niedergeschlagen seid, ist und bleibt mein.«

Die Heidin von Janfuse, Artus, seine Gemahlin, Frau Cunneware von Lalant und Frau Jeschute von Karnant traten

25 die giengen dâ durch troesten zuo.
    waz welt ir daz man mêr nu tuo?
    Cunnewâren si gâben Clâmidê:
    wan dem was nâch ir minne wê.
    sînen lîp gap er ir ze lône,
    unde ir houbet eine crône,

328   Da ez diu von Janfûse sach.
    diu heidenîn zem Wâleis sprach
    ›Cundrîe nante uns einen man,
    des ich iu wol ze bruoder gan.
5   des craft ist wît unde breit.
    zweier crône rîcheit
    stêt vorhteclîche in sîner pflege
    ûf dem wazzer und der erden wege.
    Azagouc und Zazamanc,
10 diu lant sint creftec, ninder cranc.
    sîme rîchtuom glîchet niht
    ân den bâruc, swâ mans giht,
    und âne Tribalibot.
    man bettet in an als einen got.
15 sîn vel hât vil spaehen glast:
    er ist aller mannes varwe ein gast,
    wîz unde swarz [ist er] erkant.
    ich vuor dâ her durch ein sîn lant.
    er wolde gerne erwendet hân
20 mîn vart die ich her hân getân:
    daz warb er, dône mohte er.
    sîner muoter muomen tohter
    bin ich: er ist ein künec hêr.
    ich sage iu von im wunders mêr.
25 nie man gesaz von sîner tjost,
    sîn prîs hât vil hôhe kost,
    sô milter lîp gesouc nie brust,
    sîn site ist valscheite vlust,
    Feirefîz Anschevîn,
    des tât durch wîp kan lîden pîn.

hinzu, um Trost zu spenden. Was sollte man sonst auch tun? Man verband Cunneware mit Clamide, der sich nach ihrer Liebe sehnte. Er schenkte sich ihr für immer und krönte ihr Haupt vor den Augen der Heidin von Janfuse mit einer Krone. Die sprach zu Parzival: »Cundry nannte uns den Namen eines Mannes, den ich Euch als Bruder gönne. Er ist ein großer Herrscher. Zwei mächtige Königreiche sind ihm untertan, wo man zu Wasser und zu Lande seine Herrschaft anerkennt: es sind die blühenden und keineswegs unbedeutenden Reiche Azagouc und Zazamanc. Abgesehen vom Baruc und von Tribalibot, kommt nichts seinem Reichtum gleich. Er wird wie ein Gott verehrt. Seine Haut sieht allerdings sonderbar aus, anders als bei anderen Menschen; er ist nämlich weiß und schwarz gefleckt. Als ich herreiste, durchquerte ich eins seiner Reiche. Er wollte mich zum Bleiben bewegen, doch das ist ihm trotz allen Bemühens nicht gelungen. Ich bin die Cousine des vornehmen Königs. Laßt Euch noch mehr an eindrucksvollen Dingen über ihn berichten: Beim Lanzenkampf mußte ihm noch jeder Gegner den Sattel räumen. Schließlich ist er berühmt, weil er so großen Aufwand treibt; noch nie hat die Welt solch großzügigen Mann gesehen. Feirefiz von Anjou kennt keine Arglist. Auch ist er stets bereit, für die Frauen einzutreten, selbst wenn ihm daraus Schwierigkeiten erwachsen. Hierzu-

329   Swie vremde er mir hie waere,
       ich kom ouch her durch maere
       unt ze erkennen âventiure.
       nu lît diu hoehste stiure
5   an iu, des al getouftiu diet
       mit prîse sich von laster schiet,
       sol guot gebaerde iuch helfen iht,
       unt daz man iu mit wârheit giht
       liehter varwe und manlîcher site.
10   craft mit jugende vert dâ mite.‹
       diu rîche wîse heidenin
       hete an künste den gewin
       daz si wol redete franzeis.
       dô antwurt ir der Wâleis:
15   solh was sîn rede wider sie.
       ›got lône iu, vrouwe, daz ir hie
       mir gebt sô güetlîchen trôst.
       ichne bin doch trûrens niht erlôst,
       und wil iuch des bescheiden.
20   ichne mag es sô niht geleiden
       als ez mir leide kündet,
       daz sich nu manger sündet
       an mir, der niht weiz mîner clage
       und ich dâ bî sîn spotten trage.
25   ichne wil deheiner vröude jehen,
       ichne müeze alrêrst den grâl gesehen,
       diu wîle sî kurz oder lanc.
       mich jaget des endes mîn gedanc:
       dâ von gescheide ich nimmer
       mînes lebens immer.
330   Sol ich durch mîner zuht gebot
       hoeren nu der werlte spot,
       sô mac sîn râten niht sîn ganz:
       mir riet der werde Gurnamanz
5   daz ich vrävellîche vrâge mite
       unt immer gein unvuoge strite.

lande war mir alles fremd, doch Neugier und Abenteuerlust trieben mich her. Nun steht Ihr vor mir, ausgezeichnet mit den höchsten Gaben, die der ganzen Christenheit zum Ruhm gereichen: Zu Recht rühmt man Euer vornehmes Benehmen, Eure Schönheit und Eure Mannhaftigkeit. In Euch vereinen sich Kraft und Jugend.«

Die reiche und kluge Heidin war so fein gebildet, in fließendem Französisch zu sprechen. Parzival aber antwortete ihr: »Edle Frau, Gott lohne Euch die gütigen Trostworte! Sie können mich aber von meiner Trübsal nicht befreien, und ich will Euch auch sagen, warum. Mich quält unbeschreiblicher Schmerz, was allerdings mancher nicht erkennt und sich daher durch seinen Spott, den ich hilflos hinnehmen muß, an mir versündigt. Von nun an sei mir jede Freude so lange fern, bis ich den Gral wieder vor Augen habe. Das ist mein fester Entschluß, an dem ich zeit meines Lebens festhalten werde. Wenn mich der Spott der Menschen trifft, nur weil ich den Lehren ritterlicher Erziehung folgte, so müssen diese Lehren unvollkommen sein. Der edle Gurnemanz hat mir eingeschärft, höflich zu sein und vorwitzige Fragen zu

vil werder ritter sihe ich hie:
durch iuwer zuht nu râttet mir wie
daz ich iuwern hulden naehe mich.
10   ez ist ein strenge schärpf gerich
gein mir mit worten hie getân:
swes hulde ich drumbe vloren hân,
daz wil ich wênec wîzen im.
swenne ich her nâch prîs genim,
15   sô habt mich aber denne dernâch.
mir ist ze scheiden von iu gâch.
ir gâbt mir alle geselleschaft,
die wîle ich stuont in prîses craft:
der sît nu ledec, unz ich bezal
20   dâ von mîn grüeniu vröude ist val.
mîn sol grôz jâmer alsô pflegen,
daz herze geb den ougen regen,
sît ich ûf Munsalvaesche liez
daz mich von wâren vröuden stiez,
25   ohteiz wie manege clâre magt!
swaz iemen wunders hât gesagt,
dennoch pflît es mêr der grâl.
der wirt hât siufzebaeren twâl.
ay helfelôser Anfortas,
waz half dich daz ich bî dir was?‹

331   Sine mugen niht langer hie gestên:
ez muoz nu an ein scheiden gên.
dô sprach der Wâleise
ze Artûse dem Berteneise
5   unt zen rittern und zen vrouwen,
er wolte ir urloup schouwen
unt mit ir hulden vernemen.
des mohte et niemen dâ gezemen:
daz er sô trûrec von in reit,
10   ich waen, daz was in allen leit.
    Artûs lobte im an die hant,
koem imer in sölhe nôt sîn lant

unterlassen! Hier sind viele edle Ritter versammelt. Gedenkt
eurer edlen Bildung und sagt mir, was soll ich tun, um eure
Gunst wiederzuerlangen? Man hat mich mit harten und
scharfen Worten verurteilt, und ich mache keinem einen
Vorwurf, der sich aus diesem Grunde von mir abgewendet
hat. Verfahrt aber auch gerecht mit mir, wenn ich Ruhm und
Ansehen wiedererrungen habe. Ich muß euch jetzt verlas-
sen, denn ihr habt mich in eure Gemeinschaft aufgenom-
men, als ich noch in hohem Ansehen stand. Ich entbinde
euch von jeder Freundschaftspflicht, bis ich errungen habe,
was das Grün meines Glücks welken ließ. Fortan wird
bitterer Schmerz mein Begleiter sein; mein Herz soll meine
Augen weinen lassen, denn ich ließ auf Munsalwäsche
zurück, was mich aus wolkenlosem Glück verstieß – ach,
wie viele reine Jungfrauen! Die größten Wunder dieser Welt
werden vom Gral übertroffen, doch der Herrscher der
Gralsburg siecht jämmerlich dahin! Ach, hilfloser Anfortas,
was half es dir, daß ich bei dir war!«

Man wollte nicht länger bleiben, die Stunde des Abschieds
war gekommen. Parzival sagte dem Bretonen Artus, allen
anwesenden Rittern und Edelfrauen, er wolle sich mit ihrer
freundlichen Erlaubnis verabschieden. Das wurde von allen
bedauert. Ich glaube, es tat allen leid, daß er so traurig von
ihnen reiten sollte. Artus versprach ihm in die Hand, sein
Land bei solchen Kriegszeiten, wie sie Clamide heraufbe-

als ez von Clâmidê gewan,
des lasters wolde er pflihte hân:
15   im waere ouch leit daz Lähelîn
im naem zwuo rîche crônen sîn.
vil dienstes im dâ maneger bôt:
den helt treip von in trûrens nôt.

vrou Cunnewâre diu clâre magt
20   nam den helt unverzagt
mit ir hant unt vuorte in dan.
dô kuste in mîn hêr Gâwân:
dô sprach der manlîche
ze dem helde ellens rîche
25   ›ich weiz wol, vriunt, daz dîn vart
gein strîtes reise ist ungespart.
dâ geb dir got gelücke zuo,
und helfe ouch mir daz ich getuo
dir noch den dienst als ich kan gern.
des müeze mich sîn craft gewern.‹

332   Der Wâleis sprach ›wê waz ist got?
waer der gewaldec, sölhen spot
het er uns bêden niht gegeben,
kunde got mit creften leben.
5   ich was im dienstes undertân,
sît ich genâden mich versan.
nu wil ich im dienst widersagen:
hât er haz, den wil ich tragen.
vriunt, an dînes kampfes zît
10   dâ neme ein wîp vür dich den strît:
diu müeze ziehen dîne hant;
an der du kiusche hâst bekant
unt wîplîche güete:
ir minne dich dâ behüete.
15   ichne weiz wenn ich dich mêr gesehe:
mîn wünschen sus an dir geschehe.‹
      ir scheiden gap in trûren
ze strengen nâchgebûren.

schworen hatte, so nachdrücklich zu schützen, als sei er
selbst angegriffen worden. Es gehe ihm auch nahe, daß
Parzival zwei blühende Königreiche an Lähelin verlor.
Obwohl man Parzival von allen Seiten enger Verbundenheit
versicherte, ließ die Last der Trübsal unsern Helden nicht
länger verweilen. Frau Cunneware, die reine Jungfrau,
nahm ihn bei der Hand und führte ihn aus dem Gedränge.
Der mannhafte Gawan küßte ihn zum Abschied und sprach
zu dem kraftvollen kühnen Helden: »Ich bin sicher, du wirst
auf deiner Fahrt viele Kämpfe bestehen. Gott gebe dir
Glück! Ich wünsche mir von ihm, er möge mir dank seiner
Allmacht bald die Gelegenheit geben, dir nach Kräften
beizustehen!«
Da aber brach es aus Parzival heraus: »Ach, wer ist Gott?
Wäre er wirklich allmächtig und könnte er seine Allmacht
offenbaren, so hätte er uns beiden nicht solche Schmach
angetan. Ich war ihm stets ergeben und zu Diensten, und ich
hoffte auf seinen Lohn. Doch jetzt kündige ich ihm den
Dienst! Ist er mir feind, so will ich's tragen! Freund, ziehst
du in den Kampf, vertraue nicht auf Gott! Vertraue lieber
auf eine Frau, wenn du ihrer Reinheit und fraulichen Güte
sicher bist. Ihre Liebe sei dein Schutz und Schirm im Kampf!
Ich weiß nicht, wann ich dich wiedersehe, doch meine guten
Wünsche begleiten dich.«
Der Abschied stimmte beide traurig. Frau Cunneware von

vrou Cunnewâre de Lalant
20 in vuorte dâ si ir poulûn vant,
sîn harnasch hiez si bringen dar:
ir linden hende wol gevar
wâpenden Gahmuretes sun.
si jach ›ich solz von rehte tuon,
25 sît der künec von Brandigân
von iuwern schulden mich wil hân.
grôz kumber iuwer werdekeit
gît mir siufzebaerez leit.
swenn ir sît trûrens niht erwert,
iuwer sorge mîne vröude zert.‹

333   Nu was sîn ors verdecket,
sîn selbes nôt erwecket.
ouch het der degen wol getân
lieht wîz îsernharnasch an,
5 tiure ân aller slaht getroc:
sîn cursît, sîn wâpenroc,
was gehêrt mit gesteine.
sînen helm al eine
het er niht ûf gebunden:
10 dô kuste er an den stunden
Cunnewâren die clâren magt.
alsus wart mir von ir gesagt.
da ergienc ein trûrec scheiden
von den gelieben beiden.

15   hin reit Gahmuretes kint.
swaz âventiure gesprochen sint,
die endarf hie niemen mezzen zuo,
irn hoert alrêrst waz er nu tuo,
war er kêre und war er var.
20 swer den lîp gein ritterschefte spar,
der endenk die wîle niht an in,
ob ez im râte stolzer sin.
Cundwîr âmûrs,
dîn minneclîcher bêâ curs,

Lalant führte Parzival zu ihrem Zelt und ließ seine Rüstung herbeibringen. Mit ihren schneeweißen zarten Händen half sie Gachmurets Sohn, die Rüstung anzulegen. Dabei sprach sie: »Das bin ich Euch schuldig, denn Ihr habt bewirkt, daß mich der König von Brandigan zur Frau begehrt. Auch fühle ich wie Ihr voll Schmerz den großen Kummer, den Ihr edler Mann tragen müßt. Solange Ihr trauert, werde auch ich nicht froh sein können.«

Inzwischen war auch sein Roß gewappnet worden, und nun kam ihm sein ganzes Elend so recht zum Bewußtsein. Der stattliche Held trug eine silbern glänzende, überaus kostbare stählerne Rüstung. Umhang und Waffenrock waren mit Edelsteinen geschmückt. Nur den Helm hatte er noch nicht aufgebunden. Wie es heißt, küßte er die reine Jungfrau Cunneware zum Abschied. Und es war ein trauriger Abschied zwischen den beiden Menschen, die einander sehr zugetan waren. Dann ritt Gachmurets Sohn davon. Was bisher von wunderbaren Abenteuern berichtet wurde, ist mit dem Folgenden nicht zu vergleichen. Hört erst einmal, was für Taten er vollbringt, wohin ihn seine Reise überall führt! Wer allerdings von Rittertaten nicht viel hält, soll seine Gedanken auf andere Dinge richten, wenn sein stolzer ritterlicher Mut das zuläßt. Condwiramurs, nun wird

25 an den wirt dicke nu gedâht.
    waz dir wirt âventiure brâht!
    schildes ambet umbe den grâl
    wirt nu vil güebet sunder twâl
    von im den Herzeloyde bar.
    er was ouch ganerbe dar.

334   Dô vuor der massnîe vil
    gein dem arbeitlîchen zil,
    ein âventiure ze schouwen,
    dâ vier hundert juncvrouwen
5   und vier küneginne
    gevangen wâren inne,
    ze Schastel marveile.
    swaz in dâ wart ze teile,
    daz haben âne mînen haz:
10 ich bin doch vrouwen lônes laz.
        dô sprach der Krieche Clîas
    ›ich bin der dâ versûmet was.‹
    vor in allen er des jach.
    ›der turkoyte mich dâ stach
15 hinderz ors, ich muoz mich schamen.
    doch sagte er mir vier vrouwen namen,
    die dâ crônebaere sint.
    zwuo sint alt, zwuo sint noch kint.
    der heizet einiu Itonjê,
20 diu ander heizet Cundrîê,
    diu dritte heizt Arnîve,
    diu vierde Sangîve.‹
    daz wolt ieslîcher dâ besehen.
    ez enmohte ir reise niht volspehen:
25 si muosen schaden dâ bejagen.
    den sol ouch ich ze mâzen clagen.
    wan swer durch wîp hât arbeit,
    daz gît im vröude, etswenne ouch leit
    an dem orte vürbaz wigt:
    sus dicke minne ir lônes pfligt.

jemand oft an deine liebliche Schönheit denken! Wie viele
Abenteuer wird er dir zu Ehren bestehen! Um den Gral zu
erringen, wird Herzeloydes Sohn gewaltige Rittertaten voll-
bringen, zumal er dank seiner Abkunft der rechte Gralserbe
ist.

Viele Artusritter wollten das Abenteuer auf Schastel mar-
veile bestehen, wo vierhundert Jungfrauen und vier Köni-
ginnen gefangen waren, und brachen zu diesem gefährlichen
Reizeziel auf. Ich beneide sie keineswegs um das, was sie
dort erwartet, zumal ich ohnehin außerstande bin, den
Liebeslohn edler Frauen zu erringen. Vor dem Aufbruch
erzählte der Grieche Klias der Artusgesellschaft seine Erleb-
nisse: »Ich habe mich bereits an diesem Abenteuer versucht,
doch ohne Erfolg. Zu meiner Schande muß ich gestehen,
daß mich der Turkoyte vom Pferd gestochen hat. Er nannte
mir aber die Namen der vier gekrönten Damen auf Schastel
marveile. Zwei von ihnen sind reifer an Jahren, die beiden
anderen jedoch blutjung. Die erste heißt Itonje, die zweite
Cundrie, die dritte Arnive, die vierte Sangive.« Nun drängte
es alle, das Abenteuer selbst zu bestehen, doch sie erreichten
ihr Ziel nicht und nahmen dabei nur Schaden. Darüber will
ich nicht weiter klagen, denn wer für eine Frau Mühsal
erduldet, mag dabei zwar glücklich sein, doch am Ende wird
das Leid überwiegen. Das ist noch immer der Liebe Lohn
gewesen!

Turkoyte: So nennt Wolfram den fürstlichen Begleiter und Wächter Orgeluses,
Florand von Itolac. Die Bezeichung ist wahrscheinlich von *turkôpel* ›berittene
Bogenschützen‹ abgeleitet, deren Anführer hohe Staatsämter bekleideten (afrz.
turcoplier für Kanzler, Gouverneur; *turkopel* für den persönlichen Diener der
Hochmeister, der obersten Leiter der Deutschordensritter und anderer geistli-
cher Ritterorden.

335   Do bereite ouch sich hêr Gâwân
       als ein kampfbaere man
       hin vür den künec von Ascalûn.
       des trûrte manec Bertûn
5   und manec wîp unde magt.
       herzenlîche wart geclagt
       von in sîn strîtes reise.
       der werdekeit ein weise
       wart nu diu tavelrunder.
10   Gâwân maz besunder
       wâ mit er möhte wol gesigen.
       alt herte schilde wol gedigen
       (ern ruochte wie si wârn gevar.
       die brâhten koufliute dar
15   ûf ir soumen, doch niht veile)
       der wurden im drî ze teile.
       do erwarp der wâre strîtes helt
       siben ors ze kampfe erwelt.
       ze sînen vriunden er dô nam
20   zwelf schärpfiu sper von Angram,
       starc roerîne schefte drîn
       von Oraste Gentesîn
       ûz einem heidenschen muor.
       Gâwân nam urloup unde vuor
25   mit unverzagter manheit.
       Artûs was im vil bereit,
       er gap im rîcher koste solt,
       lieht gesteine und rôtez golt
       und silbers manegen staerlinc.
       gein sorgen wielzen sîniu dinc.

336   Ekubâ diu junge
       vuor gein ir schiffunge:
       ich mein die rîchen heidenin.
       dô kêrte manegen ende hin
5   daz volc von dem Plimizoel.
       Artûs vuor gein Karidoel.

Der streitbare Ritter Gawan bereitete sich auf den Ritt zum König von Ascalun vor. Viele Bretonen, auch Frauen und Jungfrauen, betrauerten und beklagten seine Ausfahrt zum Kampf von Herzen. So verwaiste die Tafelrunde an ritterlichem Ansehen. Gawan überlegte gründlich, wie er sich den Sieg sichern könne. Nun hatten Kaufleute erprobte und feste Schilde auf Saumtieren herbeigebracht, die eigentlich nicht für den Verkauf bestimmt waren. Dennoch erhielt er drei davon, ohne sich an ihrem unscheinbaren Aussehen zu stoßen. Ferner suchte der streitbare Held sieben kampferprobte Streitrosse aus. Schließlich bestimmte er, daß zwölf sorgfältig geschliffene Lanzenspitzen aus Angram mitgenommen werden sollten. Sie steckten in zähen Bambusschäften aus Oraste Gentesin, einem Sumpfgebiet im Heidenland. Voll unverzagtem Mannesmut nahm Gawan Abschied und zog von dannen. Vorher hatte ihn der hilfsbereite Artus mit glänzenden Edelsteinen, rotem Gold und vielen Silbersterlingen verschwenderisch ausgestattet. So ritt er seinem gefahrenumdrohten Schicksal entgegen.

Die reiche junge Heidin Ekuba begab sich wieder zu ihrem Landeplatz, und die ganze Gesellschaft am Plimizöl strömte in alle Richtungen auseinander. Artus kehrte zurück nach

---

Angram: vielleicht die indische Stadt Agra, rühmte man doch im Mittelalter die Güte des ind. Stahls.
Sterling (staerlinc): noch im englischen Pfund Sterling erhalten; Bezeichnung einer Münze, aber auch eines Münzgewichts.

Cunnewâre und Clâmidê
die nâmen ouch sînen urloup ê,
Orilus der vürste erkant
10   und vrou Jeschûte von Karnant
die nâmen ouch sînen urloup ê,
doch beliben si ûf dem plân
bî Clâmidê den dritten tac,
wand er der brûtloufte pflac,
15   niht mit benanter hôhgezît:
si wart dâ heime groezer sît.
wand im sîn milte daz geriet,
vil ritter, kumberhaftiu diet,
beleib in Clâmidês schar,
20   und ouch daz varende volc vil gar.
die vuorte er heim ze lande:
mit êren âne schande
wart in geteilet dâ sîn habe,
mit valsche niht gewîset abe.
25   dô vuor vrou Jeschûte
mit Orilus ir trûte
durch Clâmidên ze Brandigân.
daz wart ze einen êren getân
vroun Cunnewârn der künegîn.
dâ crônte man die swester sîn.
337   Nu weiz ich, swelh sinnec wîp,
ob si hât getriuwen lîp,
diu diz maere geschriben siht,
daz si mir mit wârheit giht,
5   ich kunde wîben sprechen baz
denn als ich sanc gein einer maz.
diu küngîn Belakâne
was missewenden âne
und aller valscheite laz,
10   dô si ein tôter künec besaz.
sît gap vroun Herzeloyden troum
siufzebaeren herzeroum.

Karidöl. Zuvor hatten sich Cunneware und Clamide von
ihm verabschiedet. Auch der berühmte Fürst Orilus und
seine Frau Jeschute von Karnant hatten von Artus Abschied
genommen, da sie noch drei Tage lang auf dem Wiesenplan
bei Clamide bleiben wollten. Clamide feierte nämlich seine
Vermählung. Das war noch nicht das eigentliche Hochzeits-
fest; es sollte später in seinem Reich mit weit größerer Pracht
gefeiert werden. Viele Ritter, viele arme Leute und eine
große Schar von fahrendem Volk blieben bei Clamide, denn
er war als freigebig bekannt. Sie alle folgten ihm später in
sein Land, wo er sie reich und ehrenvoll beschenkte. Nie-
mand wurde enttäuscht in seinen Erwartungen. Nach Bran-
digan kamen auch Frau Jeschute und ihr geliebter Gatte
Orilus. Dies geschah zu Ehren Clamides und zu Ehren
der Königin Cunneware, der Schwester des Orilus, die in Bran-
digan gekrönt werden sollte.
Ich bin überzeugt: Jede einsichtige und treue Frau, die
meiner Erzählung bisher gefolgt ist, wird zugeben müssen,
daß ich über Frauen auch besser sprechen kann, als ich es in
einem Liede tat, das einer ganz bestimmten Frau gewidmet
war. Bedenkt: Belagert von einem toten König, blieb Köni-
gin Belakane makellos und ohne Falsch! Frau Herzeloyde
mußte im Traum bitteres Herzeleid dulden. Wie herzbewe-

welh was vroun Ginovêren clage
an Ithêres endetage!
15 dar zuo was mir ein trûren leit,
daz alsô schamlîchen reit
des künges kint von Karnant,
vrou Jeschûte kiusche erkant.
wie wart vrou Cunnewâre
20 gâlûnet mit ir hâre!
des sint si vaste wider komen:
ir bêder scham hât prîs genomen.
    ze machen nem diz maere ein man,
der âventiure prüeven kan
25 unde rîme künne sprechen,
beidiu samnen unde brechen.
ich taetz iu gerne vürbaz kunt,
wolt ez gebieten mir ein munt,
den doch ander vüeze tragent
dan die mir ze stegreif wagent.

gend beklagte Frau Ginover Ithers Tod! Habe ich nicht
Mitgefühl erkennen lassen, als die keusche Frau Jeschute,
Tochter des Königs von Karnant, in schimpflichem Aufzug
durch das Land reiten mußte? Wie wurde Frau Cunneware
geschlagen und an den Haaren gezerrt! Sie und Jeschute
wurden aber auch gebührend entschädigt, ihr Leiden
brachte ihnen am Ende Ruhm.

Möge diese Erzählung jetzt weiterführen, wer sich auf die
Gestaltung wunderbarer Ereignisse und auf alle Regeln der
Reimkunst versteht! Ich würde sie euch gern weiter erzäh-
len, doch es müßte mir schon ein Mund gebieten, den andere
Füße tragen, als sie sich in meinen Steigbügeln wiegen.

VII.

338 Der nie gewarp nâch schanden,
ein wîle zuo sînen handen
sol nu dise âventiure hân
der werde erkande Gâwân.

5 diu prüevet manegen âne haz
derneben oder vür in baz
dan des maeres hêrren Parzivâl.
swer sînen vriunt alle mâl
mit worten an daz hoehste jagt,

10 der ist prîses anderhalp verzagt.
im waere der liute volge guot,
swer dicke lop mit wârheit tuot.
wan, swaz er sprichet oder sprach,
diu rede belîbet âne dach.

15 wer sol sinnes wort behalten,
es enwellen die wîsen walten?
valsch lügelîch ein maere,
daz waene ich baz noch waere
âne wirt ûf eime snê,

20 sô daz dem munde wurde wê,
derz ûz vür wârheit breitet:
sô hete in got bereitet
als guoter liute wünschen stêt,
den ir triuwe ze arbeite ergêt.

25 swem ist ze sölhen werken gâch,
dâ missewende hoeret nâch,
pfliht werder lîp an den gewin,
daz muoz in lêren cranker sin.
er mîdetz ê, kan er sich schemen:
den site sol er ze vogte nemen.

Siebtes Buch

Den Gang dieser Erzählung wird nun für eine Weile ein allezeit ehrenhafter Ritter bestimmen, ich meine den edlen Herrn Gawan. Neben Parzival, ihrem eigentlichen Helden, stellt meine Erzählung nämlich gern auch andere Menschen und ihre Schicksale vor. Hebt jemand einzig und allein seinen Helden in den Himmel, dann wird er den anderen Gestalten nicht gerecht. Wer sein Lob wahrheitsgemäß und gerecht verteilt, der müßte eigentlich der begeisterten Zustimmung des Publikums sicher sein. Doch was solch ein Dichter auch erzählte oder erzählt: er findet keine Anerkennung! Wo soll aber große Kunst ihr Publikum suchen, wenn sich sogar urteilsfähige und kluge Menschen abwenden? Falsche Lügenmärchen sollte man obdachlos in Schnee und Kälte zittern lassen, und jeder, der sie für Wahrheit ausgibt, müßte vor Kälte mit den Zähnen klappern. Gott hätte ihn dann so behandelt, wie es alle ehrenwerten Männer wünschen, die für ihre wahrheitsgemäße Darstellung nur Verdruß ernten. Fördert ein Edelmann solche Dichter, deren Werke eigentlich Tadel verdienten, so beweist er wenig Urteilsvermögen. Hat er auch nur einen Funken Ehrgefühl, sollte er künftig die Hände davon lassen!

339 Gâwân der reht gemuote,
     sîn ellen pflac der huote,
     sô daz diu wâre zageheit
     an prîse im nie gevrumte leit.
  5 sîn herze was ze velde ein burc,
     gein scharpfen strîten wol sô kurc,
     in strîtes gedrenge man in sach.
     vriunt und vîent im des jach,
     sîn crîe waer gein prîse hel,
 10 swie gerne in Kingrimursel
     mit kampfe hete dâ von genomen.
     nu was von Artûse komen,
     des enweiz ich niht wie mangen tac,
     Gâwân, der manheite pflac.
 15 sus reit der werde degen balt
     sîn rehte strâze ûz einem walt
     mit sîme gezog durch einen grunt.
     dâ wart im ûf dem bühel kunt
     ein dinc daz angest lêrte
 20 und sîne manheit mêrte.
        dâ sach der helt vür unbetrogen
     nâch manger baniere zogen
     mit grôzer vuore niht ze cranc.
     er dâhte ›mir ist der wec ze lanc,
 25 vlühtic wider geim walde.‹
     dô hiez er gürten balde
     einem orse daz im Orilus
     gap: daz was genennet sus,
     mit den rôten ôren Gringuljete:
     er enpfiengz ân aller slahte bete.
340 Ez was von Muntsalvâsche komen,
     unt het ez Lehelîn genomen
     ze Brumbâne bîme sê:
     eime ritter tet sîn tjost wê,
  5 den er tôt derhinder stach;
     des sider Trevrizent verjach.

Der wackere Gawan handelte nie unüberlegt, und auch ehrenrührige Feigheit konnte man ihm nie nachsagen. In der Feldschlacht war sein Herz wie eine feste Burg, unerschütterlich im Kampfgetümmel und in gefährlichem Streit. Freund wie Feind kannten den ruhmvollen Klang seines Schlachtrufs, und diesen Ruhm hätte ihm Kingrimursel gern im Kampf entrissen. Der mannhafte Gawan war seit seinem Abschied von Artus schon einige Tagereisen – ich weiß gar nicht, wie viele es waren – unterwegs. Der kühne Held verließ mit seinem Gefolge gerade einen Wald; er durchquerte eine Senke, und von der nächsten Anhöhe bot sich seinen Augen unerwartet ein Bild, das schon bange stimmen konnte, Gawans Mannhaftigkeit aber nur anstachelte. Er sah nämlich, wie hinter zahlreichen Feldzeichen gewaltige Kriegerscharen einherzogen. Da überlegte er: »Auch wenn ich fliehen wollte, wäre der Weg bis zum Wald zu weit!« Er ließ daher ein Roß satteln, das ihm Orilus geschenkt hatte. Es hieß Gringuljete Rotohr und stammte aus Munsalwäsche. Lähelin hatte es am See Brumbane von einem Ritter erbeutet, den er im Lanzenkampf mit einem tödlichen Stich vom Pferde warf. Davon wird Trevrizent später noch erzählen.

    Gâwân dâhte ›swer verzagt
sô daz er vliuhet ê man jagt,
deist sîme prîse gar ze vruo.
10 ich wil in nâher stapfen zuo,
swaz mir dâ von nu mac geschehen.
ir hât michz mêrre teil gesehen.
des sol doch guot rât werden.‹
do erbeizte er zer erden,
15 reht als er habete einen stal.
die rotte wâren âne zal,
die dâ mit cumpânîe riten.
er sach vil cleider wol gesniten
und mangen schilt sô gevar
20 daz er ir niht bekande gar,
noch keine baniere under in.
›disem her ein gast ich bin‹,
sus sprach der werde Gâwân
›sît ich ir keine künde hân.
25 wellent siz in übel wenden,
eine tjost sol ich in senden
deiswâr mit mîn selbes hant,
ê daz ich von in sî gewant.‹
dô was ouch Gringuljeten gegurt,
daz in mangen angestlîchen vurt
341 gein strîte was zer tjoste brâht:
des wart ouch dâ hin ze im gedâht.

    Gâwân sach geflôrieret
unt wol gezimieret
5 von rîcher koste helme vil.
si vuorten gein ir nîtspil
wîz niuwer sper ein wunder,
diu gemâlt wârn besunder
junchêrrn gegeben in die hant,
10 ir hêrren wâpen dran erkant.
    Gâwân fil li roy Lôt
sach von gedrenge grôze nôt,

Gawan überlegte weiter: »Wer den Mut sinken läßt und ohne Grund das Hasenpanier ergreift, tut seinem Ruhm einen schlechten Dienst. Was auch geschieht, ich reite einfach im Schritt auf den Heereszug zu! Die meisten haben mich ohnehin gesehen, und irgendwie werde ich mich schon durchschlagen.« Er stieg vom Pferd, als wolle er Rast machen. Es waren wirklich unzählige Scharen, die gruppenweise an ihm vorüberritten. Er sah gutgearbeitete Kleider und viele Schilde und Banner, doch war ihm kein einziges Wappen bekannt. »Für dieses Heer bin ich zweifellos ein Fremdling«, sprach der edle Gawan zu sich, »ich kenne keinen der Ritter. Eröffnen sie die Feindseligkeiten, so räume ich das Feld erst dann, wenn ihnen meine Faust einen Lanzenkampf geliefert hat.« Gringuljete, die ihn schon durch manches gefährliche Kampfgewühl getragen hatte, wurde also zum Lanzenkampf gesattelt. Gawan betrachtete indes die vielen prächtig geschmückten und kostbaren Helme. Junker trugen eine Vielzahl buntbemalter neuer Lanzen für den Streit, und auf den Fähnchen erkannte man die Wappenzeichen ihrer Herren. In dichtem Gedränge zogen Maultiere mit Rüstungsteilen und viele hochbeladene

      mûl die harnasch muosen tragen,
      und manegen wol geladen wagen:
15 den was gein herbergen gâch.
      ouch vuor der market hinden nâch
      mit wunderlîcher pârât:
      des enwas et dô kein ander rât.
      ouch was der vrouwen dâ genuoc:
20 etslîchiu den zwelften gürtel truoc
      ze pfande nâch ir minne.
      ez wârn niht küneginne:
      die selben trippâniersen
      hiezen soldiersen.
25 hie der junge, dort der alde,
      dâ vuor vil ribalde:
      ir loufen machte in müediu lide.
      etslîcher zaem baz an der wide,
      denn er daz her dâ mêrte
      unt werdez volc unêrte.

342   Vür was geloufen unt geriten
      daz her, des Gâwân hete erbiten.
      von solhem wâne daz geschach:
      swer den helt dâ halden sach,
 5 der wânde er waere des selben hers.
      disehalp noch jensît mers
      gevuor nie stolzer ritterschaft:
      si heten hôhes muotes craft.
      nu vuor in balde hinden nâch
10 vast ûf ir slâ (dem was vil gâch)
      ein knappe gar unvuoge vrî.
      ein ledec ors gieng im bî:
      einen niuwen schilt er vuorte,
      mit bêden sporen er ruorte
15 âne zart sîn runzît,
      er wolde gâhen in den strît.
      wol gesniten was sîn cleit.
      Gâwân zuo dem knappen reit,

Troßwagen an Gawan, König Lots Sohn, vorüber. Die Tiere hatten es eilig, in den Stall zu kommen. Dahinter folgte in buntem Gewimmel der Troß, zu dem auch zahlreiche Frauen gehörten, von denen manche schon den zwölften Rittergurt als Lohn für ihre käufliche Liebe trug. Das waren natürlich keine Königinnen; solche Metzen nennt man Soldatendirnen. Alte und junge Landstreicher zogen mit, die Beine schon müde vom Laufen. Manche hätten es eher verdient, am Galgen zu hängen, statt das Heer zu vergrößern und durch ihre Anwesenheit die Edelleute zu verunehren.

Endlich war das ganze Heer an dem wartenden Gawan vorübergezogen. Wer den Helden gesehen hatte, war wohl dem Irrtum verfallen, er gehöre gleichfalls zum Heer. Im Abend- und im Morgenland hat es noch nie ein solch prächtiges Heer stolzer Ritter gegeben. Der Spur des Heeres folgte in großer Eile ein wohlerzogener Knappe. Er führte ein lediges Roß und trug einen neuen Schild. Schonungslos trieb er den Gaul mit den Sporen an, denn er hatte es eilig, sich in den Kampf zu stürzen. Seine Kleidung war von gutem Schnitt. Gawan ritt zu ihm, grüßte ihn und fragte, was für ein Heer eben vorübergezogen sei. Der Knappe

nâch gruoz er vrâgte maere,
20 wes diu massenîe waere.
        dô sprach der knappe ›ir spottet mîn.
    hêrre, hân ich sölhen pîn
    mit unvuoge an iu erholt,
    het ich dann ander nôt gedolt,
25 diu stüende mir gein prîse baz.
    durch got nu senftet iuwern haz.
    ir erkennt ein ander baz dan ich:
    waz hilft dan daz ir vrâget mich?
    ez sol iu baz wesen kunt
    ze einem mâle und tûsentstunt.‹

343   Gâwân bôt des mangen eit,
    swaz volkes dâ vür in gereit,
    daz er des niht erkande.
    er sprach ›mîn varn hât schande,
 5 sît ich mit wârheit niht mac jehen
    daz ich ir keinen habe gesehen
    vor disem tage an keiner stat,
    swar man mîn dienst ie gebat.‹
    der knappe sprach ze Gâwân
10 ›hêr, sô hân ich missetân:
    ich soltz iu ê hân gesagt.
    dô was mîn bezzer sin verzagt.
    nu rihtet mîne schulde
    nâch iuwer selbes hulde.
15 ich solz iu dar nâch gerne sagen:
    lât mich mîn unvuoge ê clagen.‹
    ›junchêr, nu sagt mir wer si sîn,
    durch iuwern zuhtbaeren pîn.‹
    ›hêr, sus heizt der vor iu vert,
20 dem doch sîn reise ist unerwert:
    roys Poydiconjunz,
    und duc Astor de Lanverunz.
    dâ vert ein unbescheiden lîp,
    dem minne nie gebôt kein wîp:

sprach verwundert: »Warum verspottet Ihr mich? Herr, habe ich etwa durch Unhöflichkeit solch kränkende Behandlung verdient? Ich hätte mir dann eine andere Zurechtweisung gewünscht. Beschwichtigt Euern Unmut um Gottes willen! Ihr Edelleute kennt einander doch besser als ich. Warum also fragt Ihr mich? Ihr müßt es doch tausendmal besser wissen!«

Gawan beteuerte jedoch, er wisse nicht, welches Heer an ihm vorübergezogen sei. Er sagte: »Es ist wahrhaftig eine Schande! Ich bin viel in der Welt herumgekommen, doch wo immer man meiner Dienste bedurfte, nirgendwo habe ich einen von diesen Herren kennengelernt!«

Da antwortete der Knappe: »Herr, wenn das so ist, habe ich unrecht, und ich hätte Euch gleich unterrichten müssen! Ich habe mich dumm benommen! Seid bitte nachsichtig! Gleich gebe ich Euch Bescheid, doch zunächst entschuldigt meine Unhöflichkeit.«

»Junker, Euer Bedauern zeugt von guter Erziehung; doch nun sagt mir, was für ein Heer das ist!«

»Herr, wer Euch vorangezogen ist, kann durch nichts aufgehalten werden. Es ist König Poydiconjunz, begleitet vom Herzog Astor von Lanverunz. Dann zieht noch ein rücksichtsloser Patron mit ihm. Noch nie hat eine Frau ihm ihre

25   er treit der unvuoge cranz
    unde heizet Meljacanz.
    ez waere wîb oder magt,
    swaz er dâ minne hât bejagt,
    die nam er gar in noeten:
    man solte in drumbe toeten.

344 Er ist Poydiconjunzes sun
    und wil ouch ritterschaft hie tuon:
    der pfligt der ellens rîche
    dicke unverzagetlîche.
5   waz hilft sîn manlîcher site?
    ein swînmuoter, lief ir mite
    ir värhelîn, diu wert ouch sie.
    ichne hôrte man geprîsen nie,
    was sîn ellen âne vuoge:
10   des volgent mir genuoge.
     hêr, noch hoert ein wunder,
    lât iu daz sagen besunder.
    grôz her nâch iu dâ vüeret
    den sîn unvuoge rüeret,
15   der künec Meljanz von Lîz.
    hôchvartlîchen zornes vlîz
    hât er gevrumet âne not:
    unrehtiu minne im daz gebôt.‹
     der knappe in sîner zuht verjach
20   ›hêrre, ich sage ez iu, wand ich ez sach.
    des künec Meljanzes vater,
    in tôdes leger vür sich bat er
    die vürsten sînes landes.
    unerloeset pfandes
25   stuont sîn ellenthaftez leben:
    daz muose sich dem tôde ergeben.
    in der selben riuwe
    bevalh er ûf ir triuwe
    Meljanzen den clâren
    allen den die dâ wâren.

Liebe geschenkt, denn er ist der Inbegriff sittenloser Zügellosigkeit. Er heißt Meljakanz. Wenn es ihn nach Liebe verlangte, hat er Frauen oder Jungfrauen einfach vergewaltigt. Man sollte ihn dafür töten! Er ist der Sohn des Poydiconjunz, ein kraftvoller, mutiger Mann, der sich oft schon im Kampf bewährte und von neuem im ritterlichen Streit hervortun möchte. Doch was nützt ihm alle Mannhaftigkeit? Auch eine Muttersau würde ihre Jungen mutig verteidigen. Kein Ritter darf auf wahren Ruhm rechnen, wenn er nicht Heldenmut mit Anstand vereint. Das ist die allgemeine Überzeugung. Herr, was ich Euch nun noch berichte, bedarf besonderer Beachtung: Der wilde, ungestüme König Meljanz von Liz führt hinter Euch ein zweites großes Heer heran. Er hat sich ohne Not zu hoffärtiger Empörung hinreißen lassen, denn er will sich dafür rächen, daß seine Liebe nicht erwidert wurde.« Der wohlerzogene Knappe fuhr fort: »Herr, laßt Euch berichten, was ich mit eigenen Augen sah. Der Vater des Königs Meljanz ließ auf dem Sterbelager, als sein mannhaftes Leben unrettbar dem Tod verfallen war, seine Landesfürsten zu sich kommen. In dieser schmerzlichen Abschiedsstunde bat er alle Fürsten, dem schönen Meljanz treu ergeben zu sein. Einen von ihnen

345 Er kôs im einen sunder dan:
der vürste was sîn hôhster man,
gegen triuwe alsô bewaeret,
aller valscheit erlaeret:
5 den bat er ziehen sînen sun.
er sprach ›du maht an im nu tuon
dîner triuwe hantveste.
bit in daz er die geste
unt die heinlîchen habe wert:
10 swenn es der kumberhafte gert,
dem bit in teilen sîne habe.‹
sus wart bevolhen dâ der knabe.
    dô leiste der vürste Lyppaut
al daz sîn hêrre der künec Schaut
15 an tôdes legere gein im warp:
harte wênec des verdarp,
endehaft ez wart geleistet sider.
der vürste vuorte den knappen wider.
der hete dâ heime liebiu kint,
20 als si im noch billîche sint;
ein tohter der des niht gebrach,
wan daz man des ir zîte jach,
si waere wol âmîe.
si heizet Obîe,
25 ir swester heizet Obilôt.
Obîe vrumt uns diese nôt.
    eins tages gedêch ez an die stat
daz si der junge künec bat
nâch sîme dienste minne.
si vervluochte im sîne sinne,
346 unde vrâgte in wes er wânde,
war umb er sich sinnes ânde.
Si sprach hin ze im ›waert ir sô alt,
daz under schilde waere bezalt
5 in werdeclîchen stunden,
mit helm ûf houbt gebunden

sprach er besonders an. Dieser Fürst war sein erster Vasall, treu erprobt und ohne jeden Falsch. Ihm übertrug er die Erziehung seines Sohnes, indem er sprach: ›Bewähre nun an ihm deine Treue! Lehre ihn, alle Menschen, bekannte und unbekannte, zu ehren. Erziehe ihn dazu, daß er Notleidende großzügig unterstützt, wenn sie um Hilfe bitten.‹ So wurde also der Knabe der Obhut des Fürsten Lippaut übergeben, und Lippaut tat alles, was sein Herr, König Schaut, auf dem Sterbelager von ihm erbeten hatte. Nichts wurde versäumt, alles bis aufs letzte getan. Der Fürst nahm also den Knaben zu sich. Daheim hatte er zwei Töchter, die er zärtlich liebte und denen auch heute noch seine ganze Liebe gehört. Eine Tochter war so wunderschön, daß ihr zur liebenswerten Edelfrau nur das angemessene Alter fehlte. Sie heißt Obie und ihre Schwester Obilot. Obies wegen ist das ganze Unheil über uns gekommen, denn eines Tages bat der junge König sie, ihm für seine Verdienste den Liebeslohn zu gewähren. Da verwünschte sie dieses Ansinnen und fragte ihn, was er sich eigentlich denke, ob er denn den Verstand verloren hätte. Sie sagte: ›Ihr müßtet erst einmal fünf Jahre lang unter dem Helm ritterliche Ruhmestaten vollbringen

      gein herteclîchen vâren,
      iuwer tage in vünf jâren,
      daz ir den prîs dâ het genomen,
10   und waert ir danne wider komen,
      ze mîm gebote gewesen dâ,
      spraeche ich denne alrêste jâ,
      des iuwer wille gerte,
      alze vruo ich iuch gewerte.
15   ir sît mir liep (wer lougent des?)
      als Annôren Gâlôes,
      diu sît den tôt durch in erkôs,
      dô si in von einer tjost verlôs.‹
      ›ungerne ich‹, sprach er, ›vrouwe,
20   iuch sô bî liebe schouwe
      daz iuwer zürnen ûf mich gêt.
      genâde doch bî dem dienste stêt,
      swer triuwe rehte mezzen wil.
      vrouwe, es ist iu gar ze vil
25   daz ir mînen sin sus smâhet:
      ir habt iuch gar vergâhet.
      ich möht doch des genozzen hân,
      daz iuwer vater ist mîn man,
      unt daz er hât von mîner hant
      manege burc und al sîn lant.‹
347   Swem ir iht lîht, der diene ouch daz‹,
      sprach si. ›mîn zil sich hoehet baz.
      ichne wil von niemen lêhen hân:
      mîn vrîheit ist sô getân,
5   ieslîcher crône hôch genuoc,
      die irdisch houbet ie getruoc.‹
      er sprach ›ir sîtz gelêret,
      daz ir hôchvart sus mêret.
      sît iuwer vater gap den rât,
10   er wandelt mir die missetât.
      ich sol hie wâpen alsô tragen
      daz wirt gestochen unt geslagen.

und siegreich aus allen Kämpfen hervorgehen! Kämt Ihr
dann zu mir und gewährte ich Euch, worum Ihr bittet, so
hätte ich Euch immer noch zu früh erhört. Ich will nicht
leugnen, daß Ihr mir lieb seid wie Galoes der Annore: Sie
nahm sich zwar seinetwegen das Leben, aber erst, nachdem
er im Kampf das seine verloren hatte.‹

›Herrin‹, sprach er, ›es ist schade, daß Ihr mir Eure Liebe
durch feindselige Abwehr beweist. Beim Frauendienst muß
man aber die Zuneigung der Dame voraussetzen. Herrin, als
Ihr meine Bitte so höhnisch zurückgewiesen habt, nahmt Ihr
Euch zuviel heraus. Doch Ihr wart mit Euerm Hohn zu
unbedacht, denn Ihr hättet daran denken sollen, daß Euer
Vater mein Vasall ist und seine vielen Burgen, ja sein ganzes
Land von mir zu Lehen hat.‹

›Wem Ihr ein Lehen gegeben habt, der mag Euch dafür
dienen‹, rief sie. ›Ich aber will mehr! Mich soll niemand
durch ein Lehen in Abhängigkeit bringen! Ich bin frei
geboren und damit jedem gekrönten Haupt ebenbürtig.‹

Er aber erwiderte: ›Diesen kecken Hochmut hat Euch
jemand anerzogen, und da dies nur Euer Vater gewesen sein
kann, soll er mir dafür büßen. Jawohl, ich werde meine Rü-
stung anlegen, und hier, im Lande Eures Vaters, wird es ein
Hauen und Stechen setzen! Ob Turnier oder Feldschlacht,
an zerbrochenen Lanzen wird es nicht mangeln!‹ Als er die

ez sî strîten oder turnei,
hie belîbet vil der sper enzwei.‹
15   mit zorne schiet er von der magt.
sîn zürnen sêre wart geclagt
von al der massenîe:
in clagte ouch Obîe.
gein dirre ungeschihte
20   bôt sîn gerihte
und anders wandels genuoc
Lyppaut, der unschulde truoc.
ez waere crump oder sleht,
er gerte sîner genôze reht,
25   hof dâ die vürsten waeren:
und er waer zuo disen maeren
komen âne schulde.
genaedeclîcher hulde
er vaste sînen hêrren bat.
dem tet der zorn ûf vröuden mat.

348   Man kunde dâ niht gâhen
sô daz Lyppaut wolt vâhen
sînen hêrren: wande er was sîn wirt;
als noch getriuwer man verbirt.
5   der künec ân urloup dannen schiet,
als im sîn cranker sin geriet.
sîne knappen, vürsten kindelîn,
al weinde tâten clagen schîn,
die mit dem künec dâ wârn gewesen.
10   vor den mac Lyppaut wol genesen,
wand er si mit triuwe hât erzogen,
gein werder vuore niht betrogen;
ez ensî dan mîn hêrre al ein,
an dem doch des vürsten triuwe erschein.
15   mîn hêrre ist ein Franzeys,
li schahteliur de Bêâveys:
er heizet Lisavander.
die eine unt die ander

Jungfrau erzürnt verließ, beklagte die ganze Hofgesellschaft, Obie eingeschlossen, seinen Zorn. Der unschuldige Lippaut wollte den unglückseligen Vorfall aus der Welt schaffen und erbot sich, vor Gericht seine Unschuld zu beweisen und jede gewünschte Buße zu leisten. Ob er im Recht sei oder im Unrecht, er wolle sich vor einem Gerichtshof fürstlicher Standesgenossen verantworten, denn er sei ohne sein Verschulden in Verdacht geraten. Eindringlich bat er seinen Lehnsherrn, ihm seine Gunst nicht zu entziehen, doch den hatte der Zorn völlig verdüstert.

Lippaut wollte nichts übereilen und etwa seinen Lehnsherrn gefangensetzen, denn der war ja sein Gast, und ein Mann von Treue läßt sich auf solches nicht ein. Der König jedoch war unbesonnen genug, ohne Abschied davonzureiten. Seine Knappen, die mit ihm aufgewachsen waren, alles Fürstensöhne, weinten vor Kummer. Von ihnen hat Lippaut nichts zu fürchten; denn er hat sie in Treue aufgezogen und für ihre vornehme Bildung Sorge getragen. Mein Herr ist allerdings eine Ausnahme, obwohl auch er die treue Fürsorge des Fürsten erfahren hat. Er ist der Burggraf Lisavander von Beavoys und französischer Abstammung. Als er

muosen dem vürsten widersagen,
20   do si schildes ambet muosen tragen.
bî dem künege ritter worden sint
vil vürsten hiute und ander kint.

des vordern hers pfligt ein man
der wol mit scharpfen strîten kan,
25   der künec Poydiconjunz von Gors:
der vüert manc wol gewâpent ors.
Meljanz ist sîns bruoder sun:
si kunnen bêde hôchvart tuon,
der junge und ouch der alde.
daz es unvuoge walde!

349   Sus hât der zorn sich vür genomen,
daz bêde künege wellent komen
vür Bêârosche, dâ man muoz
gedienen mit arbeit wîbe gruoz.
5   vil sper muoz man dâ brechen,
bêdiu hurten und stechen.
Bêârosche ist sô ze wer,
ob wir heten zweinzec her,
ieslîchez groezer dan wir hân,
10   wir müesen si unzervüeret lân.

mîn reise ist daz hinder her verholn:
disen schilt hân ich dan verstoln
ûz von andern kinden,
ob mîn hêrre möhte vinden
15   ein tjost durch sînen êrsten schilt,
mit hurtes poynder dar gezilt.‹
der knappe hinder sich dô sach.
sîn hêrre vuor im balde nâch:
driu ors unt zwelf wîziu sper
20   gâhten mit im balde her.
ich waen sîn gir des iemen trüge,
er wolde gern ze vorvlüge
die êrsten tjost dâ hân bejagt.
sus hât mir diu âventiure gesagt.

und die anderen Knappen zu Rittern geschlagen wurden,
mußten sie sich zum Feldzug gegen Lippaut verpflichten.
Heute wurden nämlich viele Fürstensöhne und andere Jüng-
linge am Hofe des Königs in den Ritterstand aufgenommen.
Das vorausziehende Heer befehligt König Poydiconjunz
von Gors, ein kriegserfahrener Mann, der viele wohlgerü-
stete Streitrosse mich sich führt. Meljanz ist sein Neffe und
ebenso hochmütig wie der Oheim. Zum Henker mit ihnen!
Beide Könige haben sich so in ihre Wut verrannt, daß sie
jetzt nach Bearosche ziehen, um in hartem Kampf Frauen-
dienst zu tun. Bei Stoß und Stich werden wohl viele Lanzen
brechen. Bearosche selbst ist allerdings so gut befestigt, daß
wir es nicht zerstören können, auch dann nicht, wenn uns
zwanzig noch größere Heere zur Verfügung stünden. Ich
bin dem nachfolgenden Heer heimlich vorausgeritten und
habe, unbemerkt von den andern Jünglingen, für meinen
Herrn diesen Schild mitgenommen, damit er in seinem
ersten Zweikampf beim Angriff des Gegners den gezielten
Lanzenstoß abfangen kann.«
Der Knappe schaute zurück und erspähte seinen Herrn, der
ihm mit drei Streitrossen und zwölf weißen Lanzen eilig
folgte. Zweifellos wollte er im Flug voranreiten und unbe-
dingt selbst den ersten Zweikampf bestehen. So heißt es
jedenfalls in meiner Erzählung. Hastig sprach der Knappe

25   der knappe sprach ze Gâwân
      ›hêr, lât mich iuwern urloup hân.‹
      der kêrte sîme hêrren zuo.
      waz welt ir daz Gâwân nu tuo,
      ern besehe waz disiu maere sîn?
      doch lêrte in zwîvel strengen pîn.
350   Er dâhte ›sol ich strîten sehen,
      und sol des niht von mir geschehen,
      so ist al mîn prîs verloschen gar.
      kum aber ich durch strîten dar
5   und wirde ich dâ geletzet,
      mit wârheit ist entsetzet
      al mîn werltlîcher prîs.
      ichne tuon es niht deheinen wîs:
      ich sol ê leisten mînen kampf.‹
10   sîn nôt sich in ein ander clampf.
      gegen sîner kampfes verte
      was ze belîben alze herte:
      ern mohte ouch dâ niht vür gevarn.
      er sprach ›nu müeze got bewarn
15   die craft an mîner manheit.‹
      Gâwân gein Bêârosche reit.
         burg und stat sô vor im lac,
      daz niemen bezzers hûses pflac.
      ouch gleste gein im schône
20   aller ander bürge ein crône
      mit türnen wol gezieret.
      nu was geloschieret
      dem her dervür ûf den plân.
      dô marcte mîn hêr Gâwân
25   mangen rinc wol gehêrt.
      dâ was hôchvart gemêrt:
      wunderlîcher baniere
      kôs er dâ mange schiere,
      und manger slahte vremden bovel.
      der zwîvel was sîns herzen hovel,

zu Gawan: »Gestattet, Herr, daß ich mich verabschiede!«
Und er wandte sich seinem Herrn zu. Was meint ihr? Soll
sich Gawan mit diesem Unternehmen näher befassen? Er
selbst überlegte unschlüssig: »Wenn ich bei diesem Kampf
nur zusehe und mich nicht daran beteilige, so erlischt mein
Ansehen. Beteilige ich mich aber und versäume ich dadurch
den gesetzten Termin, so ist mein guter Ruf erst recht dahin!
Nein, ich beteilige mich auf keinen Fall! Erst muß ich meinen
meinen Ehrenhandel austragen!« So grübelte er in argem
Zwiespalt hin und her. Ein Verweilen war bei dem bevorste-
henden Zweikampf gefährlich, aber er wollte auch nicht so
einfach davonreiten. Endlich entschloß er sich: »Geb's Gott,
daß niemand an meiner Mannhaftigkeit zweifelt!« Und
Gawan ritt nach Bearosche.

Als Burg und Stadt vor ihm auftauchten, meinte er, niemand
könne sich eines schöneren Wohnsitzes rühmen. Vor ihm
erglänzte in aller Pracht, überall mit Türmen geziert, die
herrlichste aller Burgen. Das feindliche Heer war gerade
dabei, auf der Ebene vor der Stadt ein Lager aufzuschlagen.
Gawan sah viele prunkvolle Zelte und allerorten stolze
Prachtentfaltung. Neugierig betrachtete er die vielen unbe-
kannten Wappenfahnen und allerlei fremdes Kriegsvolk.
Wie ein Nebel zog der Zweifel, ob er richtig entschieden

351 Dâ durch in starkiu angest sneit.
Gâwân mitten durch si reit.
    doch ieslîch zeltsnuor die andern dranc,
ir her was wît unde lanc.
5 dô sach er wie si lâgen,
wes dise und jene pflâgen.
swer ›Bien sey venûz‹ dâ sprach,
›gramerzîs‹ er wider jach.
grôz rotte an einem orte lac,
10 sarjande von Semblidac:
den lac dâ sunder nâhen bî
turkople von Kahetî.
unkünde dicke unminne sint.
sus reit des künec Lôtes kint:
15 belîbens bete in niemen bat.
Gâwân kêrte gein der stat.
    er dâhte ›sol ich kipper wesen,
ich mac vor vlüste baz genesen
dort in der stat dan hie bî in.
20 ichne kêr mich an dehein gewin,
wan wie ich daz mîn behalde
sô deis gelücke walde.‹
    Gâwân gein einer porten reit.
der burgaer site was im leit:
25 sine hete niht betûret,
al ir porten wârn vermûret
und al ir wîchûs werlîch,
dar zuo der zinnen ieslîch
mit armbruste ein schütze pflac,
der sich schiezens her ûz bewac:
352 Si vlizzen sich gein strîtes werc.
Gâwân reit ûf an den berc.
    swie wênec er dâ waere bekant,
er reit ûf da er die burc vant.
5 sîn ougen muosen schouwen
mange werde vrouwen.

habe, über sein Herz hin und erfüllte ihn mit peinigender Unsicherheit, während er durch das Lager ritt. Das Belagerungsheer war so riesig, daß die Zelte eng beieinanderstanden. Gawan beobachtete, wie man sich einrichtete, was dieser oder jener tat, und wenn ihm jemand ein Willkommen zurief, so gab er einen Dankesgruß zurück. An einem Ende des Lagers hatte sich eine große Schar von Fußknechten aus Semblidac niedergelassen, und in unmittelbarer Nähe lagerten berittene Bogenschützen aus Kaheti. Nun können Fremde bekanntlich nicht immer auf freundliche Aufnahme rechnen, und da man ihn nicht zum Bleiben einlud, ritt König Lots Sohn weiter und wandte sich zur Stadt. Gawan dachte bei sich: »Kann ich nur Zuschauer sein, dann bin ich in der Stadt vor Schaden sicherer als draußen. Um Beute ist's mir nicht zu tun, doch wenn's das Glück will, möchte ich wenigstens das Meinige behalten.«

Er ritt also auf ein Stadttor zu. Nun bereiteten ihm die Maßnahmen der Bürger unerwartete Schwierigkeiten, denn sie hatten mit großer Mühe alle Tore und Wehrtürme zugemauert. Die Zinnen waren überall mit Armbrustschützen besetzt, die ihre Waffen schußfertig hielten und zur Verteidigung bereit waren. Wenngleich sich Gawan in der Gegend nicht auskannte, ritt er den Berg hinan auf die Burg zu. Oben erspähte er einige vornehme Damen. Die Burgherrin

diu wirtîn selbe komen was
durch warten ûf den palas
mit ir schoenen tohtern zwein,
10 von den vil liehter varwe schein.
    schier het er von in vernomen,
si sprâchen ›wer mac uns hie komen?‹
sus sprach diu alte herzogîn.
›waz gezoges mac diz sîn?‹
15 dô sprach ir elter tohter sân
›muoter, ez ist ein koufman.‹
›nu vüert man im doch schilde mite.‹
›daz ist vil koufliute site.‹
ir junger tohter dô sprach
20 ›du zîhest in daz doch nie geschach:
swester, des mahtu dich schamen:
er gewan nie koufmannes namen.
er ist sô minneclîch getân,
ich wil in ze eime ritter hân.
25 sîn dienst mac hie lônes gern:
des wil ich in durch liebe wern.‹
    sîne knappen nâmen dô goume
daz ein linde und ölboume
unden bî der mûre stuont.
daz dûhte si ein gaeber vunt.

353 Waz welt ir daz si mêr nu tuon?
    wan do erbeizte der künec Lôtes sun,
alda er den besten schaten vant.
sîn kameraer truoc dar zehant
5   ein kulter unde ein matraz,
dar ûf der stolze werde saz.
ob im saz wîbe hers ein vluot.
sîn kamergewant man nider luot
unt daz harnasch von den soumen.
10 hin dan under den andern boumen
herberge nâmen sie,
knappen die dâ kômen hie.

war nämlich mit ihren beiden schönen Töchtern an die Palastzinnen getreten, um Ausschau zu halten. Gawan hörte, was sie sprachen. Die ehrwürdige Herzogin begann: »Wer kommt da heran? Was für eine Schar mag das sein?« Die ältere Tochter meinte ohne langes Überlegen: »Das ist sicher ein Kaufmann, Mutter!«

»Aber man trägt ihm doch Schilde nach.«

»Das kann man auch bei Kaufleuten sehen.«

Die jüngere Tochter aber warf ein: »Du hängst ihm etwas an, was nicht stimmt. Schäme dich, Schwester! Das ist kein Kaufmann! Er sieht vielmehr so herrlich aus, daß ich ihn zu meinem Ritter machen werde. Wirbt er bei mir mit Ritterdienst um Liebeslohn, so wird er ihm gern gewährt, denn dieser Mann gefällt mir!«

Gawans Knappen entdeckten zu ihrer Freude unterhalb der Mauer eine Linde und einen Ölbaum. Was meint ihr? Was sollen sie jetzt tun? Nun, König Lots Sohn stieg am schattigsten Platz vom Pferd; sein Kämmerer brachte sofort Steppdecke und Polsterbett herbei, und der stolze, vornehme Held ließ sich nieder, während hoch über ihm eine große Frauenschar saß. Man lud seine Kleider und seine Ausrüstung von den Saumtieren. Danach lagerten sich die Knappen unter den anderen Bäumen. Da sagte die ehrwürdige

diu alte herzogîn sprach sân
›tohter, welh koufman
15 kunde alsus gebâren?
dune solt sîn sus niht vâren.‹
dô sprach diu junge Obilôt
›unvuoge ir dennoch mêr gebôt:
gein dem künege Meljanz von Lîz
20 si kêrte ir hôchverte vlîz,
dô er si bat ir minne.
gunêrt sîn sölhe sinne!‹
dô sprach Obîe,
vor zorne niht diu vrîe,
25 ›sîn vuore ist mir unmaere.
dort sitzt ein wehselaere:
des market muoz hie werden guot.
sîn soumschrîn sint sô behuot,
dîns ritters, toerschiu swester mîn:
er wil ir selbe goumel sîn.‹

354   Gar dirre worte hôre
kom Gâwân in sîn ôre.
die rede lât sîn als si nu stê:
nu hoeret wie ez der stat ergê.
5   ein schefraeh wazzer vür si vlôz
durch eine brücke steinîn grôz,
niht gein der vîende want:
anderhalp was unverhert daz lant.
ein marschalc kom geriten sân:
10 vür die brücken ûf den plân
nam er herberge wît.
sîn hêrre kom an rehter zît,
und ander die dâ solden komen.
ich sage ez iu, hât irs niht vernomen,
15 wer in des wirtes hilfe reit,
und wer durch in mit triuwen streit.
im kom von Brevigariez
sîn bruoder duc Marangliez.

Herzogin: »Tochter, wie kann ein Kaufmann so auftreten? Du solltest üble Nachrede unterlassen!«

Die kindliche Obilot fiel ein: »Sie hat sich schon oft unschicklich benommen! Auch König Meljanz von Liz ließ sie absichtlich ihren Hochmut fühlen, als er um ihre Liebe warb. Pfui über sie!«

Nun rief Obie aufgebracht: »Mir ist es gleichgültig, wie er auftritt! Dort unten hockt jedenfalls ein Krämer, und er wird hier sicher gute Geschäfte machen! Die Saumlasten deines Ritters, du närrische Schwester, sind jedenfalls gut bewacht, denn er spielt selbst den Aufpasser!«

Gawan hörte jedes Wort. Doch lassen wir die Sache vorläufig auf sich beruhen; vernehmt zunächst, wie es um die Stadt bestellt war. An der dem Feinde abgekehrten Seite lag sie an einem schiffbaren Strom, den eine große Steinbrücke überspannte. Das andere Flußufer war vom Feinde nicht besetzt. Auf dieser Seite ritt ein Marschall heran und ließ auf dem freien Feld vor der Brücke ein Lager aufschlagen. Als alles fertig war, rückte sein Herr mit andern Rittern an. Falls ihr es noch nicht gehört habt, will ich euch berichten, wer da zur Unterstützung des Burgherrn heranzog, um ihm im Kampfe treu beizustehen. Aus Brevigariez kam ihm sein Bruder, Herzog Marangliez, zu Hilfe, dazu zwei starke und

durch den kômen zwên ritter snel,
20   der werde künec Schirnîel:
der truoc crône ze Lyrivoyn:
als tet sîn bruoder ze Avendroyn.
    dô die burgaere sâhen
daz in helfe wolde nâhen,
25   daz ê des was ir aller rât,
daz dûht si dô ein missetât.
der vürste Lyppaut dô sprach
›ôwê daz Bêârosche ie geschach
daz ir porten suln vermûret sîn!
wan swenne ich gein dem hêrren mîn
355   Schildes ambet zeige,
mîn bestiu zuht ist veige.
ez hulfe mich und stüende ouch baz
sîn hulde dan sîn grôzer haz.
5   wie stêt ein tjost durch mînen schilt,
mit sîner hende dar gezilt,
oder ob versnîden sol mîn swert
sînen schilt, mîns hêrren wert!
gelobt daz iemer wîse wîp,
10   diu treit alze lôsen lîp.
nu lât mich mînen hêrren hân
in mîme turne: ich müese in lân
und mit im in den sînen.
swar an er mich wil pînen,
15   des stên ich gar ze sîme gebote.
doch sol ich gerne danken gote
daz er mich niht gevangen hât,
sît in sîn zürnen niht erlât
eren well mich hie besitzen.
20   nu râtet mir mit witzen‹,
sprach er zen burgaeren,
›gein disen strengen maeren.‹
    dô sprach dâ manc wîse man
›möht ir unschult genozzen hân,

gewandte Ritter: der edle König Schirniel, Herrscher von Lirivoyn, und sein Bruder, Herrscher von Avendroyn.

Als die Bürger sahen, daß Hilfe nahte, erschienen ihnen die sorgfältigen Vorkehrungen zur Verteidigung der Stadt verfehlt. Fürst Lippaut rief: »Ach, warum haben wir die Tore unserer Stadt Bearosche zugemauert! Kämpfe ich gegen meinen eignen Herrscher, so ist mein guter Ruf bei den Rittern dahin! Seine Zuneigung wäre angenehmer und dienlicher für mich als seine verbissene Feindschaft. Welch unglückliche Verstrickung, wenn seine Lanze wohlgezielt meinen Schild durchbohrt oder mein Schwert den seinen spaltet! Keine Frau mit einigem Verstand kann das richtig finden, ohne für leichtfertig zu gelten. Selbst wenn mein Herr in meinem Turm gefangen säße, wäre ich verpflichtet, ihn freizulassen und mich als Gefangenen in seinen Gewahrsam zu begeben. Wie er mich auch bestrafte, ich müßte es dulden. Allerdings muß ich Gott danken, daß ich nicht in seinen Händen bin, denn er ließ sich vom Zorn zur Belagerung der Stadt hinreißen! Nun gebt mir einen guten Rat«, sprach er zu den Bürgern, »wie soll ich mich in dieser schwierigen Lage verhalten?«

Viele lebenserfahrene Männer sprachen jedoch: »Ginge es um Schuld oder Unschuld, dann wäre es nicht soweit

25   ez enwaer niht komen an disiu zil.‹
     si gâben im des râtes vil,
     daz er sîn porte ûf taete
     und al die besten baete
     ûz gein der tjoste rîten.
     si jâhen ›wir mugen sô strîten,

356 E daz wir uns von zinnen wern
     Meljanzes bêden hern.
     ez sint doch allez meistec kint,
     die mit dem künec dâ komen sint:
5   da erwerbe wir vil lîhte ein pfant,
     dâ von ie grôzer zorn verswant.
     der künec ist lîhte alsô gemuot,
     swenn er hie ritterschaft getuot,
     er sol uns nôt erlâzen
10 und al sîn zürnen mâzen.
     veltstrîtes sol uns doch baz gezemen,
     dan daz si uns ûz der mûre nemen.
     wir solten wol gedingen
     dort in ir snüeren ringen,
15 wan Poydiconjunzes craft:
     der vüert die herten ritterschaft.
     dâ ist unser groester vreise
     die gevangen Berteneise,
     der pfligt der herzoge Astor:
20 den siht man hie gein strîte vor.
     da ist ouch sîn sun Meljacanz.
     het den erzogen Gurnamanz,
     sô waer sîn prîs gehoehet gar:
     doch siht man in in strîtes schar.
25 da engegen ist uns grôz helfe komen.‹
     ir habt ir râten wol vernomen:
       der vürste tete als man im riet.
     die mûre er ûz den porten schiet.
     die burgaere ellens unbetrogen
     begunden ûz ze velde zogen,

gekommen.« Und sie beschworen ihn, die Tore öffnen und die besten Ritter zum Zweikampf hinausreiten zu lassen. Sie sagten: »Wir können uns auf diese Weise wehren und müssen uns nicht gegen die beiden Heere des Meljanz auf den Zinnen verteidigen. Es sind meist noch Knaben, die dem König gefolgt sind; vielleicht können wir Geiseln nehmen. Oft genug wurden auf diesem Wege schwere Zerwürfnisse beigelegt. Und weiter: Erhält der König hier Gelegenheit, sich durch Rittertaten auszuzeichnen, so wird möglicherweise sein Zorn verrauchen, so daß wir von weiterer Bedrängnis verschont bleiben. Auch bringt uns die offene Feldschlacht mehr Ehre, als wenn sie uns gefangen aus der Stadt führen. Es wäre auch nicht so aussichtslos, ihr Feldlager zu überfallen, drohte nicht das kampferprobte Heer des Poydiconjunz. Am gefährlichsten aber sind die von Herzog Astor geführten gefangenen Bretonen. Er ist im Kampf stets an der Spitze zu sehen. Dann ist da noch Meljakanz, der Sohn des Poydiconjunz. Leider wurde er nicht von Gurnemanz erzogen, sonst wäre sein Ruhm fleckenlos. Aber auch er ist ein tapferer Kämpfer. Doch inzwischen sind verläßliche Helfer zu uns gestoßen und wollen Beistand leisten.« So, nun habt ihr den Rat der Bürger gehört.

Der Fürst befolgte diesen Rat. Er ließ die Sperrmauern aus den Toren herausbrechen, und die kühnen Bürger zogen

357 Hie ein tjost, diu ander dort.
     daz her begunde ouch trecken vort
     her gein der stat durch hôhen muot.
     ir versprîe wart vil guot.
5   ze bêder sîte rotten ungezalt,
     garzûne crîe manecvalt.
     bêde schottesch und walsch
     wart dâ gerüefet sunder valsch.
     der ritter tâ was âne vride:
10   die helde erswungen dâ die lide.
        ez wârn doch allez meistec kint,
     die ûz dem her dar komen sint.
     die begiengen dâ vil werde tât,
     die burgaer pfanten si ûf der sât.
15   der nie gediende an wîbe
     cleinoet, der möhte an sîme lîbe
     niemer bezzer wât getragen.
     von Meljanze hôrte ich sagen,
     sîn zimierde waere guot:
20   er hete ouch selbe hôhen muot
     und reit ein schoene kastelân,
     daz Meljacanz dort gewan,
     do er Keyn sô hôhe derhinder stach
     daz man in am aste hangen sach.
25   do ez Meljacanz dort erstreit,
     Meljanz von Lîz ez hie wol reit.
     sîn tât was vor ûz sô bekant.
     al sîn tjost in ir ougen vant
     Obîe dort ûf dem palas,
     dar si durch warten komen was.
358   ›Nu sich‹, sprach si, ›swester mîn.
     deiswâr mîn ritter unt der dîn
     begênt hie ungelîchiu werc.
     der dîne waent daz wir den berc
5   unt die burc sülen verliesen.
     ander wer wir müezen kiesen.‹

hinaus aufs freie Feld. Hie und da kam es zu Zusammenstö-
ßen, denn auch das Belagerungsheer rückte unerschrocken
gegen die Stadt vor. So wurde es ein beachtliches Abendtur-
nier. Beiderseits standen sich ungezählte Scharen gegenüber,
überall gellte in schottisch und walisisch das Feldgeschrei
der Knappen, während die Ritter im ernsten Reiterkampf
die Kraft ihrer Arme erprobten. Die zahlreichen Knaben des
Belagerungsheeres vollbrachten zwar viele wackere Taten,
doch sie wurden von den Bürgern gefangengenommen und
entwaffnet. Wer noch nie im Frauendienst Kleinodien
errungen hat, konnte nicht besser gekleidet sein als sie. Von
Meljanz heißt es, sein Helmschmuck sei sehr kostbar gewe-
sen. Stolzgemut sprengte er auf einem herrlichen Kastilianer
daher. Das Pferd hatte Meljakanz von Keye erbeutet, den er
mit solchem Schwung aus dem Sattel hob, daß er an einem
Ast hängenblieb. Auf diesem Beutestück des Meljakanz
paradierte also Meljanz von Liz und vollbrachte großartige
Kampfestaten. Obie schaute von den Palastzinnen aus zu
und verfolgte alle seine Zweikämpfe. »Sieh doch«, sagte sie,
»liebe Schwester, mein Ritter und deiner verhalten sich sehr
unterschiedlich! Deiner meint wohl, daß Berg und Burg mit
Sicherheit erobert werden. Wir werden uns offenbar nach
anderen Helfern umsehen müssen.«

diu junge muose ir spotten doln:
si sprach ›er mac sich des wol erholn:
ich gibe im noch gein ellen trôst,
10   daz er dîns spottes wirt erlôst.
er sol dienst gein mir kêren,
unde ich wil im vröude mêren.
sît du gihst er sî ein koufman,
er sol mîns lônes market hân.‹
15   ir bêder strît der worte
Gâwân ze merke hôrte.
als ez im dô getohte
übersaz erz, swie er mohte.
so lûter herze sich niht schemen,
20   daz muoz der tôt dervon ê nemen.
      daz grôze her al stille lac,
des Poydiconjunz dort pflac:
wan ein werder jungelinc
was im strîte und al sîn rinc,
25   der herzoge von Lanverunz.
dô kom Poydiconjunz:
ouch nam der alt wîse man
die eine und die andern dan.
diu vesperîe was erliten
und wol durch werdiu wîp gestriten.
359   Dô sprach Poydiconjunz
zem herzogen von Lanverunz
›geruocht ir mîn niht bîten,
so ir vart durch rüemen strîten?
5   sô waent ir daz sî guot getân.
hie ist der werde Lahedumân
unde ouch Meljacanz mîn sun:
swaz die bêde solden tuon,
und ich selbe, ir möht dâ strîten sehen,
10   ob ir strîten kundet spehen.
ichne kum nimer von dirre stat,
ichne mache uns alle strîtes sat:

Die jüngere Schwester mußte zwar den Spott hinnehmen, doch sie sprach: »Er wird das Versäumte gewiß nachholen. Ich bin überzeugt, er wird mit seinem Kampfesmut deinen Spott noch verstummen lassen. Er wird mir als mein Ritter dienen, und ich werde ihn dafür glücklich machen. Und wenn du behauptest, er sei ein Kaufmann, dann soll er eben Gelegenheit haben, meinen Lohn einzuhandeln.«

Gawan hörte zwar das Wortgeplänkel der beiden, doch ertrug er es, so gut er konnte. Ein reines Herz zeigt eben bis zum Tode beherrschte Zurückhaltung.

Das große, von Poydiconjunz geführte Hauptheer hielt sich dem Kampf noch fern. Einzig ein edler Jüngling, der Herzog von Lanverunz, hatte sich mit seinem Gefolge ins Gewühl gestürzt. Da sprengte der erfahrene alte Poydiconjunz hinzu und zog sie aus dem Kampf. Damit war das Abendturnier beendet, in dem man zu Ehren edler Damen kräftig gestritten hatte. Poydiconjunz aber fuhr den Herzog von Lanverunz an: »Warum habt Ihr nicht auf meinen Befehl gewartet? Wenn Ihr Euch unbesonnen und geltungssüchtig in den Kampf stürzt, dann glaubt Ihr wohl ein vorbildlicher Kämpfer zu sein? Seht hier den edlen Laheduman und meinen Sohn Meljakanz! Brechen sie und ich los, dann werdet Ihr erleben, was Kampf heißt, wenn Ihr etwas davon versteht! Ich bleibe an diesem Platz, bis wir drei

oder mir gebent man unde wîp
her ûz gevangen ir bêder lîp.‹

15   dô sprach der herzoge Astor
›hêr, iuwer neve was dâ vor,
der künec, und al sîn her von Lîz:
solt iuwer her an slâfes vlîz
die wîl sich hân gekêret?

20   habt ir uns daz gelêret?
sô slâfe ich dâ man strîten sol:
ich kan bî strîte slâfen wol.
doch gloubt mir daz, waer ich niht komen,
die burgaer heten dâ genomen

25   vrumen und prîs ze ir handen:
ich bewarte iuch dâ vor schanden.
durch got nu senftet iuwern zorn.
da ist mêr gewunnen dan verlorn
von iuwerre massenîe,
wils jehen vrou Obîe.‹

360   Poydiconjunzes zorn was ganz
ûf sînen neven Meljanz.
doch brâht der werde junge man
vil tjost durch sînen schilt her dan:

5   daz endorft sîn niuwer prîs niht clagen.
nu hoeret von Obîen sagen.
    diu bôt ir hazzes genuoc
Gâwân, der in âne schulde truoc:
si wolte im werben schande.

10   einen garzûn si sande
hin ze Gâwân, dâ er saz:
si sprach ›nu vrâge in vürbaz,
ob diu ors veile sîn,
und ob in sînen soumschrîn

15   lige inder werdez crâmgewant.
wir vrouwen koufenz al zehant.‹
    der garzûn kom gegangen:
mit zorne er wart enpfangen.

unsere Kampfbegier gestillt haben, es sei denn, alle Männer und Frauen der Stadt geben sich gefangen.«

Herzog Astor aber trat ihm entgegen: »Herr, Euer Neffe, der König, war mit seinem Heer aus Liz bereits in ein Treffen verwickelt. Sollte Euer Heer inzwischen ein erquikkendes Schläfchen tun? Ist das Euer Vorbild? Nun gut, dann lege ich mich künftig ins Bett, wenn's zum Kampfe geht. Auch wenn gekämpft wird, kann ich ausgezeichnet schlafen. Doch glaubt mir, hätte ich nicht dazwischengeschlagen, dann wäre den Bürgern Beute und Ruhm geblieben! Ich habe Euch also nur vor Schande bewahrt! Bei Gott, laßt Euern Zorn verrauchen, denn Eure Gefolgschaft hat mehr gewonnen als verloren! Das wird selbst die edle Obie zugeben müssen.«

Poydiconjunz war zornig über seinen Neffen Meljanz. Der edle Jüngling trug jedoch an seinem Schild die Spuren zahlreicher Zweikämpfe, was seinem jungen Heldenruhm nur dienlich sein konnte.

Laßt mich nun wieder von Obie erzählen. Sie war Gawan ohne jeden Grund feindlich gesinnt und wollte ihn um jeden Preis demütigen. So sandte sie einen Diener mit folgendem Auftrag zu Gawans Lager: »Frage ihn doch, ob seine Pferde käuflich und ob in seinen Saumlasten schöne Kleider sind. Wir Edelfrauen würden ihm sogleich alles abnehmen.«

Als sich der Diener näherte, wurde er unfreundlich empfan-

Gâwâns ougen blicke
20   in lêrten herzen schricke:
der garzûn sô verzagte
daz ern vrâgte noch ensagte
al daz [in] sîn vrouwe werben hiez.
Gâwân die rede ouch niht enliez,
25   er sprach ›vart hin, ir ribbalt.
mûlslege al ungezalt
sult ir hie vil enpfâhen,
welt ir mir vürbaz nâhen.‹
der garzûn dan lief oder gienc:
nu hoeret wie ez Obîe an vienc.

361   Einen junchêrrn si sprechen bat
den burcgrâven von der stat:
der was geheizen Scherules.
si sprach ›du solt in biten des
5   daz erz durch mînen willen tuo
und manlîche grîfe zuo.
undern ölboumen bî dem graben
stênt siben ors: diu sol er haben
und ander rîcheite vil.
10   ein koufman uns hie triegen wil:
bit in daz er daz wende.
ich getrûwe des sîner hende,
si neme ez unvergolten:
ouch hât erz unbescholten.‹
15   der knapp hin nider sagte
al daz sîn vrouwe clagte.
›ich sol vor triegen uns bewarn‹,
sprach Scherules, ›ich wil dar varn.‹
er reit hin ûf dâ Gâwân saz,
20   der selten ellens ie vergaz;
an dem er vant crancheite vlust,
lieht antlütze und hôhe brust,
und einen ritter wol gevar.
Scherules in pruovte gar,

gen. Gawans Augen schossen Blitze und ließen ihn zusammenfahren, so daß er allen Mut verlor und die Botschaft seiner Herrin nicht auszurichten wagte. Gawan schrie ihn überdies an: »Fort mit Euch, Schurke! Noch einen einzigen Schritt, und es setzt Ohrfeigen, daß Ihr sie gar nicht zählen könnt!« Da machte der Diener, daß er davonkam. Hört, was Obie nun wieder ersann. Sie befahl einem Junker, zum Burggrafen der Stadt, Scherules, zu laufen: »Sage ihm, daß er meinen Auftrag entschlossen ausführen soll. Unter den Olivenbäumen am Stadtgraben stehen sieben Pferde, die ihm samt vielen Kostbarkeiten gehören sollen. Uns will hier ein Kaufmann betrügen, und das möge er verhindern. Er ist sicher Manns genug, ihm zur Strafe die Waren ohne Entgelt abzunehmen. Vorwürfe braucht er nicht zu fürchten.«

Der Knappe ging hinunter in die Stadt und trug die Klagen seiner Herrin vor. »Es ist meine Pflicht, Betrügereien zu unterbinden«, sprach Scherules, »und so will ich mich an Ort und Stelle begeben.« Er ritt hinauf zu dem Platz, wo der furchtlos kühne Gawan sein Lager aufgeschlagen hatte. Dort traf er aber einen kraftstrotzenden, schönen Ritter mit leuchtendem Blick und breiter Brust. Scherules musterte ihn

25 sîn arme unde ieweder hant
und swaz geschickede er dâ vant.
dô sprach er ›hêrre, ir sît ein gast:
guoter witze uns gar gebrast,
sît ir niht herberge hât.
nu prüevetz uns vür missetât.

362 Ich sol nu selbe marschalc sîn:
liute und guot, swaz heizet mîn,
daz kêre ich iu gein dienstes siten.
nie gast zuo wirte kom geriten,
5 der im waere als undertân.‹
›hêr, iuwer genâde‹, sprach Gâwân.
›daz hân ich ungedient noch:
ich sol iu gerne volgen doch.‹
     Scherules der lobes gehêrte
10 sprach als in sîn triuwe lêrte.
›sît ez sich hât an mich gezogt,
ich bin vor vlust nu iuwer vogt;
ezen neme iu dan daz ûzer her:
dâ bin ich mit iu an der wer.‹
15 mit lachendem munde er sprach
hin ze al den knappen die er dâ sach
›ladet ûf iuwer harnasch über al:
wir sulen hin nider in daz tal.‹
     Gâwân vuor mit sîme wirt.
20 Obîe nu daz niht verbirt,
ein spilwîp si sande,
die ir vater wol erkande,
und enbôt im solhiu maere,
dâ vüere ein valschaere:
25 ›des habe ist rîche unde guot:
bit in durch rehten ritters muot,
sît er vil soldiere hât,
ûf ors, ûf silber unde ûf wât,
daz diz sî ir êrste gelt.
ez vrumt wol siben ûf daz velt.‹

prüfend, betrachtete seine Arme, seine Hände, seine ganze Gestalt. Dann sagte er höflich: »Herr, obwohl Ihr fremd seid, waren wir sehr unaufmerksam gegen Euch, denn Ihr seid noch immer ohne Unterkunft. Nehmt es für ein Versehen unsrerseits. Ich selbst werde sofort als Euer Marschall für Eure Unterbringung sorgen. Alles, was mein ist, Menschen und Besitz, steht Euch zur Verfügung. Seid versichert, keinem Hausherrn war ein Gast je willkommener.«

Gawan erwiderte: »Habt Dank, Herr. Zwar habe ich solch freundliches Entgegenkommen um Euch noch nicht verdient, doch ich nehme Eure Einladung gern an.«

Der angesehene Scherules sprach treuherzig: »Ich habe die Verantwortung für Euch übernommen und werde Euch in der Stadt vor jedem Verlust schützen. Sollte Euch das Belagerungsheer berauben wollen, könnt Ihr auf mich zählen.« Mit freundlicher Miene rief er den Knappen zu: »Ladet das Rüstzeug wieder auf; wir reiten den Burgberg hinunter!«

Gawan ritt mit seinem Gastgeber. Obie aber schickte jetzt eine Gauklerin zu ihrem Vater, die er kannte. Sie sollte ihm mitteilen, daß ein Falschmünzer in die Stadt käme. »Was er mitführt, ist kostbar genug. Appelliere an seinen Rittermut! Er soll dem Fremden die Habe nehmen und sie seinen vielen Söldnern als nächsten Sold geben. Sie dienen doch für Rosse, Silber und Gewänder, und sieben von ihnen kann er damit von Kopf bis Fuß ausrüsten.«

363   Daz spilwîp zem vürsten sprach
al des sîn tohter dar verjach.
swer ie urliuges pflac,
dem was vil nôt, ob er bejac
5   möhte an rîcher koste hân.
Lyppauten den getriuwen man
überlesten soldiere,
daz er gedâhte schiere
›ich sol diz guot gewinnen
10   mit zorne oder abe mit minnen.‹
die nâchreise er niht vermeit.
Scherules im widerreit,
er vrâgte war im waer sô gâch.
›ich rîte eim trügenaere nâch:
15   von dem sagt man mir maere,
ez sî ein valschaere.‹
unschuldec was hêr Gâwân:
ezen hete niht wan diu ors getân,
und ander daz er vuorte.
20   Scherulesen lachen ruorte:
er sprach ›hêrre, ir sît betrogen:
swerz iu saget, er hât gelogen,
ez sî maget man oder wîp.
unschuldec ist mîns gastes lîp:
25   ir solt in anders prîsen.
ern gewan nie münzîsen,
welt ir der rehten maere losen,
sîn lîp getruoc nie wehselpfosen.
seht sîn gebâr, hoert sîniu wort:
in mîme hûs liez ich in dort:
364   Kunt ir dan ritters vuore spehen,
ir müezt im rehter dinge jehen.
sîn lîp gein valsche nie wart balt.
swer im dar über tuot gewalt,
5   waerz mîn vater oder mîn kint,
al die gein im in zorne sint,

Die Gauklerin richtete dem Fürsten alles aus, was seine Tochter ihr aufgetragen hatte. Wer aber je Krieg geführt hat, der weiß, wie nötig reiche Beute ist. Überdies wurde der treue Lippaut von seinen Söldnern gerade heftig bedrängt, so daß er bei sich überlegte: »Ich muß den Besitz dieses Mannes haben, ob im Bösen oder im Guten!« Er eilte also hinterher, doch Scherules ritt ihm entgegen und fragte, warum er es so eilig hätte. »Ich verfolge einen Betrüger! Man hat mir hinterbracht, er sei ein Falschmünzer.«

Herr Gawan war natürlich unschuldig. Nur seine Pferde und Saumlasten hatten ihn in diesen Verdacht gebracht. Scherules begann zu lachen und sagte: »Herr, man hat Euch betrogen. Wer das behauptet – Frau, Jungfrau oder Mann –, hat gelogen. Mein Gast ist schuldlos, und auch Ihr werdet bald eine andere Meinung von ihm haben. Mit einem Münzeisen hat er nie zu tun gehabt, und Ihr könnt Euch darauf verlassen, daß er auch noch nie einen Wechslerbeutel getragen hat. Achtet darauf, wie er sich benimmt und auszudrükken weiß! Er ist in meinem Hause. Wenn Ihr ein Urteil darüber habt, ob sich jemand ritterlich beträgt oder nicht, dann werdet Ihr selber zu dem Schluß kommen, daß Ihr es mit einem rechtschaffenen, treuen Manne zu tun habt. Sollte ihm dennoch jemand feindselig begegnen, ob mein Vater,

       în mâge oder mîn bruoder,
       die müesen diu strîtes ruoder
       gein mir ziehen: ich wil in wern,
10   vor unrehten strîten nern,
       swa ich, hêr, vor iuwern hulden mac.
       ûz schildes ambt in einen sac
       wolt ich mich ê ziehen,
       sô verre ûz arde vliehen
15   dâ mich niemen erkande,
       ê daz ir iuwer schande,
       hêrre, an im begienget.
       güetlîch ir enpfienget
       billîcher al die her sint komen
20   und iuwern kumber hânt vernomen,
       dan daz ir si welt rouben.
       des sult ir iuch gelouben.‹
         der vürste sprach ›nu lâz mich in sehen.
       dâ mac niht arges ûz geschehen.‹
25   er reit da er Gâwânen sach.
       zwei ougen unde ein herze jach,
       diu Lyppaut mit im brâhte dar,
       daz der gast waer wol gevar
       und rehte manlîche site
       sînen gebaerden wonten mite.
365   Swem wâriu liebe ie erholte
       daz er herzeminne dolte,
       herzeminne ist des erkant,
       daz herze ist rehter minne ein pfant,
5   alsô versetzet unde verselt,
       kein munt ez nimmer gar volzelt
       waz minne wunders vüegen kan.
       ez sî wîb oder man,
       die crenket herzeminne
10   vil dicke an hôhem sinne.
       Obîe unt Meljanz,
       ir zweier minne was sô ganz

meine Kinder, mein Bruder, meine Verwandten, so muß er
das Schwert gegen mich erheben. Mit Eurer Gunst, Herr,
ich werde ihn verteidigen und gegen unrechte Gewalt
beschützen, wo immer ich kann. Lieber wollte ich dem
Ritterstand entsagen und das Büßergewand eines Mönchs
wählen, lieber wollte ich weit fortziehen von den Meinen,
wo niemand mich kennt, ehe ich es zuließe, daß Ihr schänd-
lich handelt. Ihr wäret besser beraten, alle jene, die von
Eurer Bedrängnis gehört haben und zur Hilfe herbeigeeilt
sind, freundlich aufzunehmen, statt sie berauben zu wollen.
Das solltet Ihr nicht tun!«

Der Fürst lenkte ein: »Laß mich ihn sehen! Dabei geschieht
nichts Böses.« Und er ritt hin, um Gawan in Augenschein
zu nehmen. Mit Aug und Herz erkannte Lippaut gleich, daß
der Gast des Scherules ein stattlicher Ritter war, dessen
Verhalten auf mannhafte Gesinnung schließen ließ.

Fühlt man aus echter Neigung Herzensliebe – und Herzens-
liebe erkennt man daran, daß das Herz wahrer Liebe ver-
pfändet und verfallen ist –, dann kann die Liebe unbe-
schreibliche Wunder vollbringen. Nicht selten beraubt Her-
zensliebe Frauen und Männer jeder klaren Überlegung.
Auch die Liebe zwischen Obie und Meljanz war so innig

und stuont mit solhen triuwen,
sîn zorn iuch solde riuwen.

15   daz er mit zorne von ir reit,
des gab ir trûren solhez leit
daz ir kiusche wart gein zorne balt.
unschuldec Gâwân des engalt,
und ander die ez mit ir dâ liten.

20   si kom dicke ûz vrouwenlîchen siten:
sus vlaht ir kiusche sich in zorn.
ez was ir bêder ougen dorn,
swâ si den werden man gesach:
ir herze Meljanze jach,

25   er müese vor ûz der hôhste sîn.
si dâhte ›ob er mich lêret pîn,
den sol ich gerne durch in hân.
den jungen werden süezen man
vor al der werlt ich minne:
dar jagent mich herzen sinne.‹

366 Von minne noch zornes vil geschiht:
nune wîzet ez Obîen niht.
     nu hoeret wie ir vater sprach,
do er den werden Gâwân sach

5   unde er in in daz lant enpfienc,
wie erz mit rede dô ane vienc.
dô sprach er ›hêrre, iuwer kumen
daz mac an saelden uns gevrumen.
ich hân gevaren manege vart:

10   sô suoze in mînen ougen wart
nie von angesihte.
zuo dirre ungeschihte
sol iuwer künfteclîcher tac
uns troesten, wande er troesten mac.‹

15   er bat in tuon dâ ritters tât.
›ob ir harnasches mangel hât,
des lât iuch wol bereiten gar.
welt ir, sît, hêrre, in mîner schar.‹

und treu, daß ihr seine zornige Aufwallung, die ihn von ihr
fortreiten ließ, bedauern sollte. Aus Kummer darüber emp-
fand Obie solchen Schmerz, daß ihre gewohnte keusche
Zurückhaltung in zornige Erregung umschlug, unter der
Gawan, und nicht nur er, schuldlos leiden mußte. Ihre
sittsame Haltung wandte sich in blinden Zorn, so daß sie oft
die Regeln feinen weiblichen Benehmens vergaß. Wo immer
sie einen Edelmann sah, war er ihr ein Dorn im Auge. Ihrem
Herzen war nun einmal einzig und allein Meljanz teuer; sie
dachte bei sich: »Leide ich auch Qualen seinetwegen, ich
will sie gern tragen. Ich liebe den edlen, herrlichen Jüngling
mehr als alles in der Welt. Das ist der Zwang meines
Herzens!« Seid nachsichtig mit Obie. Zornausbrüche aus
Liebe sind schließlich so selten nicht!

Hört, was ihr Vater sagte, als er dem edlen Gawan Aug in
Aug gegenüberstand und ihn in seinem Lande willkommen
hieß: »Herr, möge Eure Ankunft uns Glück bringen! Ich
habe zwar schon viel gesehen, doch nie hat mich der Anblick
eines Ritters so erfreut. Euer Kommen sei uns Trost in der
Widerwärtigkeit dieses Krieges; ich bin überzeugt, Ihr wer-
det uns helfen.« Und er bat ihn darum, als Ritter zu kämp-
fen: »Ist Eure Ausrüstung unvollständig, so laßt Euch aus-
helfen und schließt Euch meinem Heer an!«

dô sprach der werde Gâwân
20 ›ich waer des ein bereiter man:
ich hân harnasch und starke lide;
wan daz mîn strîten stêt mit vride
unz an eine benante stunde.
ir laeget ob oder unde,
25 daz wolte ich durch iuch lîden:
nu muoz ichz durch daz mîden,
hêrre, unz ein mîn kampf ergêt,
dâ mîn triuwe sô hôhe pfandes stêt,
durch aller werden liute gruoz
ich si mit kampfe loesen muoz
367 (Sus bin ich ûf der strâzen),
oder ich muoz den lîp dâ lâzen.‹
    daz was Lyppaute ein herzeleit.
er sprach ›hêr, durch iuwer werdekeit
5 unt durch iwerre zühte hulde
sô vernemet mîn unschulde.
ich hân zwuo tohter die mir sint
liep: wan si sint mîniu kint.
swaz mir got hât an den gegeben,
10 dâ wil ich bî mit vröuden leben.
ôwol mich daz ich ie gewan
kumber den ich von in hân!
den treit iedoch diu eine
mit mir al gemeine.
15 unglîch ist diu gesellekeit:
mîn hêrre ir tuot mit minnen leit,
und mir mit unminne.
als ich michs versinne,
mîn hêrre mir gewalt wil tuon
20 durch daz ich hân deheinen sun.
mir sulen ouch tohter lieber sîn:
waz denne, ob ichs nu lîde pîn?
den wil ich mir ze saelden zeln.
swer sol mit sîner tohter weln,

Der edle Gawan aber sprach: »Ich tät's recht gern! Auch fehlt es mir weder an Ausrüstung noch an Leibeskraft. Bis zu einer festgesetzten Frist darf ich aber keinen Kampf wagen. Gern teilte ich Sieg oder Niederlage mit Euch, doch es ist nicht möglich. Herr, ich muß erst einen Kampf hinter mich bringen, bei dem es um meine Ehre geht. Mein ritterliches Ansehen fordert, daß ich sie im Kampf verteidige oder sterbe. Das ist auch der Grund meiner Reise.«

Lippaut war sehr traurig und sprach: »Herr, bei Euerm ritterlichen Ansehen und Euerm freundlichen Wohlwollen, laßt Euch erklären, daß ich am Ausbruch dieser Fehde völlig unschuldig bin. Ich habe zwei Töchter, und ich liebe sie, wie man seine Kinder eben liebt. Was Gott mir an ihnen geschenkt hat, sei die Freude meines Lebens. Wohl mir, daß sie es waren, die mich in Bedrängnis brachten, genauer gesagt, nur eine von ihnen. Sie muß wie ich Bedrängnis dulden, doch diese Gemeinsamkeit ist nur scheinbar, denn mein Herrscher bedrängt sie mit seiner Liebe und mich mit seinem Haß. Allem Anschein nach überfällt er mich, weil ich keinen Sohn habe. Aber meine Töchter sind mir darum nicht weniger lieb! Was tut's, daß ich ihretwegen in Bedrängnis bin? Ich will's für mein Glück nehmen! Wer eine

25 swie ir verboten sî daz swert,
ir wer ist anders als wert:
si erwirbt im kiuscheclîche
einen sun vil ellens rîche.
des selben ich gedingen hân.‹
›nu gewers iuch got‹, sprach Gâwân.

368   Lyppaut der vürste al vaste bat.
›hêr, durch got, die rede lât:‹
sus sprach des künec Lôtes sun:
›durch iuwer zuht sult ir daz tuon,
5 und lât mich triuwe niht enbern.
eins dinges wil ich iuch gewern:
ich sage iu hînt bî dirre naht,
wes ich mich drumbe hân bedâht.‹
Lyppaut im dancte und vuor zehant.
10 ame hove er sîne tohter vant,
unt des burcgrâven tohterlîn:
diu zwei snalten vingerlîn.
dô sprach er Obilôte zuo
›tohter, wannen kumest dû?‹
15 ›vater, ich var dâ nider her.
ich getrûwe im wol daz er michs wer:
ich wil den vremden ritter biten
dienstes nâch lônes siten.‹
›tohter, sô sî dir geclagt,
20 ern hât mir an noch ab gesagt.
kum mîner bete anz ende nâch.‹
der meide was zem gaste gâch.
dô si in die kemenâten gienc,
Gâwân spranc ûf. dô er si enpfienc,
25 zuo der süezen er dô saz.
er dancte ir daz si niht vergaz
sîn dâ man im missebôt.
er sprach ›geleit ie ritter nôt
durch ein sus wênec vrouwelîn,
dâ solte ich durch iuch inne sîn.‹

Tochter hat, kann zwar nicht auf Schwerthilfe, aber auf
andere, ebenso wertvolle Unterstützung rechnen, denn sie
führt ihm dank ihrer Frauentugend einen kühnen und star-
ken Schwiegersohn ins Haus. Darauf baue ich.«
»Gott erfülle Euren Wunsch!« sprach Gawan. Fürst Lippaut
bestürmte Gawan erneut, ihm beizustehen, doch der Sohn
König Lots erwiderte: »Herr, dringt um Gottes willen nicht
weiter in mich! Denkt an Eure vornehme Erziehung und
verlangt nicht, daß ich mein gegebenes Wort breche. Nur
eines sei Euch zugesichert: Ich werde alles noch einmal
überdenken und Euch heute abend noch meinen endgültigen
Entschluß mitteilen.«
Lippaut dankte ihm und ging. Auf dem Hofe traf er seine
Tochter und das Töchterchen des Burggrafen. Beide waren
in ein Spiel mit Ringen vertieft. Lippaut sagte zu Obilot:
»Wie kommst du hierher, Töchterchen?«
»Ich bin von der Burg heruntergelaufen, Vater, und will den
fremden Ritter bitten, mir um Liebeslohn zu dienen. Ich bin
überzeugt, er tut es.«
»Dann sei dir geklagt, mein Kind, daß er sich mir gegenüber
nicht festgelegt hat. Sieh zu, ob du ihn bewegen kannst,
meine Bitte zu erfüllen!«
Rasch lief das Mädchen zu dem Fremdling. Als sie die
Kemenate betrat, sprang Gawan auf, und nachdem er sie
begrüßt hatte, nahm er an der Seite des anmutigen Mädchens
Platz. Er dankte ihr dafür, daß sie ihn verteidigt hatte, als
man ihn verunglimpfte, und meinte schließlich: »Wenn je
einem Ritter bestimmt wäre, um eines so kleinen Edelfräu-
leins willen Liebesschmerz zu fühlen, dann möchte ich ihn
gern Euretwegen empfinden.«

369   Diu junge süeze clâre
      sprach ân alle vâre
      ›got sich des wol versinnen kan:
      hêrre, ir sît der êrste man
 5   der ie mîn redegeselle wart:
      ist mîn zuht dar an bewart,
      und ouch mîn schamlîcher sin,
      daz gît an vröuden mir gewin:
      wan mir mîn meisterin verjach,
10   diu rede waere des sinnes dach.
         hêr, ich bit iuwer unde mîn:
      daz lêrt mich endehafter pîn.
      den nenne ich iu, geruochet irs:
      habt ir mich ihtes deste wirs,
15   ich var doch ûf der mâze pfat,
      wand ich dâ ze iu mîn selber bat.
      ir sît mit der wârheit ich,
      swie die namen teilen sich.
      mîns lîbes namen sult ir hân:
25   nu sît maget unde man.
      ich hân iuwer und mîn gegert.
      lât ir mich, hêrre, ungewert
      nu schamlîche von iu gên,
      dar umbe muoz ze rehte stên
25   iuwer prîs vor iuwer selbes zuht,
      sît mîn magtuomlîchiu vluht
      iuwer genâde suochet.
      ob ir des, hêrre, ruochet,
      ich wil iu geben minne
      mit herzenlîchem sinne.
370   Ob ir manlîche site hât,
      sô waene ich wol daz ir niht lât
      irn dient mir: ich bin dienstes wert.
      sît ouch mîn vater helfe gert
 5   an vriunden unde an mâgen,
      lât iuch des niht betrâgen,

Da sprach die unschuldige junge Schöne ohne Scheu: »Gott kann bezeugen, Herr, daß Ihr der erste Ritter seid, mit dem ich ein solches Gespräch führe. Wenn ich mich dabei an die Forderungen von Anstand und Sitte halte, macht mich dies glücklich, denn meine Erzieherin hat gesagt, beim Sprechen offenbart sich der Verstand. Herr, in großer Not wende ich mich an Euch und damit an mich selbst. Gestattet, daß ich diese Not schildere, doch denkt dabei nicht schlecht von mir. Ich bitte in Euch mich selbst um Hilfe, so daß mein Tun nicht unschicklich ist. Tragen wir auch verschiedene Namen, so sind wir in Wirklichkeit untrennbar verbunden. Tragt fortan meinen Namen und seid damit Mädchen und Mann zugleich. Meine Bitte gilt also uns beiden. Schlagt Ihr sie ab, Herr, und laßt Ihr mich beschämt davongehen, dann wird sich Eure Ehre vor Eurer eignen ritterlichen Bildung verantworten müssen, denn ein Mädchen sucht Zuflucht und Hilfe bei Euch. Wenn Ihr wollt, Herr, so schenke ich Euch von ganzem Herzen meine Liebe, und seid Ihr ein rechter Mann, so werdet Ihr mir den Dienst nicht verweigern, denn ich bin es wert. Zwar hat mein Vater schon Freunde und Verwandte um Hilfe gebeten, doch das darf

irn dient uns beiden ûf mîn [eins] lôn.‹
er sprach ›vrouwe, iuwers mundes dôn
wil mich von triuwen scheiden.
10 untriuwe iu solde leiden.
mîn triuwe dolt die pfandes nôt:
ist si unerloeset, ich bin tôt.
doch lât mich dienst unde sinne
kêren gegen iuwerre minne:
15 ê daz ir minne megt gegeben,
ir müezet vünf jâr ê leben:
deist iuwerre minne zît ein zal.‹
nu dâhte er des, wie Parzivâl
wîben baz getrûwet dan gote:
20 sîn bevelhen dirre magde bote
was Gâwân in daz herze sîn.
dô lobte er dem vröuwelîn,
er wolde durch si wâpen tragen.
er begunde ir vürbaz mêre sagen
25 ›in iuwerre hende sî mîn swert.
ob iemen tjoste gein mir gert,
den poynder müezt ir rîten,
ir sult dâ vür mich strîten.
man mac mich dâ in strîte sehen:
der muoz mînhalp von iu geschehen.‹

371   Si sprach ›vil wênec mich des bevilt.
ich bin iuwer scherm und iuwer schilt
und iuwer herze und iuwer trôst,
sît ir mich zwîvels hât erlôst.
5 ich bîn vür ungevelle
iuwer geleite und iuwer geselle,
vür ungelückes schûr ein dach
bin ich iu senfteclîch gemach.
mîn minne sol iu vride bern,
10 gelückes vor der angest wern,
daz iuwer ellen niht verbirt
irn wert iuch vaste unz an den wirt.

Euch nicht hindern, ihm und mir zu dienen, um später von mir belohnt zu werden.«

Da erwiderte Gawan: »Herrin, Ihr wollt mich dazu überreden, mein Wort zu brechen, obwohl Untreue Euch eigentlich verhaßt sein müßte. Ich habe mein Wort verpfändet, und wenn ich es nicht einlöse, bin ich so gut wie tot. Doch wollte ich auch mit Ritterdienst und allen Gedanken nach Eurer Liebe streben, so müßtet Ihr erst fünf Jahre älter werden, ehe Ihr sie verschenken könnt. Die Rechnung mit dem Liebeslohn geht also nicht auf.« In diesem Augenblick fiel ihm ein, daß Parzival den Frauen mehr vertraute als Gott, und die Erinnerung daran wurde zum Boten des Mädchens, der den Weg zu Gawans Herz fand. Er versprach also dem Edelfräulein, ihretwegen die Rüstung anzulegen, und sagte dazu: »Eure Hand soll mein Schwert führen! Fordert mich jemand zum Zweikampf heraus, dann müßt Ihr den Angriff reiten und an meiner Stelle kämpfen. Zwar wird man mich im Kampfe sehen, doch im Grunde seid Ihr es, die an meiner Statt streitet.«

Obilot antwortete: »Das ist mir recht. Nachdem Ihr die Ungewißheit von mir genommen habt, bin ich Euer Schutz und Schild, Euer Herz und Euer Trost, Euer Führer und Gefährte im Unheil, Euer schützendes und bergendes Dach gegen die Unwetter des Unglücks. Meine Liebe soll Euch Sicherheit und Glück in Kampfesnot schenken, damit Ihr Burg und Stadt mit Heldenkraft bis aufs letzte verteidigt.

ich bin wirt und wirtîn
und wil in strîte bî iu sîn.
15   swenne ir des gedingen hât
saelde und ellen iuch niht lât.‹
    dô sprach der werde Gâwân
›vrouwe, ich wil beidiu hân,
sît ich in iuwerm gebote lebe,
20   iuwer minne und iuwers trôstes gebe.‹
die wîle was ir händelîn
zwischen den handen sîn.
dô sprach si ›hêr, nu lât mich varn.
ich muoz ouch mich dar an bewarn.
25   wie vüert ir âne mînen solt?
dar zuo waer ich iu alze holt.
ich sol mich arbeiten,
mîn cleinoete iu bereiten.
swenn ir daz traget, deheinen wîs
überhoehet iuch nimmer ander prîs.‹
372   Dan vuor diu magt und ir gespil.
si buten beide ir dienstes vil
Gâwâne dem gaste:
der neig ir hulden vaste.
5   dô sprach er ›sult ir werden alt,
trüeg dan niht wan sper der walt
als erz am andern holze hât,
daz wurde iu zwein ein ringiu sât.
kan iuwer jugent sus twingen,
10   welt irz inz alter bringen,
iuwer minne lêrt noch ritters hant
dâ von ie schilt gein sper verswant.‹
    dan vuorn die magede beide
mit vröuden sunder leide.
15   des burcgrâven tohterlîn
    diu sprach ›nu saget mir, vrouwe mîn,
wes habt ir im ze gebene wân?
sît daz wir niht wan tocken hân,

Burgherr und Burgherrin bin ich, und ich will im Kampfe
bei Euch sein! Seid immer zuversichtlich, dann werden Euch
Glück und Heldenkraft nicht im Stich lassen.«

Da sagte der edle Gawan: »Herrin, ich will beides, Eure
Liebe und Eure Unterstützung. Mein Leben ist Eurem
Dienst geweiht!«

Bei diesen Worten lag ihr Händchen in seinen Händen.
Darauf sagte sie: »Herr, laßt mich gehen, denn ich muß
mich darum kümmern, meine Verpflichtungen zu erfüllen.
Ich habe Euch zu lieb, als daß ich Euch ohne mein Liebes-
zeichen ausziehen ließe. Ich will mir Mühe geben, eines für
Euch auszusuchen. Wenn Ihr es tragt, wird Euer Ruhm den
aller andern Ritter überstrahlen.«

Das Mädchen und seine Spielgefährtin bedankten sich viel-
mals bei Gawan, dem Gast des Hauses, und nahmen
Abschied. Er dankte für ihre Freundlichkeit und sprach:
»Seid ihr beiden erst herangewachsen, dann werdet ihr
gewiß einen ganzen Wald von Lanzen vertun. Schon in
früher Jugend habt ihr Gewalt über Männerherzen! Bleibt
sie euch auch, wenn ihr erwachsen seid, so werden nicht
wenige Ritter aus Liebe zu euch in Zweikämpfen Schilde
und Lanzen zerspellen!«

Überglücklich gingen die Mädchen davon. Das Töchterchen
des Burggrafen fragte: »Sagt mir doch, Herrin, was Ihr ihm
schenken wollt. Wir haben nur unsere Puppen. Wenn Ihr

  sîn die mîne iht schoener baz,
20 die gebt im âne mînen haz:
  dâ wirt vil wênec nâch gestriten.‹
  der vürste Lippaut kom geriten
  an dem berge enmitten.
  Obylôt und Clauditten
25 sach er vor im ûf hin gên:
  er bat si bêde stille stên.
  dô sprach diu junge Obilôt
  ›vater, mir wart nie sô nôt
  dîner helfe: dar zuo gip mir rât.
  der ritter mich gewert hât.‹
373 ›Tohter, swes dîn wille gert,
  hân ichz, des bistu gewert.
  ôwol der vruht diu an dir lac!
  dîn geburt was der saelden tac.‹
5 ›vater, sô wil ich dirz sagen,
  heinlîche mînen kumber clagen:
  nâch dînen genâden dar zuo sprich.‹
  er bat si heben vür sich:
  si sprach ›war koem dan mîn gespil?‹
10 dô hielt der ritter bî im vil:
  die striten wer si solde nemen.
  des moht ieslîchen wol gezemen:
  iedoch bôt man si einem dar:
  Clauditte was ouch wol gevar.
15 al rîtende sprach ir vater ze ir
  ›Obylôt, nu sage mir
  ein teil von dîner noete.‹
  ›dâ hân ich cleinoete
  dem vremden ritter gelobt.
20 ich waen mîn sin hât getobt.
  hân ich im niht ze gebenne,
  waz touc ich dan ze lebenne,
  sît er mir dienst hât geboten?
  sô muoz ich schämeliche roten,

wollt, könnt Ihr ihm gern eine von meinen geben, sollte sie schöner sein als die Euren. Darum gibt's keinen Streit zwischen uns!«

Auf halber Höhe des Burgberges kam Fürst Lippaut geritten. Er sah, wie Obilot und Clauditte vor ihm bergan stiegen, und hielt sie an. Die kleine Obilot sprach zu ihm: »Vater, ich brauche ganz dringend deinen Rat und deine Hilfe! Denk dir, der Ritter hat meine Bitte erhört!«

»Mein Töchterchen, wenn es in meiner Macht steht, bekommst du alles, was du willst! Welch Segen, daß du uns geboren wurdest! Der Tag deiner Geburt war ein Glückstag für uns!«

»Ich will dir alles sagen, Vater, und dir meine Sorgen anvertrauen. Sei lieb und hilf mir!«

Lippaut ließ Obilot vor sich aufs Pferd heben, doch sie rief: »Und wo soll meine Freundin hin?« Da entspann sich zwischen den Rittern in der Begleitung des Fürsten ein heiterer Streit, wer sie aufs Pferd nehmen dürfe. Keinem wäre es unangenehm gewesen, denn auch Clauditte war ein reizendes Mädchen. Schließlich hob man sie vor einen Ritter aufs Pferd.

Im Weiterreiten sprach Lippaut zu Obilot: »Nun erzähle mir deine Sorgen.«

»Ich habe dem fremden Ritter ein Liebespfand versprochen und muß von Sinnen gewesen sein, denn ich habe doch nichts! Er will mir dienen, und kann ich ihm nichts schenken, mag ich gar nicht weiterleben! Habe ich nichts für ihn,

25 ob ich im niht ze gebene hân.
    nie magede wart sô liep ein man.‹
        dô sprach er ›tohter, warte an mich:
    ich sol des wol bereiten dich.
    sît du dienstes von im gerst,
    ich gib dir daz du in gewerst,

374 Ob dich halt dîn muoter lieze.
    got gebe daz ichs genieze.
    ôwî er stolz werder man,
    waz ich gedingen gein im hân!
5   nie wort ich dennoch ze im gesprach:
    in mîme slâfe ich in hînte sach.‹
        Lyppaut gienc vür die herzogîn,
    unt Obylôt diu tohter sîn.
    dô sprach er ›vrouwe, stiur uns zwei.
10 mîn herze nâch vröuden schrei,
    dô mich got dirre magt beriet
    und mich von ungemüete schiet.‹
    diu alte herzogîn sprach sân
    ›waz welt ir mînes guotes hân?‹
15 ›vrouwe, sît irs uns bereit,
    Obylôt wil bezzer cleit.
    si dunket sich es mit wirde wert,
    sît sô werder man ir minne gert
    und er ir biutet dienstes vil
20 und ouch ir cleinoete wil.‹
        dô sprach der magede muoter
    ›er süezer man vil guoter!
    ich waene, ir meint den vremden gast.
    sîn blic ist rehte ein meien glast.‹
25   dô hiez dar tragen diu wîse
    samît von Ethnîse.
    unversniten wât truoc man dâ mite.
    pfelle von Tabronite
    ûz dem lande ze Trîbalibôt.
    an Kaukasas daz golt ist rôt,

dann muß ich schamrot werden, denn nie hat ein Mädchen einen Ritter so sehr in ihr Herz geschlossen!«

Da sagte Lippaut lächelnd: »Mein Töchterchen, verlaß dich nur auf mich. Es wird dir an nichts fehlen. Wenn er dir dienen will, werde ich schon dafür sorgen, daß du ihn beschenken kannst, auch wenn deine Mutter dich im Stich lassen sollte. Geb's Gott, daß es mir nützt! Dieser stolze und edle Ritter! Ich setze große Hoffnungen auf ihn. Heute nacht habe ich ihn im Traum gesehen, ohne je mit ihm ein Wort gewechselt zu haben.«

Lippaut trat nun mit seiner Tochter Obilot vor die Herzogin und sprach: »Edle Frau, helft uns! Mein Herz frohlockt vor Glück darüber, daß Gott mir dieses Mädchen schenkte und damit all meinen Kummer vertieb.«

Die alte Herzogin antwortete: »Was wünscht ihr von mir?«

»Edle Frau, gebt uns bitte ein besseres Kleid für Obilot. Sie meint, sie sei es wert, denn ein edler Ritter wirbt um ihre Liebe, will ihr nach Kräften dienen und erbittet ein Liebespfand.«

Da sprach die Mutter des Mädchens: »Ach, ist's jener liebenswürdige, stattliche Ritter? Es ist wohl der fremde Gast, der so schön ist wie ein strahlender Maientag?«

Die erfahrene Frau ließ Ethniser Samt holen. Dann schleppte man Kleiderstoffe herbei, Seide aus Tabronit im

375 Dar ûz die heiden manege wât
     wurkent, diu vil spaehe hât,
     mit rehter art ûf sîden.
     Lyppaut hiez balde snîden
  5 sîner tohter cleider:
     er miste gerne ir beider,
     der boesten unt der besten.
     einen pfell mit golde vesten
     den sneit man an daz vröuwelîn.
 10 ir muose ein arm gebloezet sîn:
     dâ was ein ermel von genomen,
     der solte Gâwâne komen.
        daz was ir prîsente,
     pfell von Neurîente,
 15 verre ûz heidenschaft gevuort.
     der hete ir zeswen arm geruort,
     doch an den roc niht genaet:
     dane wart nie vadem zuo gedraet.
     den brâhte Clauditte dar
 20 Gâwâne dem wol gevar.
     dô wart sîn lîp gar sorgen vrî.
     sîner schilde wâren drî:
     ûf einen sluog er in al zehant.
     al sîn trûren gar verswant:
 25 sînen grôzen danc er niht versweic,
     vil dicke er dem wege neic,
     den diu juncvrouwe gienc,
     diu in sô güetlîche enpfienc
     und in sô minneclîche
     an vröuden machte rîche.

376   Der tac het ende und kom diu naht.
     ze bêder sît was grôziu maht,
     manec werlîch ritter guot.
     waer des ûzern hers niht solhiu vluot,
  5 sô heten die inren strîtes vil.
     dô mâzen si ir letze zil

Lande Tribalibot. Die Heiden wirken nämlich aus dem
roten Gold des Kaukasus und aus echter Seide kunstreich
vielerlei Stoffe. Lippaut ließ seiner Tochter, für die er gern
alles hingab, Kleider zuschneiden. Nach ihren Körpermaßen
wurde eine Seide, steif von Gold, verarbeitet; ein Arm blieb
jedoch entblößt, denn der Ärmel war für Gawan bestimmt.
Das also war Obilots Geschenk: Nourjenter Seide aus fer-
nem Heidenland. Der Ärmel war ihrem rechten Arm nur
angepaßt, nicht festgenäht. Dazu war kein Faden gezwirnt
worden. Clauditte überbrachte den Ärmel dem stattlichen
Gawan, der große Freude darüber zeigte und voller Zuver-
sicht war. Drei Schilde hatte er, und auf einen nagelte er den
Ärmel. Fröhlich und erleichtert dankte er recht herzlich und
segnete den Weg, den die Jungfrau gegangen war, als sie ihn
so freundlich willkommen hieß und mit ihrer Liebe be-
glückte.
Der Tag ging zu Ende, die Nacht brach herein. Auf beiden
Seiten standen gewaltige Heere von wehrhaften, wackeren
Rittern, und ohne das riesige Entsatzheer hätten die Belager-
ten harte Kämpfe bestehen müssen. Beim hellen Mond-

    bî dem liehtem mânen.
    si kunden sich wol ânen
    vorhteclîcher zageheit.
10   vor tages wart von in bereit
    zwelf zingel wîte,
    vergrabet gein dem strîte,
    daz ieslîch zingel muose hân
    ze orse ûz drî barbigân.
15   Kardefablêt de Jâmor,
    der marschalc nam dâ vier tor,
    dâ man des morgens sach sîn her
    wol mit ellenthafter wer.
    der herzoge rîche
20   streit dâ ritterlîche.
    diu wirtîn was sîn swester.
    er was des muotes vester
    denn anders manec strîtec man,
    der wol in strîte tûren kan:
25   des leit er dicke in strîte pîn.
    sîn her dâ zogete des nahtes în.
    er was verre dar gestrichen,
    wande er selten was entwichen
    strîteclîcher herte.
    vier porte er dâ wol werte.
377   Swaz hers anderhalp der brücken lac,
    daz zogete über, ê kom der tac,
    ze Bêârosche in die stat,
    als si Lyppaut der vürste bat.
5   dô wâren die von Jâmor
    geriten über die brücken vor.
    man bevalh ieslîche porten sô,
    daz si werlîche dô
    stuonden, dô der tag erschein.
10   Scherules der kôs im ein,
    die er und mîn hêr Gâwân
    niht unbehuot wolden lân.

schein überprüften sie die äußeren Verteidigungswerke, und
von kläglicher Verzagtheit war keine Rede bei ihnen. Bis
zum Tagesanbruch errichteten sie noch zwölf große Rund-
schanzen, die durch Gräben gegen Angriffe gesichert und
mit je drei Bollwerken für Ausfälle der Reiterei versehen
waren. Der Marschall Kardefablets von Jamor besetzte vier
Stadttore, wo man am Morgen sein kampfbereites Heer
erblicken konnte. Der mächtige Herzog, ein Bruder der
Burgherrin, wollte dort ritterliche Taten vollbringen. An
Kampfentschlossenheit übertraf er viele wehrhafte Ritter,
die doch im Streit ihren Mann standen, und geriet daher in
der Feldschlacht oft in große Bedrängnis. Sein Heer besetzte
die Stellungen bei Nacht. Kardefablet hatte die weite Heer-
fahrt nicht gescheut, denn er wich im härtesten Kampf
keinen Fußbreit zurück. Vier Tore wurden von ihm verläß-
lich gesichert.
Die Heerscharen, die auf der anderen Seite der Brücke
gelagert hatten, überquerten sie und hielten noch vor Tages-
anbruch Einzug in die Stadt Bearosche. Fürst Lippaut hatte
darum gebeten. Die Truppen aus Jamor waren schon vorher
über die Brücke gezogen. Sämtliche Tore wurden besetzt,
und bei Morgengrauen war alles verteidigungsbereit. Sche-
rules hatte ein Tor gewählt, das er gemeinsam mit Gawan

man hôrt dâ von den gesten
(ich waen daz wârn die besten),
15 die clagten daz dâ was geschehen
ritterschaft gar âne ir sehen,
unt daz diu vesperîe ergienc
daz ir deheiner tjost da enpfienc.
diu clage was gar âne nôt:
20 ungezalt man si in dâ bôt,
allen den die es ruochten
unt si ûz ze velde suochten.
    in den gazzen kôs man grôze slâ:
ouch sach man her unde dâ
25 mange banier zogen în
allez bî des mânen schîn,
und mangen helm von rîcher kost
(man wolt si vüeren gein der tjost)
und manec sper wol gemâl.
ein Regenspurger zindâl
378 Dâ waer ze swachem werde,
vor Bêârosche ûf der erde:
man sach dâ wâpenrocke vil
hôher an der koste zil.
5   diu naht tet nâch ir alten site:
am orte ein tac ir zogte mite.
den kôs man niht bî lerchen sanc:
manc hurte dâ vil lûte erclanc.
daz kom von strîtes sachen.
10 man hôrt diu sper dâ crachen
reht als ez waere ein wolken rîz.
dâ was daz junge her von Lîz
komen an die von Lirivoyn
und an den künec von Avendroyn,
15 da erhal manc rîchiu tjoste guot,
als der würfe in grôze gluot
ganze castâne.
âvoy wie ûf dem plâne

verteidigen wollte. Die zuletzt gekommenen Gäste bedauer-
ten, daß der Kampf bereits in ihrer Abwesenheit begonnen
und das Abendgefecht ohne sie stattgefunden hatte. Ich
denke mir, dies waren nicht die schlechtesten Ritter. Zu
bedauern war allerdings nichts, denn wer es wünschte und
auf dem Schlachtfeld danach suchte, sollte noch reichlich
Gelegenheit zum Kampf finden. In den Gassen der Stadt
konnte man große Reiterhaufen bewundern, und im Mond-
schein sah man Fähnlein, kostbare Helme, die in den Kampf
geführt werden sollten, und buntbemalte Lanzen in großer
Zahl in die Stadt ziehen. Regensburger Taft wäre in Bearo-
sche nicht viel wert gewesen; dort gab's kostbarere Waffen-
röcke!
Wie immer folgte auf die Nacht ein neuer Tag, dessen
Anbruch diesmal allerdings nicht der Sang der Lerchen,
sondern Lärm begleitete, der mit Kampfbeginn aufbrandete.
Wie Gewitterdonner dröhnte das Krachen brechender Lan-
zen, als die jungen Ritter aus Liz mit den Scharen aus
Lirivoyn und denen des Königs von Avendroyn zusammen-
stießen. Bei den vielen wuchtigen und kräftigen Lanzen-
kämpfen krachte es, als würden Kastanien in loderndes
Feuer geworfen. Hei, wie die Ritter des Entsatzheeres über

von den gesten wart geriten
20   und von den burgaern gestriten!
    Gâwân und der schahteliur,
durch der sêle âventiur
und durch ir saelden urhap
ein pfaffe in eine messe gap.
25   der sanc si beide gote unt in:
dô nâhte ir werdekeit gewin:
wand ez was ir gesetze.
dô riten si in ir letze.
ir zingel was dâ vor behuot
mit mangem werden ritter guot:
379   Daz wâren Scherules man:
von den wart ez dâ guot getân.
    waz mag ich nu sprechen mêr?
wan Poydiconjunz was hêr:
5   der reit dar zuo mit solher carft,
waer Swarzwalt ieslîch stûde ein schaft,
man dorft dâ niht mêr waldes sehen,
swer sîne schar wolde spehen.
der reit mit sehs vanen zuo,
10   vor den man strîtes begunde vruo.
pusûner gâben dôzes clac,
alsô der doner der ie pflac
vil angestlîcher vorhte.
manc tambûrer dâ worhte
15   mit der pusûner galm.
wart inder dâ kein stupfen halm
getretet, des enmohte ich niht.
Erffurter wîngarte giht
von treten noch der selben nôt:
20   maneg orses vuoz die slâge bôt.
    dô kom der herzoge Astor
mit strîte an die von Jâmor.
dâ wurden tjoste gewetzet,
manc werder man entsetzet

das Schlachtfeld sprengten und die Städter dreinhauten! Gawan und der Burggraf hörten vor Kampfbeginn noch die Messe, die ein Priester für ihr Seelenheil und ihre ewige Glückseligkeit Gott und ihnen zu Ehren las. Nun war ihnen bestimmt, neuen Heldenruhm zu erringen. Sie ritten also in ihre Schanze, die von vielen edlen, wackeren Rittern aus dem Gefolge des Scherules verteidigt wurde. Sie hielten sich dort überaus tapfer.

Was soll ich nun weiter erzählen? Zunächst dies: Der stolze Poydiconjunz sprengte mit großer Heeresmacht heran. Wäre jede Staude im Schwarzwald eine Lanze, man hätte dort keinen dichteren Wald vor Augen als beim Anblick seiner Heerschar. Mit sechs Fahnen rückte er an, vor denen sofort der Kampf entbrannte. Posaunen schmetterten wie der schrecklichste Donner, und das Dröhnen vieler Trommeln mischte sich in ihr Getöse. Ich kann nichts dafür, wenn man die Stoppeln rücksichtslos niederstampfte. Die Weinberge bei Erfurt zeigen jetzt noch die Spuren solcher Verwüstungen, die viele Pferdehufe angerichtet haben. Jetzt begann der Kampf zwischen Herzog Astor und den Streitern aus Jamor. Manch scharfer Zweikampf wurde ausgetragen und mancher edle Ritter hinters Pferd auf den Acker

Weinberge bei Erfurt: Die thüringischen Städte pflanzten im Mittelalter Wein an. Bei einer Belagerung der Stadt wurden die Weinkulturen natürlich in Mitleidenschaft gezogen. Eine solche Belagerung hatte Erfurt, das mit seinem Stadtherrn Erzbischof Ludolf von Mainz auf staufischer Seite stand, 1203 durch die päpstlich-welfische Partei König Ottos IV. von Braunschweig, des dritten Sohnes Heinrichs des Löwen, zu bestehen, die hier unter Landgraf Hermann I. von Thüringen und König Ottokar I. von Böhmen Teile der staufischen Partei König Philipps von Schwaben, Friedrichs I. Barbarossa jüngstem Sohn, vorübergehend einschloß. Dieses historische Faktum ist einer der wenigen Anhaltspunkte für die Datierung von Wolframs »Parzival«.

25   hinderz ors ûf den acker.
si wârn ir strîtes wacker.
vil vremder crîe man dâ rief.
manc vole ân sînen meister lief,
des hêrre dort ze vuoze stuont:
ich waen dem was gevelle kunt.

380   Dô ersach mîn hêr Gâwân
daz gevlohten was der plân,
die vriunde in der vîende schar:
er huob ouch sich mit poynder dar.

5   müelîch sîn was ze warten:
diu ors doch wênec sparten
Scherules unt die sîne:
Gâwân si brâhte in pîne.
waz er dâ ritter nider stach,

10 und waz er starker sper zebrach!
der werden tavelrunder bote,
het er die craft niht von gote,
sô waer dâ prîs vür in gegert.
dô wart erclenget manec swert.

15 im wârn al ein beidiu her:
gein den was sîn hant ze wer;
die von Lîz und die von Gors.
von bêder sît er manec ors
gezogen brâhte schiere

20 zuo sînes wirtes baniere.
er vrâgte ob si iemen wolte dâ:
der was dâ vil, die sprâchen jâ.
si wurden al gelîche
sîner geselleschefte rîche.

25   dô kom ein ritter her gevarn,
der ouch diu sper niht kunde sparn.
der burcgrâve von Bêâveis
und Gâwân der curteis
kômen an ein ander,
daz der junge Lysavander

geschleudert. Es ging erbittert zu. Unbekannte Schlachtrufe erschollen, und manch herrenloser Gaul irrte umher, dessen Reiter die Füße gebrauchen mußte, nachdem man ihn das Fallen gelehrt hatte.

Als unser Herr Gawan sah, wie sich auf der Ebene die Scharen von Freund und Feind ineinanderverkeilten, galoppierte er herzu, daß man ihm kaum mit den Augen folgen konnte. Obwohl Scherules und die Seinen ihre Rosse nicht schonten, hatten sie Mühe, ihm nachzureiten. Wie viele Ritter er da vom Pferde stach! Wie viele starke Lanzen er zerbrach! Gott hatte dem Mitglied der edlen Tafelrunde große Kraft verliehen, so daß Gawan jetzt Heldenruhm ernten konnte. Er brachte viele Schwerter zum Klingen und kämpfte mit beiden Heeren, dem aus Liz und dem aus Gors! Bei beiden hatte er im Handumdrehen viele Pferde erbeutet, die er zum Banner seines Gastgebers brachte. Er fragte, ob sie jemand wolle, und viele sagten ja. Daß er ihr Kampfgefährte war, brachte allen seinen Mitstreitern reiche Beute.

Da sprengte ein Ritter heran, der auch mit Lanzen nicht zu sparen wußte. Als der Burggraf von Beavoys und der edle Gawan aneinandergerieten, fand sich der junge Lisavander

381   Hinderm orse ûf den bluomen lac,
      wan er von tjost gevelles pflac.
      daz ist mir durch den knappen leit,
      der des anderen tages mit zühten reit
  5   und Gâwân sagte maere,
      wâ von diz komen waere.
      der erbeizte über sîn hêrren nider.
      Gâwân in erkante und gab im wider
      daz ors daz dâ wart bejagt.
 10   der knappe im neic, wart mir gesagt.
         nu seht wâ Kardefablêt
      selbe ûf dem acker stêt
      von einer tjost mit hurte erkant:
      die zilte Meljacanzes hant.
 15   dô zucten in die sîne enbor.
      dâ wart dicke Jâmor
      mit herten swertslegen geschrît.
      dâ wart enge, und niht ze wît,
      dâ hurte gein der hurte dranc.
 20   manc helm in in diu ôren clanc.
      Gâwân nam sîne geselleschaft:
      do ergienc sîn poynder mit craft,
      mit sînes wirtes baniere
      beschutte er harte schiere
 25   von Jâmor den werden
      dô wart ûf die erden
      ritter vil gevellet.
      geloubetz, ob ir wellet:
      geziuge sint mir gar verzagt,
      wan als diu âventiure sagt.

382   Leh kuns de Muntâne
      vuor gein Gâwâne.
      dâ wart ein rîchiu tjost getân,
      daz der starke Lahedumân
  5   hinderm orse ûf dem acker lac;
      dar nâch er sicherheite pflac,

unversehens hinter seinem Pferd auf den Blumen wieder, wohin ihn Gawans Lanzenstoß geworfen hatte. Das tut mir leid des Knappen wegen, der tags zuvor so höflich herbeigeritten war und Gawan Bescheid gegeben hatte. Als er neben seinem Herrn vom Pferd sprang, erkannte ihn Gawan und gab ihm das erbeutete Roß zurück. Dankbar verneigte sich der Knappe. Doch seht, auch Kardefablet steht auf dem Acker! Meljakanz hatte ihn mit einem kräftigen, wohlgezielten Lanzenstoß zu Boden geworfen, doch seine Ritter waren zur Stelle und haben ihn wieder hochgerissen. Von wuchtigen Schwerthieben begleitet, wurde unaufhörlich »Jamor!« geschrien. Immer enger enger wurde der Raum, auf dem ein Angriff den andern ablöste. Schwerthiebe ließen die Helme erdröhnen und die Ohren sausen. Da führte Gawan seine Kampfgefährten zu wuchtigem Angriff und sicherte mit dem Fähnlein seines Gastgebers schnell den edlen Herrn von Jamor. Hierbei wurden viele Ritter vom Pferd gestochen. Ihr müßt mir schon glauben, denn einen andern Zeugen als meine Erzählung habe ich nicht.

Jetzt wurde Gawan vom Grafen Laheduman von Muntane bedrängt. Bei dem gewaltigen Lanzenduell wurde der starke, stolze und berühmte Laheduman hinter sein Pferd auf den Acker geschleudert und mußte sich Gawan gefan-

der stolze degen wert erkant:
diu ergienc in Gâwânes hant.
   dô streit der herzoge Astor
10   den zingeln aller naehste vor:
da ergienc manc hurteclîcher strît.
dicke Nantes wart geschrît,
Artûses herzeichen.
die herten, niht die weichen,
15   was dâ manc ellender Berteneis,
unt die soldier von Destrigleis
ûz Erekes lande;
der tât man dâ bekande.
ir pflac duc de Lanverunz.
20   ouch möhte Poydiconjunz
die Berteneis hân ledec lân:
sô wart ez dâ von in getân.
si wâren Artûse
zer muntâne Clûse
25   ab gevangen, dâ man strîten sach:
in eime sturme daz geschach.
si schrîten Nantes nâch ir siten
hie oder swâ si strîtes biten:
daz was ir crîe unde ir art.
etslîcher truoc vil grâwen bart.
383   Ouch het ieslîch Bertûn
durch bekantnisse ein gampilûn
eintweder ûf helm oder ûf den schilt
nâch Ilinôtes wâpen gezilt:
5   daz was Artûses werder sun.
waz mohte Gâwân dô tuon,
ern siufzete, do er diu wâpen sach,
wand im sîn herze jâmers jach.
sîn oeheimes sunes tôt
10   brâht Gâwânen in jâmers nôt.
er erkande wol der wâpen schîn:
dô liefen über diu ougen sîn.

gengeben. Allen voran kämpfte Herzog Astor in unmittelbarer Nähe der Wehrschanzen, so daß es dort wuchtige Zusammenstöße setzte. Immer wieder wurde »Nantes« – der Schlachtruf des Artus – geschrien. Die kriegsgefangenen Bretonen und die als tapfer bekannten Söldner aus Destrigleis, Erecs Reich, stritten mit großer Hartnäckigkeit. Letztere führte der Herzog von Lanverunz. Poydiconjunz hätte die Bretonen zum Lohn für ihre Tapferkeit wohl freilassen können. Sie waren bei einem Sturmangriff an einer Bergschlucht in Gefangenschaft geraten und hatten seither bei allen Kämpfen ihren alten Schlachtruf »Nantes« beibehalten, obwohl manche in der Gefangenschaft bereits graubärtig geworden waren. Auch führten viele Bretonen als Erkennungszeichen auf Helm oder Schild einen Drachen, das Wappentier des edlen Artussohnes Ilinot. Gawan konnte nur seufzen, als er die Wappenzeichen erblickte! Als er sie erkannte, liefen ihm die Augen über, denn die Erinnerung

er liez die von Bertâne
sus tûren ûf dem plâne:
15   er wolde mit in strîten niht,
als man noch vriuntschefte giht.
    er reit gein Meljanzes her.
dâ wârn die burgaer ze wer,
daz mans in danken mohte;
20   wan daz in doch niht tohte
daz velt gein übercraft ze behaben:
si wârn entwichen gein dem graben.
den burgaern manege tjost dâ bôt
ein ritter allenthalben rôt:
25   der hiez der ungenante,
wande in niemen dâ bekante.
    ich sagz iu als ichz hân vernomen.
er waz zuo Meljanze komen
dâ vor ame dritten tage.
des kômen die burgaere in clage:
384   Meljanze er helfe sich bewac.
der erwarb ouch im von Semblidac
zwelf knappen, die sîn nâmen war
an der tjoste und an der poynder schar:
5   swaz sper gebieten mohte ir hant,
diu wurden gar von im verswant.
sîn tjoste wârn mit hurte hel,
wand er den künec Schirnîel
und sînen bruoder dâ vienc.
10   dennoch dâ mêr von im ergienc.
sicherheit er niht erliez
den herzogen Marangliez.
die wârn des ortes herte.
ir volc sich dennoch werte.
15   Meljanz der künec dâ selbe streit:
swem er lieb oder herzeleit
hete getân, die muosen jehen
daz selten mêre waere geschehen

an seines Vetters Tod erfüllte sein Herz mit Trauer. Er
behelligte die Streiter aus der Bretagne auf dem Schlachtfeld
nicht, er wollte nicht mit ihnen kämpfen, und das ist auch
heute noch rechte Freundesart. Gawan wandte sich nun
gegen das Heer des Meljanz. Dort stritten die Städter zwar
löblich genug, doch sie hatten sich gegen die Übermacht
nicht behaupten können und waren bis zum Stadtgraben
zurückgewichen.

Wiederholt hatte sie ein Ritter in roter Rüstung angegriffen,
und da ihn niemand kannte, sprach man von ihm als dem
»Ungenannten«. Ich gebe nur wieder, was mir berichtet
wurde: Vor drei Tagen war er zu Meljanz gestoßen und hatte
hatte sich zum Beistand entschlossen; das kam die Städter
jetzt teuer zu stehen. Meljanz hatte ihm zwölf Knappen aus
Semblidac gestellt, die ihn bei den Zweikämpfen und im
Massengefecht unterstützten. So viele Lanzen sie auch her-
anschleppten, er verbrauchte sie alle. Laut gellte das Split-
tern der Lanzen, als er König Schirniel und dessen Bruder
gefangennahm. Und mehr gelang ihm: er zwang auch den
Herzog von Marangliez, sich gefangenzugeben. Doch
obwohl diese Ritter der Kern ihrer Truppe waren, kämpften
ihre Streiter unverzagt weiter. König Meljanz griff selbst in
den Kampf ein, und Freund wie Feind erkannte an, daß kein

      von deheinem alsô jungen man,
20 als ez dâ von im wart getân.
      sîn hant vil vester schilde cloup:
      waz starker sper vor im zestoup,
      dâ sich poynder in den poynder slôz!
      sîn jungez herze was sô grôz
25 daz er strîtes muose gern:
      des enmohte in niemen dâ gewern
      volleclîch (daz was ein nôt),
      unz er Gâwân tjostieren bôt.

      Gâwân ze sînen knappen nam
      der zwelf sper einz von Angram,
385 als erz erwarp zem Plymizoel.
      Meljanzes crî was Barbygoel,
      diu werde houptstat in Lîz.
      Gâwân nam sîner tjoste vlîz:
5 dô lêrte Meljanzen pîn
      von Oraste Gentesîn
      der starke roerîne schaft,
      durch den schilt in dem arme gehaft.
      ein rîchiu tjost dâ geschach:
10 Gâwân in vlügelingen stach,
      unde enzwei sîn hindern satelbogen,
      daz die helde vür unbetrogen
      hinder den orsen stuonden.
      dô tâten si als si kunden,
15 mit den swerten tûren.
      dâ waere zwein gebûren
      gedroschen mêr denne genuoc.
      ieweder des andern garbe truoc:
      stuckoht die wurden hin geslagen.
20 Meljanz ein sper ouch muose tragen,
      daz stacte dem helde durch den arm:
      bluotec sweiz im machte warm.
      dô zucte in mîn hêr Gâwân
      in Brevigariezer barbigân

Jüngling seines Alters so tapfer gekämpft hat. Als sich die angreifenden Scharen ineinanderverkeilten, spaltete er mit wuchtigen Hieben viele starke Schilde und ließ viele feste Speere vor sich zersplittern. Sein junges Herz wurde groß vor Kampfbegier und trieb ihn in die Schlacht. Da herrschte große Not! Niemand konnte ihm widerstehen, bis er schließlich Gawan zum Zweikampf herausforderte. Gawan ließ sich von seinen Knappen eine der zwölf Angramer Lanzen reichen, die er am Plimizöl erworben hatte. Der Schlachtruf von Meljanz war »Barbigöl«, der Name der herrlichen Hauptstadt von Liz. Gawan zielte gut und fügte Meljanz mit dem starken Bambusschaft aus Oraste Gentesin eine schmerzhafte Wunde zu, denn die Lanze fuhr durch den Schild in seinen Arm und brach. Es war ein harter Zweikampf: Gawan schleuderte Meljanz in hohem Bogen vom Pferd, doch dabei zerbrach sein hinterer Sattelbogen, so daß sich beide Helden hinter ihren Pferden auf dem Boden wiederfanden. Beide kämpften nach Kräften mit den Schwertern weiter. Hätten zwei Bauern ihr Getreide so heftig gedroschen, es wäre des Guten zuviel gewesen. Jeder hatte die Garbe des andern, die in kleine Stücke zerhackt wurde. Meljanz war dabei benachteiligt, ihn behinderte das Lanzenstück, das in seinem Arm steckte und das Blut warm herniederrinnen ließ. Schließlich riß Herr Gawan ihn durch das Ausfalltor der Streiter aus Brevigariez und zwang ihn,

25   unt twanc in sicherheite:
      der was er im bereite.
      waere der junge man niht wunt,
      dane waer nie man sô gâhes kunt
      daz er im wurde undertân:
      man müese in langer hân erlân.

386   Lyppaut der vürste, des landes wirt,
      sîn manlîch ellen niht verbirt.
      gein dem streit der künec von Gors.
      dâ muosen beidiu liute unt ors
5   von geschütze lîden pîne,
      da die Kahetîne
      unt die sarjant von Semblydac
      ieslîcher sîner künste pflac:
      turkople kunden wenken.
10   die burgaer muosen denken,
      waz vîende von ir letzen schiet.
      si heten sarjande ad piet:
      ir zingel wâren sô behuot
      als dâ man noch daz beste tuot.
15   swelh wert man dâ den lîp verlôs,
      Obîen zorn unsanfte er kôs,
      wande ir tumbiu lôsheit
      vil liute brâhte in arbeit.
      wes engalt der vürste Lyppaut?
20   sîn hêrre der alte künec Schaut
      hete es in erlâzen gar.
      do begunde müeden ouch diu schar:
         dennoch streit vaste Meljacanz.
      ob sîn schilt waere ganz?
25   des enwas niht hende breit beliben:
      dô hete in verr hin dan getriben
      der herzoge Kardefablêt.
      der turnei al stille stêt
      ûf einem blüemînen plân.
      dô kom ouch mîn hêr Gâwân.

sich gefangenzugeben. Wäre der Jüngling nicht verwundet gewesen, hätte er nicht so rasch aufgegeben; man hätte schon länger darauf warten müssen.

Auch Fürst Lippaut, der Landesherr, zeigte im Kampf mit dem König von Gors männliche Heldenkraft. Rosse und Reiter wurden jedoch durch Schußwaffen gefährdet, denn jetzt zeigten die Bogenschützen aus Kaheti und die Fußknechte aus Semblidac ihre Künste. Die Bogenschützen wechselten oft ihre Stellung, so daß die Städter die Feinde nur mit Mühe von ihren Schanzen fernhielten. Sie setzten ihre Fußknechte ein und verteidigten ihre Bollwerke so gut, daß man es auch heute nicht besser tun könnte. Die edlen Ritter, die dort ihr Leben verloren, mußten Obies zornige Aufwallung teuer bezahlen: ihr kindlicher Mutwille brachte vielen Menschen Not. Wofür büßte eigentlich Fürst Lippaut? Sein verstorbener Lehnsherr, der alte König Schaut, hätte ihn sicher verschont.

Allmählich wurden die Kämpfer müde, nur Meljakanz kämpfte unverdrossen weiter. Ob sein Schild noch heil war? Nicht einmal eine Handbreit war davon geblieben! Der Herzog von Kardefablet hatte ihn zwar weit zurückgedrängt, doch nun hatten sich die Kämpfer auf einer Blumenwiese so ineinander verbissen, daß niemand auch nur einen Schritt zurückwich. Jetzt kam aber Herr Gawan herbei und brachte

387   Des kom Meljacanz in nôt,
      daz im der werde Lanzilôt
      nie sô vaste zuo getrat,
      do er von der swertbrücke pfat
  5   kom und dâ nâch mit im streit.
      im was gevancnusse leit,
      die vrou Ginovêr dolte,
      die er dâ mit strîte holte.
         dô punierte Lôtes sun.
 10   waz mohte Meljacanz nu tuon,
      ern tribe ouch daz ors mit sporen dar?
      vil liute nam der tjoste war.
      wer dâ hinderm orse laege?
      den der von Norwaege
 15   gevellet het ûf die ouwe.
      manc ritter unde vrouwe
      dise tjost ersâhen,
      die Gâwân prîses jâhen.
      den vrouwen ez guot ze sehene was
 20   her nider von dem palas.
      Meljacanz wart getretet,
      durch sîn cursît gewetet
      maneg ors daz sît nie gruose enbeiz:
      ez reis ûf in der bluotec sweiz.
 25   da ergienc der orse schelmetac,
      dar nâch den gîren ir bejac.
      dô nam der herzoge Astor
      Meljacanzen den von Jâmor:
      der was vil nâch gevangen.
      der turney was ergangen.

388   Wer dâ nâch prîse wol rite
      und nâch der wîbe lône strite?
      ichne möhte ir niht erkennen.
      solt ich si iu alle nennen,
  5   ich wurde ein unmüezec man.
      inrehalp wart ez dâ guot getân

Meljakanz so in Bedrängnis, wie es nicht einmal dem edlen
Lanzilot nach dem Überschreiten der Schwertbrücke gelun-
gen war. Lanzilot hatte damals mit wehrhafter Hand und
voller Grimm Frau Ginover aus der Gefangenschaft be-
freit.

Lots Sohn sprengte heran, und Meljakanz blieb nichts weiter
übrig, als seinem Pferd gleichfalls die Sporen zu geben. Viele
sahen dem Zweikampf zu. Wer am Ende hinter dem Pferde
lag? Nun, den der Held aus Norwegen auf den Rasen
geschleudert hatte! Ritter und Edelfrauen, die dem Zwei-
kampf zugesehen hatten, rühmten Gawans Sieg. Die Damen
konnten dabei ganz bequem von der Höhe des Palastes
zuschauen. Meljakanz wurde zu Boden gestampft. Viele
Rosse, die ihre Weide nie mehr wiedersehen sollten, zertra-
ten mit den Hufen seinen Umhang. Blut floß an ihm herab.
An diesem Tage wurden die Pferde wie von einer Viehseu-
che dahingerafft und eine Beute der Geier. Meljakanz wäre
von den Streitern aus Jamor gefangengenommen worden,
wenn ihn nicht Herzog Astor herausgehauen hätte. Damit
war der Kampf beendet.

Wer alles um Heldenruhm und um Frauenlohn gekämpft
hatte? Ich kann sie gar nicht alle nennen! Sollte ich ihre
Namen aufzählen, so hätte ich viel zu tun. Im Heer der
Belagerten hatte sich Gawan im Dienst der jungen Obilot

Lanzilot ... befreit: offensichtlich Anspielung auf eine Episode, die im »Lance-
lot ou le conte de la Charette« des französischen Epikers Chrétien de Troyes
(um 1130 – um 1190) enthalten ist. Lanzilot ist ein Ritter aus der Tafelrunde des
König Artus.

durch die jungen Obilôt,
und ûzerhalb ein ritter rôt,
die zwêne behielten dâ den prîs,
10   vür si niemen keinen wîs.
    dô des ûzern hers gast
innen wart daz im gebrast
dienstdankes von dem meister sîn
(der was gevangen hin în),
15   er reit da er sîne knappen sach.
ze sîn gevangen er dô sprach
›ir hêrren gâbt mir sicherheit.
mir ist hie widervaren leit,
gevangen ist der künec von Lîz:
20   nu kêret allen iuwern vlîz,
ob er ledec müge sîn,
mag er sô vil geniezen mîn‹,
sprach er zem künec von Avendroyn
unt ze Schirnîel von Lyrivoyn
25   und zem herzogen Marangliez.
mit spaeher gelübde er si liez
von im rîten in die stat:
Meljanzen er si loesen bat,
oder daz si erwurben im den grâl.
sine kunden im ze keinem mâl
389   Niht gesagen wâ der was,
wan sîn pflaege ein künec hiez Anfortas.
    dô diu rede von in geschach,
der rôte ritter aber sprach
5   ›ob mîner bete niht ergêt,
sô vart dâ Pelrapeire stêt.
bringt der küngîn iuwer sicherheit,
und sagt ir, der durch si dâ streit
mit Kingrûne und mit Clâmidê,
10   dem sî nu nâch dem grâle wê,
unt doch wider nâch ir minne.
nâch bêden ich iemer sinne.

besonders ausgezeichnet, im Belagerungsheer traf dies auf
den Roten Ritter zu. Beide hatten höchsten, unübertreffli-
chen Heldenruhm errungen. Als der Fremde im Heer der
Belagerer merkte, daß sein Dienstherr gefangen war und ihm
für die geleisteten Dienste nicht danken konnte, ritt er zu
seinen Knappen und sprach zu seinen Gefangenen: »Ihr
Herren habt Euch mir ergeben. Zu meinem Unglück wurde
auch der König von Liz gefangengenommen. Müht Euch
um seine Auslösung, und falls ich dabei helfen kann, will ich
es gern tun.« So sprach er zum König von Avendroyn, zu
Schirniel von Lirivoyn und zum Herzog von Marangliez.
Doch er wollte sie erst dann in die Stadt zurückreiten lassen,
wenn sie ein klug formuliertes Gelöbnis getan hatten.
Danach sollten sie entweder Meljanz auslösen oder für ihn
den Gral erringen. Niemand konnte ihm aber sagen, wo er
zu finden sei; nur soviel wüßten sie, daß ihn ein König
Anfortas behüte. Nach dieser Erklärung nahm der Rote
Ritter erneut das Wort: »Gut, wird meine Forderung in der
Stadt nicht erfüllt, dann zieht nach Pelrapeire, leistet vor der
Königin des Landes Euer Unterwerfungsgelöbnis und sagt
ihr dies: Der ihretwegen mit Kingrun und Clamide kämpfte,
hat Verlangen nach dem Gral und nach ihrer Liebe. Nur an
diese beiden Ziele kann er noch denken. Sagt ihr, ich hätte

        nu sagt ir sus, ich sante iuch dar.
        ir helde, daz iuch got bewar.‹
15   mit urloube si riten în.
        dô sprach ouch er zen knappen sîn
        ›wir sîn gewinnes unverzagt.
        nemt swaz hie orse sî bejagt.
        wan einz lât mir an dirre stunt:
20   ir seht wol daz mîn ist sêre wunt.‹
        dô sprâchen die knappen guot
        ›hêr, iuwer genâde daz ir uns tuot
        iuwer helfe sô groezlîche.
        wir sîn nu immer rîche.‹
25   er welt im einz ûf sîne vart,
        mit den kurzen ôren Inglîart,
        daz dort von Gâwâne gienc,
        innen des er Meljanzen vienc.
        dâ holt ez des rôten ritters hant:
        des wart verdürkelt etslîch rant.

390   Mit urloub tete er dankêre.
        vünfzehn ors oder mêre
        liez er in âne wunden.
        die knappen danken kunden.
5   si bâten in belîben vil:
        vürbaz gestôzen was sîn zil.
        dô kêrte der gehiure
        dâ grôz gemach was tiure:
        ern suochte niht wan strîten.
10   ich waen bî sînen zîten
        ie dehein man sô vil gestreit.
        daz ûzer her al zogende reit
            ze herbergen durch gemach.
        dort inne der vürste Lyppaut sprach,
15   und vrâgte wie ez dâ waere komen:
        wande er hête vernomen,
        Meljanz waere gevangen.
        daz was im liebe ergangen:

euch zu ihr geschickt. Nun behüte euch Gott, ihr Helden!«

Nachdem sich seine Gefangenen verabschiedet hatten, ritten sie in die Stadt. Er aber sprach zu seinen Knappen: »Wir haben im Kampf genug gewonnen. Nehmt ihr die erbeuteten Pferde. Nur eines laßt für mich, denn ihr seht ja, daß das meine schwer verletzt ist.«

Da riefen die wackeren Knappen: »Vielen Dank, Herr, daß Ihr uns so großzügig belohnt! Nun haben wir ausgesorgt!«

Für seine Weiterreise wählte der Rote Ritter eins der erbeuteten Rosse. Es war Ingliart Kurzohr, der Gawan bei der Gefangennahme des Meljanz entlaufen war. Daß ihn der Rote Ritter wählte, sollte später Anlaß geben, viele Schilde zu durchbohren.

Mit einem Abschiedsgruß zog er davon. Er ließ den Knappen fünfzehn unversehrte Pferde oder gar mehr zurück, so daß sie wirklich Grund zur Dankbarkeit hatten. Dringlich baten sie ihn zu bleiben, doch das Ziel seines Rittes lag in weiter Ferne. Nicht Bequemlichkeit suchte der treffliche Ritter, sondern Kampf. Ich glaube, kein Ritter hat in seinem Leben so viele Kämpfe bestanden wie er.

Das Belagerungsheer zog sich zum Ausruhen ins Feldlager zurück. Fürst Lippaut hatte in der Stadt erfahren, daß Meljanz gefangen war, und fragte, wie das geschah. Es war für ihn natürlich Anlaß zur Freude und stimmte ihn zuver-

    ez kom im sît ze trôste.

20 Gâwân den ermel lôste
    âne zerren von dem schilte
    (sînen prîs er hôher zilte):
    den gap er Clauditten:
    an dem orte und ouch dâ mitten

25 was er durchstochen und durchslagen:
    er hiez in Obilôte tragen.
    dô wart der magede vröude grôz.
    ir arm was blanc unde blôz:
    dar über hefte si in dô sân.
    si sprach ›wer hât mir dâ getân?‹

391 Immer swenn si vür ir swester gienc,
    diu disen schimpf mit zorne enpfienc.
      den rittern dâ was ruowe nôt,
    wand in grôz müede daz gebôt.

5 Scherules nam Gâwân
    unt den grâven Lahedumân.
    dennoch mêr ritter er dâ vant,
    die Gâwân mit sîner hant
    des tages ûf dem velde vienc,

10 dâ manec grôziu hurte ergienc.
    dô sazte si ritterlîche
    der burcgrâve rîche.
    er und al sîn müediu schar
    stuonden vor dem künege gar,

15 unze Meljanz enbeiz:
    guoter handelunge er sich dâ vleiz.
      des dûhte Gâwân ze vil:
    ›ob ez der künec erlouben wil,
    hêr wirt, sô sult ir sitzen.‹

20 sprach Gâwân mit witzen:
    sîn zuht in dar zuo jagte.
    der wirt die bete versagte:
    er sprach ›mîn hêrre ist des künges man.
    disen dienst het er getân,

sichtlich. Gawan löste nun achtsam den Ärmel von seinem
Schild, übergab ihn Clauditte und bat sie, ihn zu Obilot zu
tragen, denn ihm standen weitere Kämpfe bevor. Der Ärmel
war über und über zerstochen und zerschnitten. Obilots
Freude war groß, als sie ihn sah, und sie zog ihn sofort über
ihren entblößten weißen Arm. »Wer hat das wohl für mich
getan?« fragte sie neckend ihre Schwester, sooft sie ihr
begegnete, und Obie mußte ihren Spott mit Ärger dulden.
Die erschöpften Ritter mußten sich jetzt ausruhen. Scherules
lud Gawan, den Grafen Laheduman und andre Ritter zu
sich, die Gawan bei den schweren Kämpfen auf dem
Schlachtfeld gefangengenommen hatte. Nach ihrer Ritter-
würde wies ihnen der mächtige Burggraf die Plätze an
seinem Tisch an. Er selbst und sein ganzes ermattetes
Gefolge blieben in Gegenwart des Königs so lange stehen,
bis Meljanz gegessen hatte. Dabei war Scherules beflissen,
ihn zuvorkommend zu bewirten. Dies schien Gawan denn
doch übertrieben; sein Feingefühl ließ ihn bedachtsam
sagen: »Hausherr, Ihr solltet Euch mit Erlaubnis des Königs
niedersetzen!« Scherules blieb jedoch stehen und sprach:
»Mein Herr ist Gefolgsmann des Königs und hätte diesen
Dienst sicher selbst übernommen, wenn es der König gestat-

25 ob den künec des gezaeme
daz er sînen dienst naeme.
mîn hêr durch zuht sîn niht ensiht:
wand ern hât sîner hulde niht.
gesament die vriuntschaft iemer got,
sô leist wir alle sîn gebot.‹

392   Dô sprach der junge Meljanz
›iuwer zuht was ie sô ganz,
die wîle daz ich wonte hie,
daz iuwer rât mich nie verlie.
5 het ich iu baz bevolget dô,
sô saehe man mich hiute vrô.
nu helft mir, grâve Scherules,
wand ich iu wol getrûwe des,
umb mînen hêrrn der mich hie hât,
10 (si hoernt wol bêde iuwern rât)
und Lyppaut, der ander vater mîn,
der tuo sîn zuht nu gein mir schîn.
sîner hulde hete ich niht verlorn,
wold es sîn tohter hân enborn.
15 diu prüevete gein mir tôren schimpf:
daz was unvrouwenlîch gelimpf.‹
dô sprach der werde Gâwân
›hie wirt ein suone getân,
die niemen scheidet wan der tôt.‹
20 dô kômen, die der ritter rôt
hin ûz hete gevangen,
ûf vür den künec gegangen:
die sageten wie ez dâ waere komen.
dô Gâwân hête vernomen
25 sîniu wâpen, der mit in dâ streit,
und wem si gâben sicherheit,
und dô si im sagten umb den grâl,
dô dâhte er des, daz Parzivâl
dises maeres waere ein urhap.
sîn nîgen er gein himel gap,

tet hätte. Solange aber mein Herr in Ungnade ist, hält er sich
rücksichtsvoll fern. Sobald es jedoch Gott gefällt, das
freundschaftliche Einvernehmen wiederherzustellen, sind
wir alle wieder des Königs gehorsame Untertanen.«

Da sprach der junge Meljanz: »Als ich hier lebte, habt Ihr
mich immer achtungsvoll behandelt und mich stets gut
beraten. Hätte ich damals auf Euch gehört, wäre mir jetzt
wohler zumute. Helft mir, Graf Scherules! Ich bin über-
zeugt, Ihr könnt es. Dieser Herr hier, dessen Gefangener ich
bin, und Lippaut, mein zweiter Vater, werden bestimmt
Euern Rat befolgen. Ich baue auf Lippauts Edelmut. Nie
hätte ich seine Zuneigung aufs Spiel gesetzt, wenn mich
seine Tochter nicht wie einen Narren behandelt hätte. Ihr
Benehmen ziemte sich nicht für eine Dame.«

Da sprach der edle Gawan: »Hier wird ein Versöhnungs-
bund geschlossen, den nur der Tod löst!«

In diesem Augenblick trafen die Gefangenen des Roten
Ritters ein. Sie traten vor den König und berichteten, wie sie
in Gefangenschaft kamen. Als sie die Rüstung des Ritters
beschrieben, mit dem sie gekämpft hatten und dem sie sich
gefangengeben mußten, als sie schließlich den Gral erwähn-
ten, erkannte Gawan, daß der Bericht sich nur auf Parzival
beziehen konnte. Er dankte dem Himmel, daß Gott an

393 Daz got ir strîtes gegenniet
des tages von ein ander schiet.
des was ir helendiu zuht ein pfant,
daz ir neweder wart genant.
5   sine erkande ouch niemen dâ:
daz tet man aber anderswâ.
     zuo Meljanz sprach Scherules
›hêrre, muoz ich iuch biten des,
sô ruochet mînen hêrren sehen.
10 swes vriunt dâ bêdenthalben jehen,
des sult ir gerne volgen,
unt sît im niht erbolgen.‹
daz dûhte si guot über al.
dô vuoren si ûf des küneges sal,
15 daz inner her von der stat:
des vürsten marschalc si des bat.
dô nam mîn hêr Gâwân
den grâven Lahedumân
und ander sîne gevangen
20 (die kômen dar zuo gegangen):
er bat si geben sicherheit,
die er des tages ab in erstreit,
Scherulese sîme wirt.
männeglîch nu niht verbirt,
25 sine vüern, als dâ gelobet was,
ze Bêârosche ûf den palas.
Meljanze gap diu burcgrâvîn
rîchiu cleider unde ein rîselîn,
da er sînen wunden arm în hienc,
dâ Gâwâns tjoste durch gienc.

394 Gâwâns bî Scherulese enbôt
sîner vrouwen Obilôt,
daz er si gerne wolde sehen
und ouch mit wârheite jehen
5   sînes lîbes undertân,
und er wolt ouch ir urloup hân.

diesem Tag einen Kampf zwischen ihm und Parzival verhindert hatte. Da sich beide, Parzival und Gawan, in edler Bescheidenheit nicht zu erkennen gegeben hatten, blieben sie unbekannt, wenngleich sie andernorts bekannt genug waren.

Scherules sprach zu Meljanz: »Herr, ich bitte Euch, geht zu Lippaut! Zürnt ihm nicht mehr und billigt, was Euch von wohlmeinenden Herren beider Parteien vorgeschlagen wird.« Da alle Anwesenden zustimmten, versammelte sich das Heer der Verteidiger auf Einladung des fürstlichen Marschalls in dem Saal, wo König Meljanz saß. Gawan ließ den Grafen Laheduman und seine anderen Gefangenen dazu das im Kampf erzwungene Unterwerfungsgelöbnis vor seinem Gastgeber Scherules tun. Nun zögerte niemand mehr, sein Versprechen einzulösen und zum Palast von Bearosche zu eilen. Die Burggräfin sandte Meljanz prächtige Kleider und ein Seidentuch, in das er den von Gawans Lanze verwundeten Arm hängte.

Gawan ließ seiner Dame Obilot durch Scherules mitteilen, er wolle sie gern wiedersehen, um sie seines untertänigen Dienstes zu versichern und sich zu verabschieden. »Und

›und sagt, ich lâze ir den künec hie:
bit si sich bedenken wie
daz si in alsô behalte
10   daz prîs ir vuore walte.‹
        dise rede hôrte Meljanz.
er sprach ›Obilôt wirt cranz
aller wîplîchen güete.
daz senft mir mîn gemüete,
15   ob ich ir sicherheit muoz geben,
daz ich ir vrides hie sol leben.‹
›ir sult si dâ vür hân erkant,
iuch envienc hie niemen wan ir hant‹:
sus sprach der werde Gâwân
20   ›mînen prîs sol si al eine hân.‹
        Scherules kom vür geriten.
nune was ze hove niht vermiten,
dane waere magt man unde wîp
in solher waete ieslîches lîp,
25   daz man cranker armer wât
des tages dâ hete lîhten rât.
mit Meljanz ze hove reit
al die dort ûze ir sicherheit
ze pfande heten lâzen.
dort elliu vieriu sâzen,
395   Lyppaut, sîn wîp und sîniu kint.
ûf giengen die dâ komen sint.
        der wirt gein sîme hêrren spranc:
ûf dem palase was grôz gedranc,
5   da er den vîent und die vriunde enpfienc.
Meljanz bî Gâwâne gienc.
›kund ez iu niht versmâhen,
mit kusse iuch wolte enpfâhen
iuwer altiu vriundîn‹.
10   ich mein mîn wîp, die herzogîn.‹
Meljanz antwurt dem wirte sân
›ich wil gerne ir kus mit gruoze hân,

sagt, ich ließe ihr den König hier. Sie möge nachdenken und ihn so behandeln, daß sie für ihr Tun gelobt wird.«

Als Meljanz diese Worte hörte, sprach er: »Obilot wird eine Krone wahren Frauentums! Es beruhigt mich, daß ich mich ihr unterwerfen soll und damit unter ihrem Schutz stehen werde.«

»Im Grunde war sie es, die Euch gefangennahm«, sprach der edle Gawan. »Mein Ruhm gebührt ihr allein.«

Als Scherules bei Hofe eintraf, waren Mädchen, Ritter und Frauen schon versammelt und so prächtig herausgeputzt, daß man dürftige, armselige Gewänder gut und gern entbehren konnte. Außer Meljanz ritten auch die Ritter zu Hofe, die draußen ihr Ehrenwort verpfändet hatten. In der Burg aber saßen wartend Lippaut, seine Frau und seine Töchter. Als die Ankömmlinge die Treppen emporstiegen, eilte der Hausherr seinem König entgegen. Bald herrschte im Palast, wo Lippaut Freund und Feind willkommen hieß, großes Gedränge. Meljanz schritt an Gawans Seite. »Wenn Ihr gestattet, möchte Euch Eure alte Freundin hier mit einem Kuß willkommen heißen. Ich meine die Herzogin, meine Gemahlin.«

Meljanz antwortete dem Hausherrn darauf: »Von zwei der anwesenden Damen empfange ich gern Kuß und Will-

zweier vrouwen die ich hie sihe:
der dritten ich niht suone gihe.‹
15 des weinten die eltern dô:
Obilôt was vaste vrô.
    der künec mit kusse enpfangen wart,
unt zwên ander künege âne bart
als tet der herzog Marangliez.
20 Gâwânen man kusses ouch niht erliez,
und daz er naem sîn vrouwen dar.
er dructe daz kint wol gevar
als ein tocken an sîne brust:
des twang in vriuntlîch gelust.
25 hin ze Meljanze er sprach
›iuwer hant mir sicherheite jach:
der sît nu ledec, und gebt si her.
aller mîner vröuden wer
sitzet an dem arme mîn:
ir gevangen sult ir sîn.‹
396   Meljanz durch daz dar nâher gienc.
diu magt Gâwânen zuo ze ir gevienc:
Obilôt doch sicherheit geschach,
da ez manc werder ritter sach.
5 ›hêr künec, nu habt ir missetân,
sol mîn ritter sîn ein koufman,
des mich mîn swester vil an streit,
daz ir im gâbet sicherheit.‹
sus sprach diu maget Obilôt:
10 Meljanze si dâ nâch gebôt
daz er sicherheit verjaehe,
diu in ir hant geschaehe
ir swester Obîen.
›ze einer âmîen
15 sult ir si hân durch ritters prîs:
ze eim hêrren und ze eim âmîs
sol si iuch immer gerne hân.
ichne wils iuch dwederhalb erlân.‹

kommensgruß, aber mit der dritten versöhne ich mich
nicht.«
Da kamen der Herzogin und Obie die Tränen; Obilot aber
war heiter und vergnügt. Meljanz, zwei andere junge Könige
und Herzog Marangliez wurden mit einem Willkommens-
kuß begrüßt. Auch Gawan wurde auf diese Weise geehrt,
doch er mußte seine Dame zu sich emporheben. Zärtlich
drückte er das schöne Kind wie eine Puppe an die Brust. Zu
Meljanz aber sprach er: »Ihr habt mir Unterwerfung gelobt.
Ich spreche Euch frei, doch tut Euer Gelöbnis vor der
Dame, die auf meinem Arm sitzt und mein Glück in Händen
hält. Ihr Gefangener sollt Ihr sein.«
Als Meljanz näher trat, schlang das Mädchen beide Arme
fest um Gawan. Dennoch empfing Obilot vor den Augen
vieler edler Ritter sein Unterwerfungsgelöbnis. Danach
sprach sie: »Herr König, wie konntet Ihr Euch meinem
Ritter ergeben! Angeblich ist er doch ein Kaufmann! Das hat
meine Schwester jedenfalls hartnäckig behauptet.« Damit
gebot sie Meljanz, die ihr in die Hand gelobte Unterwerfung
auf ihre Schwester Obie zu übertragen: »Bei Eurer Ritter-
ehre, nehmt sie zur Gattin! Und sie soll in Euch ihren
Gebieter und Gatten sehen! Dies wird euch beiden unwider-
ruflich auferlegt!«

got ûz ir jungen munde sprach:
20 ir bete bêdenthalp geschach.
dâ meistert Vrou Minne
mit ir crefteclîchem sinne,
und herzenlîchiu triuwe,
der zweier liebe al niuwe.

25 Obîen hant vür den mantel sleif,
dâ si Meljanzes arm begreif:
al weinde kuste ir rôter munt
dâ der was von der tjoste wunt.
manc zaher im den arm begôz,
der von ir liehten ougen vlôz.

397 Wer macht si vor der diet sô balt?
daz tet diu minne junc unt alt.
Lyppaut dô sînen willen sach,
wand im sô liebe nie geschach.
5 sît got der êren in niht erliez,
sîn tohter er dô vrouwe hiez.
wie diu hôchzît ergienc,
des vrâgt den der dâ gâbe enpfienc:
und war dô männeglîch rite,
10 er hete gemach oder er strite,
des mag ich niht ein ende hân.
man sagte mir daz Gâwân
urloup nam ûf dem palas,
dar er durch urloup komen was.

15 Obilôt des weinde vil:
si sprach ›nu vüert mich mit iu hin.‹
dô wart der jungen süezen magt
diu bete von Gâwâne versagt:
ir muoter si kûm von im gebrach.
20 urloup er dô ze in allen sprach.
Lyppaut im diens bôt genuoc,
wand er im holdez herze truoc.
Scherules, sîn stolzer wirt,
mit al den sînen niht verbirt,

Gott selbst sprach aus ihrem kindlichen Mund, und beide taten, was sie gebot. Da zeigte Frau Liebe ihre Macht und ihre Herzenstreue: sie ließ das Liebesglück der beiden neu erblühen. Obies Hand glitt aus dem Mantel und schloß sich um den Arm des Meljanz. Weinend drückte sie ihre roten Lippen auf die Wunde, die er im Zweikampf davongetragen hatte, und viele Tränen aus ihren leuchtenden Augen netzten seinen Arm.

Wer ließ sie so kühn vor vielen Menschen sein? Das vollbrachte die alte und ewig junge Liebe! Lippaut sah seinen Herzenswunsch erfüllt; nie im Leben war er so froh gewesen. Gott hatte ihn geehrt, denn seine Tochter war Herrscherin des Landes geworden.

Wie das Hochzeitsfest gefeiert wurde, soll euch der erzählen, der Gaben dort erhielt. Und wohin die Gäste danach ritten, ob in ihr behagliches Heim oder in den Kampf, davon weiß ich nicht viel. Man erzählte mir nur, daß sich Gawan verabschiedete, war er doch einzig dazu im Palast erschienen. Laut weinend rief Obilot: »So nehmt mich doch mit!« Gawan mußte dem lieblichen Mädchen diese Bitte natürlich abschlagen, doch ihre Mutter konnte sie kaum von ihm losreißen. Nun nahm er Abschied von allen. Lippaut, der ihn in sein Herz geschlossen hatte, versicherte ihn immer wieder seiner Ergebenheit. Scherules, sein stolzer Gastgeber, ließ es sich mit den Seinen nicht nehmen, dem kühnen

25   ern rîte ûz mit dem degene balt.
Gâwâns strâze ûf einen walt
gienc: dar sande er weideman
und spîse verre mit im dan.
urloup nam der werde helt:
Gâwân gein kumber was verselt.

Helden das Geleit zu geben; auch befahl er einigen Jägern, Gawan zu begleiten, der auf seinem Wege einen Wald durchqueren mußte, und trug Sorge, daß es auf der weiten Reise nicht an Speise mangelte. So nahm der edle Held schließlich Abschied und zog gefährlichen Abenteuern entgegen.

VIII.

398 Swer was ze Bêârosche komen,
doch hete Gâwân dâ genomen
den prîs ze bêder sîte al ein;
wan daz dervor ein ritter schein,
5 bî rôtem wâpen unerkant
des prîs man in die hoehe bant.
   Gâwân het êre unde heil,
ieweders volleclîchen teil:
nu nâht ouch sînes kampfes zît.
10 der walt was lanc unde wît,
dâ durch er muose strîchen,
wolde er kampfes niht entwîchen:
âne schulde er was derzuo erkorn.
nu was ouch Inglîart verlorn,
15 sîn ors mit kurzen ôren:
in Tabronit von Môren
wart nie bezzer ors ersprenget.
nu wart der walt gemenget,
hie ein schache, dort ein velt,
20 etslîchz sô breit daz ein gezelt
vil kûme drûffe stüende.
mit sehen gewan er künde
erbûwens landes, hiez Ascalûn.
dâ vrâgte er gegen Schanpfanzûn
25 swaz im volkes widervuor.
hôch gebirge und manec muor,
des het er vil durchstrichen dar.
dô nam er einer bürge war:
âvoy diu gab vil werden glast:
dâ kêrte gegen des landes gast.

Achtes Buch

So viele Ritter auch nach Bearosche gekommen waren, von allen Kämpfern beider Heere hätte Gawan sicher den höchsten Ruhm errungen, wäre nicht vor der Stadt ein unbekannter Ritter in roter Rüstung aufgetaucht, dessen Taten man noch mehr rühmte. Dennoch, Gawan waren bisher in reichem Maße Ruhm und Erfolg beschieden, nun aber naht der Zeitpunkt seines Zweikampfes mit Kingrimursel. Wollte er diesen Kampf, zu dem er ohne eigne Schuld genötigt worden war, nicht vermeiden, so mußte er ein ausgedehntes Waldgebiet durchqueren. Dazu hatte er sein Pferd Ingliart Kurzohr verloren; nicht einmal die Tabroniter Mohren besaßen bessere Renner. Allmählich lichtete sich der Wald, Waldstücke wechselten mit Lichtungen, von denen einige so klein waren, daß sich nicht einmal ein Zelt dort aufschlagen ließ. Schließlich tat sich besiedeltes Land vor ihm auf; es war Ascalun. Er fragte die Entgegenkommenden nach dem Weg nach Schanpfanzun. Zahlreiche hohe Gebirge und sumpfige Niederungen hatte er auf seiner Reise überwinden müssen, bis endlich eine herrliche Stadt vor ihm aufglänzte! Ihr strebte der landfremde Ankömmling entgegen.

399   Nu hoert von âventiure sagen,
        und helfet mir darunder clagen
        Gâwâns grôzen kumber.
        mîn wîser und mîn tumber,
5   die tuonz durch ir gesellekeit
        und lâzen in mit mir [sîn] leit.
        ôwê nu solt ich swîgen.
        nein, lât vürbaz sîgen
        der etswenne gelücke neic
10   und nu gein ungemache seic.
            disiu burc was gehêret sô,
        daz Enêas Kartâgô
        nie sô hêrrenlîche vant,
        dâ vroun Dîdôn tôt was minnen pfant.
15   waz si palase pflaege,
        und wie vil dâ türne laege?
        ir hete Acratôn genuoc,
        diu âne Babylône ie truoc
        ame grif die groesten wîte
20   nâch heiden worte strîte.
        si was alumbe wol sô hôch,
        unt dâ si gein dem mer gezôch:
        deheinen sturm si widersaz,
        noch grôzen ungevüegen haz.
25   dervor lac raste breit ein plân:
        dar über reit hêr Gâwân.
        vünf hundert ritter oder mêr
        (ob den allen was einer hêr)
        die kômen im dâ widerriten
        in liehten cleidern wol gesniten.
400   Als mir diu âventiur sagete,
        ir vederspil dâ jagete
        den cranch oder swaz vor in dâ vlôch.
        ein râvît von Spâne hôch
5   reit der künec Vergulaht.
        sîn blic was tac wol bî der naht.

Nun laßt mich von fesselnden Ereignissen erzählen und beklagt mit mir die große Gefahr, in die Gawan geriet. Alle meine Zuhörer – ob klug oder dumm – mögen ihn bedauern, wenn sie mir wohlwollen. Ach, eigentlich sollte ich schweigen! Doch nein, laßt uns das widrige Geschick des Mannes verfolgen, den das Glück oft genug begünstigt hat und den nun Unheil trifft. Die Stadt strahlte in solcher Pracht, daß Karthago dem Äneas gewiß nicht herrlicher erschienen ist, jenes Karthago, in dem Frau Dido ihre Liebe mit dem Tode besiegelte. Wie viele Paläste und Türme es dort gab? Nun, sie hätten auch für Acraton gereicht, das ja, wie die Heiden behaupten, nach Babylon die größte Stadt der Welt ist. Überall ragten Mauern hoch empor, auch auf der zum Meer gelegenen Seite, so daß die Stadt keinen Angriff und keine noch so grimme Feindschaft zu fürchten brauchte. Vor ihr dehnte sich, eine gute Wegstunde weit, eine Ebene, die Herr Gawan nun überquerte. Da kamen ihm in glänzenden Gewändern von modischem Schnitt mindestens fünfhundert Ritter entgegen, einer von ihnen stach durch sein vornehmes Aussehen besonders hervor. Wie es in der Erzählung heißt, verfolgten ihre Jagdfalken den Kranich oder was sonst vor ihnen flieht. König Vergulacht ritt ein hochbeiniges Streitroß von arabischem Geblüt, und der Glanz seiner Erscheinung ließ selbst die Nacht zum Tage werden. Sein Vorfahr

---

Äneas: Anspielung auf die »Eneide« Heinrichs von Veldeke (s. Anm. zu S. 497). Äneas, ein Trojaner, Gestalt der griech.-röm. Sage, entkommt nach der Einnahme Trojas aus der brennenden Stadt, findet nach langen Irrfahrten – darunter einem Aufenthalt in Karthago beim heutigen Tunis – eine neue Heimat in Italien und wird zum Stammvater des röm. Volkes.
Dido: Königin von Karthago; nimmt sich in den Äneas-Dichtungen das Leben, als Äneas sie verläßt.

sîn geslähte sante Mazadân
vür den berc ze Fâmorgân:
sîn art was von der feien.

10 in dûhte er saehe den meien
in rehter zît von bluomen gar,
swer nam des küneges varwe war.
Gâwânen des bedûhte,
do der künec sô gein im lûhte,

15 ez waere der ander Parzivâl,
unt daz er Gahmuretes mâl
hete alsô diz maere weiz,
dô der reit în ze Kanvoleiz.
    ein reiger tet durch vluht entwîch

20 in einen muorigen tîch:
den brâhten valken dar gehurt.
der künec suochte unrehten vurt,
in valken hilfe wart er naz:
sîn ors verlôs er umbe daz,

25 dar zuo al diu cleider sîn
(doch schiet er valken von ir pîn):
daz nâmen die valkenaere.
ob daz ir reht iht waere?
ez was ir reht, si soltenz hân:
man muose ouch si bî rehte lân.

401 Ein ander ors man im dô lêch:
des sînen er sich gar verzêch.
man hienc ouch ander cleit an in:
jenz was der valkenaere gewin.

5   hie kom Gâwân zuo geriten.
âvoy nu wart dâ niht vermiten,
erne wurde baz enpfangen
dan ze Karidoel waere ergangen
Ereckes enpfâhen,

10 dô er begunde nâhen
Artûs nâch sîme strîte,
unt dô vrou Enîte

wurde einst von Mazadan vor den Berg von Feimurgan gesandt; er entstammte also einem Feengeschlecht. Wer den König betrachtete, mochte glauben, ihm begegne der Mai in seiner herrlichsten Blütenpracht. Als Gawan die glänzende Gestalt des Königs ins Auge faßte, glaubte er einen zweiten Parzival oder Gachmuret beim Einzug in Kanvoleis zu sehen, wovon in dieser Erzählung bereits berichtet wurde.

Ein Reiher, von den herabstoßenden Falken gejagt, hatte sich in einen sumpfigen Teich geflüchtet. Der König wollte den Falken beistehen, suchte jedoch an der falschen Stelle nach einer Furt und geriet ins tiefe Wasser. Zwar konnte er die Falken aus ihrer bedrängten Lage befreien, doch büßte er Pferd und Kleider ein, die in den Besitz der Falkner übergingen. Ob sie ein Recht darauf hatten? Gewiß, es stand ihnen rechtmäßig zu, und ihre Rechte darf man nicht beschneiden. Für das verlorene Roß brachte man dem König ein anderes; auch andre Kleider legte man ihm an. Was er aufgegeben hatte, erhielten die Falkner. Währenddes ritt Gawan herbei, und man ließ es sich nicht nehmen, ihn besser zu empfangen, als Erec in Karidöl empfangen worden war. Nach seinem Zweikampf suchte er dort mit Frau Enite, der Freude

Mazadan: s. S. 99.
Erec ... Iders: Anspielungen auf Geschehnisse im Ritterepos »Erec« von Hartmann von Aue bzw. von Chrétien de Troyes.

sîner vröude was ein condewier,
sît im Maliclisier
15 daz twerc sîn vel unsanfte brach
mit der geisel da ez Gynovêr sach,
unt dô ze Tulmeyn ein strît
ergienc in dem creize wît
umbe den spärwaere.
20 Idêr fil Noyt der maere
im sîne sicherheit dâ bôt:
er muose im bieten vür den tôt.
      die rede lât sîn, und hoertz ouch hie:
ich waene sô vriescht ir nie
25 werdern antpfanc noch gruoz.
ôwê des wirt unsanfte buoz
des werden Lôtes kinde.
rât irz, ich erwinde
unt sag iu vürbaz niht mêre.
durch trûren tuon ich widerkêre.
402 Doch vernemt durch iuwer güete,
wie ein lûter gemüete
vremder valsch gevrumte trüebe.
ob ich iu vürbaz üebe
5 diz maere mit rehter sage,
sô kumt irs mit mir in clage.
      dô sprach der künec Vergulaht
›hêrre, ich hân mich des bedâht,
ir sult rîten dort hin în.
10 mag ez mit iuweren hulden sîn,
ich briche iu nu gesellekeit.
ist aber iu mîn vürbaz rîten leit,
ich lâz swaz ich ze schaffen hân.‹
dô sprach der werde Gâwân
15 ›hêr, swaz ir gebietet,
billîche ir iuch des nietet:
daz ist ouch âne mînen zorn
mit guotem willen gar verkorn.‹

seines Lebens, König Artus auf. Vorher war folgendes
geschehen: Der Zwerg Maliclisier hatte ihm vor den Augen
Ginovers mit einer Peitsche brutal eine Strieme ins Gesicht
gezogen, und in Tulmein fand auf weitem Kampfplatz der
Kampf um den Sperber statt, in dem sich Iders, der
berühmte Sohn König Noyts, ihm ergeben mußte, wenn er
nicht sterben wollte. Genug davon! Hört nun, was in unse-
rer Erzählung weiter geschieht! Ich bin überzeugt, euch
wurde nie so höflicher Empfang und Willkommensgruß
zuteil, doch das sollte der Sohn des edlen Lot noch teuer
bezahlen. Wenn ihr wollt, breche ich meine Erzählung
wegen der nun folgenden betrüblichen Ereignisse ab. Doch
nein! Gestattet mir zu schildern, wie ein lauterer Charakter
durch die Bosheit anderer mißleitet wurde. Wenn ich jetzt
wahrheitsgemäß erzähle, was sich zugetragen hat, werdet ihr
es wie ich bedauern.

König Vergulacht sprach: »Herr, ich möchte Euch vorschla-
gen, allein in die Stadt zu reiten und mir zu gestatten, mich
von Euch zu trennen. Wenn Ihr aber meine Begleitung
wünscht, breche ich die Jagd ab.«

Da erwiderte der edle Gawan: »Herr, tut nur, was Euch
richtig scheint. Ich bin gern und ohne jeden Vorbehalt
einverstanden.«

dô sprach der künec von Ascalûn
20 ›hêrre, ir seht wol Schamfanzûn.
dâ ist mîn swester ûf, ein magt:
swaz munt von schoene hât gesagt,
des hât si vollclîchen teil.
welt irz iu prüeven vür ein heil,
25 deiswâr sô muoz si sich bewegen
daz si iuwer unz an mich sol pflegen.
ich kume iu schierre denne ich sol:
ouch erbeit ir mîn vil wol,
gesehet ir die swester mîn:
irn ruocht, wolt ich noch lenger sîn.‹

403   ›Ich sihe iuch gern, als tuon ich sie.
doch hânt mich grôze vrouwen ie
ir werden handelunge erlân.‹
sus sprach der stolze Gâwân.
5 der künec sande ein ritter dar,
und enbôt der magt daz si sîn war
sô naem daz langiu wîle
in diuhte ein kurziu île.
Gâwân vuor dar der künec gebôt.
10 welt ir, noch swîge ich grôzer nôt.
nein, ich wilz iu vürbaz sagen.
strâze und ein pfärt begunde tragen
Gâwân gein der porte
an des palas orte.
15 swer bûwes ie begunde,
baz denne ich sprechen kunde
von dises bûwes veste.
dâ lac ein burc, diu beste
diu ie genant wart ertstift:
20 unmâzen wît was ir begrift.
der bürge lop sul wir hie lân,
wand ich iu vil ze sagen hân
von des küneges swester, einer magt.
hie ist von bûwe vil gesagt:

Darauf der König von Ascalun: »Herr, Ihr seht vor Euch
Schanpfanzun. Dort wohnt meine Schwester, eine Jungfrau,
die alle Vorzüge weiblicher Schönheit ihr eigen nennt. Wenn
es Euch angenehm ist, wird sie sich bis zu meiner Rückkehr
Eurer annehmen. Euch wird dann scheinen, ich sei viel zu
früh zurückgekehrt, denn in der Gesellschaft meiner Schwe-
ster wird Euch die Zeit wie im Flug vergehen, und Ihr wäret
sicher nicht böse, wenn ich länger fortbliebe.«

»Mir wird Eure und ihre Gesellschaft angenehm sein. Bisher
haben sich vornehme Damen allerdings nicht sonderlich um
mich bemüht«, sprach der stolze Gawan.

Der König sandte einen Ritter in die Stadt und ließ der
Jungfrau sagen, sie möge sich um Gawan kümmern und ihn
so unterhalten, daß ihn selbst ein langer Aufenthalt wie ein
flüchtiger Augenblick dünke. Gawan folgte der Aufforde-
rung des Königs und begab sich in die Stadt. Wenn ihr wollt,
kann ich immer noch aufhören und die Episode von seiner
schweren Bedrängnis auslassen. Doch nein, ich will sie euch
erzählen!

Straße und Pferd brachten Gawan zu einem Tor an der
Außenseite des Palastes. Ein Baumeister könnte besser als
ich die Wucht dieses Bauwerkes schildern, denn vor ihm lag
eine Burg von gewaltiger Ausdehnung, die großartigste, die
je auf Erden erbaut wurde. Doch lassen wir es, die Burg zu
preisen; es ist weit mehr von der Schwester des Königs, der
bereits erwähnten Jungfrau, zu sagen. Da eben ausführlich
von Bauwerken die Rede war, will ich sie in gleicher Weise

25   die prüeve ich rehte als ich sol.
     was si schoen, daz stuont ir wol:
     unt hete si dar zuo rehten muot,
     daz was gein werdekeit ir guot;
     sô daz ir site und ir sin
     was gelîch der marcgrâvin.
404 Diu dicke vonme Heitstein
     über al die marke schein.
     wol im derz heinlîche an ir
     sol prüeven! des geloubet mir,
5   der vindet kurzewîle dâ
     bezzer denne anderswâ.
     ich mac des von vrouwen jehen
     als mir diu ougen kunnen spehen.
     swar ich rede kêr ze guote,
10   diu bedarf wol zühte huote.
     nu hoer dise âventiure
     der getriuwe unt der gehiure:
     ich enruoche umb die ungetriuwen.
     mit dürkelen riuwen
15   hânt si alle ir saelekeit verlorn:
     des muoz ir sêle lîden zorn.
        ûf den hof dort vür den palas reit
     Gâwân gein der gesellekeit,
     als in der künec sande,
20   der sich selben an im schande.
     ein ritter, der in brâhte dar,
     in vuorte dâ saz wol gevar
     Antikonîe diu künegin.
     sol wîplich êre sîn gewin,
25   des koufes het si vil gepflegen
     und alles valsches sich bewegen:
     dâ mite ir kiusche prîs erwarp.
     ôwê daz sô vruo erstarp
     von Veldeke der wîse man!
     der kunde si baz gelobet hân.

beschreiben. Die Eigenart ihrer Schönheit stand ihr gut, und
ihr lauterer Charakter hatte ihr zu großem Ansehen verhol-
fen. Nach Wesen und Art glich sie der Markgräfin von
Heitstein, die weit in der ganzen Grenzmark zu sehen war,
wenn sie auf den Zinnen ihrer Burg stand. Glaubt mir, wer
sie näher kennenlernt, findet bei ihr mehr Kurzweil als
anderswo. Wenn ich über edle Frauen berichte, kann ich nur
sagen, was ich mit eignen Augen gesehen habe, und wenn
ich eine Dame lobe, dann ist sie dessen auch wert. Meine
Erzählung ist für die Treuen und Wohlmeinenden bestimmt,
nicht für die Treulosen! Sie haben mit ihrer Falschheit längst
das ewige Seelenheil verspielt, und ihre Seele wird nach dem
Tode Höllenqualen leiden.

Gawan ritt auf den Hof bis vor den Palast; er wollte zum
Stelldichein, zu dem ihn der König geschickt hatte, jener
König, der sich durch die Behandlung seines Gastes noch
Schande bereiten sollte. Ein Ritter, der Gawan begleitet
hatte, führte ihn in das Gemach, wo Königin Antikonie im
Glanz ihrer Schönheit thronte. Wenn Frauenehre reich
macht, so besaß sie großen Reichtum, denn jede Unredlich-
keit war ihr fremd, und ihr sittsames Wesen wurde überall
gerühmt. Schade, daß der kunstreiche Herr von Veldeke so
früh verstorben ist! Er hätte sie besser als ich zu loben
gewußt.

Markgräfin von Heitstein: Der Heitstein ist eine hochgelegene Burg bei Cham
im Bayrischen Wald. Vielleicht ist mit der Markgräfin die Gattin des Markgra-
fen Berthold von Vohburg (gest. 1204) – Elisabeth – gemeint, Schwester von
Herzog Ludwig von Bayern.
Herr von Veldeke: s. Anm. zu S. 497.

405   Dô Gâwân die magt ersach,
der bote gienc nâher unde sprach
al daz der künec werben hiez.
diu künegin dô niht enliez,
5   sine spraeche ›hêr, gêt nâher mir.
mîner zühte meister daz sît ir:
nu gebietet unde lêret.
wirt iu kurzewîle gemêret,
daz muoz an iuwerm gebote sîn.
10   sît daz iuch der bruoder mîn
mir bevolhen hât sô wol,
ich küsse iuch, ob ich küssen sol.
nu gebiet nâch iuweren mâzen
mîn tuon oder mîn lâzen.‹
15   mit grôzer zuht si vor im stuont.
Gâwân sprach ›vrouwe, iuwer munt
ist sô küssenlîch getân,
ich sol iuweren kus mit gruoze hân.‹
ir munt was heiz, dick unde rôt,
20   dar an Gâwân den sînen bôt.
da ergienc ein kus ungastlîch.
zuo der meide zühte rîch
saz der wol geborne gast.
süezer rede in niht gebrast
25   bêdenthalp mit triuwen.
si kunden wol geniuwen,
er sîne bete, si ir versagen.
daz begunde er herzenlîchen clagen:
ouch bat er si genâden vil.
diu magt sprach als ich iu sagen wil.
406   ›Hêrre, sît ir anders cluoc,
sô mag es dunken iuch genuoc.
ich erbiutz iu durch mîns bruoder bete,
daz ez Ampflîse Gahmurete
5   mînem oeheim nie baz erbôt;
âne bî ligen mîn triuwe ein lôt

Als Gawan eingetreten war, ging der Bote zur Jungfrau und richtete die Botschaft des Königs aus. Darauf wandte sich die Königin an Gawan: »Tretet näher, mein Herr! Sagt selbst, was ich Euch zu Gefallen tun kann. Alles, was Ihr zu Eurer Unterhaltung wünscht, sei Euch gewährt. Auch den Willkommenskuß will ich Euch nicht vorenthalten, da Ihr mir von meinem Bruder so gut empfohlen werdet. Sagt mir, ob ich es tun soll oder nicht.«

Gawan erwiderte der Jungfrau, die sich höflich erhoben hatte: »Herrin, Euer Mund ist zu verlockend, als daß ich auf den Willkommenskuß verzichten wollte!« Ihre vollen Lippen waren rot und heiß, und als Gawan sie mit den seinen berührte, wurde es unversehens ein inniger Kuß.

Der edle Gast ließ sich an der Seite der wohlerzogenen Jungfrau nieder. Beide kannten sich aus im kunstreichen Spiel höfischer Werbung, und so ging's hin und her mit Bitten um Erhörung und spielerischer Zurückweisung. Gawan bat und flehte, doch die Jungfrau antwortete dies: »Herr, seid Ihr ein Mann von Bildung, dann genügt Euch das, was ich Euch an Vertraulichkeiten gestatte. Nur dem Wunsch meines Bruders verdankt Ihr es, daß ich Euch so liebenswürdig behandle wie Ampflise meinen Oheim Gachmuret. Auch wenn ich mich Euch verweigere, wäre mein

an dem orte vürbaz waege,
der uns wegens ze rehte pflaege:
und enweiz doch, hêrre, wer ir sît;
10 doch ir an sô kurzer zît
welt mîne minne hân.‹
dô sprach der werde Gâwân
›mich lêret mîner künde sin,
ich sage iu, vrouwe, daz ich bin
15 mîner basen bruoder sun.
welt ir mir genâde tuon,
daz enlât niht durch mînen art:
derst gein iuwerm sô bewart,
daz si bêde al glîche stênt
20 unt in rehter mâze gênt.‹
    ein magt begunde in schenken,
dar nâch schier von in wenken.
mêr vrouwen dennoch dâ sâzen,
die ouch des niht vergâzen,
25 si giengen und schuofen umbe ir pflege.
ouch was der ritter von dem wege,
der in dar brâhte.
Gâwân des gedâhte,
do si alle von im kômen ûz,
daz dicke den grôzen strûz
407 vaehet ein vil cranker ar.
er greif ir undern mantel dar:
Ich waene, er ruorte irz hüffelîn.
des wart gemêret sîn pîn.
5 von der liebe alsölhe nôt gewan
beidiu magt und ouch der man,
daz dâ nâch was ein dinc geschehen,
hetenz übel ougen niht ersehen,
des willen si bêde wârn bereit:
10 nu seht, dô nâht ir herzeleit.
    dô gienc zer tür în aldâ
ein ritter blanc: wand er was grâ.

Entgegenkommen, vergleicht man mein und ihr Verhalten miteinander, als größer zu bewerten. Herr, Ihr erhebt schon nach kurzer Zeit Anspruch auf meine Liebe, und ich weiß nicht einmal, wer Ihr seid.«

Der edle Gawan erwiderte: »Wenn ich über meine Herkunft nachgrüble, Herrin, so kann ich Euch verraten, daß ich der Sohn des Bruders meiner Tante bin. Wenn Ihr mich wirklich erhören wollt, dann soll Euch meine Herkunft keine Sorgen machen. Ich bin Euch völlig ebenbürtig.«

Eine Jungfrau erschien mit einem Erfrischungstrunk und verließ sie wieder. Auch die andern Hofdamen, die im Raume saßen, zogen sich zurück und kümmerten sich um ihre Obliegenheiten. Der Ritter, der Gawan begleitet hatte, war gleichfalls gegangen. Als alle fort waren, fiel Gawan ein, daß nicht selten ein junger Adler sogar den großen Vogel Strauß überwältigt, und er ließ seine Hand unter ihren Mantel gleiten. Ich vermute, er berührte ihre Hüfte, denn sein Verlangen wurde unerträglich gesteigert. Liebesbegier gewann nun solche Macht über Jungfrau und Ritter, daß es fast zu etwas gekommen wäre, hätte sie nicht ein böswilliger Späher überrascht. An Willen fehlte es beiden nicht. Doch seht, nun naht eine böse Überraschung. Ein weißhaariger

in wâfenheiz er nante
Gâwânen, do ern erkante.
15 dâ bî er dicke lûte schrei
›ôwê unde heiâ hei
mîns hêrren den ir sluoget,
daz iuch des niht genuoget,
irn nôtzogt ouch sîn tohter hie.‹
20 dem wâfenheiz man volget ie:
der selbe site aldâ geschach.
Gâwân zer juncvrouwen sprach
›vrouwe, nu gebet iuweren rât:
unser dewederz niht vil wer hie hât.‹
25 er sprach ›wan het ich doch mîn swert!‹
dô sprach diu juncvrouwe wert
›wir sulen ze wer uns ziehen,
ûf jenen turn dort vliehen,
der bî mîner kemenâten stêt.
genaedeclîche ez lîhte ergêt.‹

408   Hie der ritter, dort der koufman,
diu juncvrouwe erhôrte sân
den bovel komen ûz der stat.
mit Gâwân si geim turne trat.
5 ir vriunt muost kumber lîden.
si bat siz dicke mîden:
ir cradem unde ir dôz was sô
daz ez ir keiner marcte dô.
durch strît si drungen gein der tür:
10 Gâwân stuont ze wer dervür.
ir în gên er bewarte:
ein rigel dern turn besparte,
den zucte er ûz der mûre.
sîn arge nâchgebûre
15 entwichen im dicke mit ir schar.
diu künegin lief her unt dar,
ob ûf dem turn iht waer ze wer
gein disem ungetriuwen her.

Ritter trat durch die Tür, und als er Gawan erkannte, rief er zu den Waffen und schrie: »Verruchter! War es Euch nicht genug, meinen Herrn zu erschlagen? Müßt Ihr auch noch seine Tochter vergewaltigen?«

Dem Waffenruf hat bekanntlich jeder Mann zu folgen. Das war auch hier nicht anders. Gawan rief der Jungfrau hastig zu: »Herrin, was sollen wir tun? Wir haben nichts, womit wir uns verteidigen können. Hätte ich doch nur mein Schwert!«

Die edle Jungfrau erwiderte: »Wir müssen einen günstigen Verteidigungsort finden! Fliehen wir in den Turm dort neben meiner Kemenate! Vielleicht geht es noch glimpflich ab.«

Inzwischen eilten Ritter und Kaufleute herbei. Die Jungfrau hörte, wie eine große Menge Volk aus der Stadt heranstürmte. Gemeinsam mit Gawan eilte sie zum Turm. Nun begann für ihren Freund eine schwere Prüfung, denn obwohl die Jungfrau die Andrängenden wiederholt zum Rückzug aufforderte, waren Geschrei und Lärm so laut, daß niemand ihre Worte hörte. Kampflüstern drängte man zur Turmpforte, doch Gawan verteidigte den Eingang und hinderte sie am Eindringen. Er hatte einen Türriegel, der die Turmpforte versperrte, herausgerissen und trieb damit die Schar seiner bösartigen Nachbarn immer wieder zurück. Die Königin durchsuchte inzwischen hastig den Turm, ob nichts zu finden wäre, womit sie sich gegen die verräterische Rotte

dô vant diu maget reine
20   ein schâchzabelgesteine,
unt ein bret, wol erleit, wît:
daz brâht si Gâwâne in den strît.
an eim îsenînem ringe ez hienc,
dâ mit ez Gâwân enpfienc.
25   ûf disen vierecken schilt
was schâchzabels vil gespilt:
der wart im sêr zerhouwen.
nu hoert ouch von der vrouwen.
   ez waere künec oder roch,
daz warf si gein den vîenden doch:
409 ez was grôz und swaere.
man sagt von ir diu maere,
Swen dâ erreichte ir wurfes swanc,
der strûchte âne sînen danc.
5   diu küneginne rîche
streit dâ ritterlîche,
bî Gâwân si werlîche schein,
daz diu koufwîp ze Tolenstein
an der vasnaht nie baz gestriten:
10   wan si tuontz von gampelsiten
unde müent ân nôt ir lîp.
swâ harnaschrâmec wirt ein wîp,
diu hât ir rehtes vergezzen,
sol man ir kiusche mezzen,
15   sine tuoz dan durch ir triuwe.
Antikonîen riuwe
wart ze Schanfanzûn erzeiget
unt ir hôher muot geneiget.
in strît si sêre weinde:
20   wol si daz bescheinde,
daz vriuntlîch liebe ist staete.
waz Gâwân dô taete?
   swenn im diu muoze geschach,
daz er die maget reht ersach,

zur Wehr setzen könnten. Sie fand aber nur Schachfiguren und ein großes, schön ausgelegtes Schachbrett, das sie Gawan zur Verteidigung brachte. Gawan packte es an dem eisernen Ring, an dem es sonst an der Wand hing, und nun wurde auf diesem viereckigen Schild so lange eifrig Schach gespielt, bis er ganz und gar zerschlagen war. Hört auch, was die edle Dame tat! Sie schleuderte die großen schweren Schachfiguren, ob König oder Turm, gegen die Feinde, und es heißt von ihr, daß jeder, den ein Wurf traf, unweigerlich zu Boden sank. Die mächtige Königin kämpfte an Gawans Seite wehrhaft wie ein Ritter; die Krämerinnen aus Dollnstein haben zur Fastnachtszeit nicht kräftiger um sich geschlagen. Sie tun es allerdings nur aus Lust am Possenspiel und strengen sich ohne Not an. Nun wird eine Frau danach beurteilt, ob sie weibliche Zurückhaltung wahrt oder nicht. Eine Frau in Ritterrüstung hat vergessen, was sich ziemt. Als Ausnahme darf nur gelten, wenn sie aus Treue zu den Waffen greift. Antikonie wurde in Schanpfanzun hart geprüft, ihr Stolz wurde gedemütigt, so daß sie beim Kampf bittere Tränen vergoß. Sie zeigte aber, daß echte Neigung jeder Prüfung gewachsen ist. Was Gawan inzwischen tat? In jeder Kampfpause betrachtete er entzückt die Jungfrau:

Doll(e)nstein: Ort im Altmühlgrunde (Bayern). Wolfram spielt auf das dort übliche ausgelassene Fastnachtstreiben an.

25 ir munt, ir ougen, unde ir nasen
(baz geschict an spizze hasen,
ich waene den gesâht ir nie,
dan si was dort unde hie,
zwischen der hüffe unde ir brust.
minne gerende gelust
410 kunde ir lîp vil wol gereizen.
irn gesâht nie âmeizen,
Diu bezzers gelenkes pflac,
dan si was dâ der gürtel lac),
5 daz gap ir gesellen
Gâwâne manlîch ellen.
si tûrte mit im in der nôt.
sîn benantez gîsel was der tôt,
und anders kein gedinge.
10 Gâwânen wac vil ringe
vîende haz, swenn er die magt erkôs;
dâ von ir vil den lîp verlôs.
    dô kom der künec Vergulaht.
der sach die strîteclîchen maht
15 gegen Gâwâne criegen.
ich enwolte iuch denne triegen,
sone mag ich in niht beschoenen,
ern welle sich selben hoenen
an sînem werden gaste.
20 der stuont ze wer al vaste:
dô tet der wirt selbe schîn,
daz mich riuwet Gandîn
der künec von Anschouwe,
daz ein sô werdiu vrouwe,
25 sîn tohter, ie den sun gebar,
der mit ungetriuwer schar
sîn volc bat sêre strîten.
Gâwân muose bîten
unze der künec gewâpent wart:
er huop sich selbe an strîtes vart.

ihren Mund, ihre Augen, ihre Nase. Ihre Taille war schlank wie ein Hase am Bratspieß, und ihre Körperformen konnten in einem Manne schon Liebesbegier wecken. Keine Ameise habt ihr je gesehen, deren Taille schmaler war als sie um den Gürtel herum. Wenn er sie ansah, fühlte ihr Kampfgefährte frischen Mannesmut, zumal sie mit ihm der notvollen Bedrängnis widerstand. Doch nur der Tod konnte ihn aus solcher Lage befreien, auf anderes war nicht zu hoffen. Sobald er aber die Jungfrau ansah, achtete er der Wut der Feinde kaum und brachte viele von ihnen vom Leben zum Tode.

Da erschien König Vergulacht und sah, wie der streitbare Haufen auf Gawan eindrang. Wenn ich nicht lügen will, darf ich sein Tun nicht beschönigen, das ihn vor seinem edlen, wehrhaften Gast erniedrigte. Er zeigte sich nämlich von einer solchen Seite, daß ich Gandin, den König von Anjou, nur bedauern kann. Seine Tochter, eine vollendet vornehme Dame, hatte einem charakterlosen Sohn das Leben geschenkt, denn er spornte die verräterische Rotte seiner Leute noch kräftig an. Gawan mußte ohnmächtig abwarten, bis man dem König die Rüstung angelegt hatte und er schließlich selbst auf dem Kampfplatz erschien. Es war keine

411   Gâwân dô muose entwîchen,
     doch unlasterlîchen:
     Unders turnes tür er wart getân.
     nu seht, dô kom der selbe man,
5   der in kampflîche an ê sprach:
     vor Artûse daz geschach.
     der lantgrâve Kyngrimursel
     gram durch swarten unt durch vel,
     durch Gâwâns nôt sîn hende er want:
10   wan des was sîn triuwe pfant,
     daz er dâ solte haben vride,
     ezen waer daz eines mannes lide
     in in kampfe twungen.
     die alten unt die jungen
15   treib er vonme turne wider:
     den hiez der künec brechen nider.
      Kyngrimursel dô sprach
     hin ûf da er Gâwânen sach
     ›helt, gib mir vride zuo dir dar în.
20   ich wil geselleclîchen pîn
     mit dir hân in dirre nôt.
     mich muoz der künec slahen tôt,
     oder ich behalde dir dîn leben.‹
     Gâwân den vride begunde geben:
25   der lantgrâve spranc zuo zim dar.
     des zwîvelte diu ûzer schar
     (er was ouch burcgrâve aldâ):
     si waeren junc oder grâ,
     die blûgten an ir strîte.
     Gâwân spranc an die wîte,
412   als tet ouch Kyngrimursel:
     gein ellen si bêde wâren snel.
      Der künec mant die sîne.
     ›wie lange sulen wir pîne
5   von disen zwein mannen pflegen?
     mîns vetern sun hât sich bewegen,

Schande für Gawan, wenn er nun in die Turmpforte zurück-
weichen mußte. Doch seht, jetzt kommt der Ritter, der ihn
bei Artus zum Zweikampf herausgefordert hat. Landgraf
Kingrimursel raufte sich die Haare und rang die Hände, als
er Gawan in dieser Not fand. Er hatte ihm schließlich sein
Ehrenwort gegeben, er solle unbehelligt bleiben bis zu dem
Augenblick, da er selbst und allein ihn im Zweikampf
bedrängen würde. Ergrimmt trieb er alle vom Turm zurück,
den sie auf Befehl des Königs schon niederreißen wollten.
Danach rief Kingrimursel zu Gawan hinauf: »Held, laß
mich unangefochten zu dir hinein! In dieser gefahrvollen
Lage will ich alle Not mit dir teilen! Erst muß der König
mich erschlagen, ehe er dich erschlagen kann!«

Gawan versprach ihm Frieden, und mit einem Satz war der
Landgraf bei ihm. Die Schar der Belagerer wurde unsicher,
denn Kingrimursel war auch Burggraf, und sie zögerten
allesamt, den Kampf fortzusetzen. Gawan nützte ihr Zau-
dern und sprang, gefolgt von Kingrimursel, ins Freie. Beide
zeigten damit Mut und Entschlossenheit. Der König aber
feuerte seine Leute an: »Wie lange sollen wir uns noch mit
diesen beiden Männern plagen? Mein Vetter will einen Mann

er wil erneren disen man,
der mir den schaden hât getân,
den er billîcher raeche,
10 ob im ellens niht gebraeche.‹
genuoge, dens ir triuwe jach,
kurn einen der zem künege sprach
›hêrre, müeze wirz iu sagen,
der lantgrâve ist unerslagen
15 hie von manger hende.
got iuch an site wende,
den man iu vervâhe baz.
werltlîch prîs iu sînen haz
teilt, erslaht ir iuwern gast:
20 ir ladet ûf iuch der schanden last.
sô ist der ander iuwer mâc,
in des geleite ir disen bâc
hebt. daz sult ir lâzen:
ir sît dervon verwâzen.
25 nu gebt uns einen vride her,
die wîl daz dirre tac gewer:
der vride sî ouch dise naht.
wes ir iuch drumbe habt bedâht,
daz stêt dannoch ze iuwerre hant,
ir sît geprîset oder geschant.

413   Mîn vrouwe Antikonîe,
vor valscheit diu vrîe,
dort al weinde bî im stêt.
ob iu daz niht ze herzen gêt,
5 sît iuch bêde ein muoter truoc,
so gedenket, hêrre, ob ir sît cluoc,
ir sandet in der magede her:
waer niemen sîns geleites wer,
er solte iedoch durch si genesen.‹
10 der künec liez einen vride wesen,
unz er sich baz bespraeche
wie er sînen vater raeche.

retten, der mich schwer getroffen hat. Besäße er Mut genug,
sollte er besser Rache nehmen!«

Zahlreiche Streiter besannen sich aber auf ihre Treue. Sie
wählten einen Sprecher, der dem König folgendes sagte:
»Herr, gestattet mir, Euch mitzuteilen, daß niemand seine
Hand gegen den Landgrafen erheben wird. Gott lasse Euch
so handeln, daß man Euch nicht tadeln muß! Erschlagt Ihr
Euern Gast, so ist Euer Ansehen in der Welt dahin, und Ihr
habt die Last der Schande zu tragen. Außerdem ist der andre
Mann Euer Blutsverwandter, und der, den Ihr befehdet,
steht unter seinem Schutz. Haltet ein, sonst flucht man
Euch! Gebietet für diesen Tag und die folgende Nacht
Waffenstillstand. Was Ihr dann auch beschließt – ob es Euch
Ruhm bringt oder Schande –, das könnt Ihr immer noch
tun. Seht, auch meine untadelige Herrin Antikonie steht
weinend an seiner Seite! Eine Mutter trug euch beide unter
ihrem Herzen! Wenn selbst der Gedanke daran Euer Herz
nicht rührt, dann überlegt nur, Herr, ob Ihr überhaupt als
Edelmann handelt. Ihr wart es doch, der ihn zu der Jungfrau
sandte. Auch wenn sonst niemand ihm Schutz gewährte,
müßte er schon ihretwegen unangefochten bleiben.«

Der König gebot also Waffenstillstand, bis er mit sich zu
Rate gegangen sei, wie er seinen Vater rächen könne. Herr

        unschuldec was hêr Gâwân:
        ez hete ein ander man getân,
15   wande der stolze Ehcunat
        ein lanzen durch in lêrte pfat,
        do er Jofreyden fiz Ydoel
        vuorte gegen Barbigoel,
        den er bî Gâwâne vienc.
20   durch den disiu nôt ergienc.
            dô der vride wart getân,
        daz volc huop sich von strîte sân,
        manneglich zen herbergen sîn.
        Antikonîe diu künegîn
25   ir vetern sun vast umbevienc:
        manc kus an sînen munt ergienc,
        daz er Gâwânen hete ernert
        und sich selben untât erwert.
        si sprach ›du bist mîns vetern sun:
        du kundest durch niemen missetuon.‹
414   Welt ir hoeren, ich tuon iu kunt
        wâ von ê sprach mîn munt
        daz lûter gemüete trüebe wart.
        gunêrt sî diu strîtes vart,
5   die ze Schampfanzûn tet Vergulaht:
        wan daz was im niht geslaht
        von vater noch von muoter.
        der junge man vil guoter
        von schame leit vil grôzen pîn,
10   dô sîn swester diu künegîn
        in begunde vêhen:
        man hôrte in sêre vlêhen.
            dô sprach diu juncvrouwe wert
        ›hêr Vergulaht, trüege ichz swert
15   und waer von gotes gebot ein man,
        daz ich schildes ambet solde hân,
        iuwer strîten waer hie gar verzagt.
        dô was ich âne wer ein magt,

Gawan war aber unschuldig; ein anderer war der Täter, und zwar der stolze Echkunacht. Er hatte Vergulachts Vater mit einer Lanze durchbohrt, als dieser Idöls Sohn Jofreit und Gawan als Gefangene nach Barbigöl führen wollte. Echkunacht hatte also das ganze Unheil heraufbeschworen. Nachdem der Waffenstillstand ausgerufen worden war, verließ die Menschenmenge den Kampfplatz, und viele kehrten in ihre Häuser zurück. Antikonie schloß ihren Vetter Kingrimursel fest in die Arme und küßte ihn immer wieder, weil er Gawan gerettet und sich verbrecherischem Handeln widersetzt hatte. Dabei rief sie: »Du bist der rechte Sohn meines Oheims! Du hast es nicht über dich gebracht, einem anderen zulieb Unrecht zu tun.«

Wenn ihr wollt, erkläre ich euch nun, warum ich vorher gesagt habe, ein lauterer Charakter sei mißleitet worden. Verwünscht sei der Überfall, den Vergulacht in Schanpfanzun unternommen hatte! Weder seinem Vater noch seiner Mutter hatte man so etwas nachsagen können. Der sonst wackere junge Ritter war beschämt und sehr verlegen, als seine königliche Schwester ihn zornig schalt, und er bat immer wieder um Verzeihung. Die edle Jungfrau rief nämlich erzürnt: »Herr Vergulacht, hätte mich Gott als Mann geschaffen und trüge ich ein Schwert wie ein Ritter, dann wäre Euch die Lust am Kämpfen schon vergangen! So bin ich zwar nur eine wehrlose Jungfrau, doch ich trug einen

wan daz ich truoc doch einen schilt,
20   ûf den ist werdekeit gezilt:
des wâpen sol ich nennen,
ob ir ruochet diu bekennen.
guot gebaerde und kiuscher site,
den zwein wont vil staete mite.
25   den bôt ich vür den ritter mîn,
den ir mir sandet dâ her în:
anders schermes hete ich niht.
swâ man iuch nu bî wandel siht,
ir habt doch an mir missetân,
ob wîplîch prîs sîn reht sol hân.
415   Ich hôrt ie sagen, swa ez sô gezôch
daz man gein wîbes scherme vlôch,
dâ solt ellenthaftez jagen
an sîme strîte gar verzagen,
5   ob dâ waere manlîch zuht.
hêr Vergulaht, iuwers gastes vluht,
die er gein mir tet vür den tôt,
lêrt iuwern prîs noch lasters nôt.‹
Kingrimursel dô sprach
10   ›hêrre, ûf iuwern trôst geschach
daz ich hêrn Gâwân
ûf dem Plimizoeles plân
gap vride her in iuwer lant.
iuwer sicherheit was pfant,
15   ob in sîn ellen trüege her,
daz ich des vür iuch wurde wer,
in bestüend hie niht wan einec man.
hêr, dâ bin ich becrenket an.
hie sehen mîne genôze zuo:
20   diz laster ist uns gar ze vruo.
kunnet ir niht vürsten schônen,
wir crenken ouch die krônen.
sol man iuch bî zühten sehen,
sô muoz des iuwer zuht verjehen

Ehrenschild bei mir. Wenn Ihr wollt, beschreibe ich Euch sein Wappenzeichen: unverrückbar ehrenhaftes Verhalten und unwandelbare Sittsamkeit! Mit diesem Schild schützte ich meinen Ritter, den Ihr mir ins Haus sandtet. Einen andern Schutz hatte ich nicht. Auch wenn Ihr Euch jetzt besinnt, habt Ihr Euch schwer genug an mir vergangen, denn Ihr habt gegen die Würde der Frau verstoßen. Es ist allgemein bekannt, daß selbst der eifrigste Verfolger auf den Kampf verzichten muß, wenn sich der Verfolgte in den Schutz einer Frau geflüchtet hat, es sei denn, er weiß nichts von vornehmer Manneshaltung. Herr Vergulacht, daß sich Euer Gast vor dem drohenden Tod überhaupt in meinen Schutz flüchten mußte, wird Euerm Ansehen sehr abträglich sein.«

Nun nahm auch Kingrimursel das Wort: »Herr, im Vertrauen auf Euch habe ich Herrn Gawan auf der Ebene am Plimizöl freies Geleit in Euerm Reich zugesichert. Auch Euer Ehrenwort wurde verpfändet, als ich mich an Eurer Statt dafür verbürgte, er würde hier nur mit einem einzigen Mann kämpfen müssen, wenn er den Mut aufbrächte herzukommen. Herr, in dieser Sache wurde meine Ehre beschimpft; alle meine Standesgenossen hier sind Augenzeugen. Diese Kränkung gefällt uns aber ganz und gar nicht. Behandelt Ihr die Fürsten rücksichtslos, so werden wir die Macht der Krone brechen! Erhebt Ihr Anspruch auf höfische Bildung, dann hättet Ihr wissen müssen, daß unsere

25 daz sippe reicht ab iu an mich.
   waer daz ein kebeslîcher slich
   mînhalp, swâ uns diu wirt gezilt,
   ir hetet iuch gâhes gein mir bevilt:
   wande ich bin ein ritter doch,
   an dem nie valsch wart vunden noch:

416 Ouch sol mîn prîs erwerben
    daz ichs âne müeze ersterben;
    des ich vil wol getrûwe gote:
    des sî mîn saelde gein im bote.

5   ouch swâ diz maere wirt vernomen,
    Artûs swester sun sî komen
    in mîme geleite ûf Schanpfanzûn,
    Franzoys oder Bertûn,
    Provenzâle oder Burgunjoys,

10 Galiciâne unt die von Punturtoys,
    erhoerent die Gâwânes nôt,
    hân ich prîs, derst denne tôt.
    mir vrümt sîn angestlîcher strît
    vil engez lop, mîn laster wît.

15 daz sol mir vröude swenden
    und mich ûf êren pfenden.‹
       dô disiu rede was getân,
    dô stuont dâ einer des küneges man,
    der was geheizen Liddamus.

20 Kyôt in selbe nennet sus.
    Kyôt la schantiure hiez,
    den sîn kunst des niht erliez,
    er ensunge und spraeche sô
    dês noch genuoge werdent vrô.

25 Kyôt ist ein Provenzâl,
    der dise âventiur von Parzivâl
    heidensch geschriben sach.
    swaz er en franzoys dâ von gesprach,
    bin ich niht der witze laz,
    daz sage ich tiuschen vürbaz.

Blutsverwandtschaft Euch verpflichtet. Und wäre die Verwandtschaft auf meiner Seite durch illegitime Verbindung belastet, hättet Ihr immer noch vorschnell gehandelt und Euch mir gegenüber zuviel herausgenommen. Ich bin schließlich ein Ritter ohne Furcht und Tadel, und meinen guten Ruf will ich bis zu meinem Tode hüten, so daß ich ohne Makel sterbe. In dieser Sache vertraue ich auf Gott, so wahr ich auf das ewige Seelenheil hoffe. Wenn aber bekannt wird, der Neffe des Artus sei unter meinem Schutz nach Schanpfanzun gekommen, und wenn Franzosen oder Bretonen, Provenzalen oder Burgunder, Galizianer oder Punturteisen von Gawans Bedrängnis hören, so ist mein guter Ruf dahin. Der gefährliche Kampf, den er hier ausfechten mußte, bringt mir keinen Ruhm, nur große Schande. Das verdirbt mir jede Freude am Leben und nimmt mir meine Mannesehre.«

Nach diesen Worten trat Liddamus, ein Lehnsmann des Königs, vor. Kyot gibt ihm diesen Namen, und Kyot selbst nannte man den »Sänger«. Seine Kunst ließ ihn so herrlich singen und dichten, daß seine Werke noch heute viele Menschen erfreuen. Kyot ist ein Provenzale. Er fand diese Erzählung von Parzival arabisch niedergeschrieben, und was er davon in französischen Worten mitgeteilt hat, will ich, wenn mein Können ausreicht, in deutscher Sprache erzählen.

Galizianer: Bewohner von Galicien in Nordwestspanien.
Kyot: fabulöse Quellenberufung; s. Nachw., Bd. 2, S. 687.

417   Dô sprach der vürste Liddamus
         ›waz solt der in mîns hêrren hûs,
         der im sînen vater sluoc
         und daz laster im so nâhe truoc?
    5   ist mîn hêrre wert bekant,
         daz richet alhie sîn selbes hant.
         sô gelte ein tôt den andern tôt.
         ich waene gelîche sîn die nôt.‹
             nu seht ir wie Gâwân dô stuont:
   10   alrêst was im grôz angest kunt.
             dô sprach Kingrimursel
         ›swer mit der drô waer sô snel,
         der solte ouch gâhen in den strît.
         ir habt gedrenge oder wît,
   15   man mac sich iuwer lîhte erwern.
         hêr Liddamus, vil wol ernern
         trûwe ich vor iu disen man:
         swaz iu der hete getân,
         ir liezetz ungerochen.
   20   ir habt iuch gar versprochen.
         man sol iu wol gelouben
         daz iuch nie mannes ougen
         gesâhen ze vorderst dâ man streit:
         iu was ie strîten wol sô leit
   25   daz ir der vluht begundet.
         dennoch ir mêr wol kundet:
         swâ man ie gein strîte dranc,
         dâ taet ir wîbes widerwanc.
         swelh künec sich lât an iuwern rât,
         vil twerhes dem diu crône stât.

418   Dâ waer von mînen handen
         in creize bestanden
         Gâwân der ellenthafte degen:
         des het ich mich gein im bewegen,
    5   daz der kampf waere alhie getân,
         wolt es mîn hêrre gestatet hân.

Fürst Liddamus also sprach: »Was hatte in meines Herrn Burg zu suchen, der seinen Vater erschlug und ihm durch sein Eindringen die Schmach der ungerächten Tat nachdrücklich bewußt machte? Ist mein Herr ein rechter Edelmann, dann nimmt er mit eigner Hand an Ort und Stelle Rache. Ein Tod zahlt für den anderen! Eine Not hebt die andre auf!«

Ihr seht, um Gawan stand es gar nicht gut, jetzt drohte ihm wirklich große Gefahr. Kingrimursel aber erwiderte: »Wer so rasch zu drohen weiß, sollte es auch zum Kampf eilig haben. Euch freilich braucht man weder im Schlachtgetümmel noch im Einzelkampf zu fürchten. Ich traue mir schon zu, Herr Liddamus, diesen Mann vor Euch zu schützen. Was er Euch auch angetan hätte, Ihr würdet keine Rache wagen! Ihr habt den Mund zu voll genommen! Glauben kann man Euch höchstens, daß man Euch im Streit noch nie in der ersten Reihe sah. Kämpfen war Euch stets zuwider, so daß Ihr das Gefecht mit der Flucht begonnen habt. Euch ist aber noch mehr gelungen: Wenn man den Feind angriff, habt Ihr wie ein Weib das Hasenpanier ergriffen. Verläßt sich ein König auf Euern Rat, dann sitzt ihm die Krone schief auf dem Haupt. Ich hätte den Kampf mit Gawan, dem tapferen Helden, auf abgestecktem Feld aufgenommen. Ich war fest entschlossen, den Zweikampf mit ihm auszutragen, hätte mein Herrscher es durch sein Eingreifen nicht verei-

der treit mit sünden mînen haz:
ich trûwte im ander dinge baz.
hêr Gâwân, lobt mir her vür wâr
10 daz ir von hiute über ein jâr
mir ze gegenrede stêt
in kampfe, ob ez sô hie ergêt
daz iu mîn hêrre lât daz leben:
dâ wirt iu kampf von mir gegeben.
15 ich sprach iuch an zem Plimizoel:
nu sî der kampf ze Barbigoel
vor dem künc Meljanze.
der sorgen ze eime cranze
trag ich unz ûf daz teidinc
20 daz ich gein iu kum in den rinc:
dâ sol mir sorge tuon bekant
iuwer manlîchiu hant.‹
    Gâwân der ellens rîche
bôt gezogenlîche
25 nâch dirre bete sicherheit.
dô was mit rede aldâ bereit
der herzoge Liddamus
begunde ouch sîner rede alsus
mit spaehlîchen worten,
aldâ siz alle hôrten.

419   Er sprach: wand im was sprechens zît:
›swâ ich kum zuome strît,
hân ich dâ vehtens pflihte
oder vluht mit ungeschihte,
5 bin ich verzagetlîche ein zage,
oder ob ich prîs aldâ bejage,
hêr lantgrâve, des danket ir
als irz geprüeven kunnt an mir.
enpfâhe ichs nimmer iuwern solt,
10 ich bin iedoch mir selben holt.‹
    sus sprach der rîche Liddamus.
›welt irz sîn hêr Turnus,

telt. Nun aber hat er mit seiner Sünde auch noch meinen
Zorn auf sich geladen. Ich hätte anderes von ihm erwartet!
Herr Gawan, gelobt mir in die Hand, Euch heute übers Jahr
zum Kampf zu stellen, wenn sich hier eine Lösung bietet
und mein Herr Euch das Leben läßt. Erst dann will ich mit
Euch kämpfen. Ich forderte Euch am Plimizöl heraus, doch
der Zweikampf soll in Barbigöl vor König Meljanz ausgetra-
gen werden. Bis zu dem Tag, da ich Euch auf dem Kampf-
platz gegenübertreten kann, werde ich sicher nicht wenige
Gefahren bestehen müssen, doch wird mich wohl erst Euer
starker Arm wahre Gefahr lehren.«
Der tapfere Gawan erfüllte ihm die Bitte und gab in aller
Form das verlangte Versprechen. Da ergriff Herzog Lidda-
mus von neuem das Wort und ließ vor aller Ohren einen
Strom wohlgesetzter Worte hören, die seiner Rechtfertigung
dienen sollten: »Ob ich am Streit teilnehme oder unglück-
licherweise die Flucht ergreife, ob ich mich als furchtsamer
Feigling oder als ruhmvoller Held erweise, Ihr mögt mich je
nachdem, Herr Landgraf, loben oder tadeln. Aber wenn ich
es Euch auch nie recht machen sollte, werde ich doch meine
Selbstachtung nicht verlieren.« Und weiter sprach der mäch-
tige Liddamus: »Wollt Ihr Euch wie Herr Turnus gebärden,

Turnus ... Tranzes: Beide treten in Heinrich von Veldekes »Eneide« (8528 ff.)
auf. Turnus zeichnet sich durch ungestüme Wesensart aus, Tranzes (bei
Heinrich von Veldeke: Drances) erscheint als besonnen; er ist kämpferischen
Auseinandersetzungen abgeneigt.

sô lât mich sîn hêr Tranzes,
und strâft mich ob ir wizzet wes,
15   und enhebt iuch niht ze grôze.
ob ir vürsten mînre genôze
der edelste und der hoehste birt,
ich bin ouch [landes] hêrre und landes wirt.
ich hân in Galiciâ
20   beidiu her unde dâ
mange burc reht unz an Vedrûn.
swaz ir unt ieslîch Bertûn
mir dâ ze schaden meget getuon,
ine gevloehe nimmer vor iu huon.
25   her ist von Bertâne komen
gein dem ir kampf hât genomen:
nu rechet hêrren unt den mâc.
mich sol vermîden iuwer bâc.
iuwern vetern (ir wârt sîn man),
swer dem sîn leben an gewan,
420   Dâ rechetz. ich entet im niht:
ich waene mirs ouch iemen giht.
iuwern vetern sol ich wol verclagen:
sîn sun die crôn nâch im sol tragen:
5   derst mir ze hêrren hôch genuoc.
diu küngîn Flûrdamûrs in truoc:
sîn vater was Kingrisîn,
sîn an der künec Gandîn.
ich wil iuch baz bescheiden des,
10   Gahmuret und Gâlôes
sîn oeheime wâren.
ine wolt sîn gerne vâren,
ich möht mit êren von sîner hant
mit vanen enpfâhen mîn lant.
15   swer vehten welle, der tuo daz.
bin ich gein dem strîte laz,
ich vreische iedoch diu maere wol.
swer prîs ime strîte hol,

dann laßt mich ruhig Herr Tranzes sein und tadelt mich, wenn Ihr Grund dazu findet. Überhebt Euch aber nicht zu sehr, denn wenn Ihr auch unter allen mir ebenbürtigen Fürsten der edelste und vornehmste seid, so bin doch auch ich ein Herrscher und Landesherr. Überall im spanischen Galizien bis hin nach Pontevedra besitze ich zahlreiche Burgen. Dort könnt Ihr und jeder beliebige Bretone mir so wenig schaden, daß ich vor ihm nicht einmal ein Huhn verstecken muß. Ihr habt jemanden aus der Bretagne zum Kampf herausgefordert, und er ist gekommen. Nun rächt also Euern Herrn und Blutsverwandten und verschont mich mit Euerm Gezänk. Nehmt Rache an dem, der Euern Blutsverwandten und Lehnsherrn umgebracht hat! Ich habe ihm nichts Böses zugefügt; das wird hoffentlich niemand von mir behaupten können. Auch kann ich selbst Euern Oheim entbehren. Sein Sohn, der nun die Krone trägt, steht mir als Herrscher hoch genug. Seine Mutter war Königin Flurdamurs, sein Vater Kingrisin, sein Großvater König Gandin. Schließlich ist er, damit Ihr's wißt, der Neffe von Gachmuret und Galoes. Ihm will ich in Treue dienen; aus seiner Hand will ich in allen Ehren mein Land als Fahnlehen empfangen. Wer fechten will, der soll es tun. Ich bin zwar nicht versessen auf Kampf und Streit, aber ich höre ganz gern davon erzählen. Wem es um Dank und Anerkennung

Fahnlehen: s. Anm. zu S. 91.

des danken im diu stolzen wîp.
20   ich wil durch niemen mînen lîp
verleiten in ze scharpfen pîn.
waz Wolfhartes solte ich sîn?
mirst in den strît der wec vergrabt,
gein vehten diu gir verhabt.
25   wurdet ir mirs nimmer holt,
ich taete ê als Rûmolt,
der künec Gunthere riet,
do er von Wormz gein Hiunen schiet:
er bat in lange sniten baen
und inme kezzel umbe draen.‹
421   Der lantgrâve ellens rîche
sprach ›ir redet dem glîche
als manger weiz an iu vür wâr
iuwer zît unt iuwer jâr.
5   ir râtet mir dar ich wolt iedoch,
unt sprechet, ir taetet als riet ein koch
den küenen Nibelungen,
die sich unbetwungen
ûz huoben dâ man an in rach
10   daz Sîvride dâ vor geschach.
mich muoz hêr Gâwân slahen tôt,
oder ich gelêre in râche nôt.‹
›des volge ich‹, sprach Liddamus,
›wan swaz sîn oeheim Artûs
15   hât, unt die von Indiâ,
der mirz hie gaebe als siz hânt dâ,
der mirz ledeclîche braehte,
ich liezez ê daz ich vaehte.
nu behaldet prîs des man iu giht.
20   Segramors enbin ich niht,
den man durch vehten binden muoz:
ich erwirbe sus wol küneges gruoz.
Sibche nie swert erzôch,
er was ie bî [den] dâ man vlôch:

der stolzen Schönen geht, mag nach Kampfesruhm streben. Ich habe keine Lust, mein Leben andern zuliebe unnütz zu gefährden. Warum muß ich unbedingt ein zweiter Wolfhart sein? Mich trennt ein breiter Graben von Kampf und Streit, und Kampfbegierde plagt mich nicht. Selbst wenn Ihr es unverzeihlich findet: Ich mache es wie Rumolt, der König Gunther, bevor er aus Worms zu den Hunnen zog, den Rat gab, lieber über den ganzen Laib Brotschnitten zu schneiden und sie im Soßenkessel auf beiden Seiten zu schmoren.«

Der tapfere Landgraf erwiderte: »So wie Ihr redet, seid Ihr auch, das ist bekannt genug. Euer Rat gilt mir genausoviel, als spräche ein Koch zu den kühnen Nibelungen. Ihr wollt ihn befolgen, sie aber brachen unbekümmert auf zur Fahrt ins Hunnenland, wo Rache für Siegfrieds Ermordung sie erwartete. Ich will mich an ihr Vorbild halten: entweder ich finde von Gawans Hand den Tod, oder er lernt den ganzen Schrecken der Rache kennen.«

»Mir ist es recht«, sagte Liddamus. »Selbst wenn mir jemand alle Schätze seines Onkels Artus und der Könige Indiens verspräche, ich wollte lieber darauf verzichten, als mich in den Kampf zu stürzen. Behaltet Euern Ruhm! Ich bin nicht Segramors, den man fesseln muß, damit er keinen Streit vom Zaune bricht. Des Königs Gunst erringe ich auf andere Art. Sibeche zog nie das Schwert und war stets bei denen zu finden, die dem Feind den Rücken kehrten. Dennoch war

---

Wolfhart: Anspielung auf das »Nibelungen«-Epos (um 1200). Wolfhart tritt dort als kampflustiger Held auf (38. Aventüre).
Rumolt ... Gunther: Anspielung auf Geschehnisse im »Nibelungen«-Epos (1465 ff.), die in der Folge weiter ausgeführt ist.
Sibeche ... Ermanrich: Anspielung auf Stoffe der altgerman. Heldendichtung. Ermanrich (historisch beglaubigt ist der ostgotische König gleichen Namens aus dem 4. Jh.) spielt eine Rolle im Lied von »Ermanrichs Tod«. Sibeche ist sein kluger, aber wegen verletzter Ehre auf Rache sinnender Ratgeber.

25   doch muose man in vlêhen,
grôz gebe und starkiu lêhen
enpfieng er von Ermrîche genuoc:
nie swert er doch durch helm gesluoc.
mir wirt verschert nimmer vel
durch iuch, hêr Kyngrimursel:

422   Des hân ich mich gein iu bedâht.‹
dô sprach der künec Vergulaht
›swîget iuwerr wehselmaere.
ez ist mir von iu bêden swaere,
5   daz ir der worte sît sô vrî.
ich biu iu alze nâhen bî
ze sus getânem gebrehte:
ez stêt mir noch iu niht rehte.‹
diz was ûf dem palas,
10   aldâ sîn swester komen was.
bî ir stuont hêr Gâwân
und manec ander werder man.
der künec sprach zer swester sîn
›nu nim den gesellen dîn
15   und ouch den lantgrâven zuo dir.
die mir guotes günnen, die gên mit mir,
und râtet mirz waegest waz ich tuo.‹
si sprach ›dâ lege dîn triuwe zuo.‹
nu gêt der künec an sînen rât.
20   diu küneginne genomen hât
ir vetern sun unt ir gast:
daz dritte was der sorgen last.
ân alle missewende
nam si Gâwânen mit ir hende
25   unt vuort in dâ si wolte wesen.
si sprach ze im ›waert ir niht genesen,
des heten schaden elliu lant.‹
an der küneginne hant
gienc des werden Lôtes sun:
er mohtz ouch dô vil gerne tuon.

man untertänig um seine Gunst bemüht. Er erhielt nämlich
von König Ermanrich viele kostbare Geschenke und einträg-
liche Lehen, ohne je mit dem Schwert einen Helm zu
spalten. Für Euch, Herr Kingrimursel, ist mir noch ein
Kratzer zuviel! Das ist mein fester Entschluß.«
Da fiel ihm König Vergulacht ins Wort: »Laßt endlich eure
Streiterei! Ihr seid mir beide lästig, weil ihr euch gehen laßt.
Was fällt euch ein, vor meinen Ohren so zu keifen! Das paßt
weder für euch noch mich!«
Das alles geschah im Palast, wohin auch die Schwester des
Königs gekommen war. Herr Gawan und viele Edelleute
umgaben sie. Der König wandte sich zu seiner Schwester:
»Nimm deinen Gefährten und den Landgrafen mit in deine
Gemächer. Wer es gut mit mir meint, soll bleiben und mir
raten, was ich am besten tun soll.«
Sie erwiderte: »Und vergiß dabei nicht, auch deine Treue in
die Waagschale zu legen!«
Der König zog sich zur Beratung zurück. Die Königin war
in Gesellschaft ihres Vetters und ihres Gastes; als dritte hatte
sich die lastende Sorge hinzugesellt. Höflich nahm die Köni-
gin Gawan bei der Hand, um ihn in ihre Gemächer zu
führen. Sie sprach zu ihm: »Wäret Ihr auf dem Platze
geblieben, müßte die ganze Menschheit diesen Verlust
beklagen.« An der Hand der Königin schritt König Lots
Sohn dahin; er folgte ihr gern und mit Freuden.

423   In die kemenâten sân
       gienc diu küngîn unt die zwêne man:
       vor den andern bleip si laere:
       des pflâgen kameraere.
  5   wan clâriu juncvröuwelîn,
       der muose vil dort inne sîn.
       diu künegin mit zühten pflac
       Gâwâns, der ir ze herzen lac.
       dâ was der lantgrâve mite:
 10   der schiet si ninder von dem site.
       doch sorgte vil diu werde magt
       umb Gâwâns lîp, wart mir gesagt.
         sus wâren die zwên dâ inne
       bî der küneginne,
 15   unz daz der tac liez sînen strît.
       diu naht kom: dô was ezzens zît.
       môraz, wîn, lûtertranc,
       brâhten juncvrouwen dâ mitten cranc,
       und ander guote spîse,
 20   fasân, pardrîse,
       guote vische und blankiu wastel.
       Gâwân und Kyngrimursel
       wâren komen ûz grôzer nôt.
       sît ez diu künegin gebôt.
 25   si âzen als si solten,
       unt ander dies iht wolten.
       Antikonîe in selbe sneit:
       daz was durch zuht in bêden leit.
       swaz man dâ kniender schenken sach,
       ir deheim diu hosennestel brach:
424   Ez wâren meide, als von der zît,
       den man diu besten jâr noch gît.
       ich bin des unervaeret,
       heten si geschaeret
  5   als ein valke sîn gevidere:
       dâ rede ich niht widere.

Als die Königin und die beiden Ritter die Kemenate betreten hatten, sorgten die Kämmerer dafür, daß außer einigen schönen Jungfrauen niemand mehr eingelassen wurde. Zuvorkommend und herzlich umsorgte die Königin Gawan, ohne sich durch den Landgrafen in ihrem Tun stören zu lassen. Wie es heißt, bangte die edle Jungfrau sehr um Gawans Leben. Gawan und Kingrimursel verweilten in der Kemenate der Königin, bis der Tag sich neigte und die Nacht hereinbrach. Zur Essenszeit brachten schmalhüftige Jungfrauen Getränke und Speisen herbei: Maulbeerwein, Traubenwein, Würzwein, köstliche Speisen wie Fasane, Rebhühner, wohlschmeckende Fische, feines Weizenbrot. Nach der überstandenen Gefahr langten Gawan und Kingrimursel, von der Königin genötigt, tüchtig zu, und wer nur mochte, hielt mit. Antikonie schnitt ihnen eigenhändig die Speisen vor, obwohl beide höflich abwehrten. Es waren zwar knieende Mundschenken da, doch keiner brauchte zu fürchten, daß ihm das Hosenband riß, denn es waren Jungfrauen in der Blüte ihrer Jugend. Ich hätte mich nicht gewundert und nichts dagegen einzuwenden, wenn ihnen wie jungen Falken das erste Federkleid gewachsen wäre.

nu hoert, ê sich der rât geschiet,
waz man des landes künege riet.
die wîsen hete er ze im genomen:
10 an sînen rât die wâren komen.
etslîcher sînen willen sprach,
als im sîn bester sin verjach.
dô mâzen siz an manege stat:
der künec sin rede ouch hoeren bat.
15   er sprach ›ez wart mit mir gestriten.
ich kom durch âventiure geriten
inz fôrest Laehtamrîs.
ein ritter alze hôhen prîs
in dirre wochen an mir sach,
20 wand er mich vlügelingen stach
hinderz ors al sunder twâl,
er twanc mich des daz ich den grâl
gelobte im ze erwerben.
solt ich nu drumbe ersterben,
25 sô muoz ich leisten sicherheit
die sîn hant an mir erstreit.
dâ râtet umbe: des ist nôt.
mîn bester schilt was vür den tôt
daz ich dar umb bôt mîne hant,
als iu mit rede ist hie bekant.

425   Er ist manheit und ellens hêr.
der helt gebôt mir dennoch mêr
daz ich ân arge liste
inre jâres vriste,
5 ob ich des grâls erwurbe niht,
daz ich ir koeme, der man giht
der crôn ze Pelrapeire
(ir vater hiez Tampenteire);
swenne si mîn ouge an saehe,
10 daz ich sicherheit ir jaehe.
ir enbôt ir, ob si daehte an in,
daz waere an vröuden sîn gewin,

Nun hört, was man dem König des Landes in der Ratsver-
sammlung vorgeschlagen hatte, zu der alle Räte von ihm
gebeten worden waren. Alle waren gekommen, viele sagten
nach bestem Wissen ihre Ansicht, und man erwog alles
von verschiedenen Seiten. Der König bat schließlich ums
Wort und sprach: »Als ich auf Abenteuersuche in
den Wald Lächtamris ritt, mußte ich einen Kampf bestehen.
Ein Ritter, dem mein Heldenruhm wohl zu hoch schien,
stach mich flugs und mühelos vom Pferd und zwang
mich zu dem Versprechen, für ihn den Gral zu erringen.
Auch wenn es mich das Leben kostet, ich muß das Verspre-
chen erfüllen, zu dem er mich im Kampf gezwungen hat.
Ich benötige in dieser Sache dringend euern Rat. Wie ge-
sagt, ich konnte mich nur durch mein Ehrenwort vor dem
Tode retten. Der siegreiche Held, der sich seiner Mannhaf-
tigkeit und Tapferkeit freuen kann, erlegte mir noch mehr
Verpflichtungen auf: Wenn es mir nicht gelänge, den
Gral zu erringen, so sollte ich mich ohne Winkelzüge nach
Jahresfrist zu einer Dame begeben, die die Krone von
Pelrapeire trägt und Tampenteires Tochter ist. Ihr sollte ich
dann Unterwerfung geloben, und er ließe ihr durch mich
sagen, es würde ihm Freude bereiten, wenn sie in Gedan-

und er waere ez der si lôste ê
von dem künege Clâmidê.‹

15   dô si die rede erhôrten sus,
dô sprach aber Liddamus
›mit dirre hêrrn urloube ich nû
spriche: ouch râten si derzuo.
swes iuch dort twanc der eine man,

20   des sî hie pfant hêr Gâwân:
der vederslagt ûf iuwern cloben.
bittet in iu vor uns allen loben
daz er iu den grâl gewinne.
lât in mit guoter minne

25   von iu hinnen rîten
und nâch dem grâle strîten.
die scham wir alle müesen clagen,
wurd er in iuwerm hûse erslagen.
nu vergebt im sîne schulde
durch iuwerre swester hulde.

426   Er hât hie erliten grôze nôt
und muoz nu kêren in den tôt.
swaz erden hât umbslagen daz mer,
dane gelac nie hûs sô wol ze wer

5   als Munsalvaesche: swâ diu stêt,
von strîte rûher wec dar gêt.
bî sîme gemach in hînte lât:
morgen sag man im den rât.‹
des volgten al die râtgeben.

10   sus behielt hêr Gâwân dâ sîn leben.
man pflac des heldes unverzagt
des nahtes aldâ, wart mir gesagt,
daz harte guot was sîn gemach.
dô man den mitten morgen sach

15   unt dô man messe gesanc,
ûf dem palase was grôz gedranc
von bovel unt von werder diet.
der künec tet als man im riet,

ken bei ihm wäre. Er hätte sie einst von König Clamide befreit.«

Nach diesem Bericht nahm erneut Liddamus das Wort: »Wenn diese Herren es gestatten, möchte ich beginnen. Danach sollen sie sagen, was sie raten würden. Das Versprechen, zu dem man Euch gezwungen hat, soll Herr Gawan erfüllen, den Ihr wie einen gefangenen Vogel in Eurer Falle habt. Fordert von ihm, er solle vor der Versammlung geloben, für Euch den Gral zu erringen. Laßt ihn dann in Freundschaft davonreiten und um den Gral kämpfen. Fände er hier in Eurer Burg den Tod, brächte es uns Schande. Bewahrt Euch die Liebe Eurer Schwester und vergebt ihm seine Schuld. Schon hier ist's ihm übel genug ergangen, und dann muß er sich in ein Abenteuer auf Leben und Tod stürzen. In allen Ländern, die das Meer umschließt, steht keine so wehrhafte Burg wie Munsalwäsche. Der Weg zu ihr führt durch harte Kämpfe. Laßt ihn heute nacht ausruhen und teilt ihm morgen den Beschluß des Rates mit.« Die andern Ratgeber stimmten dem Vorschlag zu, und so behielt Herr Gawan in Schanpfanzun das Leben.

Wie es heißt, war der furchtlose Held in der Nacht in guter Hut und fand erquickende Ruhe. Am späten Vormittag drängten nach der Messe Volk und Edelleute in den Palast. Der König wollte den Worten seiner Ratgeber folgen: er ließ

er hiez Gâwânen bringen:
20 den wolte er nihtes twingen,
wan als ir selbe hât gehôrt.
nu seht wâ in brâhte dort
Antikonîe diu wol gevar:
ir vetern sun kom mit ir dar,
25 unt ander genuoge des küneges man.
diu küngîn vuorte Gâwân
vür den künec an ir hende.
ein schapel was ir gebende.
ir munt den bluomen nam ir prîs:
ûf dem schapele deheinen wîs
427 Stuont ninder keiniu alsô rôt.
swem si güetlîche ir küssen bôt,
des muose swenden sich der walt
mit manger tjost ungezalt.
5   mit lobe wir solden grüezen
die kiuschen unt die süezen
Antikonîen,
vor valscheit die vrîen.
wan si lebte in solhen siten,
10 daz ninder was underriten
ir prîs mit valschen worten.
al die ir prîs gehôrten,
ieslîch munt ir wunschte dô
daz ir prîs bestüende alsô
15 bewart vor valscher trüeben jehe.
lûter virrec als ein valkensehe
was balsemmaezec staete an ir.
daz riet ir werdeclîchiu gir:
diu süeze saelden rîche
20 sprach gezogenlîche
  ›bruoder, hie bring ich den degen,
des du mich selbe hieze pflegen.
nu lâz in mîn geniezen:
des ensol dich niht verdriezen.

Gawan herbeirufen, um ihn zu dem bereits erwähnten Versprechen zu nötigen. Seht, zusammen mit ihrem Vetter und vielen Gefolgsleuten des Königs führte die schöne Antikonie Gawan an der Hand vor ihren Bruder. Auf dem Haupt trug sie einen Blumenkranz, doch die frische Röte ihres Mundes überstrahlte die Farbe der Blumen; keine Blüte vom Kranz leuchtete so rot wie ihre Lippen. Ein liebevoller Kuß von ihr entflammte sicher jeden Ritter dazu, in zahllosen Kämpfen ganze Wälder von Lanzen zu verbrauchen. Wir haben allen Grund, die sittsame, liebliche, makellose Antikonie zu preisen! Nie gab ihr Verhalten Anlaß zu übler Nachrede, und wer um ihren guten Ruf wußte, wollte ihn vor aller böswilligen Verleumdung bewahrt wissen. Durchsichtig klar wie das scharfe Falkenauge und wie der köstliche Balsamduft war ihre feste Treue. In dem Wunsch, ihren Edelsinn aufs neue zu zeigen, sprach die liebreizende, wohlmeinende Schöne höflich zu ihrem Bruder: »Hier bringe ich den Helden, den du meiner Obhut anvertrautest. Es sollte dir daher nicht schwerfallen, auf meine Fürsprache zu hören. Denke an

25 denk an brüederlîche triuwe,
    unde tuo daz âne riuwe.
    dir stêt manlîchiu triuwe baz,
    dan daz du dolst der werlde haz,
    und mînen, kunde ich hazzen:
    den lêr mich gein dir mâzen.‹

428   Dô sprach der werde süeze man
    ›daz tuon ich, swester, ob ich kan:
    dar zuo gip selbe dînen rât.
    dich dunket daz mir missetât
5   werdekeit habe underswungen,
    von prîse mich gedrungen:
    waz töhte ich dan ze bruoder dir?
    wan dienden alle crône mir,
    der stüende ich ab durch dîn gebot:
10 dîn hazzen waer mîn hôhstiu nôt.
    mirst unmaere vröude und êre,
    niht wan nâch dîner lêre.
    hêr Gâwân, ich wil iuch des biten:
    ir kômt durch prîs dâ her geriten:
15 nu tuotz durch prîses hulde,
    helft mir daz mîn schulde
    mîn swester ûf mich verkiese.
    ê daz ich si verliese,
    ich verkiuse ûf iuch mîn herzeleit,
20 welt ir mir geben sicherheit
    daz ir mir werbet sunder twâl
    mit guoten triuwen umb den grâl.‹
        dâ wart diu suone gendet
    unt Gâwân gesendet
25 an dem selben mâle
    durch strîten nâch dem grâle.
    Kyngrimursel ouch verkôs
    ûf den künec, der in dâ vor verlôs,
    daz er im sîn geleite brach.
    vor al den vürsten daz geschach;

deine brüderliche Treue und erfülle ohne Widerstreben, um was ich dich bitte. Es ist besser für dich, mannhafte Treue zu zeigen, als den Abscheu aller Menschen und den meinen auf dich zu laden. Ich weiß zwar nicht, ob ich dich überhaupt verabscheuen könnte, doch treibe mich nicht durch dein Tun dazu!«

Der edle, schöne König erwiderte: »Wenn irgend möglich, Schwester, will ich es tun. Gib mir auch deinen Rat! Du meinst, daß ich durch eine Untat mein Ansehen eingebüßt und meinen guten Ruf verloren habe. Wie kann ich dann noch dein Bruder sein? Auf alle Königreiche wollte ich verzichten, wenn du es von mir verlangst. Ich kann mir nichts Schlimmeres denken als deinen zornigen Abscheu. Was sind mir Glück und Ehre, wenn du sie nicht anerkennst.

Herr Gawan, ich möchte Euch um etwas bitten: Ihr seid hergeritten, um Heldenruhm zu gewinnen. Helft mir nun, daß die Schwester mir verzeiht, dann wird der erstrebte Ruhm nicht ausbleiben. Ehe ich sie verliere, will ich Euch das Herzeleid verzeihen, das Ihr mir zugefügt habt. Doch nur unter einer Bedingung: Ihr müßt mir versprechen, ohne Aufschub und getreulich für mich nach dem Gral zu suchen.«

So kam die Versöhnung zustande; Gawan wurde bald darauf ausgesandt, den Gral zu erringen. Auch Kingrimursel verzieh dem König, der sich ihm durch die Verletzung des Schutzversprechens entfremdet hatte. Dies geschah in Anwesenheit aller Fürsten in dem Saal, wo man die Schwer-

429   Dâ ir swert wâren gehangen:
       diu wâren in undergangen,
       Gâwâns knappen, ans strîtes stunt,
       daz ir deheiner was worden wunt:
  5   ein gewaltec man von der stat,
       der in vrides vor den andern bat,
       der vienc si und leit si in prîsûn.
       ez waer Franzeis oder Bertûn,
       starke knappen unt cleiniu kint,
 10   von swelhen landen sie [komen] sint,
       die brâhte man dô ledeclîchen
       Gâwâne dem ellens rîchen.
       dô in diu kint ersâhen,
       dâ wart grôz umbevâhen.
 15   ieslîchez sich weinende an in hienc:
       daz weinen iedoch von liebe ergienc.
          von Curnewâls mit im dâ was
       cons Lîâz fîz Tînas.
       ein edel kint wont im ouch bî,
 20   duc Gandilûz, fîz Gurzgrî
       der durch Schoydelakurt den lîp verlôs,
       dâ manec vrouwe ir jâmer kôs.
       Lyâze was des kindes base.
       sîn munt, sîn ougen unt sîn nase
 25   was reht der minne kerne:
       al diu werlt sach in gerne.
       dar zuo sehs andriu kindelîn.
       dise ahte junchêrren sîn
       wârn gebürte des bewart,
       elliu von edeler hôhen art.
430   Si wâren im durch sippe holt
       unt dienden im ûf sînen solt.
       werdekeit gap er ze lône,
       unt pflac ir anders schône.
  5   Gâwân sprach zen kindelîn
       ›wol iu, süezen mâge mîn!

Versöhnung   729

ter von Gawans Knappen aufgehängt hatte. Man hatte sie bei
Ausbruch der Feindseligkeiten entwaffnet, so daß niemand
von ihnen im Kampf verletzt worden war. Ein Ritter, der
Amtsgewalt in der Stadt besaß, hatte ihnen Frieden erwirkt
und sie als Gefangene in Gewahrsam genommen. Knappen
unterschiedlicher Herkunft und unterschiedlichen Alters –
Franzosen und Bretonen, kräftige Burschen und zarte Kna-
ben – wurden nun wieder frei und ledig vor den tapferen
Gawan geführt. Als sie ihn erblickten, konnte er sich vor
Umarmungen nicht retten. Weinend hingen sie an seinem
Halse, doch waren es Tränen der Freude, die sie weinten.
Unter ihnen war Graf Laiz aus Cornwall, Sohn des Tinas,
ferner der edle Herzog Gandiluz, Sohn jenes Gurzgri, der
im Schoydelakurt ums Leben gekommen war, wo ja vielen
Edeldamen Unheil widerfahren ist. Liaze war die Tante des
Knaben. Sein Antlitz war von großem Liebreiz, und alle
Welt hatte ihn gern. Dann gehörten noch sechs Knaben zu
Gawans Gefolge. Alle acht Junker waren von edler, vorneh-
mer Herkunft und Gawan durch Blutsverwandtschaft eng
verbunden. Der Sold, für den sie dienten, war hohes Anse-
hen in der Welt; aber auch sonst sorgte Gawan gut für sie.
Er sprach zu den Knaben: »Seid gegrüßt, liebe Sippengenos-

mich dunket des, ir wolt mich clagen,
ob ich waere alhie erslagen.‹
man mohte in clage getrûwen wol:
10   si wâren halt sus in jâmers dol.
er sprach ›mir was umb iuch vil leit.
wâ wârt ir dô man mit mir streit?‹
si sagtenz im, ir keiner louc.
›ein mûzersprinzelîn enpflouc
15   uns, dô ir bî der künegin
sâzt: dâ lief wir elliu hin.‹
   die dâ stuonden und sâzen,
die merkens niht vergâzen,
die prüeveten daz hêr Gâwân
20   waere ein manlîch höfsch man.
urloubes er dô gerte,
des in der künec gewerte,
unt daz volc al gemeine,
wan der lantgrâve al eine.
25   die zwêne nam diu künegîn,
unt Gâwâns junchêrrelîn:
si vuorte si dâ ir pflâgen
juncvrouwen âne bâgen.
dô nam ir wol mit zühten war
manc juncvrouwe wol gevar.
431   Dô Gâwân enbizzen was
(ich sage iu als Kyôt las),
durch herzenlîche triuwe
huop sich dâ grôziu riuwe.
5   er sprach zer küneginne
›vrouwe, hân ich sinne
unt sol mir got den lîp bewaren,
sô muoz ich dienstlîchez varen
unt ritterlîch gemüete
10   iuwer wîplîchen güete
ze dienste immer kêren.
wand iuch kan saelde lêren,

sen! Ich weiß, ihr hättet es ehrlich beklagt, wenn ich hier erschlagen worden wäre.« Und das wäre wirklich so gewesen; sie hatten ohnehin seinetwegen in großer Unruhe gelebt. Gawan fuhr fort: »Ich habe mich sehr um euch gesorgt. Wo wart ihr denn während des Kampfes?« Sie gaben Antwort, ohne daß einer seine Schuld zu beschönigen suchte. »Als Ihr bei der Königin wart, entflog uns ein Sperberweibchen, und wir liefen alle hinterher.« Wer im Saale war und alles mitansah, bemerkte wohl, daß Herr Gawan nicht nur ein tapferer, sondern auch ein höfisch gebildeter Ritter war. Er verabschiedete sich vom König und von der Hofgesellschaft; vom Landgrafen trennte er sich noch nicht. Die Königin führte Gawan, Kingrimursel und Gawans Junker in ein Gemach und sorgte dafür, daß sie von ihren Jungfrauen liebenswürdig bedient wurden. Viele reizende Mädchen bemühten sich eifrig und höflich um die Gäste Antikonies.

Als Gawan – ich gebe euch alles so wieder, wie es Kyot berichtet hat – das Frühstück eingenommen hatte, folgte ein schmerzlicher Abschied, fühlten sie sich doch schon herzlich verbunden. Er sagte zur Königin: »Herrin, läßt Gott mich am Leben, dann wäre es nur recht und billig, wenn ich auf meinen Fahrten mein ritterliches Wollen und Handeln Euch und Eurer fraulichen Güte widme. Sie gestattet nicht,

daz ir habt valsche an gesigt:
iuwer prîs vür alle prîse wigt.
15 gelücke iuch müeze saelden wern.
vrouwe, ich wil urloubes gern:
den gebt mir, unde lât mich varn.
iuwer zuht müez iuwern prîs bewarn.‹
    ir was sîn dan scheiden leit:
20 dô weinden durch gesellekeit
mit ir manc juncvrouwe clâr.
diu küngîn sprach ân allen vâr
›het ir mîn genozzen mêr,
mîn vröude waer gein sorgen hêr:
25 nu moht iuwer vride niht bezzer sîn.
des gloubt ab, swenne ir lîdet pîn,
ob iuch vertreit ritterschaft
in riuwebaere kumbers craft,
sô wizzet, mîn hêr Gâwân,
des sol mîn herze pflihte hân
432 Ze vlüste oder ze gewinne.‹
diu edele küneginne
kuste den Gâwânes munt.
der wart an vröuden ungesunt,
5 daz er sô gâhes von ir reit.
ich waene, ez was in beiden leit.
    sîn knappen heten sich bedâht,
daz sîniu ors wâren brâht
ûf den hof vür den palas,
10 aldâ der linden schate was.
ouch wâren dem lantgrâven komen
sîn gesellen (sus hân ichz vernomen):
der reit mit im ûz vür die stat.
Gâwân in zühteclîchen bat
15 daz er sich arbeite
unt sîn gezoc im leite
ze Bêârosch. ›da ist Scherules:
den sulen si selbe biten des

daß Ihr unedel denkt oder handelt. Man muß Euch vor allen andern Frauen preisen! Ein gütiges Geschick schenke Euch Glück im Leben! Herrin, laßt mich Abschied nehmen und fortziehen! Eure edle Bildung sei Hüterin Eures fraulichen Ansehens!«

Sein Scheiden tat ihr weh, und all ihre liebreizenden Jungfrauen vergossen aus Freundschaft Tränen wie sie. Antikonie sagte offen und ehrlich: »Hätte ich nur mehr für Euch tun können! Ich wäre glücklich darüber gewesen! Wie die Dinge standen, waren aber günstigere Friedensbedingungen nicht zu erreichen. Solltet Ihr in Not geraten, sollten Eure Ritterfahrten Euch in schwere Bedrängnis führen, dann könnt Ihr, Herr Gawan, darauf vertrauen, daß mein Herz an allem, an Gutem und an Bösem, Anteil nimmt.«

Die edle Königin küßte ihn, und Gawan war schmerzlich bewegt, daß er so bald von ihr fortreiten mußte. Der Abschied – meine ich – fiel beiden schwer. Inzwischen hatten Gawans Knappen dafür gesorgt, daß seine Pferde auf dem Palasthof unter schattige Linden geführt wurden. Nach dem Bericht der Erzählung hatte sich auch das Gefolge des Landgrafen eingefunden. Kingrimursel ritt gemeinsam mit Gawan aus der Stadt. Gawan bat ihn höflich, er möge sich der Mühe unterziehen und sein, Gawans, Gefolge nach Bearosche geleiten: »Dort wohnt Scherules. Ihn sollen sie

geleites ze Dîanazdrûn.
20 dâ wonet etslîch Bertûn,
der si bringet an den hêrren mîn
oder an Ginovêrn die künegîn.‹
    daz lobt im Kyngrimursel:
urloup nam der degen snel.
25 Gringuljet wart gewâpent sân,
daz ors, und mîn hêr Gâwân.
er kust sîn mâg diu kindelîn
und ouch die werden knappen sîn.
nâch dem grâle im sicherheit gebôt:
er reit al ein gein wunders nôt.

um Geleit nach Dianasdrun bitten. Unter den Bretonen dort wird sich sicher einer finden, der sie zu König Artus oder zur Königin Ginover bringt.« Kingrimursel versprach es. Als Gawan und sein Roß Gringuljete gewappnet waren, nahm der kühne Held Abschied. Er küßte seine jungen Verwandten und edlen Knappen. Wie er versprochen hatte, zog er aus, den Gral zu suchen. Einsam und allein ritt er dräuenden Gefahren entgegen.

Inhalt

Parzival